KB084164

석궁에 강하다!

파워

치과위생사 국가시험

핵심요약집 2

스마트에듀K 아카데미

군자출판사

2 0 2 3
파 워 치과위생사
국 가 시 험
핵심요약집 2권

첫째판 1쇄 인쇄 | 2023년 02월 01일
첫째판 1쇄 발행 | 2023년 02월 20일

지 은 이 스마트에듀K 아카데미
발 행 인 장주연
출 판 기 획 한수인
책 임 편 집 구경민, 박은선
표지디자인 신지원
내지디자인 이종원
발 행 처 군자출판사(주)
　　　　　 등록 제 4-139호(1991. 6. 24)
　　　　　 (10881) **파주출판단지** 경기도 파주시 회동길 338(서패동 474-1)
　　　　　 전화 (031) 943-1888　　　팩스 (031) 955-9545
　　　　　 www.koonja.co.kr

ISBN 979-11-5955-963-1 (2권)
　　　　 979-11-5955-961-7 (세트)

정가 27,000원
세트 52,000원 (전2권)

머리말

━━ 기술과 혁신을 기반으로 한 세계 경제는 모든 분야에서 근본적인 체질의 변화를 요구하고 있으며 치위생 분야 또한 변화하는 의료환경에 부합하는 의료서비스를 제공하고자 쉼 없는 노력을 경주하고 있는 것이 현실입니다. 이러한 흐름에 치위생학을 전공하는 학생들 또한 구강질환의 예방과 구강위생관리 등의 전문적 이론과 실습을 겸비한 학문 습득을 통해 국민의 구강보건을 향상시키기 위하여 치위생학의 개념을 설계하고 창의적 인간의 모습을 성취하기 위하여 배우고 익히며 소중한 시간을 쏟아부어 왔으리라 믿어 의심치 않습니다.

흔히들 미래의 혁명은 경험과 기존 기술의 통합을 통해 시작된다고들 합니다. 이러한 통합적 흐름에 발맞춰 앞으로의 꿈과 미래를 위한 도약에 힘이 되고자 군자출판사에서 [스마트에듀K 아카데미]를 만들고, 40년 출판의 경험과 스마트 기술의 융합을 통한 새로운 형태의 책을 선보이고자 합니다. 기존의 책들이 평면적 사고와 수동적 형태의 수험서로 구성되어 있는 형태라면, 이번 [스마트에듀K 아카데미]에서 선보이는 책은 치과위생사 국가시험 준비를 하는 수험생들이 시간과 장소에 관계없이 학습내용을 정리할 수 있도록 하였으며, 전문가들로 하여금 각 파트별로 2023년도 개정된 학습목표에 준하여 국가시험에 출제될 수 있는 모든 유형의 문제들을 선별적으로 다루어 보다 쉬운 요약과 해설과 문제별 핵심 개념을 자동으로 생성되게 함으로써 학습자들에게 짧은 시간에 학습능력을 성취할 수 있도록 하는 자기주도적 교수학습방법에 주안점을 두었습니다.

또한 단순한 수평적 구조의 지식전달체계가 아니라 온라인상으로 과목별 콘텐츠의 지속적인 업데이트를 통하여 개개인의 부족한 영역이 수직적·수평적 구조로 채워질 수 있도록 하고 있습니다. 즉, 온라인 학습 사이트(www.smarteduk.com)와 연계하여 학습자가 학습한 모든 내용을 데이터화하여 학습자들의 과목단위, 장단위 등의 문제점을 신속히 파악하여 단점을 보완해나갈 수 있게 '진점수 시스템'을 지원하고자 합니다. 이는 단순하게 국가시험을 준비하고 있는 졸업반 학생들에게만 적용되는 것이 아니라, 재학생들이 중간고사와 기말고사를 준비하는 과정에서 축적된 학습내용들도 빅데이터화 되어 관리되고, 이를 국가시험과 연계하여 적용할 수 있는 시스템입니다.

대학 강의와 교내외 실습을 통해 이미 좋은 자질을 대부분 갖추어 훌륭한 치과위생사로 거듭날 수 있게 성장하였을 학생 여러분들이 국가시험이라는 관문을 마주하게 될 때, 더욱 자신감 있게 나아갈 수 있게 되기를 바랍니다. 또한 이 책이 치과위생사 국가시험을 준비하는 데 올바르고 정확한 길을 제공하는 지침서가 되어 수험생들은 합격의 열매를, 재학생들은 대학생활의 즐거움을 얻을 수 있길 진심으로 기원합니다.

이미 세상의 흐름은 도도하게 흘러가는 강물을 내버려두지 않습니다. 혁신과 기술이라는 이름으로 이 시스템을 여러분들에게 제공하오니 희망찬 미래의 첫걸음이 되면 좋겠습니다.

2023년 스마트에듀K 아카데미

CONTENTS

PART 03 | 치과방사선학

PART 04 | 구강악안면외과학

CONTENTS

PART 07 | 소아치과학

CONTENTS

PART 10 | 치과재료학

01 PART ▶▶

예방치과처치
Preventive Dentistry

DENTAL
HYGIENIST

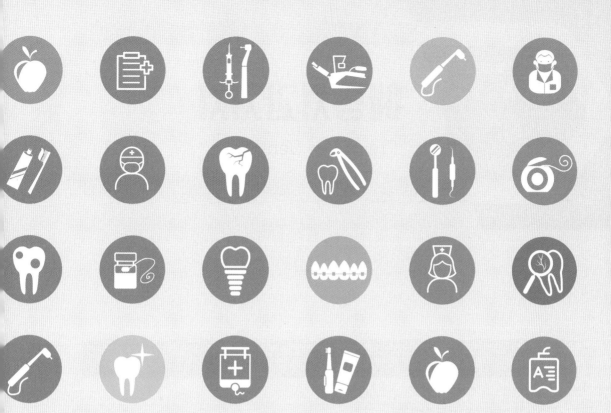

POWER 치과위생사 국가시험 핵심요약집 2권

PART 01

예방치과처치
Preventive Dentistry

제1장 | 예방치학의 개념

1. 구강병의 3대 발생요인

숙주요인	치아요인	치아성분, 치아형태, 치아위치, 치아배열, 병소의 위치
	타액요인	타액유출량, 타액점조도, 타액완충능, 타액성분, 수소이온농도, 식균작용, 살균성물질 생산력
	구외신체 요인	호르몬, 임신, 식성, 종족특성, 유전, 연령, 성별, 특이체질, 치아우식 감수성, 외계저항력 등
환경요인	구강 내 환경요인	구강청결상태, 구강온도, 치면세균막, 치아주위 산 성분
	구강 외 환경요인 · 자연환경	지리, 기온, 기습, 토양성질, 공기, 식음수 불소이온농도 등
	구강 외 환경요인 · 사회환경	식품종류, 식품영양가, 주거, 인구이동, 직업, 문화제도, 경제조건, 생활환경, 구강보건진료제도
병원체요인		세균의 종류, 양, 병원성, 독력, 전염성, 전염방법, 산생성능력, 독소생산능력, 침입력 등

예치 1-2-1	구강병의 3대 발생요인을 설명할 수 있다. (A)

2. 구강병 발생요인의 필요요인과 충분요인

① 필요요인: 특정 구강병이 발생하는 데 반드시 작용하는 원인요소
② 충분요인: 특정인에게 구강병이 발생하는 데 작용하는 전체요인

> **예치 1-2-2** 구강병 발생요인을 필요요인과 충분요인으로 구분할 수 있다. (A)

3. 구강병 관리의 원리

① 구강병은 숙주요인, 병원체요인, 환경요인이 동시에 작용할 때 발생
② 구강병 예방을 위해 우선 구강상병의 발생에 작용하는 요인과 기구 규명 필요
③ 구강상병 발생 요인들 중 가장 용이하게 제거하거나 단절할 수 있는 요인을 제거하거나 단절함으로써 구강병을 효과적으로 예방 가능

> **예치 1-2-3** 구강병 관리의 원리를 설명할 수 있다. (A)

4. 구강상병 진행과정의 구분

병원성기	질병 발생되기 이전 단계. 전구병원성기, 조기병원성기
질환기	질병에 이환. 조기질환기, 진전질환기
회복기	이환된 질병을 치료한 후의 회복단계

> **예치 1-4-1** 구강병의 진행과정을 구분할 수 있다. (A)

5. 구강병의 예방 1, 2, 3차 구분 `2019 기출`

① 1차 예방: 구강병이 생기기 이전의 병원성기에 관리하는 조치
② 2차 예방: 구강병이 발생한 후 초기에 치료하는 조치
③ 3차 예방: 진전된 구강질환의 치료나 회복기의 보철치료와 같은 기능회복단계

> **예치 1-4-2** 구강병의 예방을 1, 2, 3차로 구분하여 설명할 수 있다. (A)

6. 구강병 관리의 원칙 `2020 기출` `2021 기출` `2022 기출`

병원성기		질환기		회복기
전구 병원성기	조기 병원성기	조기 질환기	진전 질환기	
건강증진	특수방호	초기치료	기능감퇴제한	상실기능재활
1차 예방		2차 예방	3차 예방	
• 영양관리 • 구강보건교육 • 칫솔질 • 치간세정푼사질 • 생활체육	• 식이조절 • 불소복용 • 불소도포 • 치면열구전색 • 치면세마 • 교환기유치발거 • 부정교합 예방 • 전문가 치면세균막관리 • 구취관리	• 초기 우식병소 충전 • 치은염치료 • 부정교합차단 • 정기구강검진	• 치수복조 • 치수절단 • 근관충전 • 진행우식병소충전 • 우식치관수복 • 치주조직병 치료 • 부정치열 교정 • 치아 발거	• 가공의치 보철 • 국부의치 보철 • 전부의치 보철 • 임플란트 보철

- 구강병을 포괄적으로 관리하되, 가급적이면 3차 예방법보다는 2차 예방법으로, 2차 예 방법보다는 1차 예방법으로 관리하도록 노력하여야 한다는 원칙

예치 1-4-3 구강병 관리의 원칙을 설명할 수 있다. (A)

7. 개인 구강상병관리과정

① 검사: 진찰이라고도 하며 문진, 시진, 청진, 후진, 촉진, 타진 등, 특수검사는 방사선 검사, 악골검사, 우식발생요인검사, 치수활성검사, 세균검사, 분뇨검사 등

② 진단: 진행되고 있는 질병의 상병명을 알아내고 진행정도를 파악하는 행위

③ 요양계획: 예방과 치료 및 재활을 계획하는 과정

④ 진료비 영수: 검진비와 요양비를 말함

⑤ 요양: 개별적으로 내원한 환자에게 전달되는 질병관리 행위, 예방, 치료, 재활이 모 두 포함된 의미

⑥ 평가: 6개월 주기로 평가 → 인접면 초기우식병소가 관찰될 정도로 진행 확대되는 데 소요되는 최단기간

예치 1-5-1 개인 구강상병관리과정을 설명할 수 있다. (A)

8. 집단 구강상병관리과정(12개월)

실태조사 → 실태분석 → 사업기획(계획) → 재정조치 → 사업수행 → 사업평가

> **예치 1-5-2** 집단 구강상병관리과정을 설명할 수 있다. (B)

9. 치학의 분류

치학	기초치학		구강해부학, 구강생리학, 구강약리학, 구강병리학, 구강미생물학, 구강조직학, 치아형태학, 치과재료학
	실용치학	치료치학	구강내과학, 구강외과학, 치과교정학, 치과보존학, 치주과학, 소아치과학
		재활치학	가공의치학, 국소의치학, 전부의치학, 임플란트학
		구강보건학	공중구강보건학
			예방치학

> **예치 1-7-1** 치학을 분류할 수 있다. (B)

10. 예방치학의 정의

개인을 대상으로 구강병을 예방하고 구강건강을 증진시키는 원리와 방법을 연구하는 치학의 한 분야로서 실용치학에 해당

> **예치 1-7-2** 예방치학을 정의할 수 있다. (A)

제2장 | 치아우식병

1. 치아우식병의 정의

① 법랑질, 상아질 등의 치질이 파괴되어 무기질과 유기질이 이탈되어 생긴 치아결손 현상

② 치면에 부착된 치면세균막의 세균이 배설하는 산에 의해 치면의 탈회가 일어나는 현상

> **예치 2-1-1** 치아우식병을 정의할 수 있다. (A)

2. 치아우식병의 분류

(1) 진행 정도에 따른 분류

법랑질 우식 (enamel caries)	치질의 파괴가 법랑질에 국한	1도 우식	C_1
상아질 우식 (dentin caries)	치질의 파괴가 상아질까지 파급	2도 우식	C_2
치수 침범 우식 (pulp involvement)	치질의 파괴가 치수 부위까지 침범	3도 우식	C_3
치근 우식 (root caries)	치질의 파괴가 치근 부위까지 침범	4도 우식	C_4

(2) 부위에 따른 분류

소와열구 우식병	교합면의 열구와 소와, 협면 소와, 구개면 소와에 발생
평활면 우식병	인접면(근심면과 원심면) 발생

(3) 조건에 따른 분류

1차 우식병 (Primary caries)	건전한 치면에 처음으로 생긴 우식병소
2차 우식병 (Secondary caries)	충전물 주위에서 2차적으로 생긴 우식병소

> **예치 2-1-2** 치아우식병 분류기준을 설명할 수 있다. (A)

3. 치아우식 발생 추이

① 신석기 이후부터 치아우식병 발생
② 우식증 유병율은 5~7세기로부터 서기 1500년까지 약간의 변화가 있음

- 이 기간 동안에는 치아교모가 현저
- 특히 젊은이들에게서 많이 나타남
- 두개골에서 발견되는 우식병소: 주로 치경부우식증과 치근우식증
③ 우식병소가 열구표면에서 발생하여 점점 인접면으로 커지는 양상은 영국의 경우 16세기까지는 발견되지 않았음

예치 2-2-1 치아우식 발생 추이를 설명할 수 있다. (A)

4. 치아우식발생과 설탕관련 입증효과 2019 기출

설탕섭취 여부효과	① 설탕을 섭취하지 않았던 고대인류에서는 우식병이 없었음 ② 설탕제품 생산 근로자에게서 우식병 빈발 ③ 호프우드하우스 – 12세까지 당질 식품을 거의 섭취하지 못했던 고아원생들에게서는 우식병이 없었으나 출소 후 우식병이 급증함 ④ 우유병에 의한 다발성 치아우식병
설탕소비량 증가효과	서유럽, 영국, 호주, 미국, 스웨덴 등 설탕소비가 증가함에 따라 우식병 정비례적으로 증가함이 입증됨
우식성 음식 성상차이효과	스웨덴 바이페홈 연구 • 액체형태 설탕을 마실 경우 치아우식병이 발생되지 않으나, 점착성 심한 가당 음식을 자주 먹으면 우식병이 심해짐
설탕대치효과	자일리톨, 솔비톨, 아스파탐, 전화당, 사카린 같은 저우식성 감미료 사용시 우식발생률이 낮아짐
설탕식음 빈도증가 효과	설탕음식의 식음빈도가 증가되면 우식발생이 증가되는 효과

예치 2-2-2 치아우식 발생과 설탕관련 입증효과를 설명할 수 있다. (A)

5. 치아우식 발생 분포

① 부위: 교모되는 매끄러운 치면에서는 잘 발생되지 않음
② 치질: 법랑질 < 상아질(빠른 속도로 진행)
③ 지역: 과거에는 도시지역에서 많이 발생, 현재에는 전원지역에서 많이 발생
④ 종족: 미국 – 흑인 < 백인(상황에 따라 다름)
⑤ 방사선사진으로 검사하면 우식병이 더욱 많이 발견(인접면 우식의 약 50%가 더 발견됨)

⑥ 성별: 여성 > 남성

⑦ 사회경제적 지위

- SES (Socio-Economic status)은 교육기간과 연간소득으로 측정함
- 교육, 소득, 직업, 태도, 가치관과 같은 요소가 낮은 SES 집안은 우식과 결손의 값이 높고, 충전값이 낮음

⑧ 치아우식병의 기술역학적 특성

- 범발성 질환
- 이환도(유병률)가 높은 질환
- 우식 경험률은 연령과 비례
- 사회경제계층, 자연환경조건에 따라서 우식 경험도가 다름

예치 2-2-3 치아우식 발생분포를 설명할 수 있다. (A)

6. 치아우식 발생요인 2020 기출 2021 기출

요인	치아우식병 발생요인
숙주요인	(1) 치아요인 　① 치아의 성분 　② 치아의 형태: 교합면 소와와 열구 　③ 치아의 위치와 배열 (2) 타액요인 　① 타액의 유출량 　② 타액의 점조도 　③ 타액의 수소이온농도지수(pH) 　④ 타액의 완충작용 　⑤ 타액의 항균작용 　⑥ 타액 성분 중 칼슘과 인산의 함량 (3) 구강 외 신체요인 　① 종족과 민족성(생물학적 요인) 　② 연령
환경요인	(1) 구강 내 환경요인: 치면세균막 (2) 구강 외 환경요인 　① 자연환경요인: 식음수 불소이온농도 　② 사회환경요인: 경제수준, 생활환경, 음식습관
병원체요인	뮤탄스 연쇄상구균

예치 2-3-1   치아우식병의 발생요인을 설명할 수 있다. (A)

7. 화학세균설 2021 기출

① 화학설과 세균설을 결합한 것
② 세균이 만든 화학물질, 즉 산(acid) 성분에 의해서 1차적으로 무기질이 이탈되고 2차
적으로 유기질이 탈락되어 치아가 파괴된다는 설. 밀러(Miller)가 주장(1882)
③ 문제점
- 황색소의 침착기전 설명 불가능
- 산으로만 치질이 백묵화(진정한 우식이 아님)
- 유기질이 먼저 파괴되는 것을 설명 못함

예치 2-4-1   화학세균설을 설명할 수 있다. (A)

8. 스테판 곡선 2022 기출

스테판(Stephan) 곡선(A)	① 포도당용액 양치 후 나타나는 치면세균막 pH의 변화 곡선 ② 치면세균막의 수소이온농도와 치질의 탈회와의 관계를 나타낸 그림 ③ 임계 pH (critical pH) - 광질이탈이 가능한 수소이온농도(pH)는 pH 5.0~5.5 내외 ④ 치면은 수소이온농도가 pH=5.5 이하에서는 탈회가 일어날 수 있으나 불소성분이 함유된 완충용액에서는 pH=4.9 정도에서도 탈회가 일어나지 않았다는 실험보고도 있었음 ⑤ pH가 정상수준으로 회복되는데는 약 20~30분 소요- 타액의 자정작용 ⑥ 수면, 구강건조증 환자의 경우 타액분비가 적기 때문에 pH가 쉽게 회복하지 못하여 우식발생

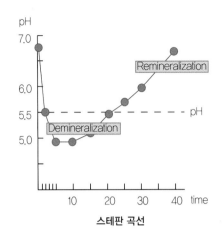

스테판 곡선

| 예치 2-4-2 | 스테판 곡선을 설명할 수 있다. (A) |

9. 법랑질 내 초기우식 병소

① 광질침착현상이 광질이탈현상보다 우세할 경우에는 법랑질 내부 우식병소는 치유됨
② 광질이탈현상이 광질침착현상보다 우세할 경우에는 치아우식증병 진행
- 표면층: 타액으로부터 광질이 침착 – 내산성 강함
- 병소체층: 광질이탈이 가장 심함 – 가장 넓은 공간 차지
- 불투명층: 광질침착이 생김 – 병소체층의 직하방
- 반투명층: 가장 깊은 곳에서 광질이탈 시작 – 건전한 법랑질에 접한 최심층

| 예치 2-4-3 | 법랑질 내 초기 우식병소를 설명할 수 있다. (A) |

10. 치아우식병의 예방법 `2020 기출` `2021 기출` `2022 기출`

숙주요인 제거법	치질내산성 증가법	불소복용법, 불소도포법
	세균침입로 차단법	치면열구전색법, 질산은 도포법
환경요인 제거법	치면세균막관리법 (세치법)	칫솔질, 치간세정, 양치질, 껌 저작, 글루칸 분해효소
	음식물 관리법	우식성식품 금지, 청정식품 섭취

병원체요인 제거법	당질분해 억제법	비타민 K 이용, Sarcosaid (사르코사이드) 이용
	세균증식 억제법	요소, 암모늄, 엽록소,나이트로퓨란, 항생제 배합 세치제 사용법

예치 2-5-1 치아우식병의 예방법을 설명할 수 있다. (A)

제3장 | 치면세균막과 광질 이탈

1. 치면세균막의 형성 과정 2020 기출

획득피막 → 치면세균막 → 치석

(1) 치면세균막의 형성

① 획득피막에 다수의 미생물이 부착하는 단계

② 치면착색을 통해 육안 관찰 가능

③ 칫솔질 통해 관리 가능

(2) 미생물의 변화

① 24시간 경과 후

- 연쇄상구균(80~90%), 나이세리아, 노카르디아

- 호기성구균, 유산균 등의 간균이 차지

② 치면세균막의 두께가 증가

- 용존 산소가 소비

- 심층일수록 혐기성 환경으로 변화

- 혐기성의 사상균 증식(베일로넬라, 방추균, 렙토트리키아)

- 세균총은 더욱 복잡해지는 동시에 급격히 두께가 증가

③ 6~10일 경과 후

- 비브리오나 스피로헤타

- 그람음성혐기성 균이 증가 → 치아 표면에 세균의 집락화 → 성장, 유합

예치 3-1-1 치면세균막의 형성 과정을 설명할 수 있다. (A)

2. 치면세균막 내 세균의 종류

① 1차 치면세균막 군락층: 그람양성 호기성 세균들(연쇄상구균, 유산균)이 대부분

② 2차 치면세균막 군락층: 나중에는 세균막이 두꺼워지면 세균막 내부에는 산소가 부족하게 되어 오히려 그람음성의 혐기성 세균들로 바뀜. 비브리오, 사상균, 스피로헤타

③ 치면세균막 내 세균들은 처음에는 상당한 변화를 보이다가, 계속 축적되어 3~4주가 되면 타액성분과 일정한 평형상태를 유지

예치 3-1-2 치면세균막 내 미생물의 변화를 설명할 수 있다. (B)

3. 치면세균막 내 세균의 대사산물 2019 기출

① 뮤탄스 연쇄상구균은 자당을 이용하여 세포외 다당류(ECP)를 형성

② 세포외 다당류(ECP)

• 세균이 자기 몸 밖으로 만들어 내는 다당류

• 자당을 분해하여 다수포도당 결합체인 글루칸과 다수과당 결합체인 프럭탄(혹은 레반)을 만들어냄

세포 외 다당류 (ECP)	Glucan	① 덱스트란(dextran) (α-1·6결합): 수용성, 세균의 에너지원으로 쓰임 ② 뮤탄(mutan) (α-1·3결합): 난용성, 세균막을 치밀하게 하여 치면에서 잘 떨어져 나가지 않도록 함
	Fructan	레반(levan): 수용성, 세균의 에너지원으로 쓰임
세포 내 다당류		세균의 세포벽 속에 들어 있는 다당류

예치 3-1-3 치면세균막 내 세균의 대사산물을 설명할 수 있다. (A)

4. 치면세균막의 세균부착기구

(1) 소수성결합

① GT-ase (소수체)는 자당으로부터 만들어진 포도당을 ECP로 변환

② 치면세균막 형성과 유지에 매우 중요

(2) 칼슘결합

① 타액으로 유리된 칼슘양이온이 음이온인 세균과 치면세균막의 표면을 연결

② 치면세균막 형성 초기에 주로 작용

(3) 세포외 다당류(글루칸, Glucan)

① 글루칸이 대표적

② 난용성으로 끈적끈적한 성질을 가지고 획득피막에 소수결합으로 세균부착을 매개

(4) 부착소

① 세균은 세포표면단백질을 스스로 분비하여 획득피막 혹은 치면세균막에 부착

② 부착소 분자는 획득피막에서 세균의 집락화 촉진

③ 이온결합과 수소결합을 통해서 세균부착을 매개하는 역할

예치 3-1-4	치면세균막의 세균부착기구를 설명할 수 있다. (B)

5. 법랑질의 기원과 법랑소주

① 법랑질은 외배엽에서 기원한 법랑기관에서 생긴 법랑모세포에 의해서 형성

② 한 개의 법랑모세포가 이루는 한 개의 긴 구조물이 법랑소주

예치 3-1-5	법랑질의 기원을 설명할 수 있다. (B)

6. 수산화인회석의 분자결정구조

① 수산화인회석의 구조에서는 OH기의 역할이 중요, 탈회될 경우 OH기 파괴

② 불소에 의해 OH기가 F원자로 치환되면 산에 의한 OH기 이탈이 어렵고, 그로인해 광질이탈 발생이 어려움

③ 치면세균막 내 불소는 타액 내 불소의 100배 → 치아 내 산성 증가

④ 불소의 사용과 치아주위환경의 개선으로 재광질화가 일어나면 법랑결정의 크기가 정상법랑질보다도 더욱 커짐 → 법랑질이 재광진화가 될 경우, 탈회되기 이전보나도 더욱 단단한 법랑질이 됨

예치 3-1-6	수산화인회석의 분자결정구조를 설명할 수 있다. (B)

제4장 | 치주병과 기타 구강병의 예방

1. 치주병의 발생분포

① 주거지역: 전원지역이 도시지역보다 높음

② 연령에 따라 증가하며 35세 이후에 급증

③ 사춘기 때 일시적으로 호발

④ 성별: 남자가 여자보다 높음

⑤ 인종: 별로 영향이 없음

⑥ 직업: 생산직이 사무직 근로자보다 높음

⑦ 교육: 저학력자가 고학력자보다 높음

⑧ 저개발국이 개발국보다 높음

⑨ 치주병의 유병률과 정도는 계속구강건강관리를 받는 사람에게서 더 낮음

⑩ 치아우식병과 치주병의 발생은 무관

예치 4-1-3　　치주병의 발생분포를 설명할 수 있다. (A)

2. 치주병의 발생요인 2022 기출

요인별 분류		요인
숙주요인	구내 숙주요인 (국소요인)	① 외상성교합 ② 치열관계 ③ 치아기능부전
	구외 숙주요인 (전신요인)	① 흡연, 씹는 담배, ② 내분비계 장애(호르몬), 임신 ③ 소모성질환(당뇨병, 만성신장염, 결핵, 매독, 나병 등) ④ 혈액성 질환(백혈병, 빈혈), ⑤ 후천성면역결핍증(AIDS) ⑥ 과도한 음주, 약물복용(dilantin sodium) 등 ⑦ 스트레스 ⑧ 영양이상: 감염에 대한 숙주의 반응을 저하시킨다. 　(단백질, 비타민 A, 비타민 B 복합체 등)

요인별 분류		요인
환경요인	구내 환경요인	① 치면세균막(치은연상세균막, 치은연하세균막) ② 치석(치은연상치석, 치은연하 치석) ③ 기타국소인자(음식물잔사)
	구외 환경요인	지리, 식품, 도시화 정도
병원체요인	구내요인	방선간균(Actinomyces), 나선균, 기타
기능적(기계적) 요인	구내요인	① 음식물 치간압입 ② 상해(열상, 자상) ③ 과도한 이쑤시개질, 치간세정푼사 오용

> **예치 4-1-4** 치주병의 발생요인을 설명할 수 있다. (A)

3. 치주병의 예방법 [2021 기출]

(1) 구강 외 신체요인과 기능적 요인의 제거

① 구강 외 신체요인이 되는 임신, 당뇨, dilantin, 스테로이드, 스트레스, 피로, 직업성 습관 등의 신체적 조건을 개선시킨다.

② 구강 내 기능적 요인인 음식물 치간압입, 치간세정푼사 오용을 줄인다.

③ 구강 외 기능적 요인인 흡연, 담배저작, 과도음주 등을 줄인다.

(2) 구내요인의 제거

① 환경요인인 치면세균막 제거: 칫솔질, 치간세정법, 치면세마 등 시행

② 외상성 교합, 치아관계, 치아의 기능부전 등 원인요소 제거하거나 개선

(3) 치면세균막 관리와 치석제거

① 치주병의 국소적 관리, 즉 구강환경관리를 통하여 많이 억제될 수 있음

> **예치 4-1-6** 치주병의 예방법을 설명할 수 있다. (A)

4. 부정교합의 유병률

① 사회·경제·문화적인 상황에 따라서 정상과 비정상의 기준은 달라지므로 부정교합의 유병률도 시대, 지역, 국가 간의 빈부 격차에 따라서도 상이함

② 부정교합 유병률: 혼합치열에서부터 증가, 영구치열에서는 사춘기에 급격히 증가하나,

성인이 되어서는 연령에 따라서 서서히 증가

③ 정상교합자율과 경미도 부정교합자율은 백인 〈 흑인, 흑인남성 〈 흑인여성

> **예치 4-2-2** 부정교합의 유병율을 설명할 수 있다. (A)

5. 부정교합의 발생요인

부정교합의 원인		부정교합이 증가하는 이유
유전적, 선천적 원인	후천적, 환경, 습관적 원인	
1. 치아크기, 악골크기의 부조화 (치아총생, 치간공간, 치아회전) 2. 큰 혀, 작은 혀, 구륜근과 설근의 긴장도 차이	1. 불량 악습관 (구호흡, 유아성연하, 손가 락빨기) 2. 유치의 조기상실	1. 이종 유전자의 조합 2. 식습관의 변화 (가공식품 섭취의 증가) 3. 심미적 기준의 변화

> **예치 4-2-4** 부정교합의 발생요인을 설명할 수 있다. (A)

6. 부정교합의 예방법

(1) 불량습관 수정법

① 손가락 빨기: 손가락을 빨지 못하도록 지도, 손가락 빨기 방지장치 사용

② 유아식 연하습관: 제1형 2급 부정교합 유발, 구강의 해부학적 이상여부 확인, 원인요소 제거

③ 구호흡: 구치부의 반대교합 유발, 원인을 찾아 제거

(2) 유치의 조기상실 방지

① 유치의 조기상실로 인해 계승 영구치가 조기에 맹출되거나, 상실된 공간으로 새로 맹출되는 영구치가 근심측으로 기울어 맹출해 전반적으로 불량치열 형성

　　→ 이를 방지하기 위해 우식유치 조기치료, 간격유지장치 사용

② 유치의 만기잔존으로 인한 불량치열 발생 → 유치 발거에 대한 정밀한 진단 요함

> **예치 4-2-5** 부정교합의 예방법을 설명할 수 있다. (A)

7. 구강암

구강조직, 즉 치조골, 혀, 입술, 잇몸, 볼, 치아 등에 생기는 악성 종양

예치 4-3-1 　구강암을 정의할 수 있다. (A)

8. 구강암의 원인

① 흡연과 음주
② 불량한 구강환경
③ 불량 보철물이나 충전물에 의한 계속되는 만성 자극
④ 태양광선 조사
⑤ 유전적 소인

예치 4-3-2 　구강암의 발생요인을 설명할 수 있다. (A)

9. 구강암의 분포

① 일반적으로 40대 이후의 사람에게서 빈발, 전체 인구 암 발생률의 약 4~5%
② 여성 〈 남성, 특히 입술이나 혀, 협점막, 구치부 치은에서 자주 발생
③ 구강암의 90% 이상은 편평상피 구강암

예치 4-3-3 　구강암의 분포를 설명할 수 있다. (A)

10. 구강암의 예방법

① 구강암에 대한 교육 – 특히 금연교육과 함께 학교 구강보건교육에서 다루어야 함
② 성인에게 빈발하는 구강암에 대한 교육 내용도 학교구강보건교육에 포함시켜야 함
③ 구강암 의심될 경우 – 조기진단과 조기치료로 적절한 조치를 취하는 것이 중요

예치 4-3-4 　구강암의 예방법의 예방법을 설명할 수 있다. (A)

11. 반점치

① 치아 표면에 백색이나 갈색의 반점을 가지고 있는 치아

② 불소이온이 과량으로 함유되어 있는 식음수를 식음하여 발생

③ 법랑질 형성부전, 혹은 상아질 형성부전의 일종으로, 치아표면에 백색반점이나 갈색 색소가 침착되어 미용을 해치는 결과 초래

④ 치아불소증(dental fluorosis), 일종의 '만성불소중독치아'

⑤ 온천지역에서 빈발, 유치 〈 영구치, 반점도는 식음수불소이온농도와 식음기간에 정비례: 식음수 불소이온 농도가 높을수록 치아우식병 예방률 증가

예치 4-3-5 반점치를 설명할 수 있다. (A)

12. 반점치의 예방법

• 반점치는 불소이온농도하향조정법에 의해 예방 가능, 반점치 발생을 예방하면서 치아우식예방효과가 나타날 수 있는 농도: 0.8 ~ 1.2 ppm

① 식음수 배합법: 반점치가 발생할 정도로 불소이온농도가 지나치게 높은 식음수와 불소이온농도가 낮은 음수를 적절한 비율로 혼합하여 적정농도로 조절

② 식음수 교체법: 식음수 변경, 상소도 시설 교체

③ 식음수 불소제거법: 불소흡수장치로 불소성분 제거

예치 4-3-6 반점치 예방법을 설명할 수 있다. (A)

13. 치경부 마모증의 원인

① 잘못된 칫솔질과 세치제의 과다한 마모력의 결과로 치아의 치경부가 마모되는 현상

② 치경부마모증은 상아질 지각과민증으로 이어짐, 치아우식병으로 발전될 가능성 높음

예치 4-3-7 치경부 마모증의 원인을 설명할 수 있다. (A)

14. 치경부마모증 예방법 2022 기출

올바른 칫솔질 방법 교육, 적정한 마모력의 세치제 사용 권장

예치 4-3-8 치경부 마모증의 예방법을 설명할 수 있다. (A)

15. 선천성 기형의 특성

① 대표적인 선천성 기형: 구순파열, 구개파열

② 원인: 악골의 발육장애, 유전, 영양장애

③ 영향: 미용장애, 정서장애, 발음장애, 연하장애, 생활장애 초래

예치 4-3-9 구강악안면 선천성 기형의 특성을 열거할 수 있다. (B)

제5장 | 구강관리용품

1. 칫솔의 역사

① 고대사람: 나무가지를 씹음

② 고대 아랍민족: 아락(arak)나무의 뿌리 조각을 칫솔대신 사용

③ 중국 당나라: 강모를 가진 손잡이로 구성된 칫솔 발명

④ 1780년 영국 William Addis: 최초의 현대적 칫솔, 동물의 뼈 + 동물의 털을 철사로 묶음

⑤ 1900년대 초: 동물의 뼈로 된 손잡이 → Celluolid로 교체

⑥ 2차대전 중: 동물의 털 → nylon 강모

⑦ 1950년 초: 우리나라에서 칫솔, 세치제 시판

예치 5-1-1 칫솔의 역사를 설명할 수 있다. (B)

2. 칫솔의 형태

① 두부(head): 칫솔모가 심어져 있는 칫솔의 앞부분을 말하며, 강모가 식립

② 목(neck): 손잡이와 두부 사이에 있는 연결부위로 비교적 두께가 얇고 가늘며, 일반적으로 직선형이나 15도 미만의 경사 정도는 구강 내에서 사용하기 편리

③ 손잡이(handle): 칫솔의 끝부분에 해당하며, 손으로 감싸서 잡을 수 있도록 제작, 손잡이 모양은 직선형이 적절

예치 5-1-2 칫솔의 형태를 설명할 수 있다. (B)

3. 칫솔의 구비조건

① 구강 내에서 용이하게 사용될 수 있어야 함

② 두부가 모든 치면에 도달할 수 있어야 함

③ 강모가 일정한 탄력을 가짐

④ 가늘어야 함

⑤ 내구성이 있어야 함

⑥ 청결성 유지해야 함

⑦ 외관이 양호

⑧ 가격이 저렴

예치 5-1-3	칫솔의 구비조건을 설명할 수 있다. (B)

4. 칫솔의 분류

용도에 따른 분류	일반칫솔	일반 대중들이 자연치아를 세정하는 용도
	특별칫솔	지체부자유자나 특정부위에 사용 가능하도록 용도에 따라 제조 및 판매(예: 전동칫솔, 의치용 칫솔, 치간칫솔 등)
칫솔질 동력에 따른 분류	수동칫솔	칫솔질이 손의 동작에 의하여 창출
	전동칫솔	• 칫솔질이 전동기에 의하여 창출, 치면에 부착되어 있는 음식물 잔사와 치면세균막을 비교적 만족할 정도로 제거 • 전동칫솔은 주로 지체부자유자, 어린이, 노약자 권장 • 수동칫솔로 치면세균막 관리능력이 향상되지 않는 대상자에게 최종 권장. 치면세균막을 비교적 만족할 정도로 제거 가능
강모강도에 따른 분류	강도	강모의 재질과 지름, 길이에 따라서 그 강도가 결정되며 빳빳한 정도 의미
	재질	나일론
	길이	10~12 mm으로 거의 일정하기에, 강모의 지름이 강도를 결정하는 인자
강모 다발열 수에 따른 분류	1열강모 다발칫솔	• 강모다발이 1열로 식립된 칫솔 • 심한 치주염, 치은출혈, 치은비대 시 사용
	2열강모 다발칫솔	• 강모다발이 2열로 식립된 칫솔 • 치주염환자의 Bass법 시행 시 사용
	3열강모 다발칫솔	• 강모다발이 3열로 식립된 칫솔 • 정상환자, 치경부 마모환자의 회전법

강모 다발열 수에 따른 분류	4열강모 다발칫솔	• 강모다발이 4열로 식립된 칫솔 • 정상환자, 치면세균막 지수가 높은 환자의 회전법 시행 시 사용
강모 단면 모양에 따른 분류	오목형 (요형)	단면의 모양이 오목한 형태로 순면과 협면의 청결에 유용
	볼록형 (철형)	단면의 모양이 볼록한 형태로 설면의 청결에 유용
	편평형	단면의 모양이 편평한 형태로 회전법의 일반 대중에게 유용
	요철형	단면의 모양이 물결이나 조개껍질 모양으로 치간부 청결에 유용
강모 재질에 따른 분류	• 나일론 모 • 천연 칫솔모	

예치 5-1-4   칫솔을 특성에 따라 분류할 수 있다. (A)

5. 대상자별 칫솔 선정기준

칫솔	선택기준	① 두부의 끝부분: 둥근 모양 ② 강모 재질: 예리한 각이 나 있지 않은 나일론 강모 권장 ③ 손잡이: 직선형이거나 목(neck) 부위에서 15° 미만으로 약간 경사진 것의 선택을 권장 ④ 두부의 크기: 일반적으로 구치부 치아를 2-3개 정도 덮을 수 있는 것이 적당
대상자별 강모 강도에 따른 칫솔 선택	중강도, 강강도의 칫솔	① 평균 치면세균막지수가 높거나 ② 평균 일일 칫솔질 횟수가 적으며 ③ 구강환경상태가 나쁘고 ④ 심한 흡연습관이 있을 경우 권장
	약강도의 칫솔	① 구강환경상태가 좋고 ② 평균 치면세균막지수도 낮으며 ③ 평균 일일 칫솔질 횟수가 비교적 높거나 ④ 치경부마모증이나 과민성 치질증상이 있거나 ⑤ 심한 치주염이 있는 환자
대상자별 강모 단면 형태에 따른 칫솔 선택	요철형, 파상형	치간 사이가 넓거나 고정성 보철물이 다수 장착된 환자
	교정장치 장착환자	횡단면에서 보아 오목형으로 된 칫솔 권장
	유아	폰즈법을 시행하고자 할 때에는 칫솔 두부형태가 둥근 것 권장

대상자별 강모 단면 형태에 따른 칫솔 선택	일반대중	건강한 대중에게 회전법 칫솔질 교습시 3-4줄 모의 강모단면이 수평인 칫솔
대상자별 칫솔 선정 시 고려할 사항	인적요인	① 대상자의 연령 ② 대상자의 성별 ③ 일일 칫솔질 빈도 ④ 흡연습관
	구강 내 상태	① 치면세균막지수 ② 치주상태 ③ 치경부 마모증 및 과민성 치질 ④ 고정성 장치물 장착 여부 　(bridge, implant, 고정성 교정장치 등)

> **예치 5-1-5** 　대상자별 칫솔 선정기준을 설명할 수 있다. (A)

6. 칫솔의 보관법

칫솔은 통풍이 잘 되어 건조가 잘 되는 청결한 장소에서 칫솔의 두부가 위로 가도록 하여 서로 접촉되지 않게 보관

> **예치 5-1-6** 　칫솔의 보관법을 설명할 수 있다. (B)

7. 세치제의 물리적 성상에 따른 분류

① 고체세치제: 물리적 성상이 고체인 세치제로 마모도가 과도함
② 분말세치제: 물리적 성상이 분말인 세치제로 액체성분이 포함되지 않아 마모도 과도
③ 크림세치제: 물리적 성상이 크림인 세치제로 가장 많이 사용
④ 교질세치제: 물리적 성상이 교질인 세치제로 불소와 세마제가 배합
⑤ 액상세치제: 물리적 성상이 액체인 세치제로 세마제가 배합되지 않아 과민성 치질을 가진 사람에게 권장

크림세치제의 요건

- 성상이 크림
- 조성이 균일
- 치아와 구강점막 및 기타 신체조직에 손상을 주지 않아야 함
- 발효되거나 경화되지 않아야 함

- 지나칠 정도로 산성이거나 알칼리성이어서는 안 됨
- 독성이 없어야 함
- 10℃에서 튜브가 파열되지 않을 정도로 경한 압력으로 계속 배출되어야 함
- 20℃에서 배출구로부터 10 mm의 길이로 배출된 크림세치제가 15초 이상 떨어지지 않아야 함
- 영하 15℃에서 1시간 동안 방치하여도 성분분리나 변질이 없어야 함
- 50℃에서 72시간 동안 방치하여도 성분분리나 발효 같은 변질현상이 없어야 함

예치 5-2-1 세치제를 물리적 성상에 따라 분류할 수 있다. (B)

8. 세치제의 용도에 따른 분류

① 일반 크림세치제: 구강질병을 예방하거나 치료작용을 나타내는 약물을 배합하지 않고 일반적인 용도로 사용되는 세치제
② 특수 크림세치제: 구강질병을 예방하거나 치료하는 작용을 나타내는 특수한 약물을 배합한 세치제로, 세치제의 기본성분 이외에 구강병 예방제나 구강병 치료제를 배합한 세치제

예치 5-2-2 세치제를 용도에 따라 분류할 수 있다. (B)

9. 크림세치제의 성분

세마제	① 치아표면에 부착된 치면세균막을 깨끗하게 세정하고, 치면세균막이 쉽게 부착되지 않도록 치아 표면을 연마하고 활택하는 작용, 또한 치아표면의 음식물잔사를 제거하는 작용 ② 치아표면과 치주조직에 손상을 주지 않으면서 치아표면에 대해 최소의 마모작용과 최대의 세정작용을 발휘해야 함 ③ 세치제에 주로 배합되는 대표적인 세마제 　• 인산일수소칼슘($CaHPO_4 2H_2O$): 마모력이 가장 적다.

세마제	• 무수인산칼슘($CaHPO_4$): 마모력 가장 크다. • 불용메타인산나트륨($NaPO_3$) • 피로인산칼슘($Ca_2P_2O_2$) • 침강탄산칼슘($CaCO_3$) ** 가장 널리 사용되는 마모제: 탄산칼슘(calcium carbonate), 인산칼슘(calcium phosphate) ④ 세치제의 적정마모력 선정하는 방법–시행착오접근법: 그 사람의 치아 표면에서 획득피막을 완전히 제거할 수 있는 수준 → 세마제의 최대마모력보다는 최소마모력의 한계로 정한다.
세정제	① 세마제의 세정작용을 보강하여 치아표면을 깨끗이 세정하는 작용을 하는 세치제의 성분 ② 물의 표면장력을 낮추고, 치아 표면에 부착된 물질에 침투하여 떨어지기 쉬운 조건을 만들며, 치아 표면에 부착되어 있는 음식잔사를 유화시키고 부유시킴으로서 세정작용을 발휘 ③ 세치제의 세정작용을 증가시키기 위해 합성중성세제를 세치제에 배합 ④ 합성 중성세제의 세정작용 • 침투작용 → 흡착작용 → 부화작용 → 분산작용
결합제	① 세치제에 배합된 구성성분이 시간이 경과하면서 분리되는 현상을 막도록 배합하는 물질 ② 세치제의 다른 성분과 공존 가능성, 조정제로서의 기능 고려하여 선택 ③ 결합제는 분산되기에 세치제에서 미생물 증식 가능성이 증가 → 세치제에 방부제 배합해야 함
습윤제	① 크림세치제가 건조되는 현상을 방지하기 위하여 배합하는 물질 ② 크림세치제의 물리적 성상이 고체로 변하는 것을 방지하고 세치제의 조성을 안정되게 유지하는 기능
기타성분	① 세치제의 맛과 향기는 특정 세치제의 구입과 구입한 세치제의 계속적 사용 여부를 결정하는 요인 가운데 가장 큰 요인 ② 향미제, 감미제
불소	① 세치제에 배합된 불소가 법랑질과 결합하여 치질의 내산성을 증가시켜 치아우식병을 예방 ② 약 15~30 %의 치아우식예방 효과 ③ 모든 연령층이 불소배합세치제를 선택하여 사용하도록
상아질지각과민치료제	상아질지각과민증을 치료할 목적으로 약물을 세치제에 배합하여 특수세치제로 판매

예치 5-2-3   크림세치제의 성분에 따른 기능을 설명할 수 있다. (A)

10. 세치제의 적정 마모도

① 적정마모력은 세치제에 배합된 세마제의 최대마모력보다는 최소마모력의 한계로 정해야 함
② 적절한 최소마모력은 그 사람의 치아 표면에서 획득피막을 완전히 제거할 수 있는 수준

예치 5-2-5	세치제의 적정 마모도를 설명할 수 있다. (B)

11. 대상자별 세치제 선정기준

① 백악질이나 상아질이 노출된 치아를 가지거나 치은절제술을 받은 지 얼마 안 되는 사람은 약한 마모력의 세치제를 권장
② 치주조직이 건전할 뿐만 아니라 구강점막도 건전한 사람이지만 평균 칫솔질 횟수가 적고 구강위생상태가 불량한 사람은 강한 마모력의 세치제를 권장
③ 아동은 불소가 함유된 세치제를 사용하도록 권장하며 아동의 취향에 맞는 향미제를 선택

예치 5-2-6	대상자별 세치제 선정기준을 설명할 수 있다. (A)

12. 구강관리용품　2019 기출　2020 기출　2021 기출　2022 기출

(1) 각 종류별 구강관리용품 목적
(2) 각 종류별 구강관리용품 사용법
(3) 각 종류별 구강관리용품 적용 대상자

1) 치실 (dental floss)	정의	시로 긴밀히 붙어 있는 치이 시이 인접면의 치면세균막과 음식물 잔사 제거에 가장 유용
	효과 및 목적	① 치간 인접면의 치면세균막과 음식물 잔사 제거 및 치아 표면 연마 ② 치간부위 우식 병소 및 치은연하치석 존재 유무 확인 ③ 수복물 변연의 부적합성 또는 치간 부위 과도 충전변연 검사 ④ 치간 유두의 마사지 효과 및 치은 출혈 감소 ⑤ 치간 부위 청결로 구취 감소

치실 (dental floss)	종류	① Waxed floss: 비교적 굵어서 초보자나, 치간 사이가 넓은 환자에게 적합 ② Unwaxed floss: 가늘어서 긴밀하게 접촉된 치간부위도 잘 통과하므로 치간 사이가 비교적 벌어지지 않은 젊은층, 치실 사용이 숙달된 환자에게 권장 ③ 불소도포 시 반드시 unwaxed floss나 gauze strip에 불소용액을 묻혀 치간 사이나 인접면에 사전 도포
	약시자	• 색깔이 있는 치실을 추천 • 왁스를 입힌 치실을 선호하고 무향보다는 민트 향이 첨가된 치실을 선호
	Super floss	• 치간 사이가 워낙 넓을 때, 치실질해야 하는 부위가 넓을 때 사용 • 치실 끝 쪽을 뻣뻣하게 하고 중간에는 스폰지 형태로 만든 치실 • 치근이개부 등과 같은 부위에 쉽게 삽입할 수 있고 치면세균막을 용이하게 제거 가능 • 가공의치의 인공치 후방, 고립된 치아나 최후방 치아의 원심면 등의 세정에 유용 • 대상자의 특이한 구강상태, 선호도, 사용능력 고려
	치실 사용방법 (spool method ; 양중지 사용법)	① 치실을 약 45 cm로 자른다. ② 치실을 한쪽 손 중지와 다른 쪽 손의 중지에 감는다. : 치실의 길이는 양손의 중지 사이가 5~10 cm가 되도록 조절하며 이때 실의 간격을 성기게 감아 손가락의 혈류장애 발생을 방지한다. ③ 실제 치아 사이에 적용될 치실의 길이가 2~2.5 cm가 되도록 하여 양손의 엄지와 검지로 치실을 잡는다. ④ 치실의 치아적용은 절단연이나 교합면에서 양손을 순(협)·설측에 위치시켜 부드럽게 톱질하는 동작으로 접촉면을 통과시켜 치간 유두의 손상을 조심하여 치은연하 1 mm 정도까지 들어가도록 치간에 삽입한다. ⑤ 치실이 접촉면을 통과하면서 원심쪽으로 C자 형태가 되도록 근심치면을 감싼다. ⑥ 사용방향은 접촉점에서 치은열구까지 상하 방향으로 5회 정도 뽀드득 소리가 날 정도의 압력으로 움직인다. ⑦ 다시 근심쪽으로 C자 형태로 원심치면을 감싼 후, 상하로 움직여 치면을 세정한다.
	치실 고리 (floss threader)	① 실을 바늘에 꿰는 것처럼 치실이 들어가도록 플라스틱으로 만들어진 고리형 도구 ② 치실을 치간으로 삽입하는데 사용 ③ 사용 부위 • 치간 사이가 너무 견고하여 치실이 접촉점(contact point)을 통과하지 못할 때

치실 (dental floss)	치실 고리 (floss threader)	• 가공의치부위의 지대치와 인공치아 사이 • 가공의치의 인공치아(pontics) 기저부 • 고정성 교정장치의 bracket과 wire 사이 • 서로 고정(splint)되어 있는 치아 사이 ④ 고정성 보철물 하방 청결 시 사용법 • 치실을 끼운 치실고리를 협측에서 설측으로 삽입 　(치은에 손상가지 않게 주의) • 치실고리가 완전히 빠져 나오도록 설측으로 잡아당긴 뒤 치실을 치실고리에서 분리 • 치실을 근원심 방향으로 움직여 치간사이나 인공치아 기저부를 닦는다. • 치실을 제거할 때 협측으로 당겨서 뺀다.
	치실 손잡이 (floss holder)	① 치실을 사용하는 데 있어 손가락을 구강 내에 넣어야 하는 불편함을 대신하는 도구 ② 대표적인 형태는 새총 모양(yoke-like)으로 갈라진 가지 사이의 간격은 2~2.5 cm ③ 손가락을 이용한 치실사용에 어려움을 호소하는 사람에게 반드시 권장 ④ 사용이 권장되는 경우 • 치실을 제대로 사용할 능력이 없는 사람 • 오심(nausea)과 구토반사(vomiting)가 심한 사람 • 개구 장애가 있는 사람 • 지체부자유자 • 장기입원환자
치간칫솔 (interdental brush, proxabrush)	정의	① 시험관 닦는 솔과 유사한 형태로 만들어져 치간 청결에 유용하게 활용되는 구강관리용품 ② 칫솔모의 형태는 원통형인 것과 끝으로 갈수록 가늘어지는 사다리꼴인 것이 있고 굵기도 다양하므로 각 대상자에게 적절한 것을 선택 ③ 칫솔질을 한 직후나, 칫솔질을 하기 어려운 경우 소지하고 다니면서 치아 사이나 구강 내 장치물 주위를 닦도록 하면 효율적인 치면세균막 관리 가능
	사용법 및 주의사항	① 협면에서 설면으로 안팎 왕복운동을 사용하되, 솔이 치은에 닿은 채로 닦아야 함 ② 철심이 치아에 닿지 않게 하고, 꺾이지 않도록 함. 치아나 치은에 손상을 주지 않도록
	사용부위	① 치간이 넓은 환자 ② 치은퇴축이 심한 치주질환 환자나 치주수술을 받은 환자

치간칫솔 (interdental brush, proxabrush)	사용부위	③ 고정성 보철물을 장착하고 있거나 인공치아 매식물을 가지고 있는 환자 ④ 고정성 교정장치를 장착하고 있는 환자의 bracket, wire 및 치간 사이 등 ⑤ 치아 사이나 치근이개부에 약제를 도포할 때
	사용법	① 1회용 또는 tip 교체품의 치간칫솔을 modified pen grasp 또는 palm grasp으로 잡는다. ② 노출부위에 따라 brush tip의 방향이 바뀌게 되나 가능한 tip끝에 의해 치은이 손상되지 않게 교합면을 바라보게 한다. ③ 손고정을 인접치아, 턱, 뺨 등에 한다. ④ 앞, 뒤 또는 상, 하 운동을 하면서 짧은 진동을 주거나 원을 그리 듯 둥글게 돌리면서 반복 운동을 한다.
고무치간자극기 (rubber stimulator)	정의	① rubber tip이라고도 하며, 신축성 있는 원뿔형의 고무 혹은 플라스 틱 팁이 전용 손잡이나 칫솔대에 부착되어 있는 기구 ② 치아 사이에 적용시켜 치간 유두에 자극을 줌으로써 치은을 마사 지하고 염증 완화에 이용 ③ 치근이개부, 개방된 치간 공극, 치은연을 따라 치면세균막과 음식 물잔사 제거에 사용하여 치아 사이 청결을 유지하기도 함
	효과 및 목적	① 치아 인접면의 경사면이 노출된 환자의 치면세균막이나 음식물 잔 사 제거 ② 치간 치은의 마사지 효과 및 치은비대 증상 감소 ③ 치주수술 후 치은을 정상형태로 회복 ④ 치간 치은조직의 각화 촉진
	사용법	① 고무 tip을 치아장축에 대해 45° 또는 90°로 치아 사이에 삽입 ② 협면에서 설면으로 안팎 왕복운동의 압력을 가하며 사용하되 치간 사이가 넓을 경우에는 원을 그리듯이 tip을 움직여 줌으로써 치간 치은을 마사지 ③ 치간 사이가 넓고 치은이 비대한 경우에 사용 권장
첨단칫솔 (end-tuft brush)	정의	① 가늘고 작은 손잡이 끝에 몇 개의 강모단(tuft)만으로 이루어진 형 태 ② 일반 칫솔의 두부에서 전방부 몇 개의 강모단만 남겨놓은 형태와 유사한 것과 한 개의 강모단으로만 구성된 것
	사용부위	① 주로 치간에 사용되거나 교정용 bracket이나 wire 주위, 치은퇴축 이나 치주수술 후 노출된 치근이개부, 치간유두가 소실되어 치간 공극이 커진 부위 치면세균막 제거에 편리 ② 최후방 구치의 원심면, 치아가 없는 부위에 인접한 치면, 고립된 치아닦기에 편리 ③ 작은 첨단칫솔은 임플란트 부위나 맹출 중인 치아, 치은연 부위의 치면세균막 제거에 유용

물사출기 (water-pik)	정의	① 고압의 지속적이거나 간헐적인 형태로 액체를 유출하여 치아사이의 음식물 잔사나 치은연상, 치은연하의 약하게 부착되거나 부착되지 않은 세균막을 씻어 내는 구강관리용품
	사용법	① tip을 치아장축에 대해 직각이 되도록 치간에 위치시키고, 순면이나 협면에서 설면으로 물을 분사해 가면서 치간 음식물을 제거 ② 정기적인 칫솔질 사이의 시기나 교정장치를 장착하고 있는 환자에 있어서 구강관리용품으로 사용을 권장
혀 세척기 (tongue cleaner)	정의	① 플라스틱 또는 스테인레스 스틸 등의 다양한 재질로 수동식 면도기와 유사한 형태 ② 칫솔질 시 반드시 혀를 닦아야 하며, 혀를 효과적으로 닦아내기 위해 사용하면 편리
	사용법	① 혀 세척기를 최대한 혀 배면의 기저부에 갖다 대고 혀 표면에 가벼운 힘을 가하면서 안쪽에서부터 구강 바깥쪽으로 훑어 내면서 당김 ② 혀 표면에 열구가 깊거나 설유두가 긴 경우 또는 구취를 호소하거나 흡연자 등에게 사용을 권장하면 구취제거 및 억제에 상당한 효과가 있음
이쑤시개 (tooth pick)	정의	① 보통 나뭇가지나 녹말로 만들어져 있고 직선형의 가느다란 막대기
	사용 시 주의사항	① 이쑤시개 자체의 두께로 인하여 오랜 기간 사용 시 치아 사이의 간격이 더 벌어질 수 있으며, 잘못된 사용으로 치은퇴축, 치간유두의 모양을 무디게 하거나 치은에 손상을 초래할 가능성이 높음 ② 적절한 사용법에 대한 교육이 필요하고 가능한 한 치실 사용으로 대치하도록 권장
양지액 (mouth rinse)	정의	① 액체로 치아와 구강을 세정하는 행위인 양치질을 할 때 사용하는 용액 ② 칫솔질과 같은 물리적인 방법으로 접근할 수 없는 부위의 구강청결에 효과적
	종류	[상용양치액] ① 칫솔질 후 구강 내에 남아 있는 치면세균막을 제거하고 상쾌한 맛과 기분을 갖게 하며 구강 내 미생물의 양을 일시적으로 감소 ② 구강 내 구취 제거에 도움 [치료양치액] ① 양치의 효과를 향상시키고 구강병을 예방하거나 정지시키는 작용을 하며 구강조직의 건강을 향상시키기 위한 구강 소독법의 하나 항균 양치액이 이용 • 불화나트륨 용액을 활용 • 치면세균막을 감소시키고 치주질환을 예방하기 위한 양치액

양치액 (mouth rinse)	향균 양치액의 종류	**[클로르헥시딘]** ① 구강 내에 존재하는 그람양성균과 음성균을 사멸시키는 대표적인 항균성분 • 장점: 오랜 시간의 잔존효과이며, 치아 법랑질의 수산화인회석이나 피막, 세균, 구강점막과도 쉽게 결합하고, 12~24시간 동안 서서히 유리되어 지속적인 항균효과 • 양치액의 농도는 0.20%나 0.12%를 많이 사용하며, 발치 수술 후 1~2주일 간만 자가 사용을 허용함 • 단점: 이 기간을 초과 시 치아, 혀, 치은, 점막 등에 착색이 일어나 고 미각변화, 점막미란 등 부작용이 따름 **[리스테린]** • 자가 관리에 가장 바람직한 양치액으로 맛이 맵다는 단점이 있으나 부작용이 없음
잇몸 마사져 (gingival stimulator)	정의 및 사용법	① 칫솔과 같은 형태이나 두부에 강모 대신 고무로 만든 부드러운 tip 이 부착 ② 치은에 넓게 분포된 치주염이나 치주수술 후 환자의 잇몸 마사지 에 사용 사용법: 치은에 압력을 가하면서 작은 원호운동
전동칫솔	정의	① 치면에 부착되어 있는 음식물 잔사와 치면세균막을 비교적 만족 할 정도로 제거 가능 ② 전동칫솔을 사용하는 과정에 치은 손상이나 구강점막 손상 또는 과도한 치경부 마모가 유발될 수 있으며, 칫솔 두부를 자주 교환 해야 하기 때문에 손쉽게 구입하는 데 어려움이 따름 ③ 장애인이나 어린이, 노약자에게 권장되나 꾸준한 연구 개발로 수 동 칫솔에 비해 우수하다는 연구가 보고되면서 일반대중에게도 광 범위하게 보급

예치 5-3-1	각 종류별 구강관리용품의 목적을 설명할 수 있다. (A)

예치 5-3-2	각 종류별 구강관리용품의 사용법을 설명할 수 있다. (A)

예치 5-3-3	각 종류별 구강관리용품의 적용 대상자를 설명할 수 있다. (A)

제6장 | 칫솔질 교습법

1. 칫솔질의 목적

① 구취를 제거한다.

② 심미적 효과를 높인다.

③ 치은조직을 적절하게 자극해준다.

④ 치아우식병과 치주병을 예방한다.

⑤ 치면세균막을 제거하고 재형성을 방지한다.

⑥ 음식물잔사와 착색을 제거하여 치아를 깨끗이 한다.

⑦ 과민증이 있는 치아에 지각과민 둔화 성분을 함유한 세치제를 도포하여 준다.

> **예치 6-1-1** 칫솔질의 목적을 설명할 수 있다. (A)

2. 칫솔질의 구강병 예방기구

(1) 우식증 예방기구

① 화학세균설

② 구강을 청결하게 유지시키는 가장 기본적이고 효과적인 방법

(2) 치주병 예방기구

① 세정작용과 마사지 작용으로 치주병 예방효과

> **예치 6-1-2** 칫솔질의 구강병 예방기구를 설명할 수 있다. (A)

3. 칫솔질의 운동형태 `2020 기출`

① 수평왕복동작: 횡마법

② 진동동작: 바스법, 스틸맨법, 챠터스법

③ 상·하쓸기동작: 회전법, 개량스틸맨법, 개량바스법, 개량챠터스법

④ 원호동작: 폰즈법(묘원법)

⑤ 압박동작: 와타나베법

> **예치 6-2-1** 칫솔질의 운동형태를 설명할 수 있다. (A)

4. 칫솔질 방법 선정 시 고려 사항

① 치아의 배열상태

② 결손치아의 유무

③ 구강내 인공장치물의 유무

④ 치주조직의 건강상태

⑤ 환자의 협조도

예치 6-2-2 칫솔질 방법 선정기준을 설명할 수 있다. (A)

5. 칫솔질 방법 `2019 기출` `2020 기출` `2022 기출`

(1) 회전법(Rolling Method)

회전법	
방법	대한치위생사협회, 미국치과위생사협회에서 일반대중에게 추천하는 방법 •협·설면: 강모단면이 치근단을 향하게 하고 강모측면이 치아의 장축방향과 평행하게 위치시킨 후 교합면 방향으로 손목에 약간의 힘을 주고 돌리면서 쓸어내는 방법 •상하악 전치부 안쪽: 칫솔을 세로로 세워서 칫솔모의 끝부분(heel)이 설측 치은연에 닿도록 위치시킨 후 안에서 밖으로 큰 원을 그리면서 훑어내는 방법
장점	•치면세균막 제거효과가 높다. •치은마사지 효과가 높다. •비교적 쉽게 배우고 실천하기 쉽다.
단점	•7~8세 이하의 소아는 실천하기 어렵다. •구강 내 특수환경이 존재하는 환자는 실천하기 어렵다.

(2) 묘원법(Fones Method)

묘원법	
효과	칫솔질이 서투른 유아나 미취학 아동을 대상으로 칫솔질법에 대한 흥미를 유발시켜주고, 동시에 치면 세균막의 제거효과도 갖게 하는 방법
방법	교합상태에서 전치부 치아의 순면에 강모단면을 직각으로 위치시킨 후 전치부에서 좌측 구치부 쪽으로 큰 원을 그리듯이 문지르며 치아와 치은을 닦아주고 우측도 같은 방법으로 닦아 준다.
장점	•비교적 배우기 쉽고, 실천성이 높다. •치아를 닦기 쉽고 치은 마사지 효과도 있다. •나중에 회전법으로 전환하기 쉽다.

단점	• 치아의 설면과 인접면을 닦기 힘들다. • 치간 음식물 찌꺼기가 쉽게 제거되지 않는다. • 평균 치면세균막지수를 낮추는 데 크게 기여하지는 못한다.

(3) 횡마법(Scrub brush Method)

횡마법	
효과	치아의 교합면을 닦거나 교정장치가 부착된 면을 닦을 때 효과적
방법	강모단면을 치아표면에 직각으로 대고, 전후왕복으로 치아표면을 닦는 방법 치경부마모증의 원인이 되기도 한다.
장점	• 비교적 배우기 쉽고, 실천성이 높다. • 치아를 닦기 쉽고 치은 마사지 효과도 있다. • 나중에 회전법으로 전환하기 쉽다.
단점	• 치아의 설면과 인접면을 닦기 힘들다. • 치간 음식물 찌꺼기가 쉽게 제거되지 않는다. • 평균 치면세균막지수를 낮추는 데 크게 기여하지는 못한다.

(4) 바스법(Bass Method)과 개량 바스법(Modified Bass method)

바스법과 개량바스법	
방법	• 한 줄 또는 두 줄의 비교적 부드러운 칫솔모를 사용하여 칫솔모의 일부가 치은열구 내에 들어 가도록 칫솔을 치아장축에 45°로 위치시켜 전·후 짧은 진동을 주며 닦는 방법 • 진동은 강모가 휘어지지 않은 상태에서의 진동을 주어야 한다.
장점	• 치은열구 내 치면세균막 제거효과가 좋다. • 치은 마사지 효과가 좋다. • 치은염 완화 및 치주조직 건강회복 능력이 좋다.
단점	• 대상자가 특별한 관심을 갖지 않으면 올바르게 실천하기가 어렵다. • 잘못 시행하면 오히려 잇몸에 손상을 줄 우려가 있다. • 오랫동안 계속 시행하면 치면세균막지수가 높아지는 경우가 있다. • 치간 사이 음식물 잔사가 잘 제거되지 않는다.
개량 바스법	기본적으로 바스법과 동일하나 치아표면 치면세균막을 제거하기 위하여 칫솔을 회전시키는 방법으로 바스법과 회전법을 병용하는 방법

(5) 스틸맨법(stillman method)과 개량스틸맨법(Modified stillman method)

스틸맨법과 개량스틸맨법	
방법	강모단면이 치근단을 향하게 치아장축과 45°로 하여 치근단 치은부위에 위치시켜 약간의 압력을 가하여 칫솔을 전후로 빨리 진동시키면서 치아표면까지 이동시키는 방법
효과	• 잇몸 마사지 효과가 크며 치은의 염증완화(치은자극, 마사지) • 광범위한 치은염 환자에게 권장
장점	• 치은염을 완화시킬 수 있다. • 치은의 마사지 효과가 좋다.
단점	• 부드러운 칫솔 사용과 진동동작으로 닦기 때문에 치아표면의 치면세균막 지수가 높아질 수 있다. • 잘못 사용 시 치은에 상처가 날 수 있다. • 배우기가 어려워 실천성이 낮다.
개량 스틸맨법	스틸맨법과 회전법을 병용한 방법

(6) 챠터스법(Charters` Method)과 개량챠터스법(Modified Charters)

챠터스법과 개량챠터스법	
방법	강모단면이 교합면 쪽을 향해 역으로 45°되게 칫솔강모를 위치시키거나, 치아 장축에 직각이 되도록 치경부에 위치시킨 다음, 원호운동으로 짧은 진동을 주어 치아 표면과 치간 및 인접면, 인공치아의 기저부 등의 치면세균막을 제거하는 방법
효과	• 치간청결: 특히 인접면이나 인공치아 기저부에 효과적 • 치은자극: 고정성보철물 주위조직에 마사지 효과
장점	• 치간과 인접면의 치면세균막 제거 효과가 크다. • 인공치아 기저부의 치면세균막 제거효과가 크다. • 고정성보철물 주위 치주조직에 대한 마사지 효과가 크다.
단점	• 실천하기가 힘들다. • 잘못 시행 시 잇몸에 손상을 준다.
개량 챠터스법	챠터스법과 회전법을 병용한 방법

(7) 와타나베법(watanbe method, tooth-pick method)

와타나베법	
방법	• 와타나베 교수가 고안한 방법 • 2열 직진형태의 칫솔(2×5, 2×6)로 치간에 낀 음식물이나 치면세균막을 강모단으로 밀어내는 방법
효과	치은 마사지 효과가 커서 치은염이나 치주염을 효과적으로 예방할 수 있음

예치 6-2-3 종류별 칫솔질 방법을 설명할 수 있다. (A)

6. 종류별 칫솔질 방법의 적합한 대상자

① 회전법: 일반대중. 특별한 구강병이 없는 경우
② 바스법: 치은염, 치주염 환자
  • 개량 바스법: 치주질환자. 구강위생 증진에 관심 있는 자
③ 스틸맨법: 광범위한 치주질환자
  • 개량 스틸맨법: 치주질환자. 구강위생 증진에 관심 있는 자
④ 챠터스법: 교정장치 장착부위. 고정성 보철물 장착자. 인공치아 보철물
  • 개량 챠터스법: 교정장치 장착부위. 고정성 보철물 장착자
⑤ 묘원법: 미취학 아동
⑥ 횡마법: 일정한 방법으로 교육할 수 없는 영유아들에게 회전법의 전단계로 사용

예치 6-2-4 종류별 칫솔질 방법의 적합한 대상자를 설명할 수 있다. (A)

7. 구강환경관리능력지수(PHP index) `2019 기출` `2020 기출` `2021 기출`

① 대상치아 및 치면:16,26(협면), 11,31(순면), 36,46(설면)만 검사, 치면을 5등분으로 나눔
② 치면세균막이 있으면 1점, 없으면 0점으로 평가
③ 최하 0점, 최고치는 5점

구강환경관리능력지수

평균 치면세균막지수	판정
0~1 미만	관리가 잘 된 상대
1~2 미만	보통
2~3 미만	불량
3 이상	매우 불량

예치 6-3-3 구강환경관리능력지수(PHP Index)를 설명할 수 있다. (A)

8. 개량구강환경관리능력지수(M-PHP index) 2022 기출

- 대상치아 및 치면: 15, 13, 26, 36, 32, 44번의 순(협)·설면, 즉 12개 치면
- 한개 치면을 5등분하여 치면세균막이 있으면 1점, 없으면 0점으로 평가
- 최하 0점, 최고치는 60점

개량구강환경관리능력 판정기준

평균 치면세균막지수	판정
0~12 미만	관리가 잘 된 상태
12~24 미만	보통
24~36 미만	불량
36 이상	매우 불량

예치 6-3-4 개량구강환경관리능력지수(M-PHP Index)를 설명할 수 있다. (A)

9. 오리어리 지수(O'Leary 지수)

① 구강내 모든 치아를 교합면과 절단면을 제외하고 근심, 원심, 협면, 설면의 4부분으로 나눈다.
② 탈락된 치아를 제외하고 고정성 보철물과 임플란트 등도 자연치아와 동일하게 치면세균막 기록
③ 입안의 음식물 잔사가 제거되도록 강하게 헹군다.
④ 모든 치아에 착색제 도포
⑤ 다시 입안을 강하게 헹군다.
⑥ 착색된 부위를 결과 기록지에 빨간 펜으로 기록

$$\text{O'Leary 지수} = \frac{\text{착색된 치면의 수}}{\text{치면의 수(치아수} \times 4)} \times 100$$

예치 6-3-5 오리어리지수(O'Leary Index)를 설명할 수 있다. (A)

10. 일반인 칫솔질 교습법

술식	내용
칫솔질 교육	칫솔질의 목적, 칫솔질 시기, 횟수에 대해 설명
칫솔 및 세치제 선정	① 칫솔: 강모단면이 수평, 중등도의 탄력, 구치부 치아를 2~3개 정도 피개할 수 있는 것 ② 세치제 •중등도의 마모력을 가진 불소함유 세치제 •세치제는 칫솔 강모단면에 약 2/3 정도의 양으로 강모 속에 스며들게 함
치면세균막 지수 검사	① 치면착색제로 치면을 착색시킨 다음 물로 입안을 헹구고 잔존된 치면세균막 지수를 검사한다.
칫솔 잡는 방법	① 칫솔 손잡이를 네 손가락으로 움켜지고 칫솔 목에 엄지손가락을 고정시킴(palm grasp) ② 회전법 시 칫솔손잡이가 가능한 넓은 것이 효과적
모델 시범 및 실습	악치모형상에서 각 부위별로 시범을 보인 후 환자가 직접 실행하도록 한다. 각 부위당 칫솔질 횟수를 6~10회 정도로 정확하게 한다. * 구치부 협설면: 칫솔모를 치아장축과 평행하게 또는 45° 각도로 치근단부 치은에 대고 교합면을 향하여 약간의 압력을 가하여 쓸어내리거나 쓸어 올리며 손목을 돌려준다.
모델 시범 및 실습	* 전치부 순면: 칫솔이 치아장축과 평행하게 하여 치근단부 치은 깊숙이 위치 후, 절단면을 향해 칫솔모를 쓸어내리거나 올리며 손목을 돌려준다. * 전치부 설면: 칫솔을 전치부 치열과 직각이 되게 세워서 치경부와 치은의 접합부위에 칫솔 후반부의 칫솔모가 닿도록 위치시킨 후, 구강 내에서 구강 밖으로 큰 원을 그리듯이 칫솔모를 쓸어내리며 손목을 돌려준다.
후처치 및 재교습약속	① 칫솔질 교습이 끝난 후 양치 후 잔여 치면세균막 착색부위를 확인: 착색부위가 남아 있을 경우 다시 칫솔질하여 제거 ② 교습 후 2~3개월 경과되면 회귀현상이 나타남 → 습관화되도록 반드시 재교습 약속이 필요

> **예치 6-4-1** 일반인에게 적절한 칫솔질 교습법을 설명할 수 있다. (A)

11. 치주질환자에 대한 적절한 칫솔질 방법

① 잇몸질환 부위	•바스법: 임상적인 치주질환으로 인한 수술 받거나, 일반적인 치주치료환자 •개량바스법 권장: 바스법으로 계속 칫솔질 시 평균 치면세균막 지수가 높아지는 경우가 많으므로 치아표면을 잘 닦을 수 있도록 시행 •스틸맨법: 치은염이 완화되었거나 경증 치은염을 가진 환자 •바스법을 실시하여 치은조직이 정상상태로 되돌아오면 반드시 회전법 전환
② 정상부위	회전법

술식	내용
칫솔질 교육	치주질환의 발생요인과 증상, 칫솔질을 통한 치은염 완화 등을 교육: 환자의 동기유발을 극대화
칫솔 및 세치제 선정	① 칫솔: 부드러운 두줄 강모 칫솔 선택, 치은염이 심한 경우 한줄로 된 것 권장 ② 세치제: 치은염을 완화시키고 치주건강을 촉진시키는 약제가 함유된 제품이 좋음

치면세균막지수 및 치은출혈지수검사	* 치면세균막지수 검사
	  : 치면착색제를 도포하고 물로 입안을 헹구어낸 후 치면에 잔존되어 있는 치면 세균막을 검사한다.
	* 치은출혈지수 검사
	① 방법
	  : 치주낭측정기를 치은열구내에 삽입후 힘을 가하지 아니한 상태로 각 치아주위를 연속하여 probing하고, 30초가 지난 뒤에 관찰하여 출혈상태를 check
	② 측정치아: 상악우측과 하악좌측은 협면, 하악우측과 상악좌측은 설면만 검사
	③ 판정기준: 0점: 무출혈(No bleeding)
	  1점: 점상출혈(Pin point bleeding)
	  2점: 선상출혈(Linear bleeding)
	  3점: 치간부위 삼각형 출혈(triangular bleeding)
	  4점: 방울출혈(Dropping)=치은 전체출혈(Dropping)

칫솔 잡는 방법	진동동작을 하기 쉽도록 손잡이를 너무 힘 있게 잡지 않고 조금 느슨하게 잡는다.
모델 시범 및 실습	① 전치부 순면, 구치부 협·설면 – 두 줄모 칫솔을 강모가 치은열구 내에 삽입되도록 치아장축에 45° 위치, 약간의 압력을 가하며 짧은 진동을 주어 치은열구 내 치면세균막 제거 ② 전치부 설면 – 칫솔을 세워서 치아경사도에 따라 칫솔대를 45° 각도로 조절 후, 두부 후반부(heel) 칫솔모가 치경부 입구와 치은열구내로 들어가도록 약간의 압력을 가하여 위치, 짧은 진동을 주며 전·후운동 ③ 교합면 – 회전법과 같이 전·후운동으로 부위당 10회 정도 반복해서 닦기 ④ 전·후 짧은 운동은 강모의 끝이 한 위치에서 움직이는 것이 아닌 두부의 짧은 전·후 운동으로 강모의 탄력에 의한 움직임

후처치 및 재교습약속	① 한번만 교습시켜서는 숙지하기 힘든 칫솔질 방법이므로
	  → 1주 간격으로 2~3회 교습반복
	  → 1개월 후에도 추가로 검사, 재교습시킨다.
	② 바스법이나 스텔맨법으로 계속 칫솔질하게 되면 평균 치면세균막지수가 높아지므로 유의
	  → 치은염이 완화되고 정상상태로 회복되면 재약속을 하여 반드시 회전법으로 전환

예치 6-4-2 치주질환자에게 적절한 칫솔질 교습법을 설명할 수 있다. (A)

12. 고정성 치열교정장치 장착환자

(1) 칫솔질 방법 선정

치아부위	장치가 부착된 치면-횡마법 장치가 부착되지 않은 치면-회전법
치주부위	치은염 존재 시-바스법
교정장치부위	Bracket 상, 하부: 챠터스법, 치간칫솔 사용
치간 사이, 치아와 장치 사이	치간칫솔, 첨단칫솔 등 사용

(2) 칫솔질 교습

술식	내용
칫솔질 교육	① 치면세균막관리 위한 동기유발이 가장 중요 ② 각 부위별 구강환경관리의 중요성 충분히 인식시키도록 함
칫솔 및 구강관리용 품 선정	① 칫솔: 고정성교정장치 장착자에게 알맞은 요형 교정용칫솔 ② bracket 주위: 치간칫솔이나 첨단칫솔 ③ bracket 주위의 탈회 현상 예방: 불소용액양치, 불소국소도포
치면세균막 검사 및 치은출혈 지수 검사	① bracket 주위 치면에 치면세균막은 교정치료 후에도 치명적인 치면 탈회 흔적이나 초기우식병소를 발생시킬 수 있는데, 이를 검사 ② 치은출혈지수: 치은 염증상태 확인
모델시범 및 실습	① bracket이 장착된 치면전체를 횡마법으로 닦는다. ② bracket 상부: 교정용 칫솔의 강모단면이 bracket을 향하도록 45°로 위치, 원호운동 으로 짧은 진동을 주며 닦는다. ③ bracket 하부: 교정용 칫솔의 강모단면이 bracket을 향하도록 역45°로 위치, 원호운 동으로 짧은 진동을 주며 닦는다. ④ 치은부위: 염증이 수반된 경우 바스법 ⑤ 장치와 장치 사이, 장치와 치아 사이, 치아와 치아 사이: 치간칫솔이나 첨단칫솔 ⑥ 장치가 부착되지 않은 치면: 치은에 문제 없으면 회전법: 치은염이 있을 경우 개량 바스법
후처치 및 재약속	① 처음: 1주 간격으로 치면세마 및 칫솔질 교습 ② 그 이후: 1개월 간격으로 치면세마 및 칫솔질 교습

예치 6-4-3   고정성 치열교정장치 장착자에게 적절한 칫솔질 교습법을 설명할 수 있다. (A)

13. 가공의치 장착자 [2021 기출]

(1) 칫솔질 방법 선정

계속가공의치 장착부위	차터스법 또는 개량챠터스법
정상부위	회전법
치은염	개량바스법

(2) 칫솔질 교습

술식	내용
칫솔질 교육	
칫솔 및 세 치제 선정	① 칫솔 • 강모 속의 간격이 비교적 넓고 강모단면이 톱니모양의 요철형으로 된 것 • 치은염 수반 시: 탄력이 부드러운 것 선정 ② 세치제: 마모력이 높지 아니한 것 선정 　　→ 합성수지(resin)로 제작된 인공치아의 마모를 막기 위해
치면세균막 검사 및 치 은출혈 검사	보철물이 장착된 치아 중심으로 조사
모델시범 및 실습	① 가공의치부위: 챠터스법 또는 개량챠터스법 • 치간 사이나 인공치아 기저부와 지대치 주위 치면세균막을 제거 ② 자연치아부위: 치은에 문제없으면 회전법, 치은염 수반 시 개량바스법 ③ 인공치아기저부, 가공의치의 지대치와 인공치아 사이: 치실고리 또는 super floss ④ 치아표면 잘 닦기 위해 개량챠터스법 사용하도록 한다.
후처치 및 재약속	

> **예치 6-4-4**　가공의치 장착자를 위한 칫솔질 교습법을 설명할 수 있다. (A)

14. 인공치아 매식자

(1) 칫솔질 방법 선정

인공치아매식 부위	챠터스법, 개량챠터스법을 사용하고, 치은열구가 깊을 경우 개량바스법으로 교습

치은염상태가 계속될 경우	와타나베법(tooth pick method)시도
자연치아부위	상태에 따라 각기 다른 방법 선택

(2) 칫솔질 교습

술식	내용
칫솔질 교육	
칫솔 및 세치제 선정	① 칫솔: 두줄 강모의 너무 조밀하지 않은 부드러운 칫솔 ② 세치제: 마모도가 너무 높지 않은 것
치면세균막 검사 및 치은출혈 지수 검사	치은출혈지수: 치은 염증상태 확인
모델시범 및 실습	① 인공치아매식부위: 변형챠터스법, 변형바스법으로 교습 • 주기적으로 내원하여 관찰한 결과 치은염이 개선되지 않을 경우, 술자가 직접 와타나베법으로 치간청결과 치간유두 마사지. ② 기타 부위: 회전법, 바스법, 스틸맨법, 챠터스법
후처치 및 재약속	① 처음: 매 주 또는 수 주간 계속 소환하여 체크 ② 관리 잘 되면: 수개월의 간격으로 재교습 및 확인

> **예치 6-4-5** 인공치아 매식자에게 적절한 칫솔질 교습법을 설명할 수 있다. (A)

15. 소아에게 적절한 칫솔질

(1) 칫솔질 방법 선정 (미취학 소아환자(3~7세)

권장방법	폰즈법(묘원법) 권장 → 칫솔질에 대한 흥미와 회전법으로 전환하기가 쉬운 폰즈법(묘원법) 더 선호됨

(2) 칫솔질 교습

술식	내용
칫솔질 교육	
칫솔 및 세치제 선택	① 칫솔: 두부의 길이가 2 cm 이하의 것, 폰즈법 교습시에는 두부의 형태가 둥근 형태 권장 ② 세치제: 불소 함유 어린이용 세치제 (딸기향, 오렌지향, 민트향 등의 향료를 배합한 것)

치면세균막 검사	치아표면을 착색제로 착색 후 물로 입안을 양치 → 잔존된 치면세균막 검사
모델시범 및 실습	① 순면(협면): 상하악 치아가 맞물린 상태에서 강모단면을 치아장축에 직각으로 위치 후, 정중선을 기준으로 좌/우 구분하여 전치부에서 구치부쪽으로 큰 원을 그리듯이 치아와 치은을 닦아준 다음 반대쪽도 같은 방법으로 닦는다. ② 전치부 설면: 회전법처럼 칫솔을 세워서 안쪽에서 바깥쪽으로 큰 원을 그리듯이 훑어내며 닦아준다. ③ 구치부 설면과 교합면: 칫솔의 강모단면이 설면과 교합면에 닿도록 설측으로 약간 기울여 위치 후, 압력을 주며 전후로 문질러 닦는다.

> **예치 6-4-6**　소아에게 적절한 칫솔질 교습법을 설명할 수 있다. (A)

16. 총의치 및 국소의치 장착자

(1) 총의치 장착환자

부위	
총의치	구강내에서 제거하여 총의치용 칫솔을 사용하여 닦는다. **[총의치용 칫솔 사용]** ① 총의치의 외면: 중심부에서 치아쪽으로 회전법으로 닦는다. ② 총의치의 내면: 너무 힘을 가하여 닦지 않도록 주의. 가능한 흐르는 물에 씻거나 의치세정제를 사용하여 닦는 것이 좋음 ③ 바닥에 떨어뜨려 파절되지 않도록 바닥에 수건 깔거나 세면대에 물을 떠놓고 닦기 ④ 취침 시 청결히 하여 의치보관함에 물을 부어 보관함→ 합성수지의 변형 방지
구강조직	① 물에 적신 거즈 등으로 구개면이나 치조정상의 조직을 누르면서 마사지 ② 칫솔모 대신 치은맛사져(gingival massager) 사용해도 무방

(2) 국소의치 장착 환자

부위	
국소의치	구강내에서 제거하여 국소의치용 칫솔로 닦아줌 ① 국소의치의 외면: 국소의치용 칫솔의 굵은 부분으로 손목을 돌려가며 닦음 ② clasp 부위나 세밀한 부위: 국소의치용 칫솔의 가는 부분을 이용 ③ 국소의치의 내면: 심하게 문지르지 않도록 주의하며 가능한 흐르는 물에 닦도록
잔존자연 치아	① 잔존 자연치아–일반칫솔로 회전법 실시 ② 치은의 염증→ 개량바스법
고립치아	① 한 두 개의 고립된 치아: 부분칫솔, 첨단칫솔 사용 ② 지대치가 가공의치로 존재: 차터스법

| 예치 6-4-7 | 총의치 및 국소의치 장착자에게 적절한 칫솔질 교습법을 설명할 수 있다. (A) |

17. 치경부 마모증 환자 `2021 기출` `2022 기출`

방법	내용
칫솔질 방법 선정	회전법
칫솔과 세치제 선정	① 칫솔: 부드러운 약강모 칫솔 사용 • 강모단면이 평평한 것 사용 • 과민성이 심한 경우 측면상이 가운데가 오목한 요종단강모형태의 부드러운 칫솔 ② 세치제: 약마모도 세치제 및 지각과민둔화제 포함 세치제, 액상세치제 ③ 지각과민둔화제 도포

| 예치 6-4-8 | 치경부 마모증 환자에게 적절한 칫솔질 교습법을 설명할 수 있다. (A) |

18. 장애인

장애인	① 보호자나 전문가의 지지 필요 ② 일반칫솔을 사용하기 불편 → 칫솔 손잡이가 확장된 것이나 고무커프, 가죽끈 등이 부착된 특수 칫솔 사용
정신지체아	① 칫솔을 잘 잡을 수 있도록 손잡이가 구부러진 것과 부드러운 칫솔모 사용 ② 횡마법 사용
추천 구강관리 용품	① 손잡이가 확장된 칫솔이나 고무커프, 가죽끈 등을 이용한 손잡이 고정용 칫솔 ② 전동칫솔

| 예치 6-4-9 | 장애인에게 적절한 칫솔질 교습법을 설명할 수 있다. (A) |

제7장 | 치면세균막 관리

1. 치간청결물리요법

(1) 치간청결물리요법의 정의

　① 전문가 치면세균막 관리

　② 치과의사나 치과위생사 등 전문가들이 물리적 기구를 이용해서 치은연상 및 치은연하 1~3 mm까지 모든 치아면의 치면세균막을 제거하는 술식

　③ Per Axelsson에 의해 창안

| 예치 7-2-1 | 치간청결물리요법을 정의할 수 있다. (A) |

2. 치간청결물리요법 적용대상자

　① 초기 치은염 환자

　② 두경부 방사선 치료로 인해 타액선의 기능이 저하되어 치아우식발생 가능성이 높은 환자

　③ 치주수술을 받고 철저한 치면세균막 관리를 필요로 하는 환자

　④ 임플란트 및 보철물 장착환자

　⑤ 고정성 및 가철성 교정장치 장착환자

　⑥ 장기 입원 환자

　⑦ 신체장애자

　⑧ 노인 및 어린이 등 치면세균막 관리가 잘 이루어지기 어려운 환자

| 예치 7-2-2 | 치간청결물리요법의 적용대상자를 열거할 수 있다. (B) |

3. 치간청결물리요법의 기구 및 재료

(1) Profin angle: PMTC를 시술하기 위해 특별히 고안된 handpiece

　① 순(협)설 왕복운동, 인접면에 대한 접근을 용이하게 해 줌

　② 회전운동의 저속 handpiece 필요

(2) EVA tip: 왕복운동을 하는 profin angle에 EVA tip을 끼워서 사용

　　치간 간격의 크기에 따라 선택

Handpiece	① 일반 저속엔진용 handpiece에 profin angle을 부착하고 profin angle에 EVA tip을 끼워서 사용 ② profin angle의 순(협)설 왕복운동을 이용하여 인접면의 치면이나 수복물의 연마가 가능, 부적절하거나 거친 인접면 외형을 매끈하게 연마 ③ profin angle 왕복 운동거리: 1.0~1.5 mm
EVA tips	치간간격에 따라서 선택하여 사용
Rubber cup	일반 회전식 handpiece에 끼워 사용
Polishing brushes	교합면 연마, 치면착색 제거 위해 사용
연마제	마모도는 부착물만을 제거할 수 있는 가장 낮은 마모도를 가진 연마제 사용

예치 7-2-3　치간청결물리요법의 기구 및 재료를 열거할 수 있다. (A)

4. 치간청결물리요법 술식과정

치면세균막 착색	치면착색제를 이용해 치면세균막을 착색 → 치간 사이에 존재하는 치면세균막 확인
연마제 도포	연마제 도포
인접면 치면 청결	EVA tip이 치간부로 들어갈 때 tip은 치간유두가 내려갈 때까지 교합면쪽으로 10° 정도의 각을 준다.
협·설면 치면 청결	① rubber cup ② Polishing brushes
양치	양치 후 여분의 잔여 연마제는 치실을 이용하여 깨끗이 제거
불소도포	불소 도포
구강보건교육	구강보건교육

예치 7-2-4　치간청결물리요법 술식과정을 설명할 수 있다. (A)

5. 와타나베법 `2021 기출`

(1) 정의

① 치간 사이에 끼어 있는 음식물을 강모단으로 밀어내어 음식물을 제거

② 일본의 와타나베 교수가 창안

③ 만성치주염에 효과적

④ 구강을 약간 벌린 상태에서 칫솔의 강모단을 치아 사이에 밀어넣고, 이쑤시개질하듯이 치아 사이에 침착되어 있는 음식물을 반복적으로 밀어내어 치면세균막을 제거하는 법

(2) 준비물

① 칫솔: 중강도의 2×6칫솔

(3) 칫솔질 과정

① 파지법: 펜 파지법(pen grasp)

② 전치부 순면은 치아장축과 칫솔면이 30°, 소구치는 약 50°, 대구치는 약 70° 각도로 위치시켜 순면에서 설면으로 치간 사이를 중심으로 미는 동작을 계속 반복

③ 설면은 칫솔을 비스듬히 넣고 장축에 사선으로 위치시켜 칫솔 끝부분 반 정도의 강모단으로 설면에서 협면으로 밀어냄

④ 처음에는 전문가가 직접 시술해주도록 하며 감각을 익힌 후 환자 스스로가 습관화되도록 시도하는 방법

예치 7-3-1	와타나베법을 설명할 수 있다. (A)

6. 와타나베법의 적용 대상 및 효과

① 사춘기 급성 치은염 환자, 만성 치은염 환자

② 40대 이상의 만성치주염 환자

③ 재발성아프타성구내염 환자

④ 치간부위 치면과 치간치은을 동시에 마사지하는 효과와 염증완화 효과

예치 7-3-2	와타나베법의 적용대상자를 열거할 수 있다. (B)

예치 7-3-3	와타나베법의 효과를 설명할 수 있다. (A)

제8장 | 수돗물불소농도조정법

1. 불소의 특성

① 불소는 반응성이 강한 원소로 흙이나 물 등 자연계 도처에 다양한 농도로 존재

② 인간은 불소를 공기, 음식물, 음용수를 통해서 섭취

예치 8-2-1	불소의 특성을 설명할 수 있다. (A)

2. 불소의 신진대사

(1) 흡수

① 인체에 섭취된 불소는 주로 상부 소화관에서 흡수

② 음식물 내 불소 흡수율: 약 80% 인체에 흡수

③ 수분 내 불소 흡수율: 약 85~97%

④ 건강한 성인이 5.0 mg의 불소 단독 섭취 시 혈액 흡수 후 몸 밖으로 사라질 때까지 약 8~9시간 소요

(2) 저류

① 불소의 특징: 골조직이나 생성중인 치아와 같은 칼슘조직에 친화성

② 치아 법랑질 외벽층의 불소농도는 400~3,000 ppm 정도이며, 속으로 들어갈수록 급격히 감소됨

(3) 배설

① 섭취된 불소의 배설은 젊은이보다 노인에서 더 잘됨

② 신장기능의 이상(만성 신부전증): 몸속의 불소가 증가할 수 있음이 고려되어야 함

예치 8-2-2	불소의 인체 내 신진대사를 설명할 수 있다. (A)

3. 불소의 치아우식 예방 효과

① 맹출 전 효과: 복용효과로, 발육 중인 법랑질의 수산화인회석 결정에 결합해 들어가 법랑질의 용해도를 감소시킴

② 맹출 후 효과: 도포효과로, 초기우식과정에서 불소를 꾸준히 접촉시키면 칼슘과 인

산의 재석회화가 촉진됨. 치면세균막에 흡수된 불소는 법랑질 표면에서 결정화되고, 더욱 산에 강한 단단한 결정구조가 됨

③ 치면세균막 내의 불소는 세균의 해당작용을 억제함

④ 고농도의 불소겔은 치면세균막 내의 우식유발성 세균에 특별한 살균효과가 있음

⑤ 불소의 우식감소 효과: 평활면과 인접면 〉 소와열구, 불소이용과 열구전색 사업을 같이하여야 큰 우식예방효과를 볼 수 있음

예치 8-2-3 불소의 치아우식 예방 효과를 설명할 수 있다. (A)

4. 불소의 독성

① 불소의 독성으로 나타나는 증상: 주로 위장병, 골경화증이며 그 외 메스꺼움, 위통, 설사

② 미국치과의사협회는 가정용 불소제품은 단일포장일 경우에는 300 mg 이하일 것을 권고

증상기간	불소섭취량	기간
성인의 급성 치사량	2.5~5.0 g	2~4시간 이내
심한 골격 불소증	10~25 mg	매일 10~20년 동안 섭취
골경화증	8~20 mg	매일 10~20년 동안 섭취
치아불소증	체중 1 kg당 1.0 mgF	치아형성기에 매일

예치 8-4-2 불소의 독성을 설명할 수 있다. (A)

제9장 | 불소국소도포

1. 불소도포의 배경

(1) 전문가 불소도포법

① 불소용액도포법

② 불소겔도포법

③ 불소이온도포법

④ 불소바니쉬도포법

(2) 자가불소도포법

① 불소세치제사용법

② 불소용액양치법

예치 9-1-1 불소국소도포의 방법을 열거할 수 있다. (A)

2. 불소 치면침착기구 [2022 기출]

(1) 우식예방기전

치아의 구조인 수산화인회석(OH-apatite)의 수산기와 불소가 치환되어 산에 용해가 잘 되지 않는 불화인회석(F-apatite)으로 전환시킴

(2) 불소를 치아에 도포하면 치면으로부터 5~10 μ 정도의 깊이로 침투

(3) 치아의 수산화인회석 구조에 불소성분이 결합하는 기전

① 흡착	불소가 치아의 인회석 구조에 직접 부착되는 단계로 전자의 결합력이 약하여 쉽게 떨어지므로 가역적(reversible)
② 치환	불소가 치아의 수산기(OH)와 천천히 교환반응을 일으키는 경우
③ 재결정화	치아의 수산화인회석이 용해되어 먼저 칼슘, 인과 불소가 결합한 후 치아의 결정 구조에 불화인회석으로 침착하는 단계
④ 결정성장	불소가 타액내의 칼슘, 인과 결합하여 불화인회석이 만들어진 다음 치아의 결정 구조와 결합하는 단계

예치 9-1-2 불소의 치면 침착기구를 설명할 수 있다. (A)

3. 불화나트륨(NaF)(= 불화소다) [2021 기출]

① 고운 분말로 되어 있어 적정량의 물을 타서 사용

② 농도: 2% (승류수 98 ml + 불화나트륨 2 g)

③ 보관: 플라스틱 용기에 2%로 만들어 보관, 6개월 유효

④ 무색, 무미, 무취, 무자극으로 아동에게 사용하기 좋고 1주 간격 4회 반복 도포

⑤ 전기자극에 이온분리가 잘 되므로 이온도입법의 재료로 쓰기에 적합

예치 9-2-1 불화나트륨을 설명할 수 있다. (A)

4. 불화석(SnF_2) 2022 기출

① 비교적 굵은 분말형태 또는 capsule 형태로 시판

② 농도: 아동 8%, 성인 10%

③ 강산성: pH – 2.4~2.8까지 내려감

④ 보관: 용액이 매우 불안정(흰 침전물 생김)하므로 매 도포 시마다 도포 직전에 제조하여 사용

⑤ 쓰고 떫은 금속맛, 반복 도포 시 치은에 자극(잇몸, 입술 등 분리 철저), 치아변색도 가능

⑥ 아동에게는 짧은 기간동안 반복 도포하지 않는 것이 좋다.

⑦ 도포 시 철저한 치아분리를 시도하여 타액을 통한 구강점막과 치은에 불소용액이 묻지 않도록 해야 한다.

예치 9-2-2 불화석을 설명할 수 있다. (A)

5. 산성불화인산염(APF) 2019 기출

① 용액이나 Gel 형태

② pH: 3.5

③ 농도: 1.23%

④ 겔 형태의 제품: 결합제, 향료, 색소 첨가

⑤ 요변성 겔(thixotropic gel) 형태 제조
→ 도포 시 압력 가하면 용액처럼 작용하여, 인접면이나 치아의 세밀한 부위까지 잘 도달하는 데 유용

⑥ 도재(porcelain)와 복합수복물 사용 시 부식위험 주의

예치 9-2-3 산성불화인산염을 설명할 수 있다. (A)

6. 불화물 종류에 따른 도포대상

① 우식발생 가능성이 높은 아동

② 우식이 다수 발생된 아동

③ 교정치료 예정 또는 교정치료 중인 자

④ 교정장치 제거 후

⑤ 보철물 장착 예정자

⑥ 치근우식발생 가능성이 높은 노년기

예치 9-3-1	불화물 종류에 따른 도포대상을 설명할 수 있다. (A)

7. 불화물 종류에 따른 도포시기

① 불화나트륨(NaF)

- 3, 7, 10, 13세에, 1주 간격으로 연속 4회 도포
- 가능한 맹출 직후 시행하는 것이 가장 이상적

② 불화석(SnF$_2$) - 3세부터 매년 1~2회 도포

③ 산성불화인산염(APF)

- 3세부터 매년 1~2회 도포

예치 9-3-2	불화물 종류에 따른 도포시기를 설명할 수 있다. (A)

8. 불소용액 도포과정

(1) 불화나트륨(2% NaF)용액 도포법

순서	내용
제조방법	2% 불화나트륨
① 치면세마	• 경성부착물은 스켈러로 제거하고, 연성부착물은 러버컵과 퍼미스(글리세린이 없는 것 이용)를 이용하여 치면을 깨끗이 한다. • 인접면: 무왁스 치실(unwaxed floss silk) 이용
② 치아분리	• 방습면봉과 holder로 치아를 타액으로부터 분리 • Garmer's clamp: 치면을 분리하기 쉽게 하악 협설측 동시에 방습면봉을 넣도록 고안됨
③ 치면건조	압축공기(air syringe)를 이용하여 치면 건조
④ 불소도포	• 미리 준비한 2% NaF 용액을 막대면봉을 이용하여 모든 치면에 도포 • 도포시간: 약 4분, 분악당 15~30초 간격으로 치면이 건조해지지 않도록 계속 도포 • 무왁스치실 또는 gauze strip에 불소용액을 묻혀 인접면에 사용하면 효과적

(2) 불화석(8% or 10% SnF₂)용액 도포법

치아우식병의 진행정지 효과 & 치은의 변색이나 자극이 가능 → 철저한 치아분리

순서	내용
제조방법	• 8% 불화석 • 10% 불화석
① 치면세마	
② 불화석 준비	0.8 g의 분말과 증류수 9.2 ml를 플라스틱용기에 넣고 용해시켜 8%의 불화석용액을 준비(아동인 경우)
③ 치아분리	치아분리
④ 치면건조	치면건조
⑤ 불화석 도포	막대면봉으로 분악당 15~30초 간격으로 약 4분 동안 계속 도포

> **예치 9-3-3** 불소용액 도포과정을 설명할 수 있다. (A)

9. 불소겔 도포과정

- 1.23%의 불소농도로 6개월이나 1년 간격으로 한 번씩 도포
- 불소도포용 트레이가 따로 필요

순서	내용
① 트레이 준비	환자의 나이와 악구강의 크기에 맞는 Tray 선택
② 치면세마	치면세마
③ 불소 겔 준비	Tray의 내면에 불소 Gel을 골고루 묻힌다.
④ 치아격리	치아격리
⑤ 치면건조	치면건조
⑥ 불소 겔 도포 전처치	• 여분의 불소 Gel을 면봉에 묻혀 교합면의 열구 및 교정용 Bracket 주위의 치면 등 치면의 세밀한 부위에 미리 불소 겔을 도포한다. • 인접면은 무왁스치실을 이용해 사전도포
⑦ 불소 겔 도포	ⓐ 트레이를 악궁을 덮도록 위치시킨 다음 최대한 치면에 많이 닿도록 조정하면서 장착 ⓑ 상하 tray가 연결되어 있는 것도 있으나 환자의 구토가 있거나 불편해하면 따로 도포 ⓒ 약 4분 동안 도포 ⓓ 구강안에 고이는 타액은 타액흡입기 이용해 흡입

| ⑧ 후처치 | ⓐ 도포 후 여분의 불소 Gel을 제거한다. |
| | ⓑ 구강 내에 불소 겔이 남은 경우 산성화된 여분의 겔로 인해 구강 점막에 자극을 주고 쓰고 신맛을 느끼게 되므로 가능한 세밀히 닦아야 함 |

예치 9-3-4 불소겔 도포과정을 설명할 수 있다. (A)

10. 불소이온도입법 도포과정 2019 기출 2021 기출

(1) 이론적 근거

① 용액 내에서 양극과 음극을 넣고 전기를 흘리면 → 전기: (+)극 → (−)극

전자: (−)극 → (+)극

② 환자의 신체에 약한 정전기를 흘리며 불소용액을 치아에 도포하면 더욱 많은 양의 F−이온이 치아에 도포될 수 있다.

- 사용전류: 100~200 μA
- 반드시 전류가 통할 수 있는 이온 트레이가 필요

③ 보통 플라스틱이나 종이로 된 일회용으로 제조

④ 이온 트레이의 내면은 스폰지나 솜이 비교적 두껍게 깔려 있고, 그 밑으로 얇은 철판이나 은박지의 호일이 깔려 있어 그 연장부위가 트레이의 손잡이 입구까지 나와 있어 연결선의 집게로 전선을 연결 가능하도록 제조되어 있음

순서	내용
① 불소이온도입기 준비	불소이온도입기, 이온트레이 및 연결선과 도포봉 준비, 2% NaF 용액 준비
② 치면 세마	글리세린이 포함되지 않은 pumice 사용
③ 치아 분리	• 먼저 상악부터 불소도포 실시한 후 하악 실시 • 방습면봉 이용
④ 치면 건조	
⑤ 전처치	① 면봉으로 불소용액을 묻혀 치면의 세밀한 부위, bracket 주위 치면 등에 미리 도포 ② 치간 부위는 unwaxed dental floss에 용액을 묻혀 flossing
⑥ 이온 트레이 장착	① 이온트레이의 솜이나 스폰지에 용액을 촉촉이 적신다. ② 트레이를 삽입 후 트레이가 움직이지 않게 고정시킨다.

⑦ 이온도입기의 작동	① 연결선을 이온 트레이의 손잡이에 나와 있는 금속판에 접지시킨다. ② 전극봉을 환자의 손으로 꼭 잡게 하고 이온도입기기의 전류조절장치와 시간조절 장치를 0으로 고정 후 전원 스위치를 켠다. ③ 전류를 서서히 올려 100 μA~200 μA 정도로 조절한다. : 환자가 약한 전류에서도 동통을 느끼면 전류를 낮추어야 함 ④ 시간은 4분으로 조정 ⑤ 환자가 전극봉에 불이 꺼질 때까지 전극봉을 꼭 잡고 있도록 한다. → 술자나 보호자가 전극봉을 잡아준다든지, 환자의 몸에 손을 대는 것은 전류의 분산을 초래하므로 환자와의 일체 접촉을 금한다.
⑧ 후 처치	① 시간, 전류조절장치가 0으로 되돌아오면 트레이와 연결선의 접지 부분을 분리시키고 환자에게 전극봉을 놓게 한다. ② 구강 내 이온 트레이 제거한 후 suction tip과 면봉 제거 ③ 도포 후 물로 양치하는 것을 금지시킨다.

예치 9-3-5   불소이온 도포과정을 설명할 수 있다. (A)

11. 불소 바니쉬 도포과정

적용대상	① 유치 우식 예방과 초기 치아우식병을 가진 아동에게 적극 권장 ② 우식예방효과: 40~75%
특징	① 도포하기 쉽고 역겨운 맛이 없으며 겔을 사용하는 것보다 아주 적은 양의 불소를 사용 ② 독성으로 인한 부작용이 거의 없음 ③ 도포 후 곧 경화하므로 행동조절이 어려운 어린이나 장애인에게 적용 용이 ④ 불소겔 도포보다 안정적
불소바니쉬 도포과정	① 치면세마: 칫솔질, 러버컵과 퍼미스 등을 이용한 치면세마 권장 ② 치아격리: cotton roll을 이용한 치아 분리 ③ 치아건조: 치아의 타액이나 수분이 있는 경우에도 쉽게 경화되나 건조하면 효율적 ④ 바니쉬도포: 브러쉬로 바니쉬를 잘 섞은 후 브러쉬를 이용하여 치아 전체면에 얇게 바름 ⑤ 건조

도포 시 주의사항	① 도포하기 전에 미리 식사를 하거나 음료 등을 마시게 함
	② 도포 후 1시간 동안은 아무것도 먹지 않게 하고 한 시간 후 물과 부드러운 음식 섭취 가능
	③ 정상적인 식사는 도포 후 3~4시간 후에 함
	④ 너무 많은 양을 도포하면 끈적임이 있고 흘러 내리게 되므로 적당량을 얇게 도포
	⑤ 입술이나 피부에 묻으면 끈적임이 심하므로 주의
	⑥ 도포를 실시한 날은 칫솔질과 치실질을 하지 않음
	⑦ 도포 후 치아가 바니쉬 색깔로 인해 일시적으로 노랗게 변할 수 있음

예치 9-3-6 불소 바니쉬 도포과정을 설명할 수 있다. (A)

12. 불소용액 양치법

① 0.2% NaF 용액을 2주에 1회 또는 0.05% NaF 용액을 매일 1회씩 양치

② 우식예방효과: 25~50% (매일 1회 양치 > 2주에 1회 양치)

- 0.05% NaF의 불소양치용액을 준비한다.
- 평상시처럼 환자에게 칫솔질을 하라고 한다.
- 칫솔질이 끝난 뒤 물로 입안을 잘 헹구도록 한다.
- 불소양치용액 10 ㎖ 정도를 플라스틱 컵에 따른다.
- 양치액을 입안에 물고 1분간 여러 치아에 도포되도록 입을 움직인다.
- 1분 후 용액을 뱉고 그 후 30분간은 물로 양치하거나 음식을 먹지 않는다.

예치 9-3-8 불소 용액 양치법을 설명할 수 있다. (A)

13. 불소 세치제 이용법

① NaF, SnF_2, 불화인산나트륨(Na_2PO_3F)

② 15~25%의 우식예방효과

③ 아동환자나 우식활성이 높거나 진행중인 우식와동이 있는 환자에게 권장

예치 9-3-9 불소 세치제 이용법을 설명할 수 있다. (A)

14. 불화물 종류에 따른 우식예방 효과

① 2% 불화나트륨: 약 30~40%의 우식예방효과

② 8~10% 불화석: 약 30~50%

③ 1.23% 산성불화인산염: 약 40~50%

④ 불소바니쉬: 약 40~75%

예치 9-4-1 불화물 종류에 따른 우식예방 효과를 비교할 수 있다. (A)

15. 불소국소도포의 효과를 좌우하는 요인

① 도포시간

• 길수록 최대의 효과

• 임상적으로 약 4분 정도가 적당

② 도포횟수

• 연속적으로 도포하는 것이 효과가 큼

• 임상적으로 2% 불화나트륨의 경우 1주 간격으로 4회 정도 실시하는 것을 권장

• 불화석과 산성불화인산염의 경우 대략 6개월이나 1년 주기로 도포 권장

③ 도포방법

• 용액도포 < 겔 형태의 도포, 불소이온도입법

• 불소바니쉬 도포: 약 40~75%의 우식예방 효과

④ 구강상태

• 맹출된지 오래된 치아 < 새로 맹출된 치아

예치 9-4-2 불소국소도포의 효과를 좌우하는 요인을 설명할 수 있다. (A)

16. 불소국소도포 시 주의사항 2020 기출

① 도포 시 진료의자를 바로 세우도록 한다.

② 불소용액이나 겔은 필요한 만큼 정확한 양을 사용한다.

③ 타액흡입기를 사용한다.

④ 불소도포가 끝난 후 타액, 이물질, 거즈, 면봉 등을 구강 내에서 깨끗이 제거해 준다.

⑤ 여분의 불소 겔은 면구로 이용하여 깨끗하게 닦아준다.

예치 9-5-1 불소국소도포 시 주의사항을 열거할 수 있다. (A)

17. 과량섭취 시 응급조치사항

① 먼저 우유를 마시게 하여 불소 농도를 희석시켜 준다.

② 우유와 달걀을 섭취시켜 불소의 결합제로 작용하는 칼슘을 제거하고, 자극완화제로
위 점막을 보호하여 화학적인 화상을 입지 않도록 한다.

③ 구토를 유도하여 불소를 뱉어 낼 수 있도록 한다.

④ 석회수 또는 Maalox (위염치료용의 내복약) 등을 복용시킨다.

⑤ 가급적 대상자를 곧바로 응급실로 보낸다.

⑥ 호흡과 순환을 돕는다.

> **예치 9-5-2** 과량섭취 시 응급조치 사항을 열거할 수 있다. (A)

제10장 ㅣ 치면열구전색

1. 치면열구전색의 정의

① 소구치나 대구치, 유구치의 교합면과 전치의 설면에 형성된 좁고 깊은 소와나 열구를
복합레진으로 메워줌으로써 소와나 열구에서 발생되는 우식병을 예방하는 방법

② 소와 열구 우식병에 탁월한 효과: 65 ~ 90% 교합면 우식 예방효과

> **예치 10-1-1** 치면열구전색을 정의할 수 있다. (A)

2. 충전과 전색 차이 2020 기출

충전(filling)	우식이 진행된 치질을 삭제하고 와동을 형성하여 충전재를 와동 속에 채워 넣는 치과치료술식
전색(sealing)	우식이 없는 건전치질의 열구와 소와를 치질의 삭제 없이 전색재로 미리 메워주는 예방처치술식

> **예치 10-1-3** 충전과 전색의 차이를 설명할 수 있다. (A)

3. 치면열구전색 적응증 2021 기출

① 임상적인 평가

: 탐침으로 긁어 보았을 때 탐침끝이 걸릴 정도의 좁고 깊은 소와나 열구를 가진 치아

② 치면열구의 형태: U자형, I자형, 역Y자형

③ 원심소와가 완전히 맹출되지 않았더라도 선택된 소와가 완전히 맹출된 경우

④ 동악 반대측 동명치아의 치면에 우식이 있거나 수복물이 있는 치아의 건전한 교합면

⑤ 소와 및 열구에 초기우식병소가 있는 경우

⑥ 협면이나 설면에 좁고 깊은 소와를 가진 전치부의 구개면이나 설면의 경우

| 예치 10-2-1 | 치면열구전색의 적응증을 열거할 수 있다. (A) |

4. 치면열구전색의 비적응증 2022 기출

① 환자의 행동이 시술과정 중 적절한 건조상태를 허용하지 않는 경우

② 와동이 형성된 우식병소가 있는 경우

③ 교합면에 큰 수복물이 존재하는 경우

④ 넓고 얕은 소와나 열구를 가졌거나 교모가 심한 치아

⑤ 정신적, 육체적 상태가 전색의 시술과정 중 건조상태를 유지하기 어려운 환자

| 예치 10-2-2 | 치면열구전색의 비적응증을 열거할 수 있다. (A) |

5. 대상치아 선정 시 고려요인

대상자의 연령	만 3세부터 만 15세까지의 아동, 25세까지의 청소년 및 청년층
개개인의 치아우식 감수성	• 다량 설탕함유식품을 자주섭취, 약물복용 및 방사선과 관련된 구강건조증으로 인한 우식발생 가능성이 높은 성인은 전색필요 • 고정성 교정장치를 장착한 청소년은 전색필요 • 정신박약 및 지체부자유자 등으로 스스로 구강건강관리를 원만히 수행할 수 없는 환자의 치아도 전색필요
불소 사용여부	불소는 소와나 열구 우식에 대한 효과는 비교적 낮아 불소가 사용되고 있는 지역에서도 치면열구전색사업이 시행되어야 함

| 예치 10-2-3 | 대상치아 선정 시 고려 요인을 설명할 수 있다. (A) |

6. 치면열구전색재 종류별 특성

방법	광중합형 전색재	자가중합형 전색재
재료	재료의 성분이 혼합되어 광선의 투과를 차단할 수 있는 한 개의 병에 들어 있다.	base와 catalyst로 구성
시술 방법	재료를 한 방울 떨어뜨려 광선을 쬐인다.	base와 catalyst 한 방울씩 혼합
경화 시간	20초	3~5분
장점	• 경화시간을 조절, 단축 • 경도 증가	• 많은 대상자에게 시술하기 좋다. • 저비용(광중합기 불필요)
단점	• 광조사기(light gun) 구입으로 경제적 부담 • 자외선(U-V light) 사용할 때 구강 내 위해 작용 있음	• 경화시간이 비교적 길다. • 탈락률이 광중합 시보다 높다.

예치 10-3-1   전색재의 종류별 특성을 설명할 수 있다. (B)

7. 치면열구전색재의 요건

① 법랑질 표면에 완전히 접착되어야 한다.

② 교합압에 대한 저항력이 커야 한다.

③ 균열이 되지 않아야 한다.

④ 파절이나 탈락이 안 되어야 한다.

⑤ 심미성이 양호해야 한다.

⑦ 구강조직에 손상이 없어야 한다.

⑧ 타액에 의해 용해되지 않아야 한다.

⑨ 빠른중합이 이루어져야 한다.

⑩ 전색시 흐름(flow)이 좋아야 한다.

예치 10-3-3   전색재의 요건을 설명할 수 있다. (A)

8. 광조사기 사용방법

① 전색재를 도포한 치면의 2~3 mm 위에 광조사기 팁(tip)을 수직방향으로 위치시킨 후 스위치를 켠다.

② 조사되는 동안 팁(tip)이 움직이지 않도록 고정

③ 한 개의 치아에서 두 개의 치면에 전색할 경우, 치면마다 각각 따로따로 주어진 시간 만큼 광조사를 실시

④ 팬(fan)이 꺼진 다음, 전원 스위치를 끈다.

예치 10-4-2   광조사기 사용방법을 설명할 수 있다. (A)

9. 치면열구전색 과정 `2019 기출` `2021 기출`

전색술식	광중합법
치면청결	• 스켈러나 탐침으로 열구나 소와의 치석, 치면세균막, 음식물잔사나 착색 제거, 연마 • 글리세린이 포함되지 않은 연마제를 사용
치아분리	• 방습면봉으로 전색 대상치아를 타액과 분리 • rubber dam: 소아에게 rubber dam 방법을 권장
치면건조	• air syringe로 air 불어 치면 건조
산부식	• 30~50% 인산을 작은 면구나 스폰지, 작은 붓에 묻혀 두드리는 동작으로 전색의 외형에 따라 바르도록 함 • 영구치는 1분, 유치는 1분 30초 정도 부식(제품에 따라 20~30초), 반점치는 내산성이 강하기 때문에 15초 정도 추가적인 산부식 필요, 연조직에 닿지 않도록 주의
물세척	• water syringe로 물을 공기와 함께 치아에 대고 세척
건조	• 방습면봉을 사용한 경우 새로운 방습면봉으로 교체 • 미리 구강 밖에서 공기분사만을 작동시켜 tip의 내부에 남아 있는 수분과 미량의 기름성분 등을 불어낸 다음 구강 내에서 작동시켜 치아를 건조시킴 • 치과용 건조기를 추가적으로 사용→ 완벽한 건조상태 유지 • 산부식된 상태 확인
전색재 도포	① 전색재 준비 • 자가중합형: 도포 직전에 base와 catalyst를 필요한만큼 각각 같은 양으로 혼합용기에 떨어뜨려 균일하게 섞이도록 혼합하여 적용 • 광중합형: 한개의 용기에 들어 있는 전색재를 혼합용기에 떨어뜨리거나, 전색재용기(carrier)에 팁(tip)을 끼워 적용 ② 도포방법 • 광중합형: 전색재가 들어 있는 주사기모양의 용기에 tip을 부착시켜 직접 소와나 열구를 따라 천천히 도포 • 대상치아의 형태학적 구조를 고려하여 도포

전색술식	광중합법
전색재의 경화	• 광조사: 광조사기의 tip을 전색재가 도포된 치면의 2~3 mm 위에 수직방향으로 대고 스위치를 킴 • 하나의 전색부위에 약 20초간 광조사 실시하면 중합반응이 일어나 경화됨 • 술자나 환자의 눈에 직접 닿지 않도록 주의 요함 • 한 개의 치아라도 교합면과 협면 등 두 개의 분리된 전색외형으로 시술하게 될 경우에는 각 면마다 따로 따로 각각 광조사 시행
경화 시 주의 사항	① 중합된 후 덜 채워진 부분은 부가적인 산부식 없이 전색재를 더 채워 넣을 수 있음 ② 건조상태가 유지되지 않은 상태에서의 전색의 수정은 산부식과 건조과정을 반복하여 시행 ③ 전색재로 덮이지 않은 산부식된 치면은 1시간에서 몇 주 이내에 정상적인 법랑질 표면으로 됨
교합 및 인접면 검사	① 교합검사 • 저속엔진을 사용하여 round bur로 교합이 높은 부위를 갈아주고 polighing bur를 사용하여 전색부위를 연마 • 전색 후의 교합은 약간 낮게 해주는 것이 전색재의 유지와 수명을 연장시켜 줌 ② 인접면 검사: 과잉전색재를 스켈러로 제거 ③ 치면연마 • 자연 경화된 표면: 가장 매끄러우며 활택한 표면을 보임 　→ 일반적으로 연마의 필요성은 없다 • 교합 조정 후 표면이 거칠기 때문에 polishing bur로 부분연마 시행하고 prophylactic angle과 rubber cup 및 고운 pumice나 산화아연가루(zinc oxide powder)를 사용하여 표면을 활택하게 연마

예치 10-5-1　　전색과정을 단계별로 설명할 수 있다. (A)

10. 전색과정에서의 주의사항

　　① 중합된 후 덜 채워진 부분
　　　　: 부가적인 산부식 없이 전색재를 더 채워 넣을 수 있음
　　② 건조상태가 유지되지 않은 상태에서의 전색 수정
　　　　: 산부식과 건조과정을 반복 시행
　　③ 전색재로 덮이지 않은 산부식된 치면
　　　　: 1시간에서 몇 주 이내에 정상적인 법랑질 표면으로 됨

예치 10-5-2　　전색과정에서의 주의사항을 설명할 수 있다. (A)

11. 치면열구전색에 사용되는 기구 및 재료

① 기본기구: 치경(mouth mirror), 탐침(explorer), 핀셋(cotton plier)

② 스켈러(scaler)

③ 삭제 및 연마기구(round bur, polishing bur)

④ 치면세마용 앵글(prophylactic angle)

⑤ 러버 컵과 연마재(rubber cup & pumice - 글리세린 미포함)

⑥ 방습면봉(cotton roll) 또는 러버댐(rubber dam) 장착기재

⑦ three way syringe

⑧ 치과용 건조기(dental dryer)

⑨ 전색재(자가중합형 또는 광중합형)

⑩ 광조사기(light gun): 광중합인 경우

⑪ 교합지 & 교합지 홀더

예치 10-5-4 전색에 사용되는 기구 및 재료를 나열할 수 있다. (A)

12. 치면열구전색의 외형

전색의 외형	**1. 충전** 개개 교두 간 거리의 1/2 ~ 1/3의 넓이로 예방확대를 고려하여 유지력을 많이 얻도록 새의 꼬리나 물고기의 지느러미 형태로 둥글게 형성하는 형태 **2. 전색** 대체로 넓이가 좁고 열구까지 포함하여 전색하여야 하기 때문에 외형이 해초잎처럼 많은 가지를 형성 3. 교합은 교합 시 충격을 줄이기 위해 낮게 하는 것이 좋음 교합이 높을 경우 교합압에 의해 탈락 및 파손의 확률이 높기 때문 4. 각 치아별 전색 외형은 치아 교합면의 형태와 열구 소와의 위치 및 형태에 따라 특징적으로 나타날 수 있음 5. 치아에 따라서 사주융선과 횡주융선의 존재에 따라 두 부분으로 나눌 수 있음

예치 10-5-5 치면열구전색의 외형을 설명할 수 있다. (A)

13. 전색상태 평가방법

탐침 사용, 변연 부위가 걸리지 않고 매끄럽게 통과되거나 탐침에 전색재가 탈락되지 않으면 됨

> **예치 10-6-1**　전색상태의 평가방법을 설명할 수 있다. (A)

14. 전색재 유지의 평가

- 전색 후 3~6개월 주기로 구강검사 실시, 전색재 탈락여부 및 추가 우식발생여부 검사
- 제2대구치보다는 제1대구치에서 유지력이 좋고, 상악보다 하악 대구치에서 유지력이 좋다.
  - → 하악 치아가 접근하기 더 용이하고, 시야도 직접적으로 확보되며, 중력에 의해 전색제가 열구로 잘 흘러 들어갈 수 있기 때문

> **예치 10-6-2**　전색재 유지상태의 평가방법을 설명할 수 있다. (B)

15. 전색재 유지의 요구조건 　2019 기출　2020 기출　2022 기출

① 전색재와 치아 표면과의 접촉면적을 증가시켜야 한다.
  - 산부식을 시행하여 치질을 제거하여 전색재와의 접촉면적을 증가
  - 만일 전색재가 탈락되었더라도 법랑질 표면에 남겨진 전색재의 tag로 인해 법랑소주의 입구를 봉인되어 우식병이 덜 발생하는 효과
② 치면에 존재하는 소와나 열구는 깊고 불규칙 하고, 좁을수록 전색재의 유지에 유리함
③ 법랑질 표면이 청결해야 함 → 치면세마, 과산화수소 스폰지, 공기연마 등 시행
④ 전색재를 도포할 치면은 철저히 건조되어 있어야 함
⑤ 전색재의 교합은 약간 낮게 함

> **예치 10-6-3**　전색재 유지의 요구조건을 설명할 수 있다. (A)

제11장 | 구강건강과 식이관리

1. 탄수화물과 치아우식과의 관계

① 세균이 탄수화물을 분해하여 나오는 산에 의해 치아표면이 탈회되고, 유기성분은 용해되어 우식병이 발생
② 자당과 포도당이 많이 관계함 → 탄수화물은 치아우식 발생에 필수적
③ 물리적 성상: 당질 함유한 고체식품 > 당질 함유한 액체식품
④ 당질 섭취횟수 > 당질의 섭취량
⑤ 단당류 > 다당류

예치 11-1-2 탄수화물과 치아우식과의 관계를 설명할 수 있다. (A)

2. 단백질과 치아우식과의 관계

① 다량 섭취 시 최종 대사산물인 요소의 양이 혈액, 뇨, 타액 중에 현저히 증가
② 요소: 치면세균막의 염기성 부분 형성
③ 단백질 자체의 작용에 의해 치아우식병 진행이 지연되기도 하지만, 발효성 탄수화물의 섭취량이 상대적으로 감소하기 때문에 이로움

예치 11-1-3 단백질과 치아우식과의 관계를 설명할 수 있다. (B)

3. 지방과 치아우식과의 관계

① 중요한 에너지 공급원, 활택작용, 위에 포만감
② 지방(지질) 다량 섭취 시 치아우식병이 덜 발생
③ 지질이 당질의 발효를 억제, 지방의 특수한 성분이 치아와 음식을 피복하여 세균이나 산으로부터 치아를 보호
④ 지방의 섭취증가로 인한 것이라기보다는 상대적으로 발효성 탄수화물의 섭취량이 감소하기 때문

예치 11-1-4 지방과 치아우식과의 관계를 설명할 수 있다. (B)

4. 무기질과 치아우식과의 관계

(1) 칼슘과 인

① 골조직과 치아조직의 주요성분

② Vitamin D: 소장의 벽을 통해 칼슘이 체내로 운반되는데 직접적으로 관련하고, 간접적으로 인의 섭취를 조절

③ 부갑상선 호르몬

- 골격에 저장된 칼슘과 인을 유리시킴
- 활성 비타민: 장에서 칼슘의 흡수를 증진
- 활성 비타민: 신장에서의 인의 재흡수를 저하시킴

(2) 마그네슘

연조직 내에 있는 마그네슘: 에너지를 전달하는 인산 결합에 작용하는 효소계에 필요하여 생명 유지에 꼭 필요

(3) 그 외 미량원소

① 불소 – 치아우식 예방

② 셀레니움: 영구치의 우식률을 증가

③ 바나디움: 영구치의 우식률을 감소

예치 11-1-5 무기질과 치아우식과의 관계를 설명할 수 있다. (B)

5. 구강보건학적 관점에 따른 식품 분류 2022 기출

분류	정의
보호식품	① 치아가 형성되는 과정에 충분히 섭취하여 경조직의 석회화를 촉진시켜주는 식품 ② 단백질 식품과 칼슘 식품
청정식품	① 다당류 중 섬유소를 함유하고 있는 신선한 식물성 음식, 치아표면을 깨끗하게 세정해 주는 식품 ② 신선한 과일과 채소
우식성 식품	① 설탕(당)성분을 함유하여 치아우식병을 유발시킬 가능성이 있는 식품 ② 가당 커피, 과자, 케이크, 잼, 사탕, 시럽, 과일통조림, 곶감, 건포도 등

예치 11-2-1 구강보건학적 관점에 따라 식품을 분류할 수 있다. (A)

6. 식품의 치아우식 유발지수 2020 기출

① 식품의 전당량: 음식에 함유된 당분의 양

② 식품의 점착도: 같은 양의 당질을 함유하더라도 점착도가 높은 음식은 치아우식병을 증가시킴

③ 식품의 치아우식유발지수

- 식품에 들어 있는 당질의 함량
- 식품의 치아에 대한 점착도

 * 치아우식유발지수: 식품 중 당성분의 함량과 음식의 치아에 대한 점착도를 측정하여 일정공식으로 계산해낸 값

 → 치아우식유발지수 = 당도 + 점착도

> **예치 11-2-2** 식품의 치아우식 유발지수를 설명할 수 있다. (A)

7. 설탕의 특성과 치아우식발생과의 관련성

*S.mutans*는 다른 당보다 설탕에 의해 치면세균막 내에서 성장과 집락형성을 촉진. 이는 설탕을 빠르게 발효시켜 산 발생이 되고, 다른 세포외 다당류로 전환하여 세균이 치아에 부착할 수 있게 하며, 타액의 완충능을 감소시켜 *S.mutans*를 왕성하게 다량으로 만들어 우식 발생률이 높아지는 것

> **예치 11-3-1** 설탕과 치아우식 발생의 관련성을 설명할 수 있다. (A)

8. 자일리톨과 치아우식발생과의 관련성 2019 기출

① 천연의 5탄당 알코올

② *S.mutans*에 대해 정균 효과, 세균의 억제효과, 세균 내 산 생성을 감소

③ 설탕에 비해 10배 비싸지만 치아우식을 유발하지 않음

> **예치 11-3-3** 자일리톨과 치아우식 발생과의 관련성을 설명할 수 있다. (A)

9. 치아우식예방을 위한 식이조절

개인의 식습관과 식단을 크게 변화시키지 않으면서 당분 섭취 횟수와 양을 줄이고 이상적인 영양소를 공급하며, 모든 식음과정에 청정식품을 섭취하는 방향으로 섭취습관과 식단을 조절하는 것

예치 11-4-1	치아우식예방을 위한 식이조절을 정의할 수 있다. (A)

10. 치아우식예방을 위한 식이조절의 목적

① 객관적으로 개인의 식이습관을 평가할 수 있는 기회 제공
② 개인의 음식 선호도와 양 평가
③ 식이습관의 빈도와 규칙성 등의 평가
④ 탄수화물의 섭취 빈도와 양 평가
⑤ 청정식품과 보호식품의 포함 정도 평가
⑥ 인간의 성장발육과 건전한 생활에 필요한 개인의 기초식품 권장량 제공

예치 11-4-2	치아우식예방을 위한 식이조절의 목적을 설명할 수 있다. (A)

11. 치아우식예방을 위한 식이조절 대상자

① 설탕 소비량이 가장 많은 모든 10대
② 치아우식병이 다발성으로 발생되는 사람
　• 연령에 비해 우식경험치 지수가 높은 사람
　• 6개월 이내에 10개 이상 치면에 신생우식이나 재발우식이 발생된 경우
　• 우식병에 비교적 저항성이 있는 치면에 우식이 발견된 경우
　• 입구는 작으나 팡범위한 상아질의 파괴가 있는 경우
　• 진행속도가 빠르다고 인정되는 우식병소를 갖고 있는 경우
③ 치열교정을 받고자 하는 사람
④ 우식발생요인 검사 결과 양성으로 판별된 사람
⑤ 치아우식 예방에 각별한 관심을 갖고 있는 사람

예치 11-4-3	치아우식예방을 위한 식이조절 대상자를 나열할 수 있다. (A)

12. 식이조절의 각 과정 2019 기출 2020 기출 2021 기출 2022 기출

(1) **식이조사**: 조사 대상자의 모든 식습관 파악 위해 5일 간 식생활 일지 작성하게 하는 방법(반드시 주말이 포함, 모든 음식물 기록함, 음식섭취량은 가정용 도량형 단위로 표시, 조리방식 기록)

(2) **식이분석**: 5일 간 식생활 일지 바탕으로 섭취한 음식의 종류, 빈도, 성상 등을 조사분석하는 과정

≫ 분석과정

① 1단계: 모든 우식성 식품 빨간색으로 표시
② 2단계: 우식성 식품의 성상, 섭취 시기 분류, 5일 중 우식 발생 가능시간 산출
 • 우식발생가능시간 = 5일 간 우식성식품 총 섭취 횟수 × 20
③ 3단계: 시기별로 청정식품 섭취시기 분석
④ 4단계: 기초식품의 섭취실태 분석

(3) **식단상담**: 환자의 식이조사 및 분석이 끝난 후 결과를 가지고 환자와 의견을 나누는 과정
① 치아우식 병소의 확인
② 치아우식발생에 작용한 불량 식이습관을 지적
③ 불량 식습관 형성 원인을 검토
④ 식단처방의 방향을 설명

(4) **식단처방**: 식이조사, 식이분석, 식단상담 등의 세 단계에 수집한 자료를 토대로 환자에게 권고할 식단을 처방하는 과정

≫ 식단처방 단계

① 1단계: 대상자의 일부 섭식습관을 칭찬
② 2단계: 기초식품군별로 식단을 개선하도록 도움
③ 3단계: 우식성 식품을 제거, 섭식시간 지정
④ 4단계: 비우식성 식품을 간식으로 섭취하도록 권장
⑤ 5단계: 대상자가 개선된 식단을 작성하도록 함

예치 11-4-4　식이조절 과정을 설명할 수 있다. (A)

13. 식단처방의 일반적 준칙

① 처방식단과 환자의 일상식단 차이가 적어야 함

② 필수 영양소가 공급되어야 함

③ 환자의 기호성과 식음습관 및 환경요건을 고려하여 반영

예치 11-4-5   식단처방의 일반적 준칙을 열거할 수 있다. (B)

14. 치아우식예방 식단처방의 원칙

① 가능한 한 일일 음식식음 횟수를 3회의 정규식사로 한정, 간식은 불리

② 보호음식의 식음을 권장

③ 탄수화물의 섭취량을 총 섭취 열량의 30~50%가 되도록 감소

④ 당함량이 높고 부착성 높은 우식성식품의 섭취를 제한

⑤ 신선한 과일이나 야채와 같은 청정식품의 섭취를 권장

예치 11-4-6   치아우식예방 식단처방의 준칙을 열거할 수 있다. (A)

제12장 | 구강병 발생요인 검사

1. 치아우식 발생요인 검사

(1) 정의

각 개인에 따라서 치아우식발생에 작용하는 상이한 요인을 찾아내기 위한 검사

(2) 목적

① 적극적인 치아우식예방처치의 필요성 결정

② 환자의 협조도 파악

③ 정기구강검진 시기 결정

④ 수복물 및 보철물의 장착시기 결정

⑤ 예후 결정의 지표로 삼음

⑥ 교정용 밴드 및 와이어의 장착시기를 결정

> **예치 12-1-1** 구강병 발생요인 검사의 개념을 설명할 수 있다. (A)

2. 치아우식 발생요인 검사의 대상자

① 일상적인 구강질환 예방노력에도 불구하고 계속해서 치아우식병이 발생되는 사람
② 다른 사람에 비해 치아우식병이 빈발하거나 계속적인 관리에도 신생 치아우식병이 발생되는 사람
③ 국소의치나 가공의치 또는 치열교정장치를 구강 내에 장착한 사람
④ 치근우식이 우려되는 노인 연령층
⑤ 일상적인 구강보건교육이나 가정구강보건에 반응이 나타나지 않는 사람

> **예치 12-1-2** 구강병 발생요인 검사 대상자를 열거할 수 있다. (A)

3. 치아우식 발생요인 검사 요건

① 저렴한 검사비, 간단·용이
② 안전하고 실용 가능해야 함
③ 우식발생요인검사를 실시할 경우 반복하여 정확하게 검사하고 검사방법과 검사결과에 대한 기준을 설정하여 일관성 있게 검사

> **예치 12-1-4** 치아우식 발생요인 검사 요건을 열거할 수 있다. (B)

4. 타액분비율 검사 `2021 기출`

개념	a. 타액의 분비량과 점조도는 치면의 자정작용과 매우 밀접한 관계 b. 타액의 분비량이나 이화학적 성질은 여러 가지 요인에 따라 심하게 변하므로, 안정상태에서 분비되는 비자극성 타액분비량과 일정한 자극을 줄 때 분비되는 자극성 타액 분비량을 별도로 측정하여 평가
장비	– 파라핀 왁스(praffin wax) – 타액수집용 시험관(mess cylinder)

과정	a. 안정 상태(비자극성)의 타액 분비량 측정: 5분 동안 분비되는 타액을 타액 수집용 시험관에 수집하여 그 양을 1분당 ㎖ 단위로 측정 b. 자극 상태의 타액 분비량 측정: 약 1.0 g 정도의 무가향 파라핀 왁스를 저작하면서 5분간 분비되는 타액을 타액수집용 시험관에 수집
판정 및 처방	• 평균 타액유출량(by mercer) a. 비자극성 타액: 3.7 ㎖/5min b. 자극성 타액: 13.8 ㎖/5min → 자극성 타액이 8.0 ㎖/5min 이하일 때는 주의 c. 비자극성 타액의 경우 1분당 0.1 ㎖/min, 자극성 타액의 경우 1분당 0.3 ㎖/min 이하일 때 구강건조증으로 판단 → 타액분비 촉진을 위해 필로칼핀 투여 • 필로칼핀 복용방법 a. 필로칼핀 0.3 g을 증류수 15 ㎖에 섞어 물이나 우유에 타서 복용 b. 첫째날 1일 3회, 식사 직전에 5방울씩 복용, 1회 복용량이 8~10방울씩 될 때까지 매일 1방울씩 서서히 증량하여, 계속 매일 3회 식사 직전에 8~10방울씩 복용 c. 장기간 대량 섭취시 부작용 　: 눈물, 위장관의 기능 촉진, 안면 홍조, 대량의 발한과 침흘림, 축동, 하리, 맥박 급속, 오심, 구토, 순환장애 환자에게 폐부종 일으키고 급사

> **예치 12-2-1**　타액분비율 검사를 설명할 수 있다. (A)

5. 타액점조도 검사 `2020 기출` `2022 기출`

개념	a. 타액의 점조도 높을수록 구강내 자정효과↓, 치아우식병 발생 가능성↑ b. 타액의 점조도는 자극성 타액을 증류수와 비교하여 측정
장비 및 재료	− 오스왈드 파이펫(ostwald pipette) − 파라핀 왁스(paraffin wax) − 증류수(distilled water)
과정	a. 오스왈드 파이펫 bulb 상단에 고무관을 삽입한다. b. 2 ㎖의 자극성 타액을 채취한 즉시 오스왈드 파이펫에 넣는다. c. 타액을 bulb의 윗 눈금과 아랫 눈금 사이에 위치하도록 한다. d. 타액 자체의 중량으로 모세관을 따라 흘러내리도록 한다. e. 2 ㎖의 타액이 흐르는데 소요되는 시간을 측정한다(시간단위: 초). f. 증류수도 같은 양으로 주입하여 동일한 방법으로 측정한다. g. 타액의 절대 점조도를 증류수의 절대점조도로 나누어 타액의 비점조도를 계산한다. * 타액의 점조도 = $\dfrac{2\ ㎖\ 타액이\ 흐르는\ 데\ 소요된\ 시간(초)}{2\ ㎖\ 증류수가\ 흐르는\ 데\ 소요된\ 시간(초)}$

| 판정 및 처방 | a. 자극성 타액의 평균비교점조도(by mercer): 1.3~1.4 → 비교점조도가 2.0 이상일 때 주의
b. 타액의 비교점조도는 항히스타민제 복용, 사탕, 다른 종류의 당질을 다량으로 자주 섭취 시 증가
c. 타액의 점조도는 연령과는 무관
d. 점조도가 높은 사람 → 항히스타민제를 복용하는 사람을 제외하고는 정제된 당질의 섭취를 제한, 구강환경관리 철저히, 식사 전에 필로칼핀 복용 → 타액분비율 증가, 타액점조도 낮춤 |

예치 12-2-2 타액점조도 검사를 설명할 수 있다. (A)

6. 타액완충능 검사 `2020 기출` `2022 기출`

개념	a. 타액완충능: 타액에 산을 첨가함에 따라 생기는 산도(ph)의 변화에 저항하는 능력 b. 타액완충능(산도에 대해 저항하는 능력)이 약한 경우 치아우식병 빈발
장비 및 재료	– 파라핀 왁스(paraffin wax) – 시험관(test tube) – 시험관 꽂이(test tube rack) – 0.1 N 유산용액 – 지시약(BCG–bromocresol green + bromocresol purple 동량 혼합용액) – 뷰렛 스포이드 * 산도측정기(pH meter)를 이용하여 pH 측정 가능*
과정	a. 무가향 파라핀 왁스를 저작하여 자극성 타액을 채취한 다음 2 ㎖를 시험관에 넣는다. b. bromocresol green과 bromocresol purple을 동량으로 혼합한 지시약 3방울을 2 ㎖ 타액이 든 시험관에 넣는다. c. pH 5.0이 될 때까지 0.1 N 유산용액을 떨어뜨린다. d. 떨어뜨린 유산용액의 방울수를 기록한다. e. (a)-(d)의 4단계의 과정을 반복한다. f. 타액의 완충능 값을 두 번 측정한 후 평균 방울수를 구한다.

판정 및 처방	< 판정표>	

타액완충능	판정기준
매우부족	6방울 미만
부족	6~10방울 미만
충분	10~14방울 미만
매우충분	14방울 이상

a. 타액의 완충능이 부족한 경우 탄산소다를 이용해 일시적으로 부족한 완충능 보충

b. 평소 과일이나 야채를 많이 섭취하도록 하여 완충능 높여주고, 필요한 예방치 과 처치 시행

* 타액완충능검사(Dentobuff strip 사용)

① 과정

a. 파라핀을 1분간 씹은 후 타액을 삼키거나 뱉은 후 타액을 수집한다.

b. 수집된 타액 한 방울을 파이펫으로 취한 후 Dentobuff strip에 떨어뜨린다.

c. 5분 후에 판정표와 비교하여 우식 발생요인 정도를 low, medium, high로 판정 한다.

② 판정

<Dentobuff 이용한 타액완충능 판정기준>

타액완충능	판정기준
low (황색 – 우식 가능성 높음)	중화력 낮음: pH 4 이하
medium (녹색)	중간: pH 4.5~5.5
high (청색)	높음: pH 6.0 이상

예치 12-2-3	타액완충능 검사를 설명할 수 있다. (A)

7. 구강 내 산생성 균 검사(Snyder test) 2019 기출 2021 기출

(1) 스나이더검사

개념	a. 색 지표(color indicator)로써 bromocresol green을 함유하고 산도가 4.7~5.0으로 맞추어져 있는 당질 배지에 자극성 타액을 주입하여 산 생성 속도를 측정하는 방법 b. 구강 내 산 생성능을 비색적으로 측정하는 검사법 c. 지시약 bromocresol green을 함유한 탄수화물 배지 내에서 타액세균의 산 생성능력에 근거를 두고 있으며 결과는 지시약이 녹색에서 황색으로 변하는 정도에 따라 결정
장비	– 솜마개(cotton plug) – 포도당 – 시험관(test tube) – BCG – 시험관 꽂이(test tube rack) – Beef extracts – 파라핀 왁스(paraffin wax) – 한천 – 타액수집용 시험관(mess cylinder) – 유산용액 – 고압증기멸균기(autoclave) – snyder test agar – 마이크로 파이펫(micro pipette) – 산도 측정기(pH meter or pH color standard) – 배양기(incubator) – 증류수(distilled water)

과정	a. pH 5.0인 스나이더 테스트(snyder test) 배지를 준비한다.
	b. 준비된 시험관(test tube)에 각각 5cc씩 배지를 분배하고 솜마개(cotton plug)로 막는다.
	c. 250℉ (121℃), 15파운드의 압력 하에서 15분간 멸균한다.
	d. 식사 전 또는 잇솔질 전에 파라핀 왁스를 저작하여 3분 동안 분비되는 자극성 타액을 수집한다.
	e. 0.2 ㎖의 타액을 배지에 넣은 후, 시험관을 10분 동안 열탕 속에서 용해시켜 타액과 배지가 섞이게 한다.
	f. 실온에서 30분 동안 두었다가 37℃ 배양기에 넣어 72시간 동안 배양한다.
	g. 24시간 간격으로 배지색의 변화를 관찰한다.
	
	* Snyder test 배지 조제
	  증류수　　　　　　　　　　1,000 cc
	  beef extracts　　　　　　3 g
	  dextrose　　　　　　　　20 g
	  agar　　　　　　　　　　20 g
	  bromocresol green (0.04%)　50 cc
	  Snyder test agar 32.5 g/500 cc (D.W)

<우식원세균 활성도 기준>			
우식활성도	24시간	48시간	72시간
무 활성	– (녹색)	– (녹색)	– (녹색)
저도 활성	– (녹색)	– (녹색)	+ (황색)
중등도 활성	– (녹색)	+ (황색)	+ (황색)
고도 활성	+ (황색)	+ (황색)	+ (황색)

판정 및 처방

a. 우식성 세균발생요인도가 무발생인 경우
  : 평소의 구강환경관리습관을 지속
b. 우식성 세균발생요인도가 저도일 경우
  : 설탕식음량, 설탕식음횟수 줄이고, 매 식음 직후에 칫솔질하도록 지도
c. 우식성 세균발생요인도가 중등도일 경우
  : 설탕식음량, 설탕식음횟수, 간식횟수를 줄이고, 매식음 직후에 칫솔질하도록
   지도
d. 우식성 세균발생요인도가 고도일 경우
  : 설탕식음량, 설탕식음횟수, 간식횟수를 줄이고, 매 식음 직후에 칫솔질, 식이
   조절지도, 구강내 고정성 장치물의 장착시기를 일시적으로 보류

예치 12-2-4 구강 내 산생성 균 검사(Snyder test)를 설명할 수 있다. (A)

8. 연쇄상구균 검사

개념	치아우식병의 원인균으로 알려진 뮤탄스 연쇄상구균(streptococcus mutans)만을 선택적으로 배양하여 타액과 치면세균막 내에 있는 뮤탄스 연쇄상구균의 양을 정량화 함으로써 치아우식병의 발생요인 정도(활성도)를 파악할 수 있도록 고안된 방법
장비 및 재료	– 배양기(incubator) – 파라핀 왁스(paraffin wax) – Dentocult SM strip mutans (Medistar Co.) – Screening strip, site strip
과정	\<case 1\> a. 파라핀 왁스(paraffin wax)를 씹게 한 후, Screening strip을 환자의 혀 위에 올리고 입을 가볍게 다물게 한다. b. 구강 내 타액이 Screening strip에 잘 묻도록 10초간 고정한다. c. Screening strip을 배약액에 꽂은 다음 37℃에서 최소 48시간 동안 배양한다.

과정	< case 2 > a. 4구간의 site strip은 구강 내 타액 및 치면세균막을 채취하여 <case 1>의 (b)와 같은 방법을 이용하여 배양한다. b. 배양 후 판정표와 비교해 우식 발생요인 정도를 무발생요인, 경도, 중등도, 고도로 판정한다. c. Strip 도말 부분을 손으로 잡으면 안 된다.
판정 및 처방	<판정표>

세균의 양	판정	처방
10,000 CFU/㎖ 이하	무발생	
100,000 CFU/㎖ 이하	경도	칫솔질 횟수나 방법 등의 수정이 요구됨
100,000~1,000,000 CFU/㎖ 이하	중등도	불소도포, 치면열구전색 등을 우선적으로 시행 치면세마와 칫솔질의 재교육 요구됨
1,000,000 CFU/㎖ 이상	고도	가능한 모든 예방처치를 집중적으로 시행

* CFU = 형성되는 균 집락의 수

예치 12-2-5   연쇄상구균 검사를 설명할 수 있다. (A)

9. 치면세균막 수소이온농도 검사

(1) 장비 및 재료

① 지시약(BCG, BCP, BTB)
② pH결정 기준색
③ 마이크로 파이펫 또는 스포이드
④ 슬라이드 글라스
⑤ 면봉
⑥ 탐침
⑦ 산도 측정기

(2) 과정

① 치면세균막을 채취할 치아 선택
② 선택한 치아를 면봉으로 격리
③ 탐침을 이용하여 치면세균막 채취
④ 채취한 치면세균막을 3등분
⑤ 마이크로 파이펫을 이용하여 각각의 치면세균막에 지시약 첨가
⑥ pH결정기준색과 비색하여 치면세균막 내 수소이온농도 결정

⑦ 10% 포도당 용액 25 mℓ로 2분 동안 구강 세척

⑧ 탐침을 이용하여 치면세균막 채취

⑨ 채취한 치면세균막 3등분

⑩ 마이크로 파이펫을 이용하여 각각의 치면세균막에 지시약 첨가

⑪ pH결정기준색과 비색하여 치면세균막 내 수소이온농도 결정

⑫ ⑧~⑪까지의 과정을 5분 간격으로 30분 동안 치면열구세균막 수소이온농도 계속 측정(최초에 선택하였던 인접치아에서 채취)

(3) 판정

① 치아우식감수성이 높은 사람의 치면세균막의 pH는 타액의 pH보다 확실히 낮으며, 치면세균막의 pH가 저하된 상태에서 30분 이상 지속되면 치아우식병이 잘 발생됨

(4) 처방

① 발효성 당질의 식품 제한

② 음식섭취한 직후에 칫솔질 철저히

③ 당질의 간식 엄격히 규제

예치 12-2-6   치면세균막 수소이온농도 검사를 설명할 수 있다. (B)

---

10. 구강환경관리능력 검사(PHP index)

개념	현재까지 자신의 구강환경관리 정도를 평가해 주고, 구강환경관리에 대한 동기유발 및 칫솔질 효과와 치면세균막의 효과적인 제거 방법을 제시할 목적으로 시행
준비물	• 거울 • 치면착색제(disclosing agent) • 세치제 • 칫솔
과정	a. 환자에게 칫솔질을 시행하지 않고 내원하도록 한다. b. 예고없이 칫솔질을 시킨다. c. 치면착색제(disclosing agent)를 이용하여 치면세균막을 착색시킨다. d. 치면세균막지수를 측정방법에 따라 착색된 결과를 평가한다. e. 구강환경관리능력지수를 산출한다. f. 구강환경관리에 대한 교육을 실시하여 환자에게 동기유발을 시킨다.

	* 구강환경관리능력지수(PHP Inedex - patient hygiene performance)	
판정 및 처방	**평점기준, 대상치아, 대상치면**	
	평점기준	불부착 0점, 부착 1점
	검사대상치아	상악양측 제1대구치(16, 26) - 협면 하악양측 제1대구치(36, 46) - 설면 상하악 중절치(11, 31) - 순면
	검사대상치면	근심, 원심, 치경, 중앙, 절단부

* 최고치: 5점, 최저치: 0점

* 구강환경관리능력 판정기준

평균 치면세균막지수	판정
0~1 미만	관리가 잘 된 상태
1~2 미만	보통
2~3 미만	불량
3 이상	매우 불량

* 개량구강환경관리능력지수(M-PHP Inedex- Modified patient hygiene performance)

평점기준, 대상치아	
평점기준	불부착 0점, 부착 1점
검사대상치아	상악우측 제2소구치 협설면(15) 상악우측 견치 순설면(13) 상악좌측 제1대구치 협설면(26) 하악좌측 제1대구치 협설면(36) 하악좌측 측절치 순설면(32) 하악우측 제1소구치 협설면(44)

* 최고치: 60점, 최저치: 0점

예치 12-2-7 구강환경관리능력 검사를 설명할 수 있다. (A)

11. 구강 내 포도당 잔류시간 검사 2020 기출

개념	캔디를 먹은 후 구강 내 타액 중의 포도당이 없어질 때까지의 시간을 측정하여 우식발생 가능성 판정
장비 및 재료	- Tes-tape - 10% 포도당 용액 또는 사탕(glucose-candy) - 트레이(tray) - 가위 - 막대면봉 또는 이쑤시개
과정	a. 트레이(tray) 위에 0, 0 ,3 ,6 ,9, 12, 15, 18, 21, 24, 27의 번호를 기입하고, tes-tape를 5 mm의 길이로 자른다. b. 11개의 tes-tape 조각을 기입한 번호위에 한 개씩 놓는다(0번에는 2개를 놓음). c. 물로 양치하게 한다. d. 막대달린 면구나 이쑤시개를 이용해 구치부 치간에서 타액을 채취한다. e. 0번 tes-tape 조각에 접촉한다. f. 사탕 반 개를 먹인다. g. 구치부 치간에서 타액을 채취한다. h. 또 다른 0번 tes-tape 조각에 접촉시켜, 색변화를 관찰하여 포도당의 잔류를 확인한다. I. 일정시간(3분) 간격으로 타액을 채취하여, tes-tape에 묻혀 색이 변하지 않을 때까지 (g)-(h)까지의 과정을 계속하여 포도당 잔류시간을 측정한다.
판정 및 처방	* 구강내 포도당 잔류시간: 15분(by mercer) → 15분 이상인 경우 주의

> **예치 12-2-8** 구강 내 포도당 잔류시간 검사를 설명할 수 있다. (A)

12. 위상차 현미경을 이용한 구강 내 세균 검사방법

① 멸균된 탐침이나 gracey curette를 사용하여 하악 좌·우 구치부 설측면의 치은연상 및 치은연하 치면세균막을 채취함

② 슬라이드글라스에 채취한 치면세균막을 묻히고 생리식염수나 타액을 한 방울 떨어뜨린 후 치면세균막을 넓게 도말함

③ 도말된 치면세균막 위에 기포가 생기지 않도록 주의하며, 약간의 압력을 주어 커버글라스를 덮음

④ 위상차현미경을 사용하여 400배로 배율을 조절한 후 검경함

⑤ 위상차현미경에 연결된 TV 모니터를 통해서 환자가 세균을 직접 보도록 함

> **예치 12-3-3** 위상차 현미경을 이용한 구강 내 세균 검사방법을 설명할 수 있다. (B)

제13장 | 구취

1. 구취의 발생원리

① 단백분해성 혐기성 세균과 밀접한 관련

② 혐기성 세균이 구강내 탈락상피세포, 백혈구, 타액, 음식물에 함유하는 아미노산에 작용하여 휘발성 황화합물을 생성함으로써 구취 발생

③ 대표적인 구강내 휘발성 유황 화합물: 황화수소(H_2S), 황화메틸머캅탄(CH_3SH), 황화디메틸($(CH_3)_2S$)

> **예치 13-1-1** 구취의 발생원리를 설명할 수 있다. (A)

2. 구취의 발생원인 2022 기출

(1) 구강 내 요인

① 구취의 85~90%의 원인은 구강에서 유래

② 구취 발생의 주된 구강 내 부위

- 혀: 구취 발생 60%가 혀의 설배 후방부(혀 뒤 1/3부분)에서 유발

- 치은연하

③ 설태, 외상성궤양, 치성 농양, 헤르페스 감염, 아프타성 궤양, 구강 캔디다증, 구강암, 치은염, 치주염, 구강건조증, 치수감염 동반한 치아우식병, 불량한 구강환경, 불량 수복물과 보철물

(2) 구강 외 요인

- 구취 발생의 10% 정도는 전신질환 있는 경우 발생

- 분석기기를 이용하여 원인이 되는 물질 확인 후 진단

① 호흡계질환

- 부비강염, 편도선염, 기관지염, 폐렴, 인두염, 종양, 결핵, 폐기종, 이물질

② 간질환 및 신장질환

- 간질환: 간경화증, 간부전, 담석,

- 신장질환: Uremia (요독증)

③ 소화기질환

- 식도역류, 열공헤르니아, 유문협착증, 위암, 흡수불량

④ 전신요인

- 공복, 비타민 결핍, 탈수, 술, 혈액 질환, 당뇨, 스트레스, 백혈병, 암종, 화학요법, 방사선치료, 쇼그렌증후군, 캔디다증

⑤ 약물

- chloral hydrate, 메트로니다졸, 항우울제, 점막수축제, 항히스타민제, 항콜린제, antiparkinsonians, narcotics, antihypertensives

⑥ 트리메틸아미뇨증(TAMU)

(3) **심리적 요인**: 실제 구취가 없음에도, 구취가 있다고 본인이 느끼며 고민하는 경우

→ '자취증' 또는 '자아구취증'

- 자신의 구취에 대해 지나치게 걱정, 지나친 구강위생 시행, 구취 감추기 위한 행동 취함
- 간이정신진단검사 시행, 정신과치료 우선 필요

(4) **기타 요인**

① 음식물

- 양파, 마늘, 양배추, 파, 고사리, 무, 겨자류, 파래, 고추냉이, 아스파라거스, 파슬리, 대황, 감대

② 담배

- 담배에 포함된 황화합물 구취유발, 흡연이 구강건조를 유발해 구취 유발 가능

③ 생리적 구취

- 기상 시 발생 구취, 여성에게 월경, 임신 시에 발생 구취, 공복과 구강건조가 생길 때 발생하는 긴장성 구취, 나이 들어감에 따라 발생하는 노인성 구취

예치 13-1-2	구취의 발생요인을 실명할 수 있다. (A)

3. 구취 검사법

관능적 검사에 의한 구취 측정법	사람의 후각기관에 의해 구취 유무 검사

기기를 이용한 구취 측정법	① Oral chroma: • 간이 가스 크로마토그래프 방식을 채용한 휘발성 유황 화합물(VSC) 측정기로 구취의 3대 성분 분리 정량화 • VSC를 황화수소, 메틸머캅탄, 황화디메틸의 3성분 분리하여 농도 측정, ng/10 mL와 PPb 단위 표시 ② Twin Breasor11 ③ B/B Checkr ④ Attain ⑤ Halimeter : 휘발성 황화합물들의 농도를 10억분의 1단위(PPb) 측정 ⑥ Breathtron • VSC 선택 필터가 있어 방해가스의 영향을 받지 않고 호흡 중 VSC 측정 • 오차가 적고 신속한 구취강도 측정 가능 ⑦ Gas chromatography (GC)
구취의 예방과 치료방법	① 자가 치료 • 칫솔질 • 중탄산나트륨 세치제 선택 • 구강관리용품 사용 ② 전문가 치료 • 항균성 양치액 • 초음파 치석제거기를 이용한 혀 세정 • 치석제거를 비록한 치주치료 시행 • 보존치료 • 보철치료 • 절개와 배농

> **예치 13-1-3** 구취 검사법을 설명할 수 있다. (B)

4. 구취 관리법 2019 기출 2020 기출 2021 기출

- 구취는 구강 내 원인으로부터 유래되므로 건강한 구강상태 유지가 중요
- 구강내 원인 중에서도 구취 발생에 직접적으로 관련된 요인들을 찾아내어 제거하고 관리
- 설태 제거, 치주질환 및 구강 내 염증치료, 세균막이나 치석제거, 올바른 양치질 및 혀 닦기 교육, 구강 양치액(함수제)의 사용, 인공타액 사용, 신선한 과일과 채소를 포함한 저지방 음식의 섭취, 파, 마늘, 겨자류, 달걀 등의 구취 유발 음식을 피하는 식사 개선 필요, 필요시 내과 및 이비인후과치료

(1) 자가 치료

    ① 칫솔질: 구강 청결히 하는 가장 기본적인 방법, 매 식후와 취침 전에 시행

    ② 중탄산나트륨 세치제 선택: 2.5% bicarbonate 세치제는 휘발성 유황화합물을 감소시키는데 효과적

    ③ 혀솔질(설태 제거): 설배면 후방부의 설태 제거, 혀세정기 이용

    ④ 구강관리보조용품 사용: 치실, 치간칫솔 이용해 치면세균막 관리

    ⑤ 구강세정제 사용

(2) 전문가 치료

    ① 항균성 양치액: 진료실에서 세균 검사 후 처방

      → 0.2% chlorhexidine, mycostain, listerine, two-phase oil water, $ZnCl_2$

    ② 초음파 치석제거기를 이용한 혀 세정: 치석제거기 끝을 한 곳에 고정시키지 말고 계속 움직여야 하며 충분히 물 뿌리며 시행

    ③ 치석제거를 비롯한 치주치료 시행: 스케일링, 치주치료, 구취환자 중에 치주상태가 좋지 않은 경우에 시행

    ④ 보존치료: 치아우식병 있는 치아는 적절한 보존치료 시행

    ⑤ 보철치료: 오래된 보철물과 불량한 보철물 치료

    ⑥ 절개와 배농

예치 13-1-4	구취의 관리법을 설명할 수 있다. (A)

제14장 | 특수구강건강관리

1. 흡연자의 구강상태

    ① 폐질환으로부터 기인하는 구취, 치아착색

    ② 치주질환, 세균막 축적 증가

    ③ 면역반응 약화

    ④ 불결한 구강환경상태, 치아주변조직의 파괴

    ⑤ 치석, 급성괴사성궤양성치은염

    ⑥ 파이프 흡연자: 마모

    ⑦ 치은·점막 감염, 발치 후의 창상치유지연

⑧ 구강암

⑨ 치주질환: 치주문제- 치조골 소실, 상피부착 소실, 치은퇴축, 치주낭 형성과 관련 치주치료 시 주요 면역체계 방어벽에 부정적인 변화로 치주질환 악화시킴

> **예치 14-1-3**　흡연자의 구강상태를 설명할 수 있다. (A)

2. 흡연자의 구강건강관리법

– 구강환경관리의 중요성이 강조

– 치면세균막 관리를 위한 칫솔과 세치제 선택

① 평균 잇솔질 횟수가 적으며, 구강위생상태가 불량한 흡연자

　• 강강도 및 중강도의 칫솔을 권장하며, 비교적 마모도가 높은 세치제 권장

② 심한 치주염이 있는 흡연자

　• 치주치료를 해야 하며, 약강모의 칫솔과 약연마도의 세치제 권장

③ 구강관리용품: 치실, 치간칫솔, 고무치간자극기, 혀닦기, 구강양치액 사용, 정기적인 스케일링이 요구되며, 무엇보다 가장 중요한 것은 구강건강을 위해 금연

④ 입체조

> **예치 14-1-4**　흡연자의 구강관리법을 설명할 수 있다. (A)

3. 노인의 구강상태

① 치아상실이 많으며, 노인의 치아 상실은 저작능력의 저하 유발하여 음식의 선택범위를 좁혀 식사의 양과 질을 떨어뜨림으로써 건강유지가 어려움

② 퇴행성 변화: 타액의 자정능력과 구강내 면역 기능 감소로 구강건조증으로 치근 및 치경부 우식병, 치주병 유발

③ 보철물과 의치의 장착자 및 필요자가 많다.

④ 구강환경관리 능력 저하 → 구강내 감염에 이환되기 쉬움

⑤ 잘 맞지 않는 의치의 압력으로 구강점막에 염증과 궤양 발생

⑥ 치은 및 구강근육의 탄력성 상실

> **예치 14-2-1**　노인의 구강상태를 설명할 수 있다. (A)

4. 노인의 구강관리법 [2020 기출]

① 점진적인 구강보건교육을 실시하여 동기유발시킴

② 구강환경관리를 철저히

③ 회전법으로 칫솔질 교습

④ 치주질환에 노출: 치면세마, 전문가 치간청결물리요법, 전문가칫솔질법

⑤ 인공치아 보철물 장착한 경우: 치실과 치실고리, 치간칫솔, super floss 사용법 반복 교육

⑥ 의치 닦는 법, 보관법 교육

⑦ 구취가 심한 경우: 혀 세척기 사용법 교육, 구강양치용액 사용 권장

⑧ 치경부 마모증, 치근우식병이 있는 경우: 불화석 반복 도포, 글래스아이오노머 시멘트 충전 및 전색, 합성수지 충전

⑨ 식이조절 및 우식발생요인, 구강미생물 등을 검사하여 필요한 경우 예방처치를 시술

⑩ 인공타액이나 필로칼핀 투여 또는 입체조 등으로 타액분비 촉진

예치 14-2-2   노인의 구강관리법을 설명할 수 있다. (A)

5. 임산부의 특성 및 구강상태

(1) 특성

① 임신 초기 3개월(1~14주)까지는 간단한 치과치료와 응급치료

② 임신 중기인 4~6개월(15~28주)에는 가벼운 치관부 치석제거, 치면연마 등 선택적 치과치료 가능

(2) 구강상태

① 임신성 치은염: 잇몸이 빨갛게 붓고, 출혈양상, 임신 후반기에 가장 심함

② 임신성 종양: 통증은 없고, 임신성 치은염이 궤양을 형성하여 발생된 것으로 쉽게 출혈

③ 치아우식병과 치주질환은 호르몬의 분비와 타액의 성분이 변화되어 발생

④ 입덧으로 인한 잦은 식사와 구토로 인해 치면에 탈회와 산부식을 일으켜 치아우식병이 발생될 수 있다.

예치 14-3-1   임산부의 구강상태를 설명할 수 있다. (A)

6. 임산부의 구강관리법

① 식사와 간식 섭취 후에 칫솔질

② 치실, 혀 세척기와 같은 구강관리보조용품을 사용

③ 금연과 금주

④ 발효성 탄수화물 섭취를 억제하고, 칼슘, 비타민 등의 무기염류 섭취하는 식이조절 교육

⑤ 우식예방을 위해 불소국소도포, 불소양치, 불소 함유 세치제 사용 권장

⑥ 부식된 치면의 손상을 막기 위해 부드러운 칫솔질과 마모도가 낮은 치약을 선택

> **예치 14-3-2** 임산부의 구강관리법을 설명할 수 있다. (A)

7. 장애인의 구강관리계획 시 고려사항

① 치료 전 평가가 성공적인 치과치료결과를 가능하게 하고, 잠재된 위험성을 감소

② 장애인들은 자기관리가 제한되어 있기 때문에 예방 치과적인 관리가 무엇보다 중요

③ 일상적인 예방계획은 가능한 한 장애인과 보호자가 함께 구강위생관리 훈련을 받도록 해야 함

④ 신체적 장애인들과 정신장애의 경우 어느 정도의 차이는 있더라도, 스스로 구강위생 관리에 참여할 수 있음

⑤ 장애인 스스로 감당할 수 있도록 책임을 지우며, 장애인 개개인에 맞는 구강위생관리 방법이 시행되어야 함

⑥ 장애인은 전신적인 상태가 악화될 수 있고, 더불어 전신상태나 복용약물에 의한 구강병소의 유발 및 구강위생상태도 점점 나빠질 수 있기 때문에 이들에게 제공되는 수복물을 비롯한 치과치료는 최상의 진료가 되어야 함

> **예치 14-4-3** 장애인의 치과진료 및 구강관리계획 시 고려사항을 열거할 수 있다. (B)

8. 장애인의 진료용 특수장비 및 구강관리용품

(1) 장애인의 진료용 특수장비

① 장애인의 진료용 특수장비: Wheelchair headrest (휠체어헤드레스트), molt mouth prop (마우스프롭), patient restraints (신체억제기), 신체지지기 (body supports), pedi-wrap과

papoose board (물리적 속박장치), cerbral palsy head support (뇌성마비 머리 지지기)

(2) 장애인의 구강위생용품

① 변형칫솔

② 전동칫솔

③ 치실 및 치실고정 장치(치실손잡이)

④ 치간칫솔

⑤ 구강양치액

⑥ 치면착색제

> **예치 14-4-4** 장애인의 진료용 특수장비 및 구강관리용품을 열거할 수 있다. (B)

9. 전신질환자의 구강건강관리법

(1) 당뇨병 환자

① 증상: 치은의 작열감, 치은염, 치주염, 정중능형설염이 있으며, 구강건조증이나 설통, 구강칸디다증, 미각변화, 창상치유지연 등

② 구강건강관리법

- 하루에 한 번씩 치실 사용
- 부드러운 칫솔을 사용하여 잇솔질을 시행하며 치면세균막 관리
- 구강조직의 감염과 당뇨조절과의 상호관계 등 교육
- 치아우식병 예방을 위해 단 음식 줄임
- 치아나 치은에 잘 달라붙는 연성음식물을 조절하여 치주병 예방

(2) 만성 신부전 환자

① 증상: 입안에서 암모니아 냄새가 남. 환자의 입맛이 변화하거나 구취발생 및 요소나 암모니아의 국소자극으로 인해 혀나 구강점막에 통증이 유발됨. 구강건조증, 설태가 많이 침착되어 있는 경우도 있음. 그 밖에도 구강 내 궤양, 잇몸과 점막에 출혈이 발생되는 구강 내 출혈 경향, 칸디다증과 같은 곰팡이 감염, 골의 변화 등이 있음

② 구강건강관리법: 만성 신부선 환자가 신장 이식을 계획하고 있다면 구강검사와 방사선검사를 병행하여 치아우식병, 치주염, 지치 주위염, 치근단 병소 등 감염이 가능한 병소를 미리 제거하도록 함. 이차적으로 구강질환이 발생하지 않도록 치면세균막관리를 해야 함

(3) 고혈압 환자

① 증상: 경구용 항고혈압제를 복용하면 구강건조, 미각 변화, 낭창성 구강병소, 치은비대 증상

② 구강건강관리법: 구강건조증을 감소시키기 위해 인공타액 사용, 물로 입안 헹구기, 무설탕 껌과 사탕을 먹음. 구강건조로 인한 치아우식예방을 위해 식사 후에는 반드시 잇솔질

(4) 간질환

① 증상: 주된 증상은 전구단계에서 감기와 유사한 질환, 황달, 오심, 구토, 열, 식욕감퇴

② 구강건강관리법: 구강을 청결히 유지해야 하며 필요하면 처방된 항생제 복용

(5) 약물복용자

① 증상

- 알코올 중독은 치주질환과 이갈이, 구강암 등이 나타나며, 두개안면부 외상이 있는 경우도 있음
- 간질 같은 발작성 장애는 dilantine 약물로 인해 치은비대 유발
- 파킨슨씨병에 사용되는 항콜린성 약물은 구강건조증 초래
- 우울증 환자가 tricyclic계 항우울제와 MAO inhibitors계 약물을 복용하고 있는 경우에는 구강건조증을 일으킴

② 약물복용자 구강건강관리법

- 매 식사 후와 취침 전에는 잇솔질을 통한 치면세균막 관리. 이때 불소세치제를 사용하도록 권장
- 클로르헥시틴 글루코네이트와 같은 구강양치액을 사용하여 치은염을 관리하고 감염을 줄임
- 치아우식병 예방을 위해 국소불소도포 실시
- 구강건조증이 있는 환자를 대상으로 인공타액을 사용하고 무설탕 껌, 사탕 사용
- 치료를 목적으로 하는 약물사용은 구강질환을 유발하므로 계속 구강건강관리

(6) 암환자

① 증상: 주로 궤양으로써 발생된 지 10일 이상이 지나도 쉽게 피가 흐르며, 아물지 않으면 의심해야 함. 다른 증상을 보면 입안에 혹이나 멍울이 생기고, 구강점막이 두꺼워지며, 하얀색의 백반증 또는 붉은 홍반증이 생기거나, 입안에 원인불명의 출혈, 음식을 씹거나 삼키기가 불편한 것 등

② 구강건강관리법
- 구강청결: 식사 후에는 잇솔질과 혀닦기, 치실을 사용하고 정기적인 치석제거
- 자극성 음식 삼가: 뜨겁거나 짜고 매운 음식이나 검게 탄 음식을 피하고, 과일과
  야채 등 균형있는 식이섭취
- 금연과 금주: 구강점막에 자극 위험
- 정기검진으로 인해 구강질환은 조기치료를 받고, 10일 이상이 경과되는 만성적인
  염증이 지속되는 궤양은 초기에 진단
- 구강점막을 자극하는 불량 보철물이나 잘 맞지 않는 틀니 등은 치료
- 구강백반증과 같은 전암병소가 나타날 때는 즉시 치료

예치 14-6-1   전신질환자의 구강관리법을 설명할 수 있다. (B)

10. 지각과민증

노출된 상아질이나 치근 표면 등에 자극을 가했을 때 나타나는 특이한 지각반응 또는 동통
반응으로 질환이라기보다는 복잡한 증상

예치 14-7-1   지각과민증의 개념을 설명할 수 있다. (A)

11. 지각과민의 원인

① 치관부의 법랑질 제거: 교모, 마모, 부식 등
② 치아우식병
③ 부적절한 칫솔질
④ 치은퇴축 및 치주치료 후 치근노출
⑤ 세치세에 의한 마모
⑥ 치근활택술에 의해 얇은 백악질 탈락
⑦ 불량한 구강환경 관리

예치 14-7-2   지각과민의 원인을 설명할 수 있다. (A)

12. 지각과민증의 관리법

① 치석과 세균막 조절법: 회전법, 정상교합 유지, 스켈링, 약강도 칫솔, 약마모도 세치제 사용
② 상아질 표면의 피복법: 지각과민 처치제(MS-Coat), 상아질 지각과민 둔화 약제 포함 세치제
③ 표면 석회화 촉진법 : 불소 이용(불소이온도입기 이용)
④ 레진 충전법: 손상된 부분에 레진 사용
⑤ 약물를 이용한 변성 응고법
⑥ 불소바니쉬 도포: 천연레진에 불소가 혼합되어 있는 상태로 치아에 잘 달라붙어 매우 오랫동안 불소를 유리하며 불소의 효과 최대화 → 지각과민과 충치예방에 매우 탁월

> **예치 14-7-4** 지각과민증의 관리법을 설명할 수 있다. (A)

13. 구강건조증

① 타액의 분비는 껌이나 파라핀왁스 자극 시 1분당 1~2 ㎖ 가량의 타액이 배출
② 1 ㎖/분 이하일 경우에는 구강건조증과 치아우식 발생이 가능한 원인으로 고려하며, 0.7 ㎖/분 이하일 경우 구강건조증으로 진단

> **예치 14-8-1** 구강건조증을 정의할 수 있다. (B)

14. 구강건조증의 원인

① 1차적 구강건조증: 국소적 또는 전신적 질환으로 인하여 타액선에 나타나는 병변
② 2차적 구강건조증: 약물 부작용, 비타민결핍증, 빈혈, 당뇨 등으로 인하여 증상
③ 타액 분비를 억제하는 경우: 쉐그렌증후군(Sjogren's syndrome), 타액분비 억제 약물 복용, 정신성 또는 특발성 원인의 건조, 당뇨병, 구강 칸디다증, 과도한 알코올 섭취
〈쉐그렌증후군: 눈과 입이 마르는 자각면역질환〉
④ 구강암 치료를 위한 방사선 치료 시 타액선의 선조직이 위축될 경우에도 급격하게 타액분비가 감소한 후 타액점조도 증가가 나타나며, 방사선 치료에 의한 구강건조증은 일반적으로 회복이 불가능

예치 14-8-2   구강건조증의 원인을 설명할 수 있다. (B)

15. 구강건조증의 증상 및 증후

① 입안이 마르는 느낌과 함께 타액이 끈끈하고, 증상이 악화되면 혀 표면이 바싹 말라
   서 설태가 사라지고 편평해짐
② 드물게는 치아에 긁혀서 점막에 염증이 생겨 음식물을 먹지 못하기도 함
③ 타액의 완충능력을 감소시켜 우식 유발 미생물의 급격한 증가를 초래하여 구강건조
   환경 내에서 우식활성이 급속히 퍼져 가속화됨

예치 14-8-3   구강건조증의 증상 및 증후를 열거할 수 있다. (B)

16. 구강건조증의 구강관리법

① 알코올, 카페인이 함유된 탄산음료, 커피, 차 등의 자극적인 음식을 피해야 함
② 흡연은 구강건조증을 악화시키므로 금연을 하도록 권장
③ 물을 조금씩 자주 마시거나 무설탕 레몬 물약이나 껌을 씹도록 함
④ 과일 및 채소, 물이나 우유 섭취
⑤ 츄잉껌이나 파라핀왁스, 무가당 사탕
⑥ 너무 부드러운 음식보다는 저작을 충분히 하여 타액분비를 촉진시킬 수 있는 음식이
   좋음
⑦ 건조하고 부피가 큰 음식보다는 수분이 풍부한 음식을 먹도록 함
⑧ 맛이 시거나 향신료가 많이 들어간 음식은 조직에 자극을 주고 치아를 손상시킬
   수 있으므로 금함
⑨ 칫솔, 치간칫솔, 치실을 사용하어 치아를 깨끗이 하고 혀를 닦아주며, 정기적인 치석
   제거와 치과에서 처방하는 양치액 사용
⑩ 노인들의 저작기능과 연하기능, 구강건조증의 개선을 위한 입 체조 실시

예치 14-8-4   구강건조증의 관리법을 설명할 수 있다. (A)

PART ▶▶

02

치면세마론

Oral Prophylaxis

DENTAL HYGIENIST

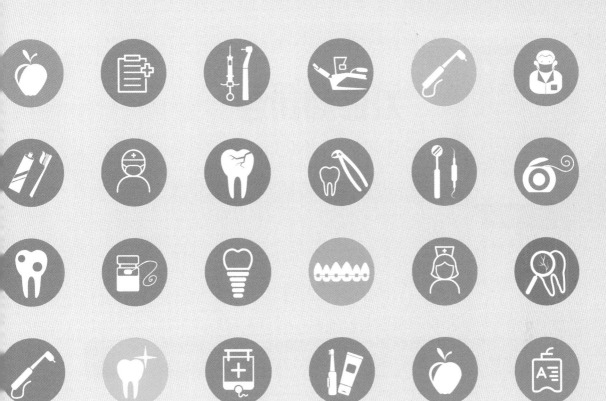

POWER 치과위생사 국가시험 핵심요약집 2권

PART 02

치면세마론
Oral Prophylaxis

제1장 | 치면세마의 개념

1. 치면세마의 정의 2020 기출

• 구강병을 예방할 목적으로 구강 내의 자연치아나 인공치아에 부착된 경성, 연성 침착물을 물리적으로 제거하고, 치아표면을 활택하게 연마함으로써 재부착을 방지할 목적으로 실시하는 예방 술식임

① 치면세균막조절: 포괄적 예방 술식(치아에 부착된 치면세균막·부착물·치석 제거 등)
② 치석제거술: 모든 치면의 치면세균막, 치석, 착색물 등을 제거
③ 치근활택술: 치근면의 세균 및 내독소를 감소시킴
④ 치은연하소파술: 치은연하 및 치은열구 내의 염증성 조직 제거

> **치세 1-1-1** 치면세마의 개념을 설명할 수 있다. (A)

2. 치면세마의 목적 2019 기출

① 구강환경을 청결히 유지하고 개선함
② 치주질환을 유발하는 국소요인 제거
③ 구강 내 구취 제거
④ 구강 내 심미성 증진
⑤ 구강위생관리에 동기부여

⑥ 우식예방을 위한 불소도포의 조건을 갖춤

⑦ 우식예방을 위한 치면열구전색의 조건을 갖춤

⑧ 새로운 침착물의 부착 지연 및 방지

치세 1-1-2 치면세마의 목적을 설명할 수 있다. (A)

3. 치석제거술 정의 2022 기출

'딱딱한 물질을 긁어내거나 비늘을 벗긴다'는 의미로 치면으로부터 치석을 제거하는 기본 과정

치세 1-1-3 치석제거술의 개념을 설명할 수 있다. (A)

4. 치면세마 시 고려해야 할 대상자와 난이도에 따른 분류 2020 기출

(1) 고려해야 할 대상자

① 치아동요도가 심한 자

② 치주낭이 깊거나 골 파괴가 심한 자

③ 급성 치주염 및 치은 출혈이 과다한 자

④ 치근이개 부위까지 치석이 심하거나 삼출물이 다량 존재하는 자

⑤ 지각 과민이 심한 치아를 가진 자

⑥ 임신중독증이나 기타 전신질환자(빈혈, 혈우병 등)

⑦ 지체부자유자, 정신질환자로 증상이 심한 자

(2) 치면세마의 난이도 분류

• 치석 또는 부착물의 침착 정도와 종류 및 구강상태에 따라 분류함

① Class C: 유치열, 혼합치열(12세 이하)

② Class I: 가벼운 착색 및 세균막, 치은연상치석(하악전치설면, 상악구치협면) 존재

③ Class II: 중등도 착색 및 세균막, 치아 1/2 이하의 치은연상치석과 치은연하치석 존재

④ Class III: 다량의 착색 및 세균막, 치아 1/2 이상의 치은연상치석과 심한 치은연하치석, 베니어형 치은연하치석 존재

⑤ Class IV: 심한 착색, 치아 1/2 이상의 베니어형 치은연하치석 존재, 치근분지부 치석 존재, 깊은 치주낭(5 mm 이상) 및 치아동요

치세 1-1-4 치면세마 시 고려해야 할 대상자와 난이도를 분류할 수 있다. (A)

5. 치근활택술

치석뿐만 아니라 괴사되거나 미생물에 감염된 백악질을 제거해줌으로써 치근의 표면을 매끄럽고 단단하게 하는 술식을 말하며, 일부의 백악질 및 상아질이 제거될 수도 있음. 그러나 과도한 상아질과 백악질 제거는 꼭 필요한 사항은 아님

치세 1-1-5 치근활택술의 개념을 설명할 수 있다. (A)

6. 치주세정술(Periodontal Debridement)

치은퇴축으로 노출된 치근면이나 깊은 치주낭 속에 있는 잔존치석 침착물, 치면세균막, 부착물의 제거 및 치주낭 세척을 통해 구강내 세균의 수를 감소시켜 연조직 치유를 향상시키며 백악질을 가능한 많이 보존하는 것을 원칙으로 함

치세 1-1-6 치주세정술(Periodontal Debridement)의 개념을 설명할 수 있다. (B)

제2장 | 치면부착물

1. 치면 연성 부착물 [2021 기출]

① 획득피막(후천성 엷은 막, acquired pellicle)
② 치면세균막(치면세균막, dental plaque)
③ 백질(materia alba)
④ 음식물 잔사(food debris)

치세 2-1-1 치면 연성 부착물의 종류를 설명할 수 있다. (B)

2. 획득피막(후천성 엷은 막, Acquired pellicle)

① 두께: 0.05~0.8 μm

② 치아를 산으로부터 보호해 주다가, 세균이나 세포 탈락물질 등이 음식물 잔사와 함께 결합되면서 치면세균막 형성의 핵물질로 발전함

③ 칫솔질 또는 치면세마 후 수분 내에 형성

④ 세균이 없는 것이 특징

⑤ 노출된 치면 위나 보철물 또는 치석 위에 직접 형성

⑥ 후천성 엷은 막이 세균 등과 결합하여 치면세균막으로 변함

치세 2-1-2   후천성 엷은 막에 대하여 설명할 수 있다. (A)

3. 치면세균막(치면세균막, Dental plaque) `2019 기출`

① 치아우식증, 치은염, 치주염의 초기 원인

② 형성: 후천성 엷은 막 + 미생물(세균)

③ 대개 치은변연부위 1/3부위와 치간 부위에 많이 분포

④ 상악보다 하악치아에 많이 발생

⑤ 치면이 거칠거나 보철물이 부착되어 있는 부위에 잘 침착

⑥ 편측 저작 시, 사용하지 않는 부위에 많이 침착

⑦ 구성성분: 수분(80%), 유기질 및 무기질(20%)

⑧ 소량일 때 육안으로 관찰되지 않음

⑨ 확인: 치면착색제, explorer

⑩ 역할: 타액의 완충작용과 항균작용 방해, 세균의 에너지원, 산의 확산 방지

치세 2-1-3   치면세균막에 대하여 설명할 수 있다. (A)

4. 백질(Materia alba)

① 세균성 부착물로 치면세균막보다는 표면 부착력이 약함

② 성분이나 치은조직에 대한 유해 효과는 치면세균막과 유사하나 내부구조가 없는 것이 다름

③ 구강 내 음식물 잔사와 탈락세포 및 세균이 모여 부드럽고 불투명한 유백색의 치즈 덩어리 같이 보임

④ 치은상부, 주로 치경부나 보철물 등 교합면을 제외한 치면 위의 청결하지 않은 부위에서 발생

⑤ 육안으로 관찰

> **치세 2-1-4**　백질에 대하여 설명할 수 있다. (B)

5. 음식물 잔사(Food debris)

① 구강 내 세균과 함께 치면세균막과 치석을 형성하는 원인
② 당분을 함유한 음식물 잔사는 치아우식증을 발생시킴
③ 칫솔질, 치실 사용, 양치 등으로 제거 가능

> **치세 2-1-5**　음식물 잔사에 대하여 설명할 수 있다. (B)

6. 치아부착물의 형성기전

① 제1단계(후천성피막 형성): 구강 내 표면에 형성되는 단계로 타액, 치은열구액, 세균 등으로부터 당단백질(glycoprotein)로 구성되며, 모든 침착물이 치아표면으로부터 제거된 후 수 분 내에 형성된다.
② 제2단계(치면세균막의 성숙): 세균, 백혈구, 음식물 등이 후천성피막에 부착되며 초기에는 그람양성 구균, 간균으로 구성된다. 점차 사상균, 나선균과 같은 혐기성 세균이 증가한다.
③ 제3단계(무기질 침착): Ca과 P의 농축이 증가하며 무기염의 침착으로 무기질화된다.
④ 제4단계(결정체 형성): 치석의 무기질 중에서 2/3 정도가 결정체로 되어 있으며 인회석(apatite)이 기본이며, 가장 많은 결정체는 수산화인회석(hydroxyapatite)이다.

> **치세 2-1-6**　치아부착물의 형성기전을 설명할 수 있다. (B)

7. 치석의 특징과 분류　2019 기출　2020 기출　2021 기출

(1) 특징

① 치면세균막이 석회화된 딱딱하고 거친 덩어리
② 무기질(75~85%), 나머지는 유기질과 물로 구성됨
  • 무기질: 약 75%가 인회석 구조 결정체로 구성

• 유기질: 세균세포로부터 유래된 단백질, 타액으로부터 유래된 탄수화물과 지질

③ 치석형성 과정: 후천성 얇은 막 → 치면세균막의 성숙 → 무기질화 → 결정체 형성

④ 치석의 확인: 치경, 탐침, 압축공기, 스켈러, 방사선사진

(2) 위치에 따른 분류

구분	치은연상치석	치은연하치석
관찰	기구 사용	기구 이용, 투조, 방사선사진
형성 과정	타액성	치은열구내 삼출액, 조직액
위치	유리치은연 상방	유리치은연 하방
색깔	백, 황색	흑, 갈색
치밀도	쉽게 부서지고 점토상	단단하고 부싯돌 같음
분포	하악 전치부 설면, 상악 구치부 협면 (타액선 개구부위에 형성)	전 치은연 하방이나 하악 전치부

치세 2-2-1 치은연상치석에 대하여 설명할 수 있다. (A)

치세 2-2-2 치은연하치석에 대하여 설명할 수 있다. (A)

8. 치석의 부착형태에 따른 분류 2022 기출

① 단단한 덩어리형 치석: 큰 덩어리의 불규칙한 형태, 주로 치은연상 존재

② 선반형 치석: 반지 혹은 선반형으로 나타나며, 주로 치은연하 존재

③ 베니어형 치석: 얇은 베니어판 형태, 치석 제거나 치근활택술 후에 남을 수 있으며, 치석 제거 시 작은 작업각도로 인하여 형성, 발견하기 어려움

④ 과립형 치석: 과립형태의 점상으로 나타나며, 치은연상·연하에 나타남

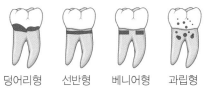

덩어리형   선반형   베니어형   과립형

치세 2-2-3 치석의 부착 형태에 따른 특징을 설명할 수 있다. (A)

9. 치면착색의 종류 `2020 기출` `2022 기출`

(1) 외인성 착색

① 비금속성 착색

- 주홍색과 적색 착색: 전치부 순면과 설면의 치경부 1/3 부위에 드물게 발생, 색소성 세균 원인
- 녹색 착색: 색소세균과 곰팡이가 원인, 주로 상악 전치부 순면이나 치경부에 분포 어린이 호발, 성인의 경우 구강위생상태 불량
- 황색 착색: 구강관리가 소홀한 경우, 치면세균막 부위에 분포, 주로 전치부
- 검은 선 착색: 비교적 깨끗한 구강 내에서 발생(치은연 약 1 mm 상방 치아면) 제거 후 재발이 쉬움, 비흡연자나 여성 및 어린이 호발
- 담배 착색: 갈색이나 검은 갈색 착색, 주로 설면이나 치경부에 분포
- 갈색 착색: 법랑질의 표면이 고르지 못하거나 치면열구, 치경부, 단순히 물로만 칫솔질을 하는 사람의 구강 내에 발생

② 금속성 착색

- 구리, 철, 니켈, 카드뮴, 은, 수은, 금

(2) 내인성 착색

① 무수치: 상아세관으로 침투하여 색소가 나타남(연노란색, 청회색 등)
② 약물과 금속: 유치 충전용 구리아말감, 질산은, 치과용 아말감, 보철물 경계부
③ 불완전한 치아형성

- 법랑질형성 부전증: 흰 반점이나 소와
- 불소침착증: 흰 반점 또는 연한 갈색
- 유전성 상아질 발육부전증: 투명하거나 유백색
- 항생제 복용: 테트라사이클린 복용(임산부 → 태아, 어린아이 등)

치세 2-3-1 치면착색물 종류를 설명할 수 있다. (A)

10. 내적인 변색물(내인성 착색): 무수치, 약물과 금속, 불완전한 치아형성

① 치아 구조물 내에서 결합
② 치료: 치아미백술이나 보철물 제작

내인성 변색의 종류	특징
무수치	• 치수 출혈이 나타남 • 근관치료 또는 괴사 등 치수조직의 분해 결과로 형성

내인성 변색의 종류		특징
약물과 금속		• 아말감 수복물 주위 치질 내에서 회색, 흑색으로 변색 • 질산은: 치아와동 형성 시 검게 변색 • Chlorhexidine: 장기간 사용 시 갈색 착색
불완전한 치아형성	법랑질 형성 부전증	• 법랑아세포의 성장 부족으로 발생 • 흰 반점이나 소와가 형성
	불소 침착증	법랑질 석회화 중에 불소이온이 2 ppm 이상 함유된 음료수의 과잉 섭취
	상아질 발육 부전증	발육기간 동안 상아모세포층의 발육억제에 의해 발생
	항생제 복용	임신 중 테트라사이클린 항생제 복용에 의해 발생

치세 2-3-2 내적인 변색물(내인성 착색)에 대하여 설명할 수 있다. (B)

11. 외적인 착색물(외인성 착색) 2019 기출

① 치아 표면에 착색

② 칫솔질, 치석제거술, 치면연마 등으로 제거 가능

외부 착색의 종류	특징
황색 착색	나이에 관계없이 구강관리가 소홀할 때 음식물에 의해 착색이 발생
녹색 착색	• 어린이에게서 자주 발생 • 특히 상악 전치부 순면의 치경부에서 많이 발생
검은 선 착색	• 치은열구 내와 치은연 약 1 mm 상방의 치아면에서 검고 뚜렷한 선 • 비교적 깨끗한 구강 내에서 발생 • 비흡연가, 여성 및 어린이에게서 많이 발생
담배 착색	흡연에 의해 치아표면이 착색되어 갈색이나 어두운 갈색을 띰
갈색 착색	상악 구치 구개측 인접면에서 많이 볼 수 있음
금속성 착색	• 금속성 착색은 주로 전치부에서 발생 • 구리: 녹색, 아말감 충전 시 또는 합금 내 구리에 의해 발생 • 철: 갈색이나 녹갈색, 금속 취급자 • 니켈: 녹색, 금속물질 취급 시 먼지 흡입에 의해 발생 • 카드뮴: 노란색과 갈색, 전치부

치세 2-3-3 외적인 착색물(외인성 착색)에 대하여 설명할 수 있다. (A)

제3장 | 구강검사

1. 구강검사의 정의와 목적

(1) 정의

① 치아와 얼굴 및 경부를 포함한 구강 내의 모든 조직을 조사하고 평가하는 것

② 구강 뿐 아니라 전신적인 환자의 건강상태에 영향을 미칠 수 있는 육체적·정신적·심리학적인 요소까지 모두 포함

(2) 목적

① 구강위생관리에 필요한 교육을 하기 위함

② 구강질환 및 병소를 조기 발견하고 치료하기 위함

③ 환자의 전반적인 관찰로 개개인의 건강상태 지표로 활용

④ 환자의 계속관리

⑤ 구강암 및 다른 질환의 조기발견

⑥ 효율적인 구강보건관리와 동기유발

⑦ 환자 시술 시 진단과 치료를 행하는 데 도움을 줌

⑧ 법적인 문제 발생 시 증거자료

> **치세 3-1-1** 구강검사의 목적을 설명할 수 있다. (A)

2. 구강 내외의 검사방법 `2019 기출` `2021 기출` `2022 기출`

① 시진: 환자의 현증을 눈으로 보고 파악하는 방법

② 청진: 신체 내부에서 발생되는 소리를 청취함으로써 정보를 얻는 검사 방법

③ 타진: 손가락이나 기구로 치아 등을 두들겨 봄으로써 환자의 반응이나 소리에 의해 정보를 얻음

④ 촉진: 진찰대상을 직접 만져보거나 눌러봄으로써 조직을 통한 촉각을 감지하는 방법

- 양손법: 한쪽 손으로는 받치고 다른 손 또는 손가락으로 촉진(구강저 촉진 시)
- 지두법: 손가락 하나만으로 촉진(구개융기, 하악골융기, 치조점막, 상악결절 등 촉진 시)
- 한손법: 한 손의 대부분의 손가락을 동시에 사용하여 조직을 움직이거나 압박하며 촉진(갑상선, 림프절, 흉쇄유돌근 등 촉진 시)

- 쌍지두법: 같은 손의 엄지와 검지를 사용하여 동시에 촉진(입술점막, 협점막, 치조점막 등 촉진 시)
- 좌우양측법: 양손을 동시에 사용하여 촉진(하악골 전방 부위의 근육, 이하림프절, 악하림프절 촉진 시)

⑤ 방사선사진 검사법: 표준사진이나 파노라마 등을 촬영하여 검사

⑥ 기구조작: 탐침이나 치주낭 측정기 같은 검사기구로 치아나 치주조직을 검사하는 방법

⑦ 전기치수 검사: 전기치수 검사기구로 전기적 자극을 치아에 가해 치수의 생활력 상태를 판단하는 검사 방법

⑧ 구강 외 검사: 구강 외에서 악관절 및 림프절 등을 검사

치세 3-1-2	구강내 검사방법을 설명할 수 있다. (A)

치세 3-1-3	구강외 검사방법을 설명할 수 있다. (B)

3. 구강검사 시 필요한 준비물

① Mouth mirror
② Explorer
③ Periodontal probe
④ Tongue depressor
⑤ Compressed air
⑥ 거즈
⑦ Glove
⑧ Mask

치세 3-1-4	구강검사 시 필요한 준비물을 나열할 수 있다. (B)

4. 구강 내외의 검사항목

① 구강 내: 협점막, 구개, 혀, 구개융기, 하악융기, 상아결절, 치조점막, 구강저, 치은, 교합, 치아, 편도, 입술 등

② 구강 외: 흉쇄유돌근, 갑상선 및 후두, 이근, 안면근육, 이하선, 이개림프절, 하악설골근, 악관절, 천경과 심경림프절 등

치세 3-1-5	구강내의 검사항목을 나열할 수 있다. (B)

치세 3-1-6	구강외의 검사방법을 나열할 수 있다. (B)

제4장 | 치과진료기록

1. 치과진료기록부 작성의 목적

    ① 환자의 인적 사항 기록

    ② 환자의 주된 증상 및 구강상태 기록

    ③ 예방처치 및 치료계획 수립

    ④ 환자의 계속관리

    ⑤ 질환의 조기발견 및 치료

    ⑥ 치료진행 과정 및 예후를 파악

    ⑦ 투약 및 주사 처방 확인

    ⑧ 치료전·후의 비교평가 자료

    ⑨ 응급 및 재난 시의 중요한 감정자료

    ⑩ 진료에 대한 오해 및 사고 발생 시 법적인 보호자료

치세 4-1-1	치과진료기록부 작성의 목적을 설명할 수 있다. (A)

2. 치과진료기록부 작성 내용

    ① 환자의 신상기록: 성명, 연령, 성별, 주소(address), 전화번호, 주민등록번호 등 일반
      적 사항

    ② 주소(chief complaint): 현재 가장 주된 증상, 치과에 내원한 이유

    ③ 현증: 주소가 나타나는 형태나 진행경로 등

    ④ 기왕력: 전신병력, 치과병력

    ⑤ 가족력: 가족 구성원들의 건강상태를 평가, 유전이나 전염병 등

    ⑥ 사회력: 직업, 성격, 습관, 종교, 결혼여부 및 교육수준 등

치세 4-1-2	주소(Chief Complaint)의 개념을 설명할 수 있다. (B)

치세 4-1-3	현증(Present Illness)의 개념을 설명할 수 있다. (B)

치세 4-1-4	의과병력(Medical History)의 개념을 설명할 수 있다. (B)

3. 치아번호 표기법의 종류

(1) FDI numbering system (International numbering system)

			55	54	53	52	51	61	62	63	64	65			
18	17	16	15	14	13	12	11	21	22	23	24	25	26	27	28
48	47	46	45	44	43	42	41	31	32	33	34	35	36	37	38
			85	84	83	82	81	71	72	73	74	75			

(2) Palmer numbering system

			E	D	C	B	A	A	B	C	D	E			
8	7	6	5	4	3	2	1	1	2	3	4	5	6	7	8
8	7	6	5	4	3	2	1	1	2	3	4	5	6	7	8
			E	D	C	B	A	A	B	C	D	E			

(3) Universal numbering system

			A	B	C	D	E	F	G	H	I	J			
1	2	3	4	5	6	7	8	9	10	11	12	13	14	15	16
32	31	30	29	28	27	26	25	24	23	22	21	20	19	18	17
			T	S	R	Q	P	O	N	M	L	K			

4. 치과진료기록의 내용과 표시기호(Charting key) 2019 기출 2020 기출 2021 기출 2022 기출

건강하거나 치료된 상태: Blue or black color		병적인 상태: Red color	
기호(Charting code)	내용	기호(Charting code)	내용
Missing tooth	ǁ	Caries	C1–3
Resin inlay	R.I.	Root rest	R.R.
Amalgam filling	A.F.	Cervical abrasion	Abr.
Gold crown	G.Cr.	Abscess	Abs.
Gold bridge	G.Br.	Fistula	Ft.
Uneruption	ǁǁ	Fracture of the crown	Fx
Partial eruption	△	Tooth mobility	Mo(+)–(+++)
Mesioangulation	MA		
Interdental space	V		
Percussion reaction	P/R(+)		

치세 4-3-1 치과진료기록 기호(Charting Key)를 이용하여 대상자의 구강내 상태를 작성할 수 있다. (A)

치세 4-3-2 구강내 상태에 따라 색상별로 작성된 치과진료기록 기호(Charting Key)를 구분할 수 있다. (A)

5. 치주질환 검사종류

① 시진: 치주상태를 눈으로 관찰

② 촉진: 치은을 손으로 만져보는 방법

③ 타진: Mirror의 손잡이 등을 이용해 가볍게 두드려 평가하는 방법

④ 방사선사진

치세 4-3-3 치주질환 검사종류를 설명할 수 있다. (B)

6. 치은의 임상적 관찰방법

① 시진 및 촉진을 통하여 치은의 색깔, 견고도, 외형, 치은표면의 탄력도 및 점몰, 치은
　퇴축, 색소침착 및 염증상태 등을 관찰하고 기록
② 치주낭 깊이, 출혈 여부 및 치은 퇴축 등을 관찰하여 표시

치세 4-3-4	치은의 임상적 검사 항목을 설명할 수 있다. (B)

제5장 | 치과진료실 장비

1. 치과조명등

① 진료할 구강부위를 밝게 함
② 환자의 얼굴로부터 약 60~90 cm 정도 떨어져 위치시킴
③ 실내조명등보다 약 4배 밝은 것이 좋음
④ Light 커버는 청결한 거즈에 중성세제 또는 에틸알코올을 조금 묻혀 가볍게 닦아주고
　완전히 건조 후 사용
⑤ 술자의 자세에 따른 치과조명 등
  • 상악: 조명을 환자의 가슴부위 위의 위치에서 구강을 향해 비춤
  • 하악: 환자 구강의 직상방에서 비춤

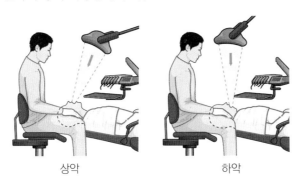

상악　　　　　　　　하악

치세 5-1-1	치과조명등의 사용법에 대하여 설명할 수 있다. (A)

2. 술자용 의자

① 구강진료 시 술자와 협조자가 앉는 의자

② 진료 시 자유롭게 움직이고 안정감을 주기 위해 5개의 바퀴가 달린 의자 사용

③ 협조자의 의자 높이는 술자의 의자보다 15 cm 가량 높아야 함

④ 감염방지 차원에서 앉은 상태에서 발로 조절할 수 있도록 함

치세 5-1-2 술자용(진료용) 의자의 사용법에 대하여 설명할 수 있다. (B)

3. 구강진료장비의 사용방법

① 메인 스위치를 누르면 스위치 내부에 있는 메인 스위치 램프가 켜지면서 전원이 공급되며, 의사는 술자 측 작동 스위치와 협조자 측 작동 스위치 또는 foot controller를 이용하여 작동시킴

② Head rest의 상하조절은 각도조정 버튼을 누른 상태에서 head rest를 원하는 위치로 이동시킨 후 버튼에서 손을 떼면 임의의 위치로 고정됨

③ Arm rest는 환자의 출입이 편리하도록 우측 arm rest가 시계방향으로 90° 회전할 수 있도록 함

치세 5-1-5 구강진료장비의 사용방법을 설명할 수 있다. (B)

4. 핸드피스의 종류

(1) High speed 핸드피스

① 분당 100,000~800,000번의 rpm으로 와동형성 및 보철물 제작 시 치질을 삭제할 때 사용

② 마찰열이 발생되어 치수가 손상을 입을 수 있기 때문에 이를 방지하기 위한 물 분사 장치가 부착되어 있음

(2) Low speed 핸드피스: 분당 6,000~20,000번의 rpm으로 작동하며, high speed 핸드피스 치질삭제 후 삭제된 치질부위를 다듬을 경우나 치면연마 시에 사용됨

치세 5-2-1 핸드피스의 종류에 대하여 설명할 수 있다. (B)

5. 핸드피스의 멸균(소독)

진료 후 고속핸드피스와 angle을 분리하여 에틸알코올 거즈로 닦고, 멸균할 수 있는 핸드
피스는 멸균 전에 윤활제 주입 후 121℃에서 20분, 132℃에서 15분 멸균을 시행한다.

> **치세 5-2-2**　핸드피스의 멸균(소독)에 대하여 설명할 수 있다. (A)

6. Contra angle　2021 기출

(1) 멸균법

① 매 사용 후 멸균

② 거즈에 알코올을 묻혀서 핸드피스 전반의 얼룩을 제거

③ 직접 또는 기계를 이용하여 오일링 실시

④ 멸균 시 1회용 소독 봉투에 넣어 132℃에서 15분 동안 고압멸균

⑤ 공회전을 시킨 후 사용

(2) 특징

① 콘트라앵글 핸드피스의 약칭

② 굴곡형: 치과용 절삭공구(바, 포인트, 디스크 등)를 유지하는 핸드피스

③ 스트레이트 핸드피스의 첨단과 교환 또는 첨단에 끼워서 사용

> **치세 5-2-3**　Contra Angle 관리법에 대하여 설명할 수 있다. (A)

제6장 | 치과기구의 소독과 멸균

1. 위생의 정의

전염에 미치지 않을 정도로만 미생물 균총을 안전한 공중위생의 수준으로 유지하는 과정
으로, 미생물이 완전히 파괴되지 않음

> **치세 6-1-1**　위생의 개념을 설명할 수 있다. (B)

2. 소독과 멸균의 정의   2019 기출

① 소독: 비교적 약한 살균력을 이용하여 표면증식성 병원균을 제거하거나, 병원성 미
생물의 생활력을 파괴함으로써 감염의 위험성을 제거하는 조작. 포자형태의 미생물
은 사멸시키지 못함

② 멸균: 물리적 및 화학적 방법을 이용하여 아포를 포함한 병원성 및 비병원성 세균 등
살아 있는 모든 미생물을 박멸

치세 6-1-2	소독의 개념을 설명할 수 있다. (B)

치세 6-2-1	멸균의 개념을 설명할 수 있다. (A)

3. 화학적 소독 방법

(1) 염소계 화합물

① 다양한 종류의 미생물에 살균효과

② 가격이 비싸지 않고 살균효과가 신속

③ 부식성이 강해 금속표면에 손상

④ 장기간 보관 시 소독효과가 감소하므로 매일 새로 만들어 사용

(2) 아이오도포

① 광범위한 항균력(조직에 대한 자극이나 부식력이 적고 착색도 적음)

② 포타딘

(3) 알코올

① 구강에 접촉하면 자극성을 띰

② 표면 소독제로는 적당하지 않음

(4) 제4급 암모니아 화합물(+알코올)

① 항균력 향상(결핵균 살균 가능)

② 치과에 사용하기 적합

(5) 합성 페놀류

① 표면소독제, 구강양치액, 손 세정제 등의 활성 성분으로 이용

② 단점으로 플라스틱을 손상시키거나 유리의 표면에 부식을 일으키기도 함

(6) 알데하이드류(글루탈알데하이드)

① Spore, 결핵균, 진균 등에 효과가 있으며, 특히 바이러스에 효과적

② 금속을 부식시키지 않고 합성수지 기재의 소독과 멸균에 좋음

치세 6-1-3   화학적 소독 방법을 설명할 수 있다. (B)

4. 자비소독(Boiling water)

① 금속기구 또는 유리제품 등을 소독

② 일반적인 병원균은 100℃의 끓는 물에 10분 정도 두면 대부분 살균

③ 예리한 날이 없는 기구, 외과용 기구, needle, 인상용 tray, suction tip 등 사용

④ 가구의 날이 무뎌지거나 부식됨

치세 6-1-4   자비소독에 대하여 설명할 수 있다. (B)

5. Hot-Oil (고온기름소독)

① Hydrocarbon oil 또는 silicone oil을 넣어 끓이는 방법

② 125℃에서 20분간, 149℃에서 10~15분간, spore파괴하기 위해서 160℃에서 1시간 ~1시간 30분 정도 소독

③ 장점: 기구의 날이 무뎌지거나 부식되지 않고 살균효과가 뛰어남

④ 단점: 지나치게 오래 가열 시 기구의 강도가 약해지며, heater의 청결유지가 어려움

치세 6-1-5   Hot-Oil에 대하여 설명할 수 있다. (B)

6. 비드소독(열전도멸균법)

① 직경이 1~2 mm의 작은 유리구슬을 가열한 container에 broaches, reamer, file, root canal picker 등의 근관치료에 사용되는 기구를 꽂아 멸균하는 방법

② 온도가 높기 받기 때문에 15~20초 정도 비드에 꽂아 소독하고 두꺼운 기구일 경우는 30초만 멸균

치세 6-1-7   비드소독에 대하여 설명할 수 있다. (B)

7. 고(가)압증기멸균기　2020 기출　2021 기출　2022 기출

(1) **방법**: 121℃ 15분, 132℃ 6~7분

(2) **적용 품목**: 직물, 금속(외과기구, 치주수술기구 등), 유리평판, 스톤류, 열에 저항력이 있는 합성수지

(3) **주의사항**

　① 열에 약한 제품은 제외(합성수지)

　② 기구의 날이 무디어지거나 부식 위험

(4) **기타**

　① Steam을 이용하여 그 습열로 모든 형태의 미생물을 파괴하는 방법

　② 끓는 물이 증기압을 만들고 수증기를 배출하여 시간이 경과함에 따라 온도와 압력에 의해 박테리아나 spore를 파괴

　③ Steam에 의해 변질될 수 있는 재료, 즉 oil, wax 또는 powder 등 높은 온도에서 견딜 수 없는 재료에는 사용할 수 없고, 날카로운 기재와 탄소강 재질의 기구는 1% 질산나트륨(sodium nitrate)으로 처리해야 날의 부식을 방지

　④ 멸균 후 건조과정

　⑤ 장점

　　• 짧은 시간에 효과적으로 멸균

　　• 침투력 우수

　　• 다공성 재질의 기재와 면제품의 멸균에 적합

　⑥ 단점: Oil, wax, powder의 멸균에는 부적당

> **치세 6-2-2**　　고(가)압증기멸균법에 대하여 설명할 수 있다. (A)

8. 건열멸균법

(1) **방법**: 120℃ 6시간, 160℃ 2시간

(2) **장점**: 예리한 기구들을 멸균하는데 적당하며 기구의 부식 방지

(3) **단점**

　① 기구멸균 시 높은 온도와 많은 시간이 요구

② 침투력이 약하고 불균등하여 노출시간이 많이 필요

③ 고온에서 금속기구가 변질될 가능성이 있고 금속의 접착부가 떨어질 수 있음

치세 6-2-3   건열멸균법에 대하여 설명할 수 있다. (A)

9. 불포화 화학증기멸균법

(1) 일정한 화학용액을 사용하여 빠른 시간 내에 멸균하는 방법

(2) 132℃에서 15분

(3) 장점

① 멸균 중에 습포가 발생하지 않으므로 건조시간이 필요없음

② 사용이 간편하고 멸균시간이 매우 짧음

③ 기구의 부식과 마모 등이 일어나지 않으며 경제적

④ 사용기구: 핸드피스, 버, 근관치료용 기구, 교정용 기구

(4) 단점

① 가열된 소독용액에 의해 불쾌한 냄새가 나므로 적절한 환기가 필요

② 사용법을 제대로 지키지 않으면 멸균이 되지 않음

③ 약한 침투력 때문에 큰 포장이나 면제품에는 부적합

치세 6-2-4   불포화 화학증기멸균법에 대하여 설명할 수 있다. (A)

10. 사용한 기구의 관리과정 `2020 기출`

① 세척 전 용액에 담금: 멸균 및 소독과정 이전에 많은 미생물의 수를 줄일 수 있음

② 세척: 멸균 또는 소독 과정에 앞서 이루어져야 할 필수 단계

③ 건조: 기구의 부식 방지

④ 포장: 멸균상태를 일정 기간 유지하기 위해 단위별로 기구를 포장

⑤ 멸균: 멸균 포장재 표면에 멸균 지시 테이프를 붙이고 유효 보관기간을 적은 후 멸균

⑥ 멸균된 기구 보관 및 관리

치세 6-3-1   사용한 기구의 관리과정을 설명할 수 있다. (A)

11. 기구의 손 세척

① 튼튼한 가사용 장갑을 끼고 보안경, 마스크, 앞치마를 착용한다.

② 흐르는 물에 손잡이가 긴 솔을 이용하여 세척하며 완전히 헹군다.

③ 혈액이 많이 묻은 기구는 먼저 찬물로 헹군 후 미지근한 물로 세척한다.

치세 6-3-2   기구의 손 세척에 대하여 설명할 수 있다. (A)

12. 초음파 세척

(1) 장점

① 손 세척보다 16배 세척효과

② 오염된 기구로부터 술자 보호

③ 미세부위까지 세척 가능

④ 많은 기구를 신속하게 세척할 수 있어 시간이 효율적

(2) 초음파 세척 시 유의사항

① 기구는 너무 많이 넣지 않도록 하고, 뚜껑을 반드시 닫아 에어로졸이 공기 중에 나오지 않도록 함

② 세척액은 매일 교환

③ 세척 후 기구를 잘 헹구고 싸거나 포장하기 전에 건조

치세 6-3-3   초음파 세척에 대하여 설명할 수 있다. (A)

13. 기구포장

① 멸균상태를 일정 기간 유지하기 위해 단위별로 기구를 포장

② 포장재의 선택은 각종 멸균법에 적절하게 고안된 포장재료를 사용

치세 6-3-4   기구포장에 대하여 설명할 수 있다. (A)

14. 손 세척   2019 기출

① 손가락 끝에서 팔꿈치까지 문질러 씻고 물은 손가락 끝에서부터 팔꿈치 방향으로 흐르게 함

② 항균제가 포함된 액체비누 사용

③ 수도꼭지에 직접 손대지 않고 발·무릎 등으로 조절, 자동 수도꼭지 사용

| 치세 6-4-1 | 손 세척에 대하여 설명할 수 있다. (A) |

15. 술자보호장비

① 보호용 장갑(glove): 시술자의 손에 의해 미생물에 감염되는 것으로부터 대상자를 보호하고 대상자의 혈액과 타액에 존재하는 미생물로부터 시술자를 보호하기 위해 필요

② 보호용 마스크(mask): 치면세마 시술 도중 대상자의 혈액과 타액이 튀어 시술자의 얼굴이 오염되는 것을 보호하고, 처치실의 오염된 에어로졸을 흡입하지 않기 위해 착용

③ 보안경, 안면보호대(goggles, protective eyewear): 대상자의 혈액 또는 타액의 작은 방울이 치면세마 처치 중에 시술자의 눈에 들어가지 않도록 시술자의 눈을 보호하기 위해 착용

| 치세 6-4-2 | 술자보호장비에 대하여 설명할 수 있다. (A) |

16. 개인 방호법 `2019 기출` `2021 기출` `2022 기출`

① 손 세척: 오염된 손은 교차감염을 일으킬 수 있기 때문에 손 세척은 매우 중요함, 치면세마 시술 전과 후에 반드시 항균제를 이용한 철저한 손 세척 필요

② 보호용 장갑(glove): 대상자의 혈액과 타액에 존재하는 미생물로부터 시술자 보호

③ 보호용 mask: 치면세마 시술 도중 대상자의 혈액과 타액이 튀어 시술자의 얼굴이 오염되는 것을 보호

④ 보안경, 안면보호대: 대상자의 혈액 또는 타액의 작은 방울이 치면세마 처치 중에 시술자의 눈에 들어갈 수 있고 질병을 전염시킬 수도 있음, 시술자의 눈을 보호하기 위해 보안경을 착용

⑤ 보호복은 소매와 목이 긴 보호복을 착용한다.

⑥ 강력 흡입기와 러버댐을 동시에 사용하면 에어로졸과 분사되는 것을 최소화시킬 수 있음

⑦ 항균성 양치액은 구강미생물의 수를 감소시키므로 진료 전에 환자를 양치하게 함

| 치세 6-4-4 | 개인 방호법을 설명할 수 있다. (A) |

제7장 | 치면세마 기구

1. 기구의 부분별 명칭

(1) 작업단(작동부, Working end)

① 침착물을 제거하거나 탐지 또는 구강조직 상태를 파악하는데 직접적인 역할

② 작업단 단면도는 삼각형, 반원형, 직사각형, 원통형으로 분류

③ 작업단의 부분적 명칭은 내면, 측면, 배면, 절단연, 날 끝으로 분류

④ 날 끝 모양은 점상(point), 예리하게 된 것(blade), 둥글게 된 것(round), 무딘 것(blunt)으로 구분

(2) 연결부(Shank): 치아면에 기구가 잘 적합되도록 중간역할 담당(경부, shank)

(3) 손잡이(Handle)

> **치세 7-1-1** 기구의 부분별 명칭을 설명할 수 있다. (A)

2. 기구의 작업단 (Working End) `2020 기출`

(1) Working End의 수

① 작업단은 손잡이 한쪽에만 있는 것과 양쪽 모두 있는 것으로 나누어짐

② 한쪽에만 있는 것: Gracy curet, hoe scaler, chisel scaler

③ 양쪽 모두 있는 것: Sickle scaler, universal curet, file scaler

(2) Working End 단면의 특징

① Sickle scaler: 삼각형

② Curette scaler: 반원형

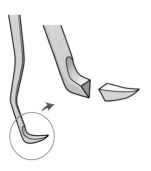

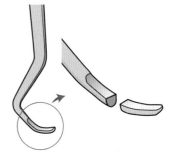

③ Hoe, file, chisel scaler: 장방형, 직사각형   ④ Explorer, periodontal probe: 원통형

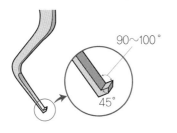
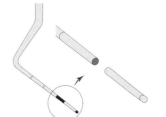

(3) Working End Point의 특징

  ① 작동부의 예리한 끝을 말함

  ② Explorer의 point는 주로 탈회된 치아나 우식치아 발견할 때, 충전물의 결함여부를 탐지할 때 사용

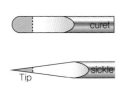

① Tip: point에서 1~2 mm 되는 부위
- point – explorer, sickle scaler
- blunt – periodontal probe

② Blade: file, hoe

③ Toe: curette

치세 7-1-2   각 기구의 작업단(Working End)의 특징을 설명할 수 있다. (A)

3. 경부(Shank) 2020 기출

  ① 작동부와 손잡이를 연결하는 부분

  ② 치아면에 기구가 잘 적합되도록 중간적인 역할을 하는 부분

  ③ 경부의 길이와 각도는 어떤 부위의 기구를 선택할 것인가를 결정할 때 중요한 요인

  ④ 하방 연결부(terminal shank): 치면에 맞는 절단연을 결정하는 데 중요한 지표

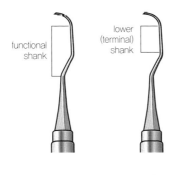

functional shank

lower (terminal) shank

- 하방연결부: 연결부와 작동부가 근접하는 부분에서 작동부에 가장 가까운 부분의 연결부

치세 7-1-3   경부(Shank)에 대해 설명할 수 있다. (A)

4. 손잡이(Handle)

① 기구를 잡는 부분

② 무늬가 있는 것이 매끈한 것보다 좋음

③ 속이 빈 손잡이가 속이 꽉 채워진 것보다 좋음

④ 손잡이는 얇은 것보다 두꺼운 것이 손의 피로를 줄일 수 있음

> **치세 7-1-4**　손잡이(Handle)의 특징에 대해 설명할 수 있다. (B)

5. 치경

(1) 용도

① 간접시진: 직접 볼 수 없는 부위를 비추어 볼 때 사용

② 간접조명: 빛을 반사시켜 어두운 부위를 밝게 보려할 때 사용

③ 당김, 젖힘: 혀나 입술을 젖힐 때 사용

④ 투조: 빛을 반사시켜 치아를 조사하면 빛을 어느 정도 투과하여 치아우식증이나 인접면의 치석을 찾아낼 수 있음

(2) 왼손으로 치경을 변형 연필잡기법으로 잡음

C : working end, B : shank, A : handle

(3) 치경의 사용법

① 구강 내를 관찰하거나 조직을 잡아당길 때

: 간접조명 또는 간접시진 시 구강내 또는 구강 외에 손고정을 한다.

② 환자에게 불편감을 주지 않도록 함

: 협점막을 너무 세게 당기거나 구각부에 압력을 가하지 않고 세게 누르지 않으며, 치아에 부딪혀 소리가 나지 않도록 주의한다.

③ 치경의 반사면에 김이 서리는 것을 방지

: 환자에게 코로 숨 쉬도록 하고, 협점막에 문질러 맑게 사용, 김서림방지제 등을 이용하여 반사면을 닦는다.

치세 7-2-1	치경의 용도에 대해서 설명할 수 있다. (A)

치세 7-2-2	치경의 사용법에 대하여 설명할 수 있다. (A)

6. 탐침(Explorer) `2019 기출` `2020 기출` `2022 기출`

감각을 가장 예민하게 전하는 탐지기구, 거친면에 살짝 닿아도 손잡이를 통하여 술자의 손에 진동을 전하는 유연하게 고안된 검사용 기구

(1) 탐침의 형태

① Tip
- Point에서 1~2 mm 되는 부위
- 치아 검사 시 치면과 접촉하는 부위

② Point
- 작동부의 예리한 끝
- 주로 탈회된 치아나 우식치아 발견할 때, 충전물의 결함 여부를 탐지할 때 사용

(2) 탐침의 종류

종류	특징
Shepherd's hook explorer(#23 explorer)	• 치아우식증 발견 • 교합면 소와나 열구 부위 • 수복물 변연 검사 시
Orban's type explorer (#17 explorer)	• 전치부 좁고 깊은 치주낭의 치은연하치석 탐지 • 구치부 협면과 설면의 치은연하치석 탐지
11/12 explorer	탐침 중 유일하게 연결부가 길고 복합적인 각도를 이루고 있어 얕은 치은열구나 깊은 치주낭에서 동일하게 사용할 수 있는 효율적인 탐침

종류	특징
3A explorer	깊은 치주낭이나 치근분지부 검사 시
Pigtail or cow horn explorer(3CH explorer)	치은연하치석 탐지 시(4 mm 이하)

≫ 11/12 explorer

① Gracey 11/12 curet과 유사

② 탐침 중 유일하게 경부가 길고 복합적인 각도를 이룸

③ 치석 탐지할 때 주로 사용

④ 정상 치은열구 및 깊은 치주낭의 접근이 용이

(3) 탐침의 용도

① 우식치아나 탈회된 치아 발견

② 치아형태의 이상 유무검사

③ 백악질의 표면상태검사

④ 수복물 및 충전물의 상태검사

⑤ 치은연상·연하 치석검사

⑥ 접근하기 어려운 치아손상부위를 조사

⑦ 수복물의 장착 후 잉여 접착제를 제거

⑧ 치료 후 치면 상태를 평가할 때 사용

(4) 탐침의 사용

① 탐침을 변형 연필잡기법으로 잡고 해당치아 또는 인접치아에 손고정

② 올바른 작동부 결정

③ 적합(adaptation): 유리치은연 위 치면에 탐침 tip의 측면이 닿도록 위치

④ 삽입(insertion): Tip의 측면을 치면에 적합시킨 상태에서 tip의 back 부위가 접합상피에 도달하도록 치아장축 방향으로 기구를 가볍게 잡고 천천히 삽입

⑤ 탐지동작(exploratory stroke)

- 기구를 가볍게 잡고 pull과 push 동작으로 중첩하면서 근심 또는 원심능각부위까지 탐지

- 구치부: 원심능각부위 → 중앙부위 → 근심능각부위 → 근심면 col 부위 → 다시 원심능각부위에서 원심면 col 부위까지 탐지

• Tip의 측면은 항상 치아와 접촉: 치주조직의 외상 방지

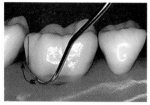 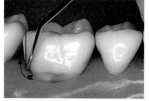 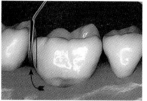

적합(adaptation)   삽입(insertion)   탐지동작(stroke)

치세 7-2-4	탐침의 용도에 대하여 설명할 수 있다. (A)

치세 7-2-5	탐침의 사용법에 대하여 설명할 수 있다. (A)

치세 7-2-6	탐침의 종류에 대하여 설명할 수 있다. (B)

7. 핀셋(Cotton Plier)

(1) 용도

① 재료를 넣고 꺼낼 때

② 구강 내 이물질 제거 시

(2) 연필잡기법(Pen grasp) 또는 변형 연필잡기법으로 잡음

치세 7-2-7	핀셋(Cotton Plier)의 사용법에 대해서 설명할 수 있다. (B)

8. 치주탐침자(치주낭 측정기, Periodontal probe) 2020 기출 2021 기출 2022 기출

(1) 특징

① 가늘고 막대모양의 작동부

② mm 단위로 눈금 표시

③ Tip: 무디고 횡단면은 원형 또는 직사각형

④ 가는 굵기: 치은연하 부위에 적합 가능, 치아와 치은 사이에 쉽게 들어감

(2) 사용용도

① 치주낭 깊이 측정

② Probing시 치은출혈 확인(출혈지수)

③ 치은퇴축의 측정

④ 치은증식 측정

⑤ 임상적 부착소실

⑥ 부착치은 폭 측정

⑦ 치은열구 형태

⑧ 다근치 분지부의 골 파괴 정도와 치근 이상

⑨ 구강내 병소의 크기 측정

(3) 사용원칙

① 변형 연필잡기법

② 인접치아에 손고정

③ 기구삽입은 20~30 g의 힘으로 치아장축에 평행하게 삽입하고 측정하는 동안 치아면과 계속 접촉

④ 한 걸음씩 걷는 동작(walking motion)

⑤ 한 치아 당 6부위 측정

(4) Probe 종류

Goldman-fox probe	• 눈금 표시: 1, 2, 3, 5, 7, 8, 9, 10 mm • 작동부 끝의 모양은 편평(flat)하게 되어 있음
Michigan-O probe	• 눈금 표시: 3, 6, 8 mm • 작동부가 얇고 가늘어 많이 사용 • 작동부 끝: 둥근 형태
Marquis probe	• 눈금 표시: 3, 6, 9, 12 mm • 작동부의 두 부분이 다른 색으로 표시
Williams probe	• 눈금 표시: 1, 2, 3, 5, 7, 8, 9, 10 mm • 작동부 끝은 둥근(round) 형태 • 3과 5, 5와 7 사이에 2 mm의 공간을 두고 눈금 표시
WHO probe	• Probe의 끝이 0.5 mm 지름의 ball로 이루어져 있고 3.5~5.5 mm 부위에 착색 • 끝이 ball로 되어 있어 치은열구 내에서 기구를 움직일 때 환자에게 편안함을 느끼게 하며 치은연하치석이나 overhanging margin을 찾기에 편리
Nabers probe	치근이개부 검진 시 용이

치세 7-2-8	치주탐침의 용도에 대하여 설명할 수 있다. (A)

치세 7-2-9	치주탐침의 사용법에 대하여 설명할 수 있다. (A)

치세 7-2-10	치주탐침의 종류에 대하여 설명할 수 있다. (B)

9. Sickle scaler 2020 기출 2021 기출

(1) 형태

① 날의 내면과 측면이 만나 2개의 절단연을 만듦

② 2개의 측면은 만나서 배면을 이룸

③ 기구의 단면: 삼각형

④ 날의 내면과 측면이 만나 이루는 각도: 70~80°

⑤ 내면과 경부가 이루는 각: 90°

⑥ 연결부가 직선형: 전치부에 사용, 연결부가 굴곡형: 구치부에 사용

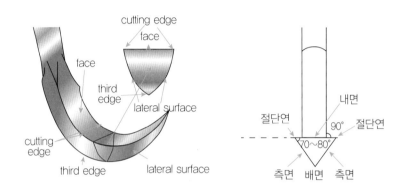

(2) 용도

① 치은연상에 다량으로 부착된 치석 제거

② 유리치은 하부에 연장된 경우의 치은연하치석을 제거 시 사용

(3) 특징

① 치석제거 시 기구 날의 내면과 치면의 각도는 45° 이상, 90° 이하이어야 하며, 작업각도는 60~80°

② 중등도의 측방압으로 구치부는 사선으로, 전치부는 수직으로 짧게 중첩하면서 잡아당김(pull stroke)

(4) 사용법

① 전치부(sickle #33)

• 기구를 modified pen grasp로 잡고 손고정

• 기구날의 point가 근심을 향하도록 한 상태에서 날의 1/3(tip-third)을 치은변연에 닿도록 하여 치경부 중앙에서 수직방향의 짧고 중첩된 동작으로 근심면의 치석 제거

- 반대편 절단연의 1/3(tip-third)을 치경부 중앙에서 원심을 향하도록 적합
- 치경부 중앙에서 원심면을 향해 수직방향으로 짧고 중첩된 동작을 하면서 인접면까지 치석제거

② 구치부(sickle #34/35)
- 기구를 modified pen grasp로 잡고 손고정
- Terminal shank가 치아장축에 평행하게 하여 날의 1/3(tip-third)을 유리치은연 상부에 적합시켜 원심협측능각에서 근심면을 향하여 짧게 잡아당기는 동작으로 인접면까지 기구를 돌려가며 치석제거
- 인접면으로 이행 시 날을 치면에 잘 적합하고 인접면 기구동작 시 치아장축과 평행하게 동작한다.
- 반대편 절단연의 1/3(tip-third)을 원심협측능각에서 원심면을 향해 적합시켜 수직 또는 사선방향으로 짧고 중첩된 동작으로 인접면까지 치석제거

치세 7-2-11 Sickle Scaler의 특징을 설명할 수 있다. (A)

치세 7-2-12 Sickle Scaler의 사용법을 설명할 수 있다. (A)

10. Universal curette `2021 기출` `2022 기출`

(1) 특징
① 모든 치면에 사용가능
② 날의 내면과 말단 경부의 각: 90°
③ 2개의 절단연
④ 경부의 길이와 각도 다양
- 전치부용: 각도가 작고 길이가 짧은 것
- 구치부용: 각도가 크고 길이가 긴 것
⑤ 적절한 작업각도: 45~90°

(2) 용도
① 치아표면의 침착물과 치은연하의 치석제거
② 거친 백악질 표면활택
③ 병적 치주낭 또는 치은열구의 육아조직 제거

(3) 사용법

① 변형 연필잡기법으로 기구잡음

② 시술하는 치아 또는 인접치아의 절단연이나 교합면에 손고정

③ 유리치은연 상부의 치아면에 작동부를 놓고 날의 하방 1/3(toe−third)의 측면을 항상 치아면에 적합

④ 날이 치아면에 0도인 상태에서 부착상피를 향하여 삽입

⑤ 작업각도가 45º 이상 90º 이하 되도록 유지, 각도가 45도 이하일 때 베니어형 치석이 존재하게 됨

⑥ 중등도의 측방압을 적용하여 전치부는 수직방향, 구치부의 중앙은 사선방향, 인접면은 수직방향으로 교합면을 향해 짧고 중첩된 동작

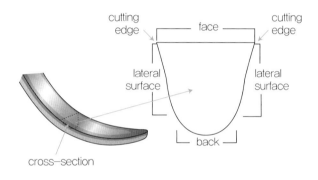

| 치세 7-2-13 | 일반큐렛(Universal Curette)의 특징을 설명할 수 있다. (A) |

| 치세 7-2-14 | 일반큐렛(Universal Curette)의 사용법을 설명할 수 있다. (A) |

11. Area-specific curette (Gracey curette) 2019 기출 2021 기출

(1) 형태

① 각 치아 부위별로 특수하게 고안

② 1~18번까지 9개가 한세트

③ 날의 내면과 terminal shank가 60~70˚ 만나서 기울어짐

④ 한 쪽의 절단연만 사용 가능

⑤ 기울어진 쪽의 절단연, 손잡이와 먼 하부 절단연 사용

(2) 종류

① Gracey 1~2: 전치

② Gracey 3~4: 전치

③ Gracey 5~6: 전치와 소구치

④ Gracey 7~8: 구치의 협면과 설면

⑤ Gracey 9~10: 구치의 협면과 설면

⑥ Gracey 11~12: 구치의 근심면

⑦ Gracey 13~14: 구치의 원심면

⑧ Gracey 15~16: 구치의 근심면

⑨ Gracey 17~18: 구치의 원심면

(3) 사용원칙

① Terminal shank가 바닥에 수직이 되게 한 상태에서 기울어진(하방에 위치한) 절단연이 올바른 절단연

② 2개 절단연을 동일선상에 위치시킨 후 결정하는 경우로 2개 절단연 중에서 만곡되고 길며 볼록한 쪽이 올바른 절단연

(4) 사용법

① 올바른 절단연을 선택하여 terminal shank가 치아장축에 평행하도록 함

② 날이 치아면에 대해 0°인 상태에서 접합상피가 느껴질 때까지 삽입

③ 작업각도: 60~70°

④ 치석제거 시 날의 1/3(toe-third)만 사용

⑤ 기구 동작 시 손가락만 사용하지 말고 손목과 아래팔 운동을 함께 이용

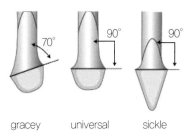

gracey   universal   sickle

(5) Afterfive curet

하방연결부가 gracey curet보다 3 mm 더 길어지고 날(blade)은 약간 가늘어져 깊은 치주낭 내 적합 가능

(6) Minifive curet

하방연결부가 gracey curet보다 3mm 더 길어지고, 날의 길이가 50% 짧아지고 폭이 30% 좁아, 깊고 좁은 치주낭 내 적용 용이

| 치세 7-2-15 | 특수큐렛(Area-Specific Curette)의 특징을 설명할 수 있다. (A) |

| 치세 7-2-16 | 특수큐렛(Area-Specific Curette)의 사용법을 설명할 수 있다. (A) |

12. Hoe scaler

(1) 형태

① Terminal shank와 날의 내면: 99~100°

② 하나의 절단연: 내면에 대해 45° 경사

③ 경부
  - 전치부용: 짧고 직선형의 연결부
  - 구치부용: 긴 만곡형의 연결부

(2) 용도

① 치은연상에 다량으로 부착된 치석을 제거하는데 적합한 기구

② 인접한 치아가 없는 인접면, 치은조직이 쉽게 분리되는 치은연하의 치석제거

③ 치아의 인접면에는 작동부의 두께 때문에 사용하기 어려움

(3) 사용법

① Blade가 치아면에 단단히 접촉하게 하면서 hoe를 치석침착물 하단에 놓음

② 기구의 절단연과 shank가 치아면에 접촉하여 두 개의 접촉점을 가지므로 지레작용을 얻기 쉬워 단단한 치석을 제거할 때 용이

③ 날의 각도는 90°로 하고 치아에 압력을 가하면서 수직방향의 동작으로 끌어내림(pull stroke)

④ Hoe scaler 사용 후 curette으로 마무리

치세 7-2-17	Hoe Scaler에 대하여 설명할 수 있다. (B)

치세 7-2-18	Hoe Scaler의 사용법을 설명할 수 있다 (R)

13. File scaler

(1) 형태

① 절단연이 여러 개로 이루어짐

② 한쪽에만 날이 있거나 쌍으로 됨

③ 절단연과 연결부의 각: 90~105°

④ 전치부: 곧은 연결부, 구치부: 연결부의 각이 크고 굽은 것

⑤ 절단연의 단면: 장방형 또는 직사각형

(2) 용도

① 다량으로 단단하게 부착된 치석을 깨뜨리거나 부술 때

② 백악질과 상아질의 경계 부위를 활택하게 하기 위해

③ 노출된 치근활택을 위해

④ 최후방 구치의 원심면에 돌출된 치석 제거

(3) 사용법

① 변형 연필잡기법으로 잡음

② 시술하는 인접치아에 손고정

③ Terminal shank를 치아장축에 평행하게 하여 치은연 상방에 위치

④ 치은연하로 조심스럽게 삽입하여 당기고 미는 동작으로 제거(pull and push)

⑤ Curette으로 마무리

| 치세 7-2-19 | File Scaler에 대해서 설명할 수 있다. (B) |

| 치세 7-2-20 | File Scaler 사용법을 설명할 수 있다. (B) |

14. Chisel scaler

(1) 형태

① 절단연은 하나이며 곧고 편평

② 연결부와 작동부가 같은 면에 있음

③ 절단부: 45°

④ 날의 단면: 직사각형

(2) 용도

① 인접면의 적합에 용이

② 전치부 인접면에 침착된 많은 양의 치은연상치석을 제거하는데 주로 사용

③ 특히 하악 6전치 인접면에 침착된 많은 양의 치석제거 시 사용

(3) 사용법

① 기구를 변형 연필잡기법이나 손바닥 잡기법으로 잡음

② 시술할 치아나 인접치아의 절단연에 손고정

③ 연결부는 치아장축에 직각이 되게 하고 기구의 절단연 전체가 치면에 접촉

④ 순면에서 설면으로 미는 동작(push stroke)

⑤ Chisel 사용 후에는 sickle이나 curette으로 마무리

치세 7-2-21   Chisel Scaler에 대하여 설명할 수 있다. (B)

치세 7-2-22   Chisel Scaler 사용법을 설명할 수 있다. (B)

제8장 | 치면세마술과 치근활택술

1. 대상자(환자)의 자세 `2021 기출` `2022 기출`

• 환자의 높이는 개구한 상태에서 술자의 팔꿈치 높이와 같거나 좀 더 낮게 위치

• Head rest와 back rest를 조절하고 환자의 목과 척추가 일직선이 되고 머리가 중앙에 오도록 함

(1) 상악 시술 시

① 환자가 입을 벌리고 턱을 든 상태에서 술자의 팔이 허리 높이에 있도록 함

② 하악 선지부 순면이 바닥과 평행하도록 환자의 머리를 뒤로 젖힘

(2) 하악 시술 시

① 환자가 입을 벌리고 턱을 내린 상태에서 술자의 팔이 허리 높이에 있도록 함

≫ 환자별 자세별 특징

수직자세(up-light position)

① 치과용 의자의 등받이가 바닥과 80 ~ 90°가 되도록 조절하여 앉히는 방법

② 병력 청취, 구강 외 검진, 불소 국소도포 시, 알지네이트 인상채득 및 구강방사선 촬영 시 사용

경사자세(semi up-light position)

① 하악치아의 교합면이 바닥과 거의 수평이 되도록 하며 등받이를 바닥과 45° 정도로 조절하여 환자를 앉히는 방법

② 임산부나 심혈관 질환자, 호흡기 질환자 등에게 실시

수평자세(supine position, 앙와위자세)

① 상악치아의 교합면이 바닥과 거의 수직상태를 이루게 하거나 등받이와 머리받이가 일직선상을 이루도록 조절하여 환자를 앉히는 방법

② 상악부위 시술 시 자주 사용

③ 조명은 바닥과 45°각도

변형 수평자세(modified-supine position)

① 하악치아의 교합면이 바닥과 거의 수평상태를 이루게 하거나 등받이와 머리받이가 일직선상이 된 상태에서 바닥과 20° 이내에서 의자를 조절하여 환자를 앉히는 방법

② 하악부위 시술 시 사용

트렌델렌버그 자세(Trendelenberg position)

① 등받이가 바닥과 30~40° 바닥쪽으로 경사지게 위치하여 심장이 머리보다 높은 자세

② 쇼크 상태일 때 적용

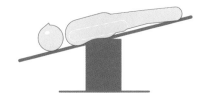

치세 8-1-1　환자의 자세를 설명할 수 있다. (A)

2. 술자의 자세 2020 기출

① 머리와 목은 똑바로 세우며, 머리를 전방으로 20° 이상 구부리지 않도록 함
② 시술자의 눈과 환자 구강과의 거리는 35~40 cm를 유지하도록 함

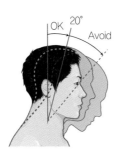

③ 등과 가슴은 곧게 펴서 20° 이상 구부리는 것을 피하도록 함
④ 등은 의자 시트와 100° 정도 되도록 앉음

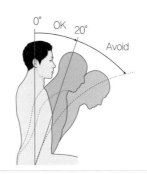

⑤ 어깨가 한쪽으로 올라가거나 기울어지지 않도록 주의

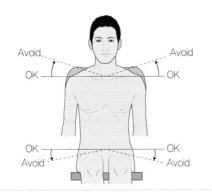

⑥ 상완부는 몸의 측면에서 20° 이내로 가까이 붙인 상태를 유지하도록 함

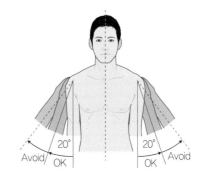

⑦ 전완부는 가능한 바닥과 평행하게 하며 상완과 전완이 이루는 각도는 60~100° 이내가 되도록 함

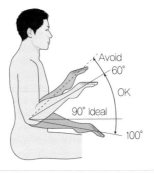

⑧ 손가락과 손목, 전완은 일직선이 되게 하며 손목이 굴곡되거나 연장되지 않도록 주의

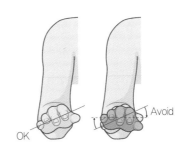

⑨ 대퇴부는 바닥과 평행하게 하며 발바닥 전
    체는 바닥에 닿도록 함

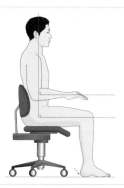

⑩ 다리는 7시 방향에서는 양다리를 붙여 등받이와 나란히 놓고, 10시 30분 방향에서는 다리를 벌
    려 등받이 양쪽으로 놓으며, 12시 방향에서도 양다리를 벌려 등받이 양쪽으로 놓음

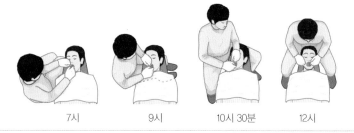

| 7시 | 9시 | 10시 30분 | 12시 |

| **치세 8-1-2** | 술자의 자세를 설명할 수 있다. (A) |

3. 술자의 활동 위치에 따른 분류

(1) 전방위치(7~8시)

① 시술자는 환자와 마주보는 위치로 앉음

② 상·하악 전치부 순면과 설면 중 시술자와 가까운 면

③ 상·하악 우측 구치부 협면, 상·하악 좌측 구치부 설면 시술 시 적합

(2) 측방위치(9~10시 반)

① 시술자는 환자의 측방에 앉음

② 양다리를 모아 head rest 밑으로 넣거나(9시), 양다리를 벌리고 앉음(10시 반)

③ 상·하악 좌측 구치부 협면, 상·하악 우측 구치부 설면 시술 시 적합한 위치

(3) 후방위치(11~12시)

① 시술자는 환자의 후방에 앉음

② Back rest 양쪽으로 다리를 벌리고 앉음

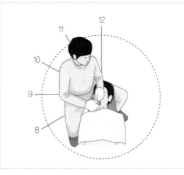

  ① 환자 전방위치(front to side position):
    7~8시 방향
  ② 환자 측방위치(side to side position):
    9~10시 30분 방향
  ③ 환자 후방위치(back to side position):
    11~12시 방향

③ 상·하악 전치부 순면과 설면 중 시술자와 먼 면 시술 시 적합한 위치

치세 8-1-3   협조자의 자세를 설명할 수 있다. (B)

치세 8-1-4   술자의 위치를 설명할 수 있다. (A)

4. 기구 잡는 법

(1) 표준 연필잡기법

① 첫째 손가락과 둘째 손가락의 끝부분과 셋째 손가락의 측면으로 기구를 잡는 것
② 가장 손쉬운 방법이지만, 세밀한 동작을 하기에는 제한이 따르므로 치석제거나 치근
활택술을 하기에는 매우 불안정한 방법

(2) 변형 연필잡기법

① 엄지의 내면은 검지와는 서로 반대 방향
② 검지의 내면은 기구의 손잡이 부위 위에 약간 엄지보다 위쪽으로 위치
③ 중지는 작업부의 운동방향을 도와주고 움직임을 감지하는 중요한 역할
④ 약지는 구강 내에서 기구를 잡은 손을 고정
  → 엄지, 검지, 중지가 이루는 삼각대 효과에 의해 기구 조작시 예민한 촉각을 얻을
    수 있고 지지점 적용 시 손가락 안정성과 기구 동작 시 측방압의 강도를 효율적
    으로 조절할 수 있음

(3) 손바닥잡기법

① 손바닥으로 기구를 감싸듯이 쥐는 방법

② 기구 연마 시나 air-water syringe의 사용, rubber dam forcep의 사용 등 큰 기구를 견고하게 잡을 때 이용하는 방법

③ 기동성과 촉감이 떨어지며 기구동작에 한계가 있어 세밀한 조작을 요하는 술식에 사용하기 어려움

표준연필잡기법　　　　　　손바닥잡기법

| 치세 8-2-1 | 기구 잡는 법에 대하여 설명할 수 있다. (A) |

5. 손고정(Fulcrum, Finger rest)

(1) 손고정 의의

① 기구를 움직일 때 기구의 조절이 용이하도록 안정된 지레 받침점을 주는 것

② 잘못된 기구조작으로 인한 치주조직의 손상을 막을 수 있음

③ 술자의 손에 피로도 감소

④ 부착물을 효과적으로 제거

⑤ 기구 미끄럼 방지

(2) 손고정 원칙

① 시술 부위로부터 가장 가까운 구강 내 경조직이나 치아에 손고정

② 동일 악, 동일 상한에 고정

③ 해당치아나 인접전방 1~2개 치아에 고정

④ 손목의 굴절이나 연장되지 않도록 함

⑤ 중지손가락 측면에 약지손가락이 접촉(약지를 축으로 지지)

⑥ 구내 손고정법: 기구의 말단경부가 가능한 한 치아면과 평행을 유지할 수 있는 위치에 고정

⑦ 구외 손고정법: 치경 사용 시 많이 사용, 환자의 안면에 외상을 입히지 않도록 주의

| 치세 8-2-2 | 손고정에 대하여 설명할 수 있다. (A) |

6. 기구적합(Adaptation) `2021 기출`

① 날의 절단연을 치아면에 대는 동작으로, 작동부 날의 하방 1/3을 치면에 적용하는 것

② 치석제거술이나 치근활택술 시 연조직이나 치근 표면에 외상을 피하고 기구 조작을 최대한 효과적으로 하기 위해 올바른 적합은 매우 중요

> **치세 8-2-3** 기구적합(Adaptation)에 대하여 설명할 수 있다. (A)

7. 기구삽입(Insertion)

① 작업부 하방 1/3 내면이 치면과 접촉한 상태에서 기구를 시술하고자 하는 치은연하부에 삽입하는 것

② 삽입각도 0도

③ 경도 이하의 측방압

④ 천천히 접합상피까지 삽입

⑤ 날의 끝이 치아면 또는 접합상피를 향하지 않도록 함

> **치세 8-2-4** 기구삽입(Insertion)에 대하여 설명할 수 있다. (A)

8. 작업각도(Angullation) `2019 기출`

① 기구 작동부의 날 내면과 치아면이 만나서 이루는 각도를 말함

② 치석제거 각도는 45° 이상, 90° 이하가 되어야 함

③ 기구 날을 치은연하에 삽입 시에는 0°로 가볍게 삽입하며 치석제거를 위해서는 치아 표면과 기구 날의 내면이 70°에서 80° 정도를 유지하면서 시술하는 것이 효율적임

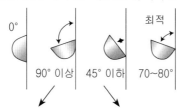

> **치세 8-2-5** 작업각도(Angullation)에 대하여 설명할 수 있다. (A)

9. 기구동작(Stroke)

(1) 기구동작 순서: 기구선정 → 기구잡기 → 손고정 → 적합 → 삽입 → 각도 → 기구동작

(2) 동작에 따른 기구동작

① 당기는 동작(pull stroke)

② 미는 동작(push stroke): chisel scaler 등

③ 당기고 미는 동작(pull and push stroke): file scaler, explorer 등

④ 걷는 동작(Walking motion): periodental probe 등

(3) 사용목적에 따른 기구동작

① 탐지동작(exploratory stroke)
- 가늘고 섬세한 탐침의 tip 1~2 mm로 탐지하는 동작
- 기구를 가볍게 잡고 탐지하면 치석의 위치나 치근 표면의 상태를 느낌으로 알 수 있음

② 작업동작(working stroke)
- 기구를 힘있게 잡음
- 작업단 하방 1/3 측면부위를 적용
- 중등도의 측방압을 적용
- 치석을 당길 때만 짧게
- 중첩된 동작(1 mm)
- 치아인접면 col 부위에서 terminal shank가 평행한 상태에서 3번 이상 동작

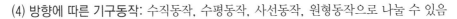

(4) 방향에 따른 기구동작: 수직동작, 수평동작, 사선동작, 원형동작으로 나눌 수 있음

① 수직동작: 전치부 순·설면, 전치부 인접면, 구치부 인접면

② 수평동작: 치근활택술이나 초음파치석제거 시

③ 사선동작: 구치부 협·설면

④ 원형동작: 치면연마 시

vertical stroke   oblique stroke   horizontal stroke

치세 8-2-6 기구동작(Stroke)에 대하여 설명할 수 있다. (A)

10. 측방압(Lateral Pressure)

치아면을 향하여 작업부의 하방 1/3부위에 적용시키는 압력, 측방압의 적용범위를 시술과정에 따라 경도, 중등도, 강도로 적용한다.

① 치주낭과 치석탐지 시: 경도 이하의 측방압
② 치석제거 시: 중등도 이상의 측방압
③ 치근활택술: 경도의 측방압

> **치세 8-2-7** 　측방압(Lateral Pressure)에 대하여 설명할 수 있다. (A)

11. 치면세마 순서

시술자 위치(position) → 기구잡기(grasp) → 손고정(finger rest) → 적합(adaptation) → 삽입(insertion) → 작업각도(angulation) → 동작(stroke)

> **치세 8-3-1** 　치면세마 순서를 나열할 수 있다. (B)

12. 하악우측 구치부 협면 치면세마법

부위	환자위치	시술각도	제거방법
하악우측 구치부 협면	• 환자를 modified-supine position으로 앉힘 • 하악치아의 교합면이 바닥과 평행하게 한 다음 환자의 머리는 정면을 향하거나 약간 왼쪽으로 기울이게 함	7~8시 방향에서 시술	• 변형 연필잡기법으로 기구를 잡고 시술받는 치아나 인접 전방 치아의 교합면 또는 설면에 손고정 • 치경 내면으로 협점막을 젖혀 시야를 넓히거나 치경 내면이 치면을 향하게 하여 간접시진 • 기구조작 시 손고정 위치가 해당 치아에서 너무 떨어지지 않도록 함

> **치세 8-3-2** 　하악우측 구치부 협면 치면세마법을 설명할 수 있다. (A)

13. 하악 전치부 순면(술자와 가까운 면) 치면세마법 `2022 기출`

부위	환자위치	시술각도	제거방법
하악 전치부 순면(술자와 가까운 면)	• 환자를 modified-supine position으로 앉힘 • 좌측 견치부를 시술할 때에는 오른쪽으로, 우측 견치부를 시술할 때에는 왼쪽으로 머리를 약간 기울이게 함	7~8시 방향에서 시술	• 변형 연필잡기법으로 기구를 잡고 시술받는 치아나 인접치아의 절단연에 손고정 • Scaler를 너무 짧게 잡지 않도록 하고, 치아장축방향으로 움직이도록 함

> **치세 8-3-3** 하악 전치부 순면의 술자와 가까운 면 치면세마법을 설명할 수 있다. (A)

14. 하악 전치부 순면(술자와 멀리 있는 면) 치면세마법

부위	환자위치	시술각도	제거방법
하악 전치부 순면(술자와 멀리있는 면)	• 환자를 modified-supine position으로 앉힘 • 좌측견치부를 시술할 때에는 오른쪽으로, 우측 견치부를 시술할 때에는 왼쪽으로 머리를 약간 기울이게 함	11~12시 방향에서 시술	• 변형 연필잡기법으로 기구를 잡고 시술받는 치아나 인접치아의 순면에 손고정 • Scaler를 너무 짧게 잡지 않도록 하고, 치아장축방향으로 움직이도록 함

> **치세 8-3-4** 하악 전치부 순면(술자와 멀리 있는 면) 치면세마법을 설명할 수 있다. (A)

15. 하악좌측 구치부 협면 치면세마법

부위	환자위치	시술각도	제거방법
하악좌측 구치부 협면	• 환자를 modified-supine position으로 앉힘 • 하악치아의 교합면이 바닥과 평행한 상태에서 환자의 머리는 시술자 쪽으로 약간 기울이게 함	9시 또는 10시 30분 방향에서 실시	• 변형 연필잡기법으로 기구를 잡고, 시술받는 치아나 인접 전방치아의 교합면 또는 협면에 손고정 • 치경으로 협점막을 젖혀 직접시진 • 시술자의 머리로 빛을 차단하지 않도록 주의함

> **치세 8-3-5** 하악좌측 구치부 협면 치면세마법을 설명할 수 있다. (A)

16. 하악좌측 구치부 설면 치면세마법

부위	환자위치	시술각도	제거방법
하악좌측 구치부 설면	• 환자를 modified-supine position으로 앉힘 • 하악치아의 교합면을 바닥과 평행하게 한 다음 환자의 턱을 내리고 머리는 약간 왼쪽으로 기울이게 함	7~8시 방향에서 시술	• 변형 연필잡기법으로 기구를 잡고 시술받는 치아나 인접 전방치아의 교합면 또는 협면에 손고정 • 치경 내면이 설면을 향하도록 하고, 간접시진으로 치아를 보거나 혀를 격리시켜 직접시진으로 시술부위를 볼 수도 있음 • 방습과 혀의 격리가 잘 되도록 해야 하고, 치경으로 혀를 격리할 때 너무 강한 압력을 가하지 않도록 함

치세 8-3-6 하악좌측 구치부 설면 치면세마법을 설명할 수 있다. (A)

17. 하악 전치부 설면(술자와 가까운 면) 치면세마법

부위	환자위치	시술각도	제거방법
하악 전치부 설면(술자와 가까운 면)	• 환자를 modified-supine position으로 앉힘 • 하악치아의 교합면이 바닥과 평행한 상태에서 머리를 약간 왼쪽으로 기울이게 함	7~8시 방향에서 시술	• 변형 연필잡기법으로 기구를 잡고 시술받는 치아나 인접치아의 절단연에 손고정 • 치경의 내면은 전치부 설면에 위치시켜 직접 치면을 비추도록 하고, 거즈나 솜을 말아서 설측에 둠 • 치경으로 설근을 너무 누르지 않도록 하고 지각과민현상이 나타나기 쉬운 부위이므로 주의가 필요함

치세 8-3-7 하악 전치부 설면(술자 가까운 면) 치면세마법을 설명할 수 있다. (A)

18. 하악 전치부 설면(술자와 멀리 있는 면) 치면세마법

부위	환자위치	시술각도	제거방법
하악 전치부 설면(술자와 멀리있는 면)	• 환자를 modified-supine position으로 앉힘 • 하악치아의 교합면이 바닥과 평행한 상태에서 머리를 약간 왼쪽으로 기울이게 함	11~12시 방향에서 시술	• 변형 연필잡기법으로 기구를 잡고 시술받는 치아나 인접치아의 순면에 손고정 • 치경의 내면은 전치부 설면에 위치시켜 직접 치면을 비추도록 하고, 거즈나 솜을 말아서 설측에 둠 • 치경으로 설근을 너무 누르지 않도록 하고 지각과민현상이 나타나기 쉬운 부위이므로 주의가 필요

치세 8-3-8 하악 전치부 설면(술자와 멀리 있는 면) 치면세마법을 설명할 수 있다. (A)

19. 하악우측 구치부 설면 치면세마법

부위	환자위치	시술각도	제거방법
하악우측 구치부 설면	• 환자를 modified-supine position으로 앉힘 • 하악치아의 교합면이 바닥과 평행한 상태에서 환자의 머리는 시술자 쪽으로 약간 기울이게 함	9시 또는 10시 30분 방향에서 실시	• 변형 연필잡기법으로 기구를 잡고, 시술받는 치아나 인접 전방 치아의 교합면 또는 협면에 손고정 • 간접시진 or 직접시진 • 시야확보를 위해 혀의 격리가 필요하고, 방습을 위해 거즈를 설측부위에 끼워두도록 함

> **치세 8-3-9**   하악우측 구치부 설면 치면세마법을 설명할 수 있다. (A)

20. 상악우측 구치부 협면 치면세마법 `2020 기출`

부위	환자위치	시술각도	제거방법
상악우측 구치부 협면	• 환자를 supine position으로 앉힘 • 상악치아의 교합면이 바닥과 수직상태에서 환자의 머리는 왼쪽으로 약간 기울이게 함	7~8시 방향에서 실시	• 변형 연필잡기법으로 기구를 잡고, 시술받는 치아나 그 인접 전방치아의 교합면 또는 설면에 손고정 (※ 상악우측 견치 절단 1/3에도 손고정할 수 있음) • 치경을 이용하여 협점막을 격리하여 시야를 넓히도록 함 • 환자의 입을 너무 크게 벌리지 않도록 하고, 치경으로 협점막을 격리시킬 때 너무 큰 압력을 가해 환자에게 고통을 주지 않도록 함

> **치세 8-3-10**   상악우측 구치부 협면 치면세마법을 설명할 수 있다. (A)

21. 상악 전치부 순면(술자와 가까운 면) 치면세마법

부위	환자위치	시술각도	제거방법
상악 전치부 순면(술자와 가까운 면)	• 환자를 supine position으로 앉힘 • 상악치아의 교합면이 바닥과 수직상태에서 환자의 머리는 정면을 향하게 하거나 약간 오른쪽으로 기울이게 함	7~8시 방향에서 실시	• 변형 연필잡기법으로 기구를 잡고, 그 인접치아의 순면에 손고정 • 직접시진으로 치아를 볼 수 있으며 시술하지 않는 손의 엄지와 검지로 입술 격리 • 환자의 입을 너무 크게 벌리지 않도록 함

> **치세 8-3-11**   상악 전치부 순면(술자 가까운 면) 치면세마법을 설명할 수 있다. (A)

22. 상악 전치부 순면(술자와 멀리 있는 면) 치면세마법 `2019 기출`

부위	환자위치	시술각도	제거방법
상악 전치부 순면(술자와 멀리있는 면)	• 환자를 supine position으로 앉힘 • 상악치아의 교합면이 바닥과 수직상태에서 환자의 머리는 정면을 향하게 하거나 약간 오른쪽으로 기울이게 함	11~12시 방향에서 실시	• 변형 연필잡기법으로 기구를 잡고, 그 인접치아의 절단연에 손고정 • 직접시진으로 치아를 볼 수 있으며 시술하지 않는 손의 엄지와 검지로 입술을 격리시킴 • 환자의 입은 너무 크게 벌리지 않도록 함

> **치세 8-3-12**   상악 전치부 순면(술자와 멀리 있는 면) 치면세마법을 설명할 수 있다. (A)

23. 상악좌측 구치부 협면 치면세마법

부위	환자위치	시술각도	제거방법
상악좌측 구치부 협면	• 환자를 supine position으로 앉힘 • 상악치아의 교합면이 바닥과 수직상태에서 환자의 머리는 오른쪽으로 약간 기울어지게 함	9시~10시 30분 방향에서 실시	• 변형 연필잡기법으로 기구를 잡고, 그 인접치아의 교합면 또는 설면에 손고정 • 치경 내면으로 협점막을 격리하거나 치경 내면이 치면을 향하게 하여 간접시진함

> **치세 8-3-13**   상악좌측 구치부 협면 치면세마법을 설명할 수 있다. (A)

24. 상악좌측 구치부 설면(구개면) 치면세마법

부위	환자위치	시술각도	제거방법
상악좌측 구치부 설면	• 환자를 supine position으로 앉힘 • 상악치아의 교합면이 바닥과 수직상태에서 환자의 머리는 왼쪽으로 약간 기울이게 함	7~8시 방향에서 실시	• 변형 연필잡기법으로 기구를 잡고, 그 인접치아의 교합면 또는 협면에 손고정 • 치경 내면은 시술하는 부위를 향하게 하여 시술부위가 밝게 보이도록 하고, 거즈를 좌측 협점막 사이에 끼워 두면 시야 확보에 좋음

> **치세 8-3-14**   상악좌측 구치부 설면(구개면) 치면세마법을 설명할 수 있다. (A)

25. 상악 전치부 설면(술자와 가까운 면) 치면세마법

부위	환자위치	시술각도	제거방법
상악 전치부 설면(술자와 가까운 면)	• 환자를 supine position으로 앉힘 • 상악치아의 교합면이 바닥과 수직상태에서 환자의 머리는 정면을 향하게 함 • 우측 견치부를 시술할 때에는 머리를 약간 왼쪽으로, 좌측 견치부를 시술할 때에는 약간 오른쪽으로 기울이게 함	7~8시 방향에서 실시	• 변형 연필잡기법으로 기구를 잡고, 그 인접치아의 절단연에 손고정 • 치경 내면이 시술하는 부위를 비추도록 하여 반드시 간접시진을 하도록 함

> **치세 8-3-15**　상악 전치부 설면(술자 향한 면) 치면세마법을 설명할 수 있다. (A)

26. 상악 전치부 설면(술자와 멀리있는 면) 치면세마법

부위	환자위치	시술각도	제거방법
상악 전치부 설면	• 환자를 supine position으로 앉힘 • 상악치아의 교합면이 바닥과 수직상태에서 환자의 머리는 정면을 향하게 함 • 우측 견치부를 시술할 때에는 머리를 약간 왼쪽으로, 좌측 견치부를 시술할 때에는 약간 오른쪽으로 기울이게 함	11~12시 방향에서 실시	• 변형 연필잡기법으로 기구를 잡고, 그 인접치아의 절단연에 손고정 • 치경 내면이 시술하는 부위를 비추도록 하여 반드시 간접시진을 하도록 함

> **치세 8-3-16**　상악 전치부 설면(술자와 멀리있는 면) 치면세마법을 설명할 수 있다. (A)

27. 상악우측 구치부 설면(구개면) 치면세마법

부위	환자위치	시술각도	제거방법
상악우측 구치부 설면	• 환자를 supine position으로 앉힘 • 상악치아의 교합면이 바닥과 수직상태에서 환자의 머리는 정면을 향하게 하거나 약간 오른쪽으로 기울이게 함	9시~ 10시 30분 방향에서 실시	• 변형 연필잡기법으로 기구를 잡고, 그 인접치아의 교합면 또는 협면에 손고정 • 상악우측 전치부 순면에 손고정을 하고, 치경으로 반사조명을 이용할 때에 치경을 깊게 넣지 않도록 함

> **치세 8-3-17**　상악우측 구치부 설면(구개면) 치면세마법을 설명할 수 있다. (A)

28. 치근활택술의 정의와 목적

(1) 정의

치근표면에 치면세균막과 함께 묻혀 있는 잔존 치석, 미생물에 감염된 백악질을 제거하여 치근의 거친면을 평활하고 활택하게 하는 것

(2) 목적

① 해부학적 치근의 병적 백악질 제거

② 치주 병원균들을 억제 또는 제거하여 건강한 상태의 세균성으로 전환

③ 염증성 또는 화농성 치주낭을 제거하여 건강한 치은조직을 형성

④ 치주낭을 제거하여 건강한 치은열구를 형성

⑤ 건강한 결합조직 부착과 상피접합이 이루어질 수 있는 치면을 형성

치세 8-4-1   치근활택술의 정의와 목적을 설명할 수 있다. (A)

29. 치근활택술 시 적응증   2020 기출

① 초기 치은염 및 얕은 치주낭

② 외과적 처치의 전처치

③ 내과병력을 가진 전신질환자

④ 진행성 치주염

⑤ 유지관리 처치

치세 8-4-2   치근활택술 시 적응증을 설명할 수 있다. (B)

30. 치근활택술의 금기증

① 치면세균막 관리가 되지 않는 사람

② 6 mm 이상의 깊은 치주낭이나 골 파괴가 심한 경우

③ 심한 지각과민 환자

④ 급성 치주염 환자

⑤ 치아 동요가 심한 환자

치세 8-4-3   치근활택술의 금기증을 설명할 수 있다. (A)

31. 치근활택술 방법 2022 기출

① Curette을 이용하여 치석제거를 함

② Curette의 절단연이 예리한지 확인

③ 필요 시 도포 또는 국소마취를 실시

④ 변형 연필잡기법을 이용하여 적당한 힘으로 기구를 잡고 손고정

⑤ Curette을 치주낭 내로 삽입할 때는 날의 내면이 치면을 향하도록 함(가능한 한 0°에 가까운 삽입각도)

⑥ 60~70° 정도의 적절한 작업각도를 줌

⑦ 치근활택 동작은 약하고 길게 여러 방향

⑧ 중첩시키며 연속동작으로 반복된 기구 조작

⑨ Curette이 치아표면에 계속 접촉

⑩ 기구사용이 완료되면 explorer로 치근면 확인

⑪ 미지근한 물로 치주낭을 깨끗이 세척

> **치세 8-4-4**　치근활택술의 방법을 설명할 수 있다. (A)

32. 치근활택술 후의 치근면 평가

(1) 시술 직후 치근의 활택도를 평가

① 적절한 조명 하에서 치경과 압축공기를 이용하여 주의깊게 조사

② 예리한 탐침이나 치주탐침을 이용하여 활택도 검사

(2) 연조직 치유상태 평가

① 시술 1주 후: 시술부위 조직긴장과 염증 소실 유무 검사

② 시술 2주 후: 연조직 치유상태 평가(치주낭 검사×)

③ 시술 3~4주 후: 치주낭 측정

> **치세 8-4-5**　치근활택술 후의 치근면 평가에 대하여 설명할 수 있다. (B)

33. 치근활택술 후 주의사항 2019 기출

① 따뜻한 물이나 양치액으로 구강세척

② 멸균 거즈로 조직을 부드럽게 압박

③ 뜨겁거나 찬 음식, 당분이 많이 든 음식물을 섭취할 경우 치근이 과민반응

④ 일시적이고 가벼운 통증을 느낌

⑤ 며칠 동안은 단단하거나 자극적인 음식은 금함

⑥ 칫솔질 시 출혈: 적절한 힘으로 치은을 자극하여 염증성 치은의 회복

치세 8-4-6   치근활택술 후 주의사항을 설명할 수 있다. (B)

제9장 | 초음파 치석제거

1. 초음파 치석제거기의 작용기전

① 고주파 전자파의 전기에너지를 미세한 진동에너지로 변환시켜 경성치면 부착물을
분쇄하여 제거

② 진동속도: 약 25,000~42,000회/초, 0.001 cm로 진폭시켜 침착물과 착색물 제거

치세 9-1-1   초음파 치석제거기의 작용기전을 설명할 수 있다. (B)

2. 초음파 치석제거 시 Insert tip에서 나오는 물의 역할

① 시술부위의 세척으로 시야확보

② 항세균효과

③ 치주조직에 마사지 효과를 높임

④ 작업단 냉각작용 → 치수손상방지

⑤ 공동현상(음향난류)

⑥ 치은 마사지 효과

⑦ 지면세균막, 혈액, 괴사조직, 치석잔사 등을 세척

치세 9-1-2   초음파 치석제거 시 물의 역할을 설명할 수 있다. (A)

3. 초음파 치석제거 시 장점

① 조직에 상처를 적게 주기 때문에 치유속도가 빠름

② 변형 개발된 가는 직경의 tip은 치근면에 접근성이 좋음

③ 정확하고 강한 손고정을 요구하지 않음

④ 기포의 분무(공동현상)는 항세균 효과를 기여

⑤ 물분사로 인해 치석잔사나 괴사조직이 세척되므로 시야확보가 좋음

⑥ 시술시간 단축 → 시술자 피로도 감소, 환자의 편안함 증가

⑦ 항균제 투여가능

⑧ 큰 치석과 과도한 침착물 제거에 용이

⑨ 치주낭과 치근면의 치면세균막 파괴와 제거에 효과적

⑩ 음향난류로 항세균 효과를 기여

> **치세 9-1-3** 초음파 치석제거 시 장점을 설명할 수 있다. (A)

4. 초음파 치석제거 시 단점 `2022 기출`

① Tip을 잘못 사용하면 치근면에 손상을 줄 수 있음

② 성장과정 어린이에게는 사용하지 않음

③ 구강 내에 고인 물로 술자나 환자가 불편함을 느낄 수 있음

④ 분무상태의 물 때문에 시야 확보 어려움

⑤ 구호흡 환자에게 적용하기 어려움

⑥ 세밀한 치석제거에는 부적합

⑦ 오염된 에어로졸 발생 → 질병이 전염되기 쉬움

⑧ 소음 발생

⑨ 촉각의 민감성이 떨어짐

⑩ 자기변형식 초음파 치석제거기는 특정 종류의 인공심장박동기의 기능을 방해함

> **치세 9-1-4** 초음파 치석제거 시 단점을 설명할 수 있다. (A)

5. 초음파 치석제거기의 사용법 `2019 기출`

(1) 피에조 형식의 초음파 치석제거기

① Tip을 선택해서 tip cassette의 육각에 맞도록 cassette의 밑바닥을 통해 tip을 밀어 넣음

② Tip cassette를 이용하여 신중하게 맞춰서 tip을 핸드피스에 돌려 넣음

③ 전원 손잡이를 최대 출력으로 돌리고 스위치를 on으로 누르면 스위치 상단의 녹색등
　　이 점등됨

④ 핸드피스를 잡고 페달을 밟아 물의 양을 조절하여 미세한 안개가 되도록 함

(2) 마그네틱 형식의 초음파 치석제거기

① 초음파 치석제거기를 전원 및 수원에 연결

② 핸드피스를 수평으로 해서 2분간 물을 흘려보내면서 오염 가능성이 있는 물을 모두
　　배출

③ 핸드피스를 위로 세운 후 물이 찰 때까지 기다린 후 멸균된 tip을 핸드피스에 끼움

④ 세기조절 단추를 최고도로 맞춘 상태에서 발판을 밟아 동작시켜 세기를 줄여가면서
　　물이 연한 안개모양으로 분무되면서 방울져서 떨어지지 않도록 조절함

| 피에조 형식 | 마그네틱 형식 |

| **치세 9-2-1** | 초음파치석제거기의 사용법을 설명할 수 있다. (A) |

6. 초음파치석제거기의 사용순서 `2020 기출`

(1) 술자 준비: 술자의 안전을 위해 개인 보호장구를 착용함

(2) 환자 준비

① 환자의 전신병력을 검사하고 금기증이 있는 경우 전문의에게 자문을 구함

② 환자에게 술식에 대해 충분히 설명하고 항세균용액으로 구강 내를 세척한 후, apron
　　을 걸치고 방포로 환자 얼굴을 덮음

(3) 환자 위치 및 자세

① 환자를 modified supine position으로 위치시킴

② 환자의 머리를 시술자의 반대방향이나 시술자 쪽으로 돌리게 하여 환자 볼에 물이
　　채워지고 에어로졸 생성이 감소되도록 함

③ 에어로졸 발생을 최소화하기 위해 강력한 suction tip을 사용

(4) 기구 잡는 법 및 손고정

① 변형 연필잡기법으로 핸드피스를 가볍고 느슨하게 잡음

② 시술부위와 가까운 곳에 구내 또는 구외 손고정이 되도록 해줌

(5) 적합

① 치아장축에 평행하게 tip을 위치시키고 기구 tip의 측면을 치면에 적용시킴

② 치은연하치석 제거는 tip을 치아장축과 평행하게 한 다음 치주낭 안으로 삽입시킴

(6) 동작

① 변형 연필잡기법으로 기구를 잡고 수기구와 같이 손고정을 하고 흡입기로 고인 물을 빨아들임

② 치아의 외형과 일치하도록 치면에 15° 이내의 각도로 적용시키고 침착물 위를 tip의 측면이 약한 압력으로 지나가도록 함

③ Tip은 일정한 속력으로 작동해야 하며 한 부위에 오래 머물면 치면이 손상되므로 주의해야 함

④ 주기적으로 foot 페달에서 발을 떼어 물과 잔사를 철저히 흡입해야 함

> **치세 9-2-2** 초음파 치석제거기의 사용순서를 설명할 수 있다. (B)

7. 초음파 치석제거 시 주의사항

① 초음파 scaler의 핸드피스와 insert tip은 사용하는 동안 심하게 오염되므로 사용한 후에는 핸드피스와 tip을 매번 세척하고 고압증기멸균기로 멸균해야 함

② 핸드피스의 줄이 꼬이지 않도록 주의하고 감아놓지 않음

> **치세 9-2-3** 초음파 치석제거 시 주의사항을 설명할 수 있다. (A)

8. 초음파 치석제거 시 적응증

① 초기 치은염 예방

② 지치주위염 시 치아주위조직 청결

③ 치은연상 및 치은연하 치석제거

④ 불량 육아조직 제거

⑤ 치은연하 세균 및 궤양조직 제거

⑥ 교정환자의 band나 수복물 접착 후 과잉 시멘트 제거

⑦ 부적절한 변연을 가진 과잉 아말감 충전물의 제거

⑧ 심한 외인성 착색 제거

치세 9-2-4 초음파 치석제거 시 적응증을 설명할 수 있다. (A)

9. 초음파 치석제거 시 금기증 2022 기출

① 인공심장박동기 장착 환자(자기변형식 초음파 치석제거기)

② 전염성 환자(간염, 결핵, 급성인후염, 유행성 감기 등)

③ 호흡곤란 환자(천식, 폐질환, 폐기종 등)

④ 구토반사의 위험이 있거나, 음식물 연하 문제가 있는 환자

⑤ 도재치관, implant, resin 충전물, 탈회된 법랑질 또는 민감한 치아를 가진 환자

⑥ 진동이나 열에 의해 치수 손상을 받을 수 있는 어린이에게 사용하는 것은 부적당

⑦ 감염에 대한 감수성이 높은 환자(비조절성 당뇨병, 장기이식자, 만성 질환자, 소모성 질환자)

치세 9-2-5 초음파 치석제거 시 금기증을 설명할 수 있다. (A)

10. 초음파 Scaler와 수동 Scaler의 차이점

	초음파 치석제거기	수동 치석제거기구
침착물 제거	침착물을 쉽게 제거	단단한 침착물 제거가 용이하지 않음
작업단	작업단이 크고 둔함	작업단 예리
압력	치면에 압력이 적음	치면에 많은 압력 가해짐
기구 각도	치아장축에 평행하게 tip 적용 (0~15° 이내)	지면에 tip을 45~90°로 적용
항 세균효과	항세균효과 있음	항세균효과 없음
기구동작	쓸어내리듯이 제거	침착물을 강하게 긁어서 제거
공동현상	있음	없음

치세 9-2-6 초음파 Scaler와 수동 Scaler의 차이점을 설명할 수 있다. (A)

제10장 | 치면연마

1. 치면연마의 정의

치석제거와 치근활택 또는 치아 표면의 외인성 착색물을 제거한 후 마무리 단계에서 거칠어진 치면의 활택과 심미성 등의 완전한 효과를 얻기 위한 과정

> **치세 10-1-1** 치면연마를 개념을 설명할 수 있다. (B)

2. 치면연마의 목적

① 치석제거술로 제거되지 않은 치아 표면의 외인성 착색물과 치면세균막 제거
② 치석제거 후 거칠어진 치면을 활택시켜 줌으로써 침착물의 재부착 방지
③ 불소도포나 치면열구전색술 전에 시행하여 우식예방효과를 높임
④ 치아 외관의 심미적인 면을 향상시킴
⑤ 충전물의 활택을 통해 2차 우식증을 예방하고 보철물의 수명 연장
⑥ 환자의 구강위생에 관한 동기를 유발

> **치세 10-1-2** 치면연마의 목적을 설명할 수 있다. (A)

3. 치면연마의 적응증 2019 기출

① 치아에 착색이 많이 된 경우
② 심미적 치관연마가 필요한 환자의 경우
③ 불소도포나 치면열구전색을 해야 하는 경우

> **치세 10-1-3** 치면연마의 적응증을 설명할 수 있다. (B)

4. 치면연마의 금기증

① 최근에 맹출된 치아나 치근면
② 석회화가 덜 된 부위의 치아(탈회 부위)
③ 쉽게 긁히는 재료로 된 수복물, 보철물일 경우

④ 탄력성이 없고 출혈되기 쉬운 치은 상태인 경우

⑤ 치주낭이 깊거나 치석제거와 치근활택술, 치은소파 후에는 외상을 초래할 수 있으므로 치면연마가 필요하면 조직이 치유된 이후에 계획을 세워 시행

⑥ 치아에 착색이 심하지 않을 경우

⑦ 민감한 치아

⑧ 노출된 상아질, 백악질

⑨ 티타늄으로 만들어진 임플란트 지대주

⑩ 에어로졸에 의해 전파될 수 있는 전염성 질환자

⑪ 오염된 에어로졸에 의해 전파될 수 있는 감염 중에 감수성이 높은 환자의 경우

치세 10-1-4	치면연마의 금기증을 설명할 수 있다. (B)

5. 치면연마의 방법 `2021 기출`

(1) 수동연마

① Porte polisher

② Dental tape

③ Polishing strips

④ Dental floss

(2) 엔진연마

① Painting method

② On−off method

치세 10-2-1	치면연마의 방법을 설명할 수 있다. (B)

6. Porte polisher

① 여러 가지 형태의 wood point를 끼움

② Wood point의 둥근 쪽 끝부분을 연결부에 수직이 되도록 위치

③ 치면을 건조시키고 연마제를 도포

④ 시술할 부위에 손고정을 한 후, 변형 연필잡기법으로 잡음(상악 전치부 순면은 palm grasp)

⑤ Wood point가 치아장축에 수직이 되도록 위치

⑥ 치은연에서 치관의 1/3까지 작은 원을 그리듯이 움직이며, 중간 1/3과 치관측 1/3은 수직방향과 사선방향으로 함

⑦ 치은변연과 치주인대에 마사지 효과, 과민한 치아의 치경부를 연마

> **치세 10-2-2**　Porte polisher의 사용방법을 설명할 수 있다. (B)

7. Dental tape

① 인접면에 dental tape를 위치시키고 협(순)측에서 설측 방향으로 동작하여 제거

② 잔존 연마제는 치실을 이용하여 제거

> **치세 10-2-3**　Dental tape의 사용방법을 설명할 수 있다. (B)

8. Linen polishing strips

① 손가락 받침을 주고 입술을 젖힘

② 치은을 주의하며 치아 접촉점 하부로 톱질하듯이 strip을 넣음

③ 연마제가 부착된 면을 치아면으로 가게 해서 치아면을 가로질러 왕복 동작

④ 치실을 이용해 잔존 연마제 제거

⑤ 인접면의 외인성 stain을 제거

> **치세 10-2-4**　Linen polishing strips의 사용방법을 설명할 수 있다. (B)

9. 엔진연마 `2020 기출` `2022 기출`

(1) 준비물

① low speed 핸드피스, contra angle, polishing agent, dappen dish, dental floss, 구공포, 보안경, disclosing solution, rubber cup, cotton roll

(2) 방법

① On-off method: 각 치면을 6등분하여 rubber cup을 직각으로 접합하여 foot controller 로 속도를 조절하여 압력을 가하면서 치아에 붙였다 떼었다 하는 동작을 반복하여 연마하는 방법

② painting method: 각 치면을 3등분하여 적절한 속도와 압력으로 치은변연에서 교합면 까지 페인팅하듯이 연마하는 방법

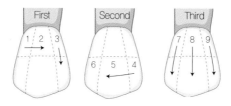

치세 10-2-5   엔진연마 시(Motor driven polishing) 준비물을 나열할 수 있다. (B)

10. 치면연마제의 구성성분

① 연마제(abrasive): 거친 치아 표면을 부드럽고 활택하게 만드는 성분으로 pumice, zirconium silicate, silicon dioxide가 있으며 50~60%를 차지함

② 습윤제(humectant): 연마제의 성분을 촉촉하게 유지시키는 글리세린, 솔비톨 등으로 20~25%를 차지함

③ 물(water): 10~20%를 차지

④ 결합제(binder): 연마제의 성분이 분리되는 것을 막아주며 agar-agar, sodium silicate 등 1.5~2%로 구성

⑤ 감미제, 향료, 불소 등이 포함

치세 10-2-6   치면연마제의 구성성분을 설명할 수 있다. (B)

11. On-Off method

① 치아표면을 6등분

② Rubber cup을 직각으로 접함

③ Rubber cup의 끝으로 적당한 속도와 압력을 가하면서 치아에 붙였다 떼었다 하는 동작

치세 10-2-7   On-Off method를 설명할 수 있다. (A)

12. Painting method

① 치아표면을 3등분

② 적당한 속도와 압력으로 치경부에서 절단 또는 교합면 쪽으로 약간의 압력을 가하면
서 쓸어 올리듯이 문지르는 동작

> **치세 10-2-8**　Painting method를 설명할 수 있다. (A)

13. 치면연마 시 주의사항 `2022 기출`

① 마모제로 인하여 새로 맹출한 치아는 치질이 삭제될 수 있으며, 수복물은 거친 면을
형성할 수 있으므로 주의해야 함

② Deep scaling, root planing 등을 한 경우, 연마제가 상피조직 쪽에 머물러 있으면 염증
이 치유되지 않음

> **치세 10-2-9**　치면연마 시 주의사항을 설명할 수 있다. (A)

14. Jet-Airpolishing의 작용기전

고압의 공기와 함께 물과 sodium bicarbonate를 tip을 통해 치면에 분사시켜 치아 표면에
부착된 외인성 착색물을 신속하게 효율적으로 제거하고 치면을 활택하게 함

> **치세 10-3-1**　Jet-Airpolishing의 작용기전을 설명한다. (B)

15. Jet-Airpolishing의 적응증

① Tobacco stain과 green stain 등의 외인성 착색물을 제거할 때

② 교정장치 장착 시 bracket과 wire에 손상을 주지 않으면서 band를 청결하게 할 때

③ 임플란트 환자의 보철물을 청결하게 할 때

> **치세 10-3-2**　Jet-Airpolishing의 적응증을 설명한다. (B)

16. Jet-Airpolishing의 금기증

① 나트륨의 섭취를 제한해야 하는 환자(고혈압)

② 호흡기 질환을 앓는 환자 또는 연하가 어려운 환자

③ 신장질환(신부전증)이나 대사성 이상을 가진 자

④ 치은열구에 직접적인 사용은 금함

치세 10-3-3	Jet-Airpolishing의 금기증을 설명할 수 있다. (B)

17. Jet-Airpolishing의 장·단점

(1) 장점

① 빠른 시간 내에 치면 연마 가능

② 교정환자의 bracket 장착부위와 wire 손상을 주지 않고 청결하게 할 수 있음

(2) 단점: Powder에 포함된 sodium bicarbonate을 환자가 삼킬 가능성이 있어 주의 필요

치세 10-3-4	Jet-Airpolishing의 장·단점을 설명할 수 있다. (B)

18. Jet-Airpolishing의 사용원칙

① Back rest가 지면과 45°가 되도록 위치

② 핸드피스는 연필잡기법으로 잡고, 인접치아에 손고정

③ 핸드피스 nozzle의 끝은 치아면으로부터 4~5 mm 떨어진 곳에 위치시키고 3~5초간 원형동작을 함

④ 전치부 치아에는 치은쪽으로 60°가 되도록 위치시키며, 구치부 치아에는 80°, 교합면 에는 90°로 위치시켜 사용

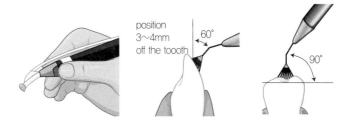

치세 10-3-6	Jet-Airpolishing의 사용원칙을 설명할 수 있다. (B)

19. Jet-Airpolishing의 사용 후 관리법

① 스위치를 끈 후 치면연마제의 분사를 차단하고 물과 공기만을 불어서 미세관을 깨끗이 한 다음 건조시킴
② Tip의 미세관이 막혔을 경우는 가는 철사로 된 세척선을 이용하여 뚫어 놓음으로써 tip이 항상 작동될 수 있도록 함

> **치세 10-3-7**   Jet-Airpolishing의 사용 후 관리법에 대해 설명할 수 있다. (B)

제11장 | 치주기구의 연마

1. 기구연마의 정의

치면세마와 치주외과적 시술 시 치아 주위 조직과 치아 표면에 손상을 주지 않고 예민한 촉감을 유지하며, 치석제거와 기구조작을 효율적으로 하기 위해서 무디어진 기구의 날을 본래의 외형과 각도를 유지하면서 예리하게 하는 것

> **치세 11-1-1**   기구연마의 개념을 설명할 수 있다. (B)

2. 기구연마의 목적

① 기구 모양을 원래의 형태로 예리하게 유지
② 시술기간의 절약과 조직의 손상 방지
③ 치아표면의 긁힘 방지
④ 환자의 불안감과 술자의 피로 감소
⑤ 부착물을 효과적으로 제거

> **치세 11-1-2**   기구연마의 목적을 설명할 수 있다. (A)

3. 기구연마의 시기 `2019 기출`

① 기구사용 시 기구가 치면에서 미끄러질 때

② 치면이 활택되는 느낌이 없을 때

③ 보통 한두 번 사용 후에 시행

④ Cutting edge가 무디어졌다고 느낄 때

치세 11-2-1	기구연마의 시기를 설명할 수 있다. (A)

4. 기구날의 평가방법

(1) 시각검사

① Glare test (육안검사): 날을 빛에 비추어 보는 방법으로 기구의 날이 무딘 경우는 면을 형성하여 빛을 반사시킴

② 확대경 검사: 확대경으로 절단연을 살펴봄

(2) 촉각검사

① Plastic stick test: 기구 날을 plastic stick의 측면에 대고 압력을 가했을 때, 예리한 경우는 긁히거나 꽂히는 저항감을 느낄 수 있으나 무딘 경우는 미끄러짐

② 손톱에 기구를 긁어 예리한 정도를 test하는 방법

치세 11-2-2	기구날의 평가방법을 설명할 수 있다. (B)

5. 기구연마의 방법 `2019 기출` `2020 기출`

(1) 연마석 고정법

① 연마석을 약간 경사지게 함

② 기구를 잡은 손의 약지를 연마석 측면에 가볍게 손고정

③ 기구날의 내면과 연마석: $100 \sim 110°$

④ 기구의 절단연을 3등분하여 중등도의 압력으로 pull-push stroke / 절단연을 향해 pull stroke로 마무리: Wire edge의 형성을 최소화

⑤ 적용

• 기구날의 측면이 편평한 형태의 기구

• Sickle, curet, hoe, chisel scaler

(2) 기구 고정법

① 연마석을 올바르게 잡음

② 왼손으로 기구를 손바닥잡기법으로 잡고 탁자 위나 술자의 상박에 몸을 고정

③ 기구날의 내면과 연마석: 100~110°

④ 중등도의 균일한 압력으로 연마각도를 유지하면서 heel에서 toe까지 up & down stroke으로 연결하여 연마

⑤ 연마 시 각 1/3마다 마지막 동작은 절단연을 향해 down stroke: wire edge의 형성을 최소화

⑥ 적용

- 기구날의 측면이 둥근 형태의 기구
- Sickle, curet, file scaler

치세 11-2-3	기구연마의 방법을 설명할 수 있다. (B)

치세 11-4-2	연마석 고정법에 의한 연마방법을 설명할 수 있다. (A)

치세 11-4-3	기구 고정법에 의한 연마방법을 설명할 수 있다. (A)

6. 기구연마석의 종류 `2021 기출`

(1) 자연석

① 부드러우면서 단단한 자연석은 무딘 정도가 심하지 않거나, 아주 무딘 기구를 거친 연마석으로 윤곽을 형성한 후 완전하게 연마할 때 사용하며, 윤활제로 oil을 사용

② 대표적인 자연석: Arkansas stone, india stone

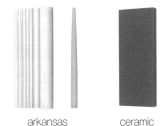

arkansas   ceramic

(2) 인공석

① 자연석에 비해 입자가 크고 거칠어서 아주 무딘 기구를 연마할 때나 무딘 기구의 윤곽을 형성할 때 사용하며, 윤활제로는 물을 사용

② Ruby stone, carborundum stone, diamond stone, ceramic stone 등

치세 11-3-1	기구연마석의 종류를 설명할 수 있다. (A)

7. 기구연마 시 주의사항

① 5회 이상 치면세마 후 기구연마의 필요성을 확인 후 연마

② 기구날의 무디어진 정도에 따라 연마석 선택

③ 기구의 내면과 연마석이 100~110° 유지

④ 기구날의 전체 부위를 3등분하여 1/3씩 나누어서 골고루 연마

⑤ 연마석을 상하로 움직인 후 마지막 동작은 wire edge를 방지하기 위하여 하방동작

⑥ 당기는 기구는 하방으로 마무리하고, 미는 동작을 하는 기구는 상방으로 마무리

치세 11-3-3　기구연마 시 주의사항을 설명할 수 있다. (A)

8. 기구 연마 시 일반적인 원칙 [2021 기출]

① 5회 이상 치면세마 후에는 기구연마의 필요성을 확인하고 연마

② 기구 내면과 연마석이 100~110°를 유지하도록 함

③ 기구 날의 전체 부위를 1/3씩 나누어 연마(heel, middle, toe 순서로)

④ 기구 고정법으로 연마 시, 하방동작으로 마무리

⑤ 연마석 고정법으로 연마 시, 당기는 기구는 하방, 미는 기구(chisel)는 상방동작으로 마무리

⑥ 자연석은 윤활제로 oil, 인공석은 물을 사용

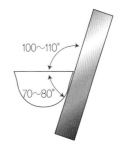

치세 11-4-1　기구연마 시 일반적인 원칙을 설명할 수 있다. (A)

9. 연마 시 연마석에 윤활제를 바르는 이유 [2022 기출]

① 미찰열 발생 감소

② 동작을 용이하게 함

③ 연마석의 긁힘 방지

④ 연마석의 유리화 방지

⑤ 마찰 부위의 발열이나 마모 방지

⑥ Stone을 계속 젖어 있는 상태로 유지

치세 11-4-5　연마 시 윤활제의 역할을 설명할 수 있다. (A)

10. Sickle scaler의 기구연마

(1) Straight sickle scaler

① 기구의 날을 아래로 향하게 하면서 날 끝은 자신을 향하도록 함

② Terminal shank가 12시 방향과 일치되도록 함(내면이 바닥과 평행)

③ 팔을 테이블 위에 고정시키고 엄지 또는 검지로 연마 대상 기구 반대편 기구 끝의 균형유지

④ 연마석 하방 1/3(tip third) 부위를 오른손으로 가볍게 잡은 후 엄지가 앞쪽 면을 잡도록 하고 나머지 손가락으로 반대편 면을 잡음

⑤ 연마석이 기구 날의 우측면에 닿도록 한 후 연마석 연장선이 1시 방향이(100~110°) 되도록 고정

⑥ 연마석을 상하로 움직이면서 1시 방향의 연장선을 유지하면서 날을 세움

⑦ 연마석을 상하로 움직인 후 wire edge를 방지하기 위해 하방동작으로 마무리

(2) Curved sickle scaler

① 1~2방울의 오일을 연마석의 중앙 부위에 떨어뜨리고 거즈 또는 cotton으로 고르게 펴바름

② 연마석을 왼손으로 고정

③ 오른손으로 기구를 변형 연필잡기법으로 잡고 약지의 내면을 연마석 측면에 손고정

④ 기구날의 내면과 연마석의 면이 100~110° 되도록 위치, terminal shank가 12시 방향과 일치하도록 함

⑤ 기구날의 내면과 연마석의 면이 12시 방향과 일치하도록 함(즉, 내면과 바닥이 평행하게)

⑥ 연마 시 각 1/3부분마다 동작 시 절단연을 향해 당기는 동작

⑦ Sickle scaler는 2개의 절단연이 있으므로 반대쪽 절단연도 동일한 과정으로 연마

⑧ 기구 내면 연마는 필요한 경우에만 연마석 측면에 위치시켜 1~2회 정도 연마

치세 11-4-6　Sickle scaler의 연마방법을 설명할 수 있다. (A)

11. Universal curette의 기구연마

① 연마석에 oil을 한두방울 떨어뜨리고 gauze로 고르게 펴 바름

② 왼손으로 기구를 손바닥잡기법으로 잡고 탁자 위나 술자의 상박에 몸을 고정시켜 지

지를 얻고 기구날의 내면이 바닥과 평행하게 위치(기구의 terminal shank가 12시 방향)

③ 연마석을 올바르게 잡음

④ 날의 내면과 연마석이 90도가 되도록 위치(연마석이 12시 방향)

⑤ 날의 내면과 연마석의 각도(100~110°)를 조절(연마석이 1시 방향)

⑥ 날의 절단연을 3등분하여 먼저 heel 부위만을 닿게 하여 중등도의 균일한 압력과 짧은 동작으로 연마각도를 유지하면서 heel에서 toe까지 up & down stroke으로 연결하여 연마

⑦ 연마 시 각 1/3부분마다 마지막 stroke 시 절단연을 향해 down stroke: Wire edge형성 최소화

⑧ 동작을 반복하면 침전물이 생김: 연마가 이루어졌음을 의미

⑨ Universal은 양측 2개의 절단연이 있으므로 반대쪽 절단연도 동일한 과정으로 연마

⑩ 날의 내면은 원추형 연마석을 이용해서 heel에서 toe까지 1~2회 정도 가볍게 돌리면서 연마, back 부위도 heel에서 toe쪽으로 한 번에 연결시켜 1~2회 정도 연마

⑪ 절단연의 연마상태 검사

치세 11-4-7   Universal curette의 연마방법을 설명할 수 있다. (A)

12. Area-Specific curette (Gracey curet)의 기구연마 `2022 기출`

① 1~2방울의 오일을 떨어뜨리고 거즈 또는 cotton으로 고르게 펴바름

② 왼손으로 기구를 손바닥 잡기법으로 잡고 탁자 위나 술자의 상박에 몸을 고정시켜 지지를 얻고 기구날의 내면이 바닥과 평행하도록 위치

③ 기구날의 내면과 연마석과 각도가 100~110°가 되도록 조절

④ 기구의 절단연을 3등분하여 먼저 shank부위만을 닿게 하여 중등도의 균일한 압력과 짧은 동작으로 연마각도 유지하면서 heel에서 toe까지 up & down stroke으로 연결하여 연마

⑤ 연마 시 각 1/3부분마다 마지막 동작 시 절단연을 향해 down stroke

⑥ 연마석을 반원형동작으로 해서 toe 부분이 둥글게 되도록 연마

⑦ 기구날의 내면은 원추형 연마석을 이용해서 heel에서 toe까지 1~2회 정도 가볍게 돌리면서 연마, back 부위도 heel에서 toe쪽으로 한 번에 연결시켜 1~2회 정도 연마

⑧ 절단면의 연마상태 검사

치세 11-4-8   Area-Specific curette의 연마방법을 설명할 수 있다. (A)

13. Hoe scaler의 기구연마

① 왼손으로 연마석을 고정하고, 오른손으로 기구를 변형 연필잡기법으로 잡음

② 연마석 측면에 손고정을 주고 hoe가 연마석에 45°로 경사지게 위치

③ 기구를 술자방향으로 당기면서(pull stroke) 3~5회 반복

④ 테스트 막대로 연마정도를 확인

⑤ 기구연마가 끝나면 연마석과 기구를 깨끗하게 씻고 건조시킨 후 각각 소독포에 싸서 가압증기멸균기에 넣어 멸균

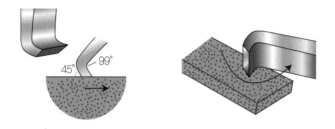

치세 11-4-9 Hoe scaler의 연마방법을 설명할 수 있다. (B)

14. File scaler의 기구연마

① File의 절단연이 자신을 향하도록하고 왼손 손바닥잡기법으로 잡음

② 여러 개의 cutting edge가 있으므로 첫 번째 절단연에 수평으로 위치

③ 기구의 내면에 연마석을 위치시켜 3~5회 정도 밀고 당기는 동작으로 연마

④ 나머지 절단연도 같은 방법으로 연마

⑤ 기구연마가 끝나면 연마석과 기구를 깨끗하게 씻고 건조시킨 후 각각 소독포에 싸서 가압증기멸균기에 넣어 멸균

file sharpener 연마법

file scaler 연마법

치세 11-4-10 File scaler의 연마방법을 설명할 수 있다. (B)

15. Chisel scaler의 기구연마

① 왼손으로 연마석을 고정하고, 오른손으로 기구를 변형 연필잡기법으로 잡음
② 연마석 측면에 손고정을 주고 chisel이 연마석에 45°가 되도록 접합
③ 술자의 반대방향으로 3~5회 밀면서(push stroke) 연마
④ 테스트 막대로 연마정도를 확인
⑤ 기구연마가 끝나면 연마석과 기구를 깨끗하게 씻고 건조시킨 후 각각 소독포에 싸서 가압증기멸균기에 넣어 멸균

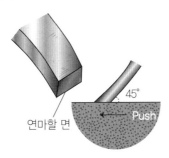

연마할 면   45°   Push

| 치세 11-4-11 | Chisel scaler의 연마방법을 설명할 수 있다. (B) |

제12장 │ 특별관리를 요하는 환자의 치면세마

1. 임산부의 치면세균막관리

① 구강건강관리방법을 충분히 지도해야 함
② 발효성 탄수화물의 섭취를 되도록 억제하고 간식을 하였을 때에는 그때 바로 잇솔질을 하도록 유도
③ 간단한 치석제거는 비교적 안정된 임신중기(4~6개월)에 실시
④ 발치나 잇몸수술 등은 출산 후에 받는 것이 좋음
⑤ 진료 시 환자의 편의를 위해 약속은 짧게 하며, semi-upright position
⑥ 여러 번의 약속이 요구됨
⑦ 치석제거와 치근활택 시 주의 깊은 기구조작이 요구
⑧ 출혈이 심할 수 있음

| 치세 12-1-1 | 임산부의 치면세마 시 고려사항을 설명할 수 있다. (A) |

2. 노인을 위한 치면세균막관리 2020 기출

① 전신질환이 있을 가능성 높음 → 시술 전 반드시 전신건강상태 파악

② 시술 시 수시로 환자 관찰

③ 얼굴을 가까이 하고 대화를 나누는 것이 좋음: 대화의 부적응이나 자신감 상실로 의사전달 어려운 경우가 많음

④ 노인의 구강상태

- 치근이 노출되어 있는 경우 많음: 치석제거 시 치근이 시리지 않도록 기구조작 시 주의

- 크고 단단한 치석이 부착되어 있는 경우 많음: 과도한 힘은 피하고 치석을 여러 조각으로 나누어 제거

⑤ 치석 제거 후 치간사이가 넓어진 것 같은 느낌이 들 수 있으므로 시술 전에 미리 시술 후에 나타날 수 있는 현상에 대해 환자에게 교육하여 불안과 걱정을 덜어줌

⑥ 잔존치 관리의 중요성에 대해 교육

| 치세 12-1-2 | 노인의 치면세마 시 고려사항을 설명할 수 있다. (A) |

3. 임플란트 장착자의 치면세균막 관리 2021 기출 2022 기출

① 치면연마는 심미적으로 필요하지 않다면 정기적으로 행하지 않아도 됨

② 거친 연마제는 표면이 긁힐 수 있으므로 사용 금지

③ 임플란트 시술 후 첫 번째 검진: 1주일 안에 실행

④ 환자 스스로 치면세균막조절 능력이 생길 때까지 매주 관리

⑤ 임플란트 장착부위 치석제거 시 플라스틱 기구 사용하여 제거

| 치세 12-1-3 | 임플란트 장착자의 치면세마 시 고려사항을 설명할 수 있다. (A) |

4. 교정장치 장착자의 치면세균막 관리

① 주기적인 검진 및 치면세마가 요구됨

② 가정에서의 구강위생관리법을 주지시켜줌

| 치세 12-1-4 | 교정장치 장착자의 치면세마 시 고려사항을 설명할 수 있다. (B) |

5. 보철물 장착자의 치면세균막 관리

① 보철물 장착 후에도 가공의치의 인접면에는 부착물이 붙기 쉬우므로 일정한 간격을 두고 치석제거 시행

② 주기적인 검진 및 치면세마를 통해서 청결을 유지하도록 함

③ 치실 등 구강위생용품 처방

치세 12-1-5　　보철물 장착자의 치면세마 시 고려사항을 설명할 수 있다. (B)

6. 장애인을 위한 치면세균막 관리

① 장애환자를 위한 특수구강위생용품 처방

② 식이조절법

③ 치면열구전색과 불소국소도포 시행

치세 12-1-6　　장애인 치면세마 시 고려사항을 설명할 수 있다. (B)

7. 장기 입원환자를 위한 치면세균막 관리

① 주기적인 치면세마와 함께 일상적인 구강위생 관리를 실시하도록 함

② 구강세척 및 소독 필요

③ 간단한 구강위생관리 기구나 구강 물리요법 기구들을 가지고 입원실로 가서 필요한 간단한 구강위생관리를 수행하도록 함

④ 감염방지에 주의를 기울여야 함

⑤ 의식이 없는 환자의 경우에는 매일 소독된 거즈로 구강 내를 닦아줌

치세 12-1-7　　장기 입원환자 치면세마 시 고려사항을 설명할 관리할 수 있다. (B)

8. 당뇨병 환자의 치면세마 시 고려사항

① 구강점막, 혀, 치주조직은 비정상적인 민감성을 보이고, 입술은 건조하며 구강건조 증 등의 증상이 나타난다.

② 감염에 대한 저항력이 떨어져 있으므로 치유가 지연될 수 있으므로 출혈이 예상되는 치면세마나 치료를 해야 할 경우에 주의를 요한다.

③ 약속시간은 환자의 정상적 아침식사와 투약 후, 가능한 시술시간은 짧게 한다.

④ 당뇨병으로 인한 응급상황에 대비하여 각설탕이나 오렌지 쥬스 등을 준비해 둔다.

⑤ 치료 후 출혈 등 창상치유가 지연되는 경향이 있으므로 환자에게 충분한 설명과 주의를 주도록 한다.

⑥ 구강건강유지를 위하여 치면세균막관리 및 치석 제거는 주기적으로 하는 것이 필요하나, 혈당조절을 잘하는 것이 중요하며, 환자 자가관리의 중요성을 인식시킨다.

> **치세 12-1-8**　당뇨병 환자의 치면세마 시 고려사항을 설명할 수 있다. (A)

9. 고혈압 환자의 치면세마 시 고려사항

① 성인의 안정된 상태에서 140/90 mmHg 이상인 경우를 말한다.

② 160/100 mmHg 이상인 환자의 치석제거술에는 내과의사의 자문이 필요하며, 자문을 구할 수 없을 때는 시술을 연기한다.

③ 환자의 스트레스를 감소시키기 위해 환자가 가장 편안함을 느끼고 덜 피곤한 시간을 골라서 약속을 잡는다.

④ 약속 하루 전에는 적절한 수면과 휴식을 취하도록 한다.

> **치세 12-1-9**　고혈압 환자의 치면세마 시 고려사항을 설명할 수 있다. (A)

10. 간염 환자의 치면세마 시 고려사항　2019 기출

① 내과의사의 자문을 통해 환자가 HBs항원이 양성이고 활성성인 경우 진료를 연기한다.

② HBs항원이 음성인 환자는 보편적인 감염방지로 진료할 수 있다.

③ 모든 기구는 멸균하거나 일회용을 사용하도록 하며, 술자는 마스크, 장갑, 보안경 등을 착용한다.

④ 초음파기구나 공기-물 분사기(air-water syringe) 사용을 금지하며 에어로졸 형성을 최소화한다.

⑤ 사용한 모든 기구는 멸균한다.

> **치세 12-1-10**　간염 환자의 치면세마 시 고려사항을 설명할 수 있다. (A)

11. 결핵 환자의 치면세마 시 고려사항

① 결핵으로 의심되는 증상이 있는 환자는 일단 치료를 연기하고 내과의사에게 의뢰하도록 한다.

② 치석제거시는 적절한 격리, 멸균, 환기가 원활한 상태에서 시행하는 것이 좋으며, 고속 핸드피스보다 저속 핸드피스를 사용하며, 공기-물 분사기(air-water syringe)의 사용을 최소화하여 치료하도록 한다.

치세 12-1-11 결핵 환자의 치면세마 시 고려사항을 설명할 수 있다. (A)

12. 치면세마 후 계속관리주기 및 방법

(1) 관리계획

① 1주일 후: 치면세마의 재평가와 조직의 회복 정도를 파악하고 치면세균막 관리능력을 평가

② 2~3주 후: 2차로 내원하여 가정에서의 치면세균막 관리능력을 평가

③ 1개월 후: 치면세균막 관리능력을 재평가

④ 그 후 3개월에 1회 간격으로 방문하여 양호한 상태가 지속되면 4~6개월 간격으로 관리

(2) 계속관리 내용

① 검진, 재평가, 진단

② 동기부여, 재교육

③ 재부착된 침착물 제거

④ 재내원 간격 결정 및 치면세균막관리

(3) 계속관리 방법: 구두 약속, 전화 예약, 계속관리카드, 텍스트메시지 및 전자우편 발송, 인터넷예약

치세 12-1-13 치면세마 후 계속관리주기 및 방법을 설명할 수 있다. (B)

PART ▶ ▶

03

치과방사선학

Dental Radiology

DENTAL
HYGIENIST

POWER 치과위생사 국가시험 핵심요약집 2권

PART 03

치과방사선학
Dental Radiology

제1장 | 방사선 물리학

1. 물질의 원자구조

1) 원자

① 물질의 기본 구성단위인 입자

② 원자는 원자핵과 전자로 이루어져 있으며, 핵반응을 통해 더 작은 단위로 나누어짐

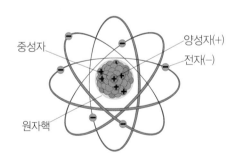

원자의 구성		특징
원자핵	양성자	전기적으로 양성, 선의 산란 시 발견
	중성자	전기적으로 중성, 원자핵 붕괴 시 발견
전자		원자핵과 반대인 음의 전하를 띠며 원자핵 주위에 확률적으로 전자구름을 이루며 존재

(1) 원자핵

① 양성자(P), 중성자(n)로 이루어짐

② 원자질량의 대부분을 차지하고 양전하를 띰

③ 양성자 수는 원자번호를 결정, 중성자 수는 원자량을 결정

④ 중성자와 양성자는 거의 비슷한 질량

- 원자번호(Z) = 양성자 수 = 전자 수
- 질량수(A) = 양성자 수 + 중성자 수

(2) 궤도전자

① 전자는 원자핵의 둘레를 태양계의 행성처럼 돌고 있으며 이 같은 전자를 궤도전자라고 함

② 원자핵에 가까운 순서대로 K, L, M, N, O, P, Q각이라 부름

③ 현존하는 원자는 7개까지의 전자궤도를 가짐

④ 전자의 결합에너지는 핵에 가까워질수록 또는 원자번호가 증가할수록 더 커짐

⑤ 즉, K각 전자의 결합에너지가 가장 큼

⑥ 궤도전자 수(e) = $2n^2$

- e = 궤도전자에서의 최대 전자 수
- n = 핵에서 가까운 순번(K각=1, L각=2, M각=3,......Q각=7)

(3) 전리(이온화, Ionization): 궤도전자가 원자핵이 갖고 있는 결합에너지보다 더 큰 에너지를 외부로부터 공급받아 평형상태가 깨어져 원자핵의 인력권에서 벗어나는 현상

(4) 여기(Excitation): 외부로부터 빛이나 열 등의 에너지가 원자를 자극시키면 궤도전자 일부는 에너지 준위가 높은 바깥궤도로 옮겨가는 현상

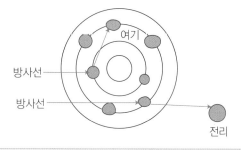

| 방사선 1-1-1 | 물질의 원자구조를 설명할 수 있다. (B) |

2. 방사선의 분류 **2019 기출** 2021 기출

1) 방사선의 존재형태에 따라

(1) **자연방사선**: 우주, 땅, 건물, 음식에 존재하는 방사선

(2) **인공방사선** : X선 촬영 및 암치료 등 인위적으로 받게 되는 방사선

2) 방사선의 물리적 성질에 따라

(1) 전자기방사선

    ① 전기장과 자기장의 결합상태로 주기적인 진동에 의해 에너지가 공간을 이동하는 것

    ② 입자나 질량을 갖지 않는 순수한 에너지

    ③ 종류(단파장 순서대로): 우주선, 감마선, X선, 자외선, 가시광선, 적외선, 원적외선, 마이크로파, 열선, 전파

    ④ 입자와 파동의 양상으로 진행

    ⑤ 전자기방사선의 파동성

      • 진공 중에서 전자기방사선의 전파속도는 빛의 속도와 같음

      • 전자기방사선의 에너지는 주파수에 비례하고, 파장에는 반비례

      • 매개체 없이도 진공상태에서 공간을 통해 전파

      • 측정 가능한 다양한 에너지를 가짐

    ⑥ 전자기방사선의 입자성

      • 광전자: 빛을 받은 물체에서 방출되는 자유 전자

      • 광전효과: 물질의 표면에 빛을 비추면 광전자가 튀어나오는 현상

(2) 입자방사선

    ① 원자 또는 분자를 직접 또는 간접으로 전리시키기에 충분한 운동에너지

    ② 입자 또는 질량을 갖는 고형아원자입자

    ③ 종류: 알파선(α ray), 베타선(β ray), 양성자선, 중성자선

3) 방사선의 전리능력에 따라

(1) 비전리방사선

    ① 자외선보다 에너지가 작은(파장이 긴) 방사선

    ② 종류: 자외선, 가시광선, 적외선, 원적외선, 마이크로파, 열선, 전파

(2) 전리방사선

① 물질의 원자, 분자에 작용해서 전리를 일으킬 수 있는 방사선

② 종류: 알파선, 베타선, 양성자선, 중성자선, X선, 감마선, 우주선

| 방사선 1-1-2 | 방사선을 분류할 수 있다. (B) |

| 방사선 1-1-3 | 전자기 방사선을 설명할 수 있다. (A) |

| 방사선 1-1-4 | 전리방사선과 비전리방사선을 설명할 수 있다. (A) |

3. 방사선의 작용

① 투과작용: X선 흉부촬영, 공항의 수하물검사, 선박 용접부·비행기 엔진 결함 검사

② 전리작용: 암세포 파괴, 감자 발아 방지, 의료용구 멸균 등

③ 사진작용: 의료용 방사선영상, 필름배지 등

④ 형광작용: 방사선의 수나 에너지를 측정하는 검출기에 응용

⑤ 열작용: 마이크로파를 이용한 전자레인지, 적외선을 이용한 전기스토브 등

| 방사선 1-1-5 | 방사선의 작용을 설명할 수 있다. (B) |

4. X선의 성질 2020 기출 2022 기출

X선과 가시광선의 같은 점	X선과 가시광선의 다른 점
• 직진함 • 초당 약 30만 km를 전파함 • 전기장이나 자기장에 의해 굴절되지 않음 • X선 필름에 대한 감광작용이 있음 • 유사한 방법으로 물체의 음영을 투사함	• 눈에 보이지 않음 • 파장이 극히 짧기 때문에 물질을 투과할 수 있음 • 특정한 화학물질과 작용하여 형광을 발생시킬 수 있음 • 원자를 전리시킬 수 있음

* 진단 방사선 영역에서 사용되는 X선 파장: 0.1~0.5Å

| 방사선 1-1-7 | 엑스선의 성질에 대해 설명할 수 있다. (A) |

5. 고전산란(Coherent scattering)

① X선 광자의 에너지가 전자의 결합에너지보다 작을 때 발생

② 전리를 일으키지 않음

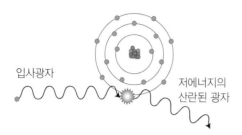

| 방사선 1-1-8 | 고전산란에 대해 설명할 수 있다. (B) |

6. 광전효과(Photoelectric effect)

① X선 광자의 에너지가 전자의 결합에너지와 같거나 다소 클 때 발생

② 입사광자 → 모든 에너지를 전자에 전달해 주고 사라짐 → 전자는 궤도에서 이탈되어 광전자 또는 되튐전자가 됨 → 원자는 전리된 불안정한 상태 → 빈 자리는 바깥쪽 궤도전자가 이동하여 채워짐 → 특성방사선 발생

③ 양질의 방사선사진을 얻을 수 있음

④ 방사선 흡수량 증가로 환자에게는 해로움

⑤ 구내 방사선 촬영 시 발생률은 30% 정도

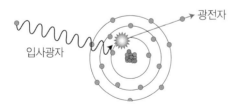

| 방사선 1-1-9 | 광전효과에 대해 설명할 수 있다. (A) |

7. 콤프턴 산란(Compton scattering)

① X선의 광자에너지가 전자의 결합에너지보다 매우 클 때 발생

② 입사관자 → 일부 에너지를 전자에 전달 → 전자는 궤도에서 이탈되어 되튐전자가 됨 → 입사광자는 편향되어 산란됨 → 산란방사선 발생

③ 입사광자의 에너지가 조직을 통과하여 방출되므로 환자에게는 유리

④ 산란방사선 발생으로 사진의 질 저하(필름포그 발생)

⑤ 구내 방사선 촬영 시 발생률은 62% 정도

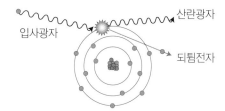

| 방사선 1-1-10 | 콤프턴효과에 대해 설명할 수 있다. (A) |

8. 방사선량의 기본단위

1) 측정단위: 국제방사선방어위원회(ICRP)에서 SI 단위계를 사용할 것을 권고함에 따라 이를 채택하여 사용

2) 기본단위

(1) 조사선량(exposure dose)

　① 공기 중에서 방사선의 노출량을 측정하는 단위

　② 단위: C/kg, R (Roentgen)

(2) 흡수선량(absorbed dose)

　① 물질 1 g에 흡수된 전리방사선의 에너지를 측정하는 단위, 생물학적 작용을 나타낼 수 있는 양

　② 단위: Gy (Gray), rad (radiation absorbed dose)

(3) 선량당량(dose equivalent)

　① 인체 조직에 흡수되었을 때 1roentgen의 에너지를 흡수했을 때와 생물학적으로 동일한 효과를 나타내는 이온화 방사선의 양

　② 물리학적 면과 생물학적 면을 복합시킨 단위로 임상에 가장 적합하게 사용

　③ 단위: Sv (Sievert), rem (radiation equivalent mamma)

(4) 유효선량(effective dose)

    ① 인체에 미치는 방사선의 위험도를 평가하기 위하여 사용되는 단위

    ② 단위: Sv(Sievert), J/kg

(5) 방사능(radioactivity)

    ① 방사능 물질의 붕괴율에 따라 방사능을 측정하는 단위

    ② 단위: Bq (Becquere), Ci (Curie)

방사선 1-1-11   방사선량의 기본단위를 설명할 수 있다. (B)

9. 엑스선관(X-ray tube)의 구성 2020 기출

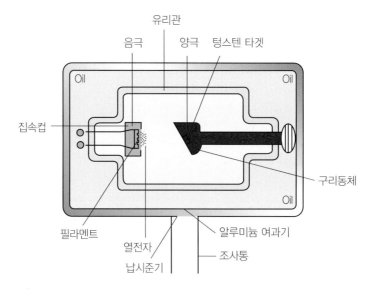

방사선 1-2-1   엑스선관의 구성에 대해 설명할 수 있다. (A)

10. 유리관

    ① X선관 진공상태 유지(전자의 이동속도 유지)

    ② 필라멘트 산화 방지로 수명 연장

    ③ 용융점과 X선 흡수가 낮은 붕소규산염유리 사용

④ 내면에 납을 도포하여 장파장 흡수

방사선 1-2-2   유리관에 대해 설명할 수 있다. (B)

11. 음극

① 텅스텐 필라멘트: 전자의 공급원
   - 필라멘트: 직경 0.2 mm 텅스텐선을 코일 상으로 감은 것, 텅스텐선은 가늘지만 강도와 용융점이 높고 기화성이 낮아 필라멘트 재질로 이용
   - 열전자 방출 → 전자구름 형성 → 공간전하 형성
② 집속컵: 필라멘트에서 방출된 열전자를 좁은 빔의 형태로 만들어 양극의 초점을 향하도록 함(음극선 확산 방지)

방사선 1-2-3   음극의 구성과 기능을 설명할 수 있다. (A)

12. 양극 2021 기출

① 텅스텐 타겟(초점): 필라멘트에서 방출된 전자의 운동에너지를 X선 광자로 전환(X선 발생)
② 구리동체: X선이 발생하는 동안 초점으로부터 열전도를 빠르게 함
③ 타겟 물질의 구비 조건
   - 큰 원자번호
   - 높은 용융점
   - 낮은 증기압
   - 높은 열전도성

방사선 1-2-4   양극의 구성과 기능을 설명할 수 있다. (A)

13. 선 초점 원리

① 초점의 크기가 작을수록 방사선사진의 선예도는 높아지나 단위면적당 발생되는 열은 증가

② 넓은 면적의 초점으로 보다 작은 초점의 효과를 얻기 위해 초점을 경사지게 위치시켜 실효초점이 실초점보다 작게 되도록 하는 원리

> **방사선 1-2-5** 선 초점 원리를 설명할 수 있다. (A)

14. 절연유의 기능 2022 기출

① 전기 절연 작용
② X선관 냉각작용

> **방사선 1-2-6** 절연유의 기능을 설명할 수 있다. (A)

15. 여과기 2020 기출

① 환자의 노출량을 줄이기 위해 투과력이 낮은 장파장의 X선 광자를 제거하여 X선의 평균 에너지를 증가시키고, 파장을 균일하게 함
② 2차 방사선인 산란선 발생
③ 총여과 = 고유여과 + 부가여과
- 고유여과: 타겟 자체, X선관의 유리관, 절연유, 조사창 등
- 부가여과: 알루미늄
④ 관전압에 따른 알루미늄 두께
- 구내방사선 촬영기의 경우 70 kVp까지는 1.5 mm 두께, 그 이상은 2.5 mm 두께 사용

> **방사선 1-2-7** 여과기에 대해 설명할 수 있다. (A)

16. 시준기 2019 기출 2021 기출

① X선속의 모양과 크기 조절(방사선 피폭량 감소) → 산란선 감소 → 방사선영상의 질 향상
② 재질: 납(2.75인치)
③ X선속의 직경을 환자의 피부표면에서 7 cm 이내가 되도록 조절

방사선 1-2-8 　시준기에 대해 설명할 수 있다. (A)

17. 감압변압기와 승압변압기

① 감압변압기

- 3~5 V의 전류를 공급하여 텅스텐 필라멘트가 전자구름을 형성하게 함
- 1차 코일보다 2차 코일 수가 적음

② 승압변압기

- 음극과 양극 사이에서 55,000~100,000 V의 높은 전위차를 형성하여 전자를 가속시킴
- 1차 코일보다 2차 코일 수가 많음

③ 정류

- 교류를 직류로 변환하는 것
- 구내방사선 촬영기는 X선관 자체가 정류기 역할을 하므로 자기정류 방식

방사선 1-2-9 　감압변압기와 승압변압기에 대해 설명할 수 있다. (A)

18. 제어판(Control panel) 2019 기출 2020 기출 2021 기출 2022 기출

(1) 관전압 조절기

① 텅스텐코일에서 타겟으로 운동하는 전자들의 속도를 조절
② X선의 질 결정
③ 관전압 증가 시 전자의 평균에너지와 최대에너지가 증가되고 속도가 빨라지며 조직의 투과력을 증가시킴

(2) 관전류 조절기

① 텅스텐 필라멘트의 온도를 조절하여 전자의 수 조절 → X선의 양 결정
② 관전류 증가 시 타겟에 충돌하는 전자수 증가

(3) 타이머

① X선 노출시간을 조절하는 장치
② 노출시간: X선이 발생되는 동안의 시간(X선 양만 조절)

제어판의 구성과 기능을 설명할 수 있다. (A)

19. 특성방사선의 발생

① 전자가 저지극에 충돌하여 저지극 원자의 내각전자를 이탈시킬 때 발생
② 전자가 이탈되었을 때 원자는 양이온이 되고, 양이온이 된 텅스텐 원자가 기저상태로 되돌아갈 때 발생
③ 70 kVp 이상의 관전압에서 발생
④ 선 스펙트럼 형성

방사선 1-2-11 특성방사선의 발생에 대해 설명할 수 있다. (A)

20. 저지(제동)방사선의 발생 2020 기출

① 전자가 텅스텐 원자핵과 정면 충돌하여 전자의 모든 에너지가 X선 에너지로 변환 → 고에너지 X선 발생
② 전자가 텡스텐 원자핵 근처를 통과할 때 핵의 인력으로 본래의 진행방향에서 편향되어 감속되므로 에너지를 잃음 → 저에너지 X선 발생
③ 치과용 X선 촬영기에서 발생되는 대부분의 X선
④ 연속적인 스펙트럼 형성

방사선 1-2-12 저지(제동)방사선의 발생에 대해 설명할 수 있다. (A)

21. 엑스선속(X-ray beam) 2022 기출

① 일차방사선: X선관 초점에서 직접 방출되는 방사선
② 유용방사선: 실제로 사용하는 방사선(주로 원추형태)
  • 일차방사선 중에서 조사창과 여과기, 시준기를 통해서 방출된 방사선
  • 유용방사선 정중앙을 지나는 X선을 중심선이라고 함
③ 이차방사선: 일차방사선이 진행되는 동안 투과하는 물체나 환자에게서 발생하는 방사선
  • 산란방사선: 이차방사선의 한 형태로 일차방사선이 물체를 통과하는 동안 원래의

방향으로부터 편향된 방사선 → 필름 포그 형성, 선예도 저하

④ 누출방사선: 일차방사선 일부가 관구덮개를 통해 누출되는 방사선

방사선 1-2-13 | 엑스선속에 대해 설명할 수 있다. (A)

22. 거리역자승의 법칙

· X선속의 강도는 초점으로부터의 거리의 제곱에 반비례

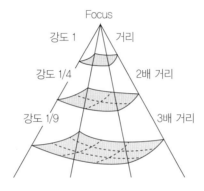

방사선 1-2-14 | 엑스선속의 강도에 대해 설명할 수 있다. (A)

제2장 | 방사선 생물학

1. 방사선의 생물작용

· 물리학적 단계 → 화학적 단계 → 생화학적 단계 → 생물학적 단계

방사선 2-1-1 | 방사선의 생물작용 단계를 설명할 수 있다. (B)

2. 방사선의 확률적 영향과 결정적 영향 `2019 기출` `2022 기출`

(1) 확률적 영향

① 피폭선량의 증가와 함께 발생 확률 증가, 장해정도는 피폭선량과 관계 없음

② 장기간 동안의 저선량 피폭에 의해 만성적으로 나타나는 신체 영향으로 잠복기 지님

③ 방사선 조사량의 역치(문턱치) 없이 장애의 발생 확률 존재

④ 암(종양), 백혈병, 유전적 장애 등

(2) 결정적 영향

① 어떤 피폭선량까지는 방사선 장해가 나타나지 않음

② 한계피폭선량(문턱치)을 초과하면 장해가 나타남

③ 선량이 커짐에 따라 장해의 악화 정도도 증가

④ 피부홍반, 탈모, 백내장, 생식능력 감소, 골수 기능 저하 등

> **방사선 2-1-2**　확률적 영향과 결정적 영향에 대해 설명할 수 있다. (A)

3. 방사산의 직접효과와 간접효과

(1) 직접효과

① 세포내 표적부위에 직접 충돌하여 발생하는 것

② X선 피폭으로 인한 생물학적 영향의 약 1/3 차지

(2) 간접효과

① X선 광자가 세포 내에서 흡수되어 물(수분)을 분해하고 독소를 생성하여 세포 손상을 일으킴

② X선 피폭으로 인한 생물학적 영향의 약 2/3 차지

> **방사선 2-1-3**　직접효과와 간접효과에 대해 설명할 수 있다. (A)

4. 세포의 방사선 감수성 `2021 기출`

① 세포분열이 활발할수록 감수성이 높다.

② 세포분열이 긴 세포일수록 감수성이 높다.

③ 조직의 재생능력이 클수록 감수성이 높다.

④ 형태적, 기능적으로 미분화된 세포일수록 감수성이 높다.

⑤ 대사작용이 높은 세포일수록 감수성이 높다.

⑥ 산소분압이 높을수록 감수성이 높다.

⑦ 온도가 높을수록 감수성이 높다.

⑧ 림프구, 난모세포는 예외적으로 고도로 분화되어 있으며 분열되지 않았음에도 방사선 감수성이 높다.

방사선 2-1-4   세포의 방사선 감수성을 설명할 수 있다. (A)

5. 조직 및 장기의 방사선 감수성 2020 기출

① 고감수성: 점막, 조혈조직(골수, 비장, 림프조직), 고환, 소장, 대장, 갑상선

② 중감수성: 폐, 신장, 간, 미세혈관, 성장 중인 연골과 골, 타액선, 피부

③ 저감수성: 근육세포, 신경세포, 수정체, 성숙적혈구, 결합조직, 지방조직

→ 소아는 성인보다 감수성이 높음, 특히 소아의 골(골단부)은 고감수성

방사선 2-1-5   조직 및 장기의 방사선 감수성을 설명할 수 있다. (A)

6. 방사선에 의한 체세포와 생식세포 효과

(1) 체세포 효과

① 방사선에 피폭된 당사자에게 나타남 → 개인의 건강에 문제 발생

② 유전되지 않음

③ 암, 백혈병, 백내장 등

(2) 생식세포 효과

① 방사선에 피폭된 당사자에게 나타나지 않고, 다음 세대로 그 영향이 유전됨

② 생식세포의 손상은 회복되지 않음

③ 돌연변이

방사선 2-1-6   방사선에 의한 체세포와 생식세포 효과에 대해 설명할 수 있다. (A)

7. 방사선의 급성효과와 만성효과

(1) 급성효과

① 다량의 방사선에 단시간 피폭받으면 개체의 각 장기에 빠른 시간 내에 장해가 나타남

② 원전사고, 핵폭발, 원자폭탄 등 → 급성방사선증후군(acute radiation syndrome, ARS) 발생 → 골수증후군, 위장관증후군, 탈모, 졸도, 피로 체온 상승 등 문제 발생

(2) 만성효과(만발효과)

① 방사선 피폭 후 수 년 이상이 경과한 후 나타나는 장해

② 저선량인 경우는 장시간에 걸친 소량의 방사선 피폭으로 살아남은 세포에서 일어난 손상들이 시간이 경과한 후 발현되는 현상

③ 발암, 백혈병, 악성 종양, 수명단축, 면역기능 저하, 유전적 장애, 조직의 국소적 장해 등

방사선 2-1-7   방사선의 급성효과에 대해 설명할 수 있다. (B)

방사선 2-1-8   방사선의 만성효과에 대해 설명할 수 있다. (A)

8. 자연방사선과 인공방사선

1) 자연방사선

① 평균연간유효선량은 약 3 mSv (86%)

② 라돈: 우리가 받는 방사선량의 약 56%를 차지하며 가스 형태이므로 주로 폐에 많은 영향을 줌

③ 우주방사선: 평균 연간유효선량은 약 0.27 mSv로 우리가 받는 방사선량의 약 8%를 차지

④ 대지방사선: 땅 속의 방사성핵종으로부터 기원되며 약 8%로 차지

⑤ 체내방사선: 우리가 받는 방사선량의 약 11%를 차지

2) 인공방사선

① 평균연간유효선량은 약 0.60 mSv (17%)

② 의료분야의 방사선: 평균 연간유효선량은 약 0.27 mSv (15%), X-ray 촬영에 의한 노출이 대부분 차지

③ 소비재 및 산업분야의 방사선: 평균 연간유효선량은 약 0.10 mSv (3%)를 차지

| 방사선 2-2-1 | 자연방사선의 종류와 영향을 설명할 수 있다. (B) |

| 방사선 2-2-2 | 인공방사선의 종류와 영향을 설명할 수 있다. (B) |

9. 유효선량

① 인체 내 조직 간 선량 분포에 따른 위험도를 하나의 양으로 나타낸 것
② 등가선량에 조직가중계수를 곱해서 계산

| 방사선 2-2-4 | 유효선량을 설명할 수 있다. (B) |

10. 방사선방호의 원칙

(1) 방사선 방어목표

① 방사선 노출은 정당한 이유가 있을 경우에만 시행
② 결정적 영향의 발생을 방지
③ 확률적 영향의 발생을 용인할 수 있는 수준까지 제한

(2) 방사선 방어의 원칙

① 행위의 정당화
② 방사선 방어의 최적화
③ 개인의 선량한도 제한

| 방사선 2-2-5 | 방사선방호의 원칙을 설명할 수 있다. (A) |

11. 환자의 방사선 방호 2019 기출 2021 기출 2022 기출

(1) 환자 보호

① 고감광도 필름 사용
② 재촬영 감소를 위해 술자의 기술 향상

③ 디지털 구내방사선 영상은 환자의 방사선노출량을 40~60% 정도 감소

④ 파노라마 방사선사진이나 두부규격방사선사진 촬영시 희토류 증감지 이용: 방사선
노출량을 55% 정도 감소

⑤ 초점−필름 간 거리 증가: 장조사통 사용 → 반음영 감소, X선에 노출되는 조직의 체
적이 약 32% 정도 감소

⑥ 정확한 시준기 사용: 방사선의 크기를 제한(환자의 피부 표면에서 직경 7 cm를 넘지
않도록)

⑦ 부과여과기(알루미늄판) 사용: 70 kVp 이하의 관전압에서는 1.5 mm 두께, 70 kVp
이상의 관전압에서는 2.5 mm 두께 이상의 알루미늄 사용

⑧ 납이 내장된 원통형 조사통: 산란방사선을 감소

⑨ 납 방어복과 갑상선 보호대 착용

(2) 산란방사선 주요 출처

① 환자의 안면부

② 알루미늄 여과기

③ 원추형 조사통

| 방사선 2-2-6 | 환자의 방사선 방호에 대해 설명할 수 있다. (A) |

| 방사선 2-2-7 | 산란방사선에 대해 설명할 수 있다. (A) |

12. 술자의 방사선 방어 2020 기출

① 거리: 방사선원으로부터 1.8 m (6피트) 이상 거리 유지

② 위치: 일차방사선의 진행 방향을 피하고, 중심선에 대해 90°~135° 사이 위치

③ 차폐: 방어벽(납판 1 mm 두께)이나 건물벽(콘크리트, 벽돌, 세라믹 타일 등) 뒤쪽에
위치

④ 방사선이 노출되는 동안 관구를 잡지 말아야 함

⑤ 촬영시 필름은 환자가 직접 고정(부득이한 경우 보호자가 필름 고정)

⑥ 방사선 모니터링: TLD 배지 이용 → 3개월에 1회 이상 방사선 피폭선량 측정

| 방사선 2-2-8 | 술자의 방사선 방어에 대해 설명할 수 있다. (A) |

13. 방사선촬영장비와 술자 감시

(1) 장비와 소품들

① 치과용 방사선 촬영기의 종류

② 구내촬영기의 구성

③ 방사선 촬영기의 검사: 반도체 측정기를 이용

④ 소모품의 검사: 필름, 증감지, 구내용 센서 등의 검사

(2) 암실검사

암실에 새어들어오는 빛이 없는지 암실의 온도는 적절한지, 환기는 잘 되는지 주기적 검사

(3) 필름현상 과정의 검사

(4) 판독대와 모니터 검사

> **방사선 2-2-9** 방사선촬영장비와 술자 감시에 대해 설명할 수 있다. (B)

14. 방사선 노출로 인한 최대허용선량과 최대누적선량 `2019 기출`

(1) 최대허용선량

① 인체에서 일정 기간 내에 허용 가능한 X선 노출의 최대한의 등가선량

② 연간 최대허용선량: 일반인 1 mSv/년, 방사선 관련 종사자 50 mSv/년

(2) 최대누적선량

① 방사선 관련 종사자의 평생 동안 누적되는 전체 선량

② 최대누적선량 = $(N-18) \times 5$ rem/년 = $(N-18) \times 50$ mSv/년(N ; 개인의 나이)

> **방사선 2-2-10** 방사선 관련 종사자의 허용선량에 대해 설명할 수 있다. (A)

> **방사선 2-2-11** 방사선 관련 종사자의 누적선량에 대해 설명할 수 있다. (A)

제3장 | 엑스선 필름과 필름의 처리

1. X선 필름의 구성

(1) 감광유제

① 할로겐화은 결정

- 브롬화은(AgBr) 90~99%, 요오드화은(AgI) 1~10%
- 방사선 또는 빛에 대한 감수성이 높음
- X선에 노출되면 X선을 흡수하고 에너지를 저장

② 젤라틴

- 미세한 할로겐화은 결정을 균일하게 분산시키는 역할
- 현상처리액을 흡수하여 할로겐화은 결정과 반응하도록 함

(2) 지지체

① 감광유제를 안정적으로 지지

② 열, 습기, 화학적 노출 등에 견딜 수 있어야 함

③ 유연성이 있고 적당한 강도를 지님, 찢어지거나 쉽게 변형되지 않음

(3) 접착제

① 감광유제를 지지체에 부착시키는 역할

(4) 보호막

① 감광유제 표면을 보호하는 역할

> **방사선 3-1-1** 엑스선 필름의 구성에 대해 설명할 수 있다. (A)

2. 구내필름의 포장

(1) 외포장지

① 비닐 또는 종이 포장지

② 필름을 빛과 타액으로부터 보호

③ 앞·뒷면 구분

(2) 내포장지

 ① 필름이 빛에 노출되지 않도록 보호

 ② 검은종이 보호막

(3) 연박(lead foil)

 ① 필름 후면에 위치

 ② 후방 산란선 차단 → 필름포그 발생 방지

 ③ 필름 후방 조직의 X선 노출 감소

 ④ 뒤집어서 찍게 되면 청어가시 모양, 타이어자국 모양이 방사선사진 상에 보임

(4) 인식점(dot)

 ① 촬영 시 볼록한 쪽이 반드시 X선 관구(피사체)를 향해 위치

 ② 치관쪽에 오도록 필름을 위치

 ③ 필름의 방향을 결정하는 데 이용

 ④ 필름 현상 후 좌·우측 구별

 ⑤ 필름의 배열과 판독에 중요한 역할

방사선 3-1-2   구내필름의 포장에 대해 설명할 수 있다. (B)

3. 구내필름의 종류별 용도 `2019 기출`

(1) 치근단 필름(표준필름)

 ① 치아와 치아 주위 조직의 검사

 ② 치근의 위치와 방향 확인

 ③ 치석의 침착정도 발견

 ④ 치근단 병소의 발견

(2) 교익필름

 ① 치아와 평행하게 필름을 위치시켜 찍는 촬영

 ② 한 장의 필름으로 상·하악 치관부 촬영이 가능

 ③ 인접면 치아우식증의 발견, 초기 치주질환의 진단, 충전물의 적합도 검사

(3) 교합필름

 ① 구내 필름 중 가장 크기가 큼, 일부 구외 촬영용으로 사용 가능

② 타석, 매복치, 낭 등 치근단 필름으로 찾지 못하는 상·하악의 광범위한 병소 발견을 위하여 사용

> **방사선 3-1-3** 구내필름의 종류별 용도를 설명할 수 있다. (B)

4. 구외필름

① 촬영하는 동안 필름을 구강 바깥에 위치
② 치과영역에서는 파노라마나 두부규격방사선사진 등에 사용
③ 증감지용 필름과 비증감지용 필름으로 구분

(1) 증감지용 필름

① 대부분의 구외필름
② 가시광선(청색광 및 녹색광)에 더 민감함
③ 증감지-카세트 조합을 사용
④ X선 노출량 감소
⑤ 비증감지용 필름에 비해 선예도 감소

(2) 비증감지용 필름

① 구외 촬영에는 거의 사용하지 않음, 구내필름
② 가시광선보다 X선에 더 민감함
③ X선 노출량 증가

> **방사선 3-1-4** 구내필름과 구외필름의 차이를 비교하여 설명할 수 있다. (B)

> **방사선 3-1-5** 증감지용 필름과 비증감지용 필름의 차이를 비교하여 설명할 수 있다. (B)

5. 증감지

(1) 기능

① X선을 가시광선으로 바꾸어 필름을 감광시키도록 하는 역할
② 감광유제가 X선보다 가시광선의 파장에 민감함
③ X선 노출량 감소

(2) 구성

① 지지체

• 증감지를 지지하는 역할

• 합성수지 또는 종이 사용, 0.25 mm 두께

② 반사층

• 인층에서 나온 빛을 X선 필름 쪽으로 돌려보내 증감지의 감도 증가, 환자 노출량 감소

• 인층 바로 밑에 도포

③ 인층

• 광자가 인에 충돌하면 인에서 형광 또는 가시광선을 방출

• X선 또는 빛에 민감한 결정의 층

• 두께가 두꺼워지면 감도가 높아짐

• 인층의 인입자가 클수록 증감지 감도는 증가 하나 선예도는 감소

• 텅스텐화 칼슘: 청색광

• 최근 녹색광을 발산하는 희토류 인광물질이 사용되며 환자의 노출량을 감소

④ 보호막

• 인층의 손상을 방지하고 청결하게 유지

• 플라스틱 또는 합성수지

방사선 3-1-6 증감지의 구성과 기능에 대해 설명할 수 있다. (B)

6. 필름 보관방법

(1) 촬영이 끝난 필름의 보관

① 법저으로 5년 동안 보관

② 직사광선은 피하고, 환기가 잘 되며, 습기가 적은 장소에 보관

(2) 촬영하지 않은 필름의 보관

① 저온·저습한 장소에 보관, 18~20℃가 적당

② 화학약품, 방사선촬영기 부근, 방사성 동위원소 부근 보관 금지

③ 압력이나 마찰이 가해지지 않도록 주의

④ 유효기간을 넘기지 않도록 주의

> **방사선 3-1-7**   필름 보관방법에 대해 설명할 수 있다. (A)

7. 흑화도(radiographic density) `2019 기출` `2022 기출`

(1) 정의

① 필름 전체의 어두운 정도

(2) 흑화도에 영향을 주는 요인

① 관전류, 관전압, 노출시간 증가 시: 흑화도 증가

② 초점과 필름 사이의 거리: 거리가 짧을수록 흑화도 증가, 멀어질수록 흑화도 감소

③ 물체의 두께 및 밀도: 두께가 두꺼울수록, 밀도가 높을수록 흑화도 감소

④ 포그와 산란선: 흑화도 증가

⑤ 현상액의 온도와 현상시간: 현상액 온도가 높고 현상시간이 길수록 흑화도 증가

> **방사선 3-2-1**   흑화도를 설명할 수 있다. (A)

> **방사선 3-2-2**   흑화도에 영향을 주는 요인를 설명할 수 있다. (A)

8. 대조도

(1) 정의

① 1장의 방사선사진상에서 부위별 흑화도 차이

② 고대조도(단등급 대조도): 사진 상의 어두운 부위와 밝은 부위간 뚜렷하게 차이를 보임

③ 저대조도(장등급 대조도): 사진 상의 어두운 부위와 밝은 부위간 흑화도 차이가 적게 나타난 경우

(2) 대조도에 영향을 주는 요인

① 물체의 두께와 밀도: 두께가 두껍거나 밀도가 높을수록 대조도 증가

② 관전압 증가 시: 대조도 감소

③ 포그와 산란선: 대조도 감소

④ 기타요인

• 필름현상시간이 길거나 불완전할 때: 대조도 감소

- 유용한 흑화도를 가진 범위의 곡선의 경사도가 1 이상: 대조도 증가
- 검은 필름은 밝은 필름보다 대조도 증가
- 증감지와 함께 사용할 수 있는 필름: 대조도 증가

방사선 3-2-3	대조도를 설명할 수 있다. (A)

방사선 3-2-4	대조도에 영향을 주는 요인를 설명할 수 있다. (A)

9. 선예도(sharpness) 2019 기출 2020 기출 2021 기출 2022 기출

(1) 정의

① 물체의 외형을 정확하게 재현할 수 있는 능력

② 사진상 관찰되는 구조물의 경계를 구분할 수 있는 능력

(2) 선예도에 영향을 주는 요인

① 기하학적인 불선예도(주요인: 반음영)

- 반음영 감소시키는 방법 → 선예도 증가
  - 초점크기 작게 함
  - 필름과 피사체 사이의 거리 감소
  - 초점과 피사체 사이의 거리 증가

② 움직임에 의한 불선예도

- 환자, 필름, 관구가 움직임
- 노출시간을 짧게 하여 움직임에 의한 불선예도를 감소

③ 상수용기에 의한 불선예도

- 양면에 감광유제를 도포한 필름을 사용한 경우 양쪽 감광유제에 맺히는 상에 차이 발생
- 증감지를 사용하면 증감지에 의해 빛이 확산되어 더 많이 발생 → 증감지와 필름을 가능한 밀착
- 필름의 할로겐화은 결정의 크기: 은입자의 크기가 작을수록 상의 선예도 증가

방사선 3-2-5	선예도를 정의할 수 있다. (A)

방사선 3-2-6	선예도에 영향을 주는 요인을 설명할 수 있다. (A)

10. 관용도(latitude)

① 특성곡선에서 직선부 영역의 크기

② 방사선사진 상에 구별 가능한 흑화도를 기록할 수 있는 노출 범위를 측정한 것

③ 관전압 증가 → 낮은 대조도 → 넓은 관용도

방사선 3-2-7	관용도를 설명할 수 있다. (B)

11. 감광도(speed)

① 표준 흑화도 1.0을 갖는 방사선사진을 만들어 내는데 필요한 X선 조사량

② 고감도 필름 사용 → 환자의 노출량 감소

③ 영향을 주는 요인

• 할로겐화은 결정의 크기가 클수록, 감광유제의 두께가 두꺼울수록 → 노출시간 단축 → 감광도 증가 → 선예도 저하

방사선 3-2-8	감광도에 대해 설명할 수 있다. (A)

12. 해상력

① 서로 인접한 작은 피사체를 식별하는 능력

방사선 3-2-9	해상력을 대해 설명할 수 있다. (B)

13. 상의 확대와 왜곡

(1) 상의 확대

① 피사체의 실제 크기보다 상의 크기가 커지는 것

② 초점-필름간의 거리 증가, 피사체-필름 간의 거리 감소 → 상의 확대 감소

(2) 상의 왜곡

① 동일한 피사체의 각 부위가 균일하지 않게 확대된 것

② 초점-피사체-필름을 서로 평행하게 위치시키고, 중심선은 피사체와 필름에 수직으로 조사 → 평행촬영법 → 상의 왜곡 감소

방사선 3-2-10 상의 확대와 왜곡에 대해 설명할 수 있다. (B)

14. 엑스선 필름의 처리

1) 잠상

　　① 필름에 X선이 조사되면 할로겐화은에 변화가 일어나 물체의 상을 맺게 됨

　　　　→ 감광 할로겐환은 집단 형성

　　② 육안으로 관찰 불가능

2) 현상과정

(1) 현상

　　① 가볍게 흔들어 현상액이 감광유제와 접촉

　　② 적절한 흑화도를 보일 때까지 현상

　　③ 20℃에서 4~5분

(2) 중간 수세

　　① 목적: 과현상방지, 현상얼룩방지, 정착액 기능연장

　　② 물에 15~20초간 수세

(3) 정착

　　① 젤라틴이 충분히 경화되기 위해 시행

　　② 정착시간은 X선이 노출되지 않은 브롬화은을 깨끗이 제거하는데 걸리는 시간
　　　　(투명시간)의 2배

　　③ 정착시간이 불충분한 경우 회색 필름 및 암갈색 변색

　　④ 장시간 정착하면 금속은 입자의 일부가 제거되어 사진상 흑화도 감소

(4) 최종 수세

　　① 흐르는 물에서 필름의 양면이 연속적으로 닿도록 수세

　　② 수세가 불충분한 경우 황갈색 변색

(5) 건조

① 먼지가 적은 그늘에서 자연건조

② 히터와 환풍기를 결합시킨 건조기 사용시 온도의 급상승은 피함 → 젤라틴 변형

| 방사선 3-3-1 | 잠상을 설명할 수 있다. (B) |

| 방사선 3-3-2 | 현상과정을 설명할 수 있다. (A) |

15. 현상액의 구성성분과 기능

(1) 현상주약(환원제)

① pH 11의 알칼리성 용액으로 할로겐화은의 환원제

② 하이드로퀴논

- 상의 대조도 결정
- 필름의 흑색조 형성
- 온도변화에 민감(16° 이하 불활성, 21° 이상 활성)

③ 페니돈

- 상의 선예도 조절
- 필름의 회색조 형성
- 온도에 민감하지 않음

(2) 보호제

① 아황산나트륨

② 현상주약 산화방지

③ 현상액 수명연장

④ 필름 착색방지

(3) 촉진제

① 탄산수소나트륨, 수산화나트륨

② 현상액을 알칼리성으로 유지

③ 젤라틴을 연화하여 현상주약을 브롬화은 결정에 쉽게 침투시킴

④ 촉진제의 양이 많으면 X선에 노출되지 않은 할로겐화은까지 현상되어 필름 포그 발생되므로 주의

(4) 지연제

    ① 브롬화칼륨

    ② 급속한 현상작용 방지, 얼룩억제

    ③ X선에 노출되지 않은 할로겐화은의 화학반응 방지

    ④ 필름 포그 발생 억제

방사선 3-3-3	현상액의 구성성분과 기능을 설명할 수 있다. (B)

16. 정착액의 구성성분과 기능

(1) 청정제

    ① 티오황산나트륨, 티오황산암모늄

    ② X선에 노출되지 않은 할로겐화은 결정을 감광유제로부터 제거 → 상의 선명도 형성

    ③ 정착을 오랫동안 실시하면 금속은 입자가 제거되므로 흑화도 저하

(2) 보호제

    ① 아황산나트륨

    ② 산화된 현상액을 제거하여 청정제의 산화 방지

    ③ 티오황산염의 변성방지

(3) 산화제

    ① 초산

    ② 현상액에 의한 알카리성을 중화

    ③ 정착액의 산성도 유지

(4) 경화제

    ① 황산알루미늄

    ② 현상처리 후 젤라틴이 손상되는 것을 방지

    ③ 건조시간 단축

방사선 3-3-4	정착액의 구성성분과 기능을 설명할 수 있다. (B)

17. 암실과 안전등

(1) 암실

① 사용이 편리해야 하고 차광문을 설치하여 빛을 차단

② 환기가 잘 되고 신선한 공기가 공급되어야 함

③ 진료실 내부와 인접한 곳

④ 급수와 하수 및 전원 설비가 잘 된 곳

⑤ 일반 조명을 위한 백열등과 작업할 때 필요한 안전등 준비

(2) 안전등(safelight): 간접조명, 필름을 쉽게 감광시키지 않는 정도

① 사람의 눈에는 감지되지만 필름은 잘 감광시키지 않는 파장의 빛을 가진 조명

② 간접조명 이용

③ 필름을 취급하는 작업대로부터 최소 1.2 m 상방에 위치

④ 전구는 10~15 W 사용

방사선 3-3-5　　암실과 안전등에 대해 설명할 수 있다. (B)

18. 자동현상과정

① 현상 → 정착 → 수세 → 건조

② 주로 롤러(roller) 방법 이용

③ 필름을 운반시키는 속도가 일정하게 유지

④ 현상시간을 단축하기 위해 고감도 필름 사용

⑤ 수동현상보다 고온의 현상액 사용

⑥ 사진현상조건이 표준화되어 균일한 화질의 영상을 얻음

방사선 3-3-6　　자동현상과정을 설명할 수 있다. (B)

19. 촬영과정에서의 감염관리법

(1) 촬영 전 감염관리

① 필름유지기구의 멸균

② 촬영용 의자의 소독

③ 방사선촬영기의 소독

④ 방사선 방어용품의 소독

(2) 촬영 중 감염관리

① 글러브 착용

② 구내 필름 오염방지

③ 디지털 센서의 오염방지

(3) 촬영 후 감염관리

교차감염을 방지하기 위해 촬영장소를 떠나기 전에 모든 오염된 물품은 폐기하고 다시 소독

방사선 3-3-7 엑스선 촬영과정에서의 감염관리법을 설명할 수 있다. (B)

제4장 | 촬영법

1. 구내촬영법의 종류

① 치근단촬영법: 등각촬영법, 평행촬영법

② 교익촬영법

③ 교합촬영법

방사선 4-1-1 구내촬영법의 종류를 나열할 수 있다. (A)

2. 치근단촬영법의 목적　2019 기출

① 치아와 치아주위 조직의 검사 및 평가

② 치근의 위치와 방향 확인

③ 치석의 침착정도

④ 치근단 병소 평가

⑤ 혼합치열기의 영구치의 맹출 정도 확인

⑥ 매복치의 상태 및 위치 평가

⑦ 임플란트 치료 전후 악골의 상태 및 임플란트 식립 상태 평가

⑧ 근관치료 전후의 근관의 수와 형태 평가

방사선 4-1-2 치근단촬영의 목적을 설명할 수 있다. (A)

3. 환자의 두부고정

① 정중시상면: 바닥평면에 수직

② 교합면: 바닥과 평행

• 상악: 비익-이주 연결선이 바닥과 평행

• 하악: 구각-이주 연결선이 바닥과 평행

방사선 4-1-3 환자의 두부고정에 대해 설명할 수 있다. (A)

4. 필름의 위치설정

① 필름을 검사할 부위 뒤에 위치

② 전치부는 세로 방향, 구치부는 가로 방향

③ 촬영할 치아나 부위가 중앙에 오도록 위치

④ 필름의 상·하연은 절단면이나 교합면과 평행을 이루고 약 3 mm 여유 있게 위치

⑤ 인식점은 항상 치관쪽을 향하도록 위치

방사선 4-1-4 필름의 위치설정에 대해 설명할 수 있다. (A)

5. 관구의 위치설정 기준

① 수직각: 상악은 (+)각, 하악은 (−)각

② 수평각: 중심선이 치아 인접면에 평행

방사선 4-1-5 관구의 위치설정 기준을 설명할 수 있다. (B)

6. 구내방사선 촬영과정

① 촬영 전 미리 환자에게 촬영과정을 간단히 설명

② 갑상선보호대가 있는 납 방어복 착용

③ 환자를 앉히고 의자높이를 조절

④ 교합면은 바닥과 평행, 정중시상면은 바닥에 수직, 머리고정

⑤ 환자 구강 내 가철성 보철물, 안경 등 제거

⑥ 촬영부위에 맞는 노출조건 설정

⑦ 필름 위치시킨 후 촬영

방사선 4-1-6 구내 엑스선 촬영과정을 설명할 수 있다. (B)

7. 평행촬영법의 원리

① 필름을 치아의 장축에 평행하게 위치

② 중심 방사선을 치아와 필름에 직각(수직)이 되도록 조사

③ 필름이 치아의 장축에 평행하도록 필름유지기구를 사용

④ 상의 확대와 선명도 감소를 보완하기 위해 장조사통 사용(초점-필름 간 거리를 2배 이상 증가시킴) → 상의 확대와 선명도 감소 최소화
  - X선 강도 보상방법
    - 관전압, 관전류, 노출시간 증가
    - 고감광도 필름 사용

방사선 4-2-1 평행촬영법의 원리를 설명할 수 있다. (A)

8. 필름유지기구의 종류와 사용법

(1) XCP 필름유지기구(전치부용, 구치부용, 교익용)

① 교합제

② 지시막대

③ 조준링

(2) Precision 필름유지기구

(3) 안정형 교합제

(4) EEZEE-Grip

(5) 지혈집게(hemostat)

(6) Cone indicator

> **방사선 4-2-2** 필름유지기구의 종류와 사용법을 설명할 수 있다. (B)

9. 상하악의 평행촬영법

(1) 상악의 평행촬영법

① 정중시상면이 바닥과 수직

② 상악 교합면이 바닥과 평행(비익-이주 연결선이 바닥과 평행)

③ 필름유지기구를 사용하여 필름을 상악치아와 평행하게 위치

④ 중심선은 필름과 치아장축에 수직

(2) 하악의 평행촬영법

① 정중시상면이 바닥과 수직

② 하악 교합면이 바닥과 평행(구각-이주 연결선이 바닥에 평행)

③ 필름유지기구를 사용하여 필름을 하악치아와 평행하게 위치

④ 중심선은 필름과 치아장축에 수직

> **방사선 4-2-3** 상악의 평행촬영법을 설명할 수 있다. (B)

> **방사선 4-2-4** 하악의 평행촬영법을 설명할 수 있다. (B)

10. 구강의 해부학적 상태에 따른 평행촬영법

(1) 낮은 구개

① 솜뭉치(cotton roll)를 이용

② 수직각을 증가

(2) 예민한 전방 구강저 부위

① 하악 소구치 촬영 시 불편감 야기

② 교합제를 소구치에 밀착시키면서 필름을 기울여 혀를 밀어낸 후 폐구

(3) 골융기

① 상악 골융기: 융기 뒤쪽에 필름을 위치

② 하악 골융기: 혀와 융기 사이에 필름을 위치

> **방사선 4-2-5**　구강의 해부학적 구조에 따라 평행촬영법을 응용할 수 있다. (B)

11. 평행촬영법의 장·단점　2019 기출　2022 기출

(1) 장점

① 정확성: 왜곡이 없으면서 선명하고 명확한 영상을 얻을 수 있음

② 편이성: 필름유지기구를 이용하므로 관구의 조사각도를 쉽게 조정할 수 있음

③ 재현성: 반복해서 촬영해야 할 때 표준화가 쉽고 정확히 재현할 수 있음

(2) 단점

① 소아환자, 입이 작은 경우나 구개가 낮은 환자는 필름유지기구를 위치시키가 어려움

　→ 등각촬영법 적용

② 필름유지기구가 환자에게 불편감, 통증, 구토나 점막부위 손상을 유발

> **방사선 4-2-6**　평행촬영법의 장점을 설명할 수 있다. (A)

> **방사선 4-2-7**　평행촬영법의 단점을 설명할 수 있다. (A)

12. 등각촬영법의 원리

① 치아장축과 필름이 이루는 각의 가상이등분선에 중심방사선이 직각으로 조사하는 촬영법, 치아 길이와 필름상에 맺히는 치아의 길이를 같게 하는 촬영법

② 사람마다 모양새가 다르기 때문에 수직각도는 모두 다름

③ 중심선의 수직각이 부적절하면 상의 단축과 연장 같은 왜곡이 발생

- 수직각 작게: 상의 연장

- 수직각 크게: 상의 단축

방사선 4-3-1 등각촬영법의 원리를 설명할 수 있다. (A)

---

13. 상악의 등각촬영법 2020 기출 2022 기출

(1) 상악 견치

① 필름중앙에 상악 견치와 치근단 부위 포함

② 필름 세로로 위치

③ 필름하연이 절단면과 평행, 3 mm 여유

④ 중심선: 비익

⑤ 조사각도

- 수직각도: + 45°

- 수평각도: 측절치와 견치 인접면에 평행(60~75°)

(2) 상악 절치

① 중절치 사이 접촉점이 필름 중앙에 오도록 위치

② 필름 세로로 위치

③ 필름하연이 절단면과 평행, 3 mm 여유

④ 중심선: 비첨(코끝)

⑤ 조사각도

- 수직각도: + 45°

- 수평각도: 정중선 또는 중절치 인접면에 평행(0°)

(3) 상악 소구치

① 제2소구치가 필름의 중앙에 오도록 하고 견치 원심 1/2 포함

② 필름 가로로 위치

③ 필름하연이 절단면과 평행, 3 mm 여유

④ 중심선: 동공 직하방(동공에서 하방으로 내린 연장선과 비익-이주선이 만나는 교점)

⑤ 조사각도

- 수직각도: +35°
- 수평각도: 제1,2소구치 인접면에 평행(70~80°)

(4) 상악 대구치

① 제2대구치가 필름의 중앙에 오도록 위치

② 필름 가로로 위치

③ 필름하연이 절단면과 평행, 3 mm 여유

④ 중심선: 눈꼬리 직하방(눈의 외안각에서 하방으로 내린 연장선과 비익-이주선이 만나는 교점)

⑤ 조사각도

- 수직각도: + 25°
- 수평각도: 제1,2대구치 인접면에 평행(80~90°)

방사선 4-3-2   상악의 등각촬영법을 설명할 수 있다. (A)

14. 하악의 등각촬영법

(1) 하악 견치

① 필름 세로로 위치

② 필름상연이 절단면과 평행, 3 mm 여유

③ 중심선: 비익에서 하방으로 내린 수직선과 하악 하연으로부터 상방으로 약 3 cm 되는 지점과의 교점

④ 조사각도

- 수직각도: −20°
- 수평각도: 측절치와 견치 인접면에 평행(45°)

(2) 하악 절치

① 필름 세로로 위치

② 필름상연이 절단면과 평행, 3 mm 여유

③ 중심선: 안면의 정중부위에서 하악 하연으로부터 상방으로 3 cm 되는 지점과의 교점

④ 조사각도
- 수직각도: −15°
- 수평각도: 정중선 또는 중절치 인접면에 평행(0°)

(3) 하악 소구치

① 필름 가로로 위치

② 필름상연이 절단면과 평행, 3 mm 여유

③ 중심선: 동공에서 하방으로 내린 수직선과 하악 하연으로부터 상방 약 3 cm 되는 지점과의 교점

④ 조사각도
- 수직각도: −10°
- 수평각도: 제1,2소구치 인접면에 평행

(4) 하악 대구치

① 필름 가로로 위치

② 필름상연이 절단면과 평행, 3 mm 여유

③ 중심선: 외안각에서 하방으로 내린 수직선과 하악 하연으로부터 상방 약 3 cm 되는 지점과의 교점

④ 조사각도
- 수직각도: −5°
- 수평각도: 제1,2대구치 인접면에 평행

방사선 4-3-3 하악의 등각촬영법을 설명할 수 있다. (A)

15. 구강의 해부학적 상태에 따른 등각촬영법

(1) 좁은 악궁

① 하악 중절치는 '전치 필름 쥐는 법'을 사용

② 견치는 필름을 심하게 구부리지 않고 위치시키기가 불가능한 경우 견치 악궁횡단방법을 이용

(2) 골융기

① 상악 골융기는 주로 구치의 치근단과 중첩되어 치근단 부위 평가가 어려움

→ 필름을 치아와 골융기 사이에 위치시켜 촬영

② 하악 골융기는 주로 설측 측방에 존재하는데 손가락보다 필름유지기구를 사용하면 좋음

방사선 4-3-4   구강의 해부학적 상태에 따른 등각촬영법을 설명할 수 있다. (B)

16. 등각촬영법의 장·단점 2021 기출 2022 기출

(1) 장점

① 평행촬영법으로 촬영이 어려운 해부학적 장애물이 있는 환자에서 적용가능(낮은 구개, 예민한 전방 구강저 부위, 골융기)

② 단조사통을 사용하여 노출시간을 줄임

(2) 단점

① 치아의 치관부와 치근부에서 필름 사이거리가 다르기 때문에 상의 왜곡이 발생

② 수직각을 정확하게 맞추기가 어려워 상의 연장이나 단축이 일어날 수 있음

③ 손가락으로 필름을 유지하면 환자의 손가락이 일차방사선에 불필요하게 노출(불필요한 피폭)

④ 상악 관골돌기가 낮거나 돌출된 환자는 관골돌기가 상악 구치부 치근단과 중첩되는 경우가 많아 치근단 평가가 어려운 경우가 많음

방사선 4-3-5   등각촬영법의 장점을 설명할 수 있다. (A)

방사선 4-3-6   등각촬영법의 단점을 설명할 수 있다. (A)

17. 평행촬영법과 등각촬영법의 비교

상투영의 5원칙	등각촬영법	평행촬영법
방사선원이 가능한 작아야 함	○	○
방사선원과 피사체간의 거리는 가능한 한 멀어야 함	×	○
피사체와 필름간의 거리는 가능한 한 짧아야 함	○	×
피사체와 필름은 가능한 한 평행이 되어야 함	×	○
중심선은 피사체와 필름에 대해 가능한 한 수직으로 조사되어야 함	×	○

방사선 4-3-7   평행촬영법과 등각촬영법을 비교할 수 있다. (A)

18. 교익촬영법의 목적과 원리 [2020 기출] [2021 기출] [2022 기출]

(1) 교익촬영법의 목적

① 초기 인접면 치아우식증 및 재발성 치아우식증 검사

② 초기 치주질환의 치조정 변화 검사

③ 상·하악 치아의 교합관계 검사

④ 치수강의 검사

⑤ 치아우식증의 치수 접근도 검사

⑥ 충전물의 적합도 검사

(2) 교익촬영법의 원리

① 상·하악 치아가 교합된 상태에서 촬영(소구치와 대구치만 촬영)

② 필름은 상·하악 치아의 치관부와 평행하게 위치

③ 필름은 교익용 탭이나 필름유지기구로 유지

④ 중심선은 수직각 +10°로 치아 인접면을 향하도록 위치

⑤ 수평각: 촬영하고자 하는 치아의 인접면을 통과하도록 부여

⑥ 수직각: 상악치아의 구개측 경사를 보상하기 위해 +10° 부여

| **방사선 4-4-1** | 교익촬영의 목적을 설명할 수 있다. (A) |

| **방사선 4-4-2** | 교익촬영법의 원리를 설명할 수 있다. (B) |

19. 부위별 교익촬영법

(1) 소구치 촬영

① 수직각: 상악치아 설측경사 약 +10° 부여

② 수평각: 소구치 인접면을 통과하도록 설정

③ 중심선: 교합면

(2) 대구치 촬영

① 수직각: 상악치아 설측경사 약 +10° 부여

② 수평각: 제 1·2대구치 인접면을 통과하도록 설정

③ 중심선: 교합면

| **방사선 4-4-3** | 부위별 교익촬영법을 설명할 수 있다. (B) |

20. 교익촬영법의 장·단점

(1) 장점

① 한 장의 필름으로 여러 개의 치아를 볼 수 있음, 상의 왜곡이 적음

(2) 단점

① 치근단 부위를 볼 수 없음

| 방사선 4-4-4 | 교익촬영법의 장점을 설명할 수 있다. (A) |

| 방사선 4-4-5 | 교익촬영법의 단점을 설명할 수 있다. (A) |

21. 교합촬영법의 목적

① 악골의 전체적인 모양이나 크기 관찰
② 종양이나 낭 등의 큰 병소의 모양이나 크기 관찰
③ 매복치나 과잉치 등의 위치 파악
④ 악골 골절의 위치와 범위 검사
⑤ 타액선의 타석 관찰

| 방사선 4-5-1 | 교합촬영의 목적을 설명할 수 있다. (B) |

22. 교합촬영법의 장·단점

(1) 장점

① 치근단이나 교익 방사선사진보다 더 넓은 부위를 관찰가능
② 개구제한이 있는 환자도 촬영가능
③ 다른 구내 촬영법에 비해 협설 위치관계를 파악할 수 있음

(2) 단점: 전체적인 치아의 상이 왜곡

| 방사선 4-5-2 | 교합촬영법의 장점을 설명할 수 있다. (B) |

| 방사선 4-5-3 | 교합촬영법의 단점을 설명할 수 있다. (B) |

23. 직각촬영법(right-angle procedure) `2020 기출` `2022 기출`

(1) 구내용 필름 2장을 서로 직각방향으로 촬영, 피사체의 협설 위치 관계를 평가하는 방법

    ① 첫 번째 촬영(평행촬영): 필름은 치아의 장축과 평행하게 위치되어야 하며, 필름의 전연은 제1대구치의 근심을 넘어서는 안 됨

    ② 두 번째 촬영(절단면 교합촬영): 필름 전연이 제1대구치의 전방부를 넘지 않도록 하고, 필름 후연은 후구치 삼각 부위가 포함되도록 하면서 필름은 교합면 위에 위치

(2) 하악 지치 부위에서 좀 더 확실한 정보가 필요한 경우 사용

    ① 주로 하악골 부위에서 사용

    ② 상악골 부위에서는 두개골의 구조물이 중복되어 촬영되므로 관심있는 부위가 가려짐

> **방사선 4-6-2** 직각촬영법에 대해 설명할 수 있다. (A)

24. 관구이동법 `2021 기출`

(1) Clark 법칙(Clark's rule)

    ① Clark에 의해 고안

    ② 관구의 수평각을 달리한 2장의 사진을 비교하여 위치를 파악하는 방법

    ③ 협·설측 위치파악

    ④ SLOB 법칙 적용

(2) 협측 피사체 법칙

    ① Richards에 의해 고안

    ② 관구의 수직각을 달리한 2장의 사진을 비교하여 하악관의 위치를 파악하는 방법

    ③ SLOB 법칙 적용

(3) SLOB (same-lingual, Opposite-buccal)

    ① 의심이 되는 물체가 X선 관구와 동일 방향으로 이동하면 설측에 위치

    ② 반대로 이동되었다면 협측에 위치

    ③ 이동되지 않았다면 동일한 평면에 있는 것

    ④ Clark 법칙과 협측 피사체 법칙 모두 적용

> **방사선 4-6-3** 관구이동법에 대해 설명할 수 있다. (A)

25. 구내 엑스선 영상의 오류

1) 필름 노출에 따른 오류

(1) 비노출 필름(투명한 필름, blank film)
① 스위치 오작동이나 촬영기의 결함에 의해 방사선에 전혀 노출되지 않아 필름이 투명하게 보임

(2) 저노출 필름(light image)
① 노출시간, 관전압, 관전류 등 촬영조건이 낮은 경우
② 개선: 노출시간, 관전압, 관전류가 적절한지 확인

(3) 과노출 필름(dark image)
① 노출시간, 관전압, 관전류 등 촬영조건이 높은 경우
② 현상시간과 현상온도가 과한 경우

2) 필름위치에 따른 오류
① 필름을 충분히 깊숙하게 위치시키지 못하면 치근단이 관찰되지 않기 때문에 치아 교합면보다 2~3 mm 이상 되지 않도록 위치

방사선 4-7-1	필름 노출에 따른 오류를 설명할 수 있다. (A)

방사선 4-7-2	필름 위치에 따른 오류를 설명할 수 있다. (A)

26. 조사각도에 따른 오류 2019 기출 2020 기출 2021 기출 2022 기출

(1) 부정확한 수평각(인접면 중첩)
① 중심선이 인접면에 평행하게 조사되지 않으면 치아의 인접면이 중첩 → 인접면 우식 확인 불가능
② 개선: 치아의 인접면에 평행하게 조사

(2) 부정확한 수직각
① 단축상: 수직각이 과한 경우 → 수직각을 감소시킴
② 연장상: 수직각이 부족한 경우 → 수직각을 증가시킴

방사선 4-7-3	조사각도에 따른 오류를 설명할 수 있다. (A)

27. 조사통 가림(cone cutting) 상 2021 기출

① 조사통이 필름유지기구나 필름과의 위치관계가 부적절할 때 발생

② X선이 필름의 중앙으로 향하지 않아서 필름의 일부분만이 노출되었을 때 생기는 결함

③ 개선: 중심선이 필름의 중앙에 위치하는지 확인

방사선 4-7-4　조사통가림 상을 설명할 수 있다. (A)

28. 구부러진 상

① 연장된 상과 비슷

② 경구개의 심한 만곡이나 손가락의 심한 압박으로 필름이 구부러지면서 치근부위가 늘어진 상태를 보임

③ 개선

- 필름유지기구, 솜뭉치 사용
- 환자의 손가락으로 필름을 가볍게 누르도록 교육

방사선 4-7-5　구부러진 상을 설명할 수 있다. (A)

29. 중첩된 상

(1) 손가락 중첩

① 손가락이 필름 앞에 위치하여 필름에 환자의 손가락이 나타나는 경우

② 개선: 손가락 유지 시 주먹을 쥐거나 손가락을 쫙 핌

(2) 보철물 중첩

① 가철성 보철물을 구강 내에서 제거하지 않고 촬영

방사선 4-7-6　중첩된 상을 설명할 수 있다. (A)

30. 이중 노출된 상

① 촬영했던 필름으로 다시 촬영

② 전반적으로 매우 어두운 상

③ 개선: 촬영한 필름과 촬영하지 않은 필름을 반드시 구분

방사선 4-7-7 이중 노출된 상을 설명할 수 있다. (B)

31. 흐릿한 상 2019 기출

① 촬영 중 관구가 전후방으로 약간 움직였을 때
② 촬영 중 필름이 미끄러질 때
③ 촬영 중 환자의 두부가 움직일 때

방사선 4-7-8 흐릿한 상을 설명할 수 있다. (B)

32. 뒤로 찍힌 상

① 필름을 뒤집어 위치시켜서 노출
② 상이 밝게 보이고 연박의 무늬(타이어자국, 청어가시모양)가 나타남

방사선 4-7-9 뒤로 찍힌 상을 설명할 수 있다. (A)

33. 저현상과 과현상

(1) 저현상: 밝은 상

① 현상시간 부족
② 낮은 현상액 온도
③ 저농도 현상액
④ 오래된 현상액

(2) 과현상: 어두운 상

① 오랜시간 현상
② 높은 현상액 온도
③ 고농도 현상액

방사선 4-7-10 저현상과 과현상을 설명할 수 있다. (A)

치과방사선학

34. 과립상과 착색된 상

(1) 과립상

① 불규칙한 상

② 문제점: 현상용액과 수세액 간의 온도차이가 클 때

(2) 착색된 상

① 정착액이 오래되거나 정착시간이 부족한 경우: 암갈색 or 회색 착색

• 개선: 정착액을 교체, 충분한 정착시간 준수

② 정착 후 최종수세가 충분하지 못한 경우: 황갈색 착색

• 개선: 충분한 시간동안 흐르는 물에서 수세함

방사선 4-7-11　과립 상을 설명할 수 있다. (B)

방사선 4-7-13　착색된 상을 설명할 수 있다. (B)

35. 현상액과 정착액의 오염된 상

(1) 현상액의 오염

① 현상 전에 필름에 현상액이 묻으면 검은 반점이 나타남

(2) 정착액의 오염

① 현상 전에 필름에 정착액이 묻으면 백색 반점이 나타남

방사선 4-7-12　현상액과 정착액에 오염된 상을 설명할 수 있다. (B)

36. 꺾인 필름의 상과 긁힌 상, 안개상

(1) 꺾인 필름의 상

① 필름취급 과정에서 필름이 꺾인 경우: 검은 직선

(2) 긁힌 상

① 감광유제가 날카로운 것에 긁힘: 흰선

(3) 안개상

① 부적절한 안전등   ② 빛의 누출

③ 현상용액의 오염   ④ 고온의 현상액을 사용(50℃ 이상)

⑤ 유효기간 지난 필름   ⑥ 부적절한 필름 보관

방사선 4-7-14   꺾인 필름의 상을 설명할 수 있다. (B)

방사선 4-7-15   긁힌 상을 설명할 수 있다. (B)

방사선 4-7-16   안개 상을 설명할 수 있다. (B)

37. 밝은 상과 어두운 상(과현상)

(1) 밝은 상

① 현상시간 부족   ② 낮은 현상액 온도

③ 저농도 현상액   ④ 오래된 현상액

⑤ 노출시간 부족   ⑥ 필름을 뒤집어 촬영

(2) 어두운 상(과현상)

① 오랜시간 현상   ② 높은 현상액 온도

③ 고농도 현상액   ④ 노출시간이 과할 때

방사선 4-7-17   밝은 상을 설명할 수 있다. (A)

방사선 4-7-18   어두운 상을 설명할 수 있다. (A)

38. 검은 필름

백광 또는 일광에 노출된 경우 현상과 정착과정의 문제점

39. 현상과 정착과정의 문제점

현상과정의 문제점			
주원인	원인	필름의 상	문제점
시간과 온도	저현상	밝은상	현상시간 부족, 낮은 현상액 온도, 오래된 현상액
	과현상	어두운상	현상시간 초과, 높은 현상액 온도, 고농도의 현상액
	과립상	불규칙한 상	현상액과 수세간의 온도차 클 때
화학적 오염	현상액 오염	검은 반점	현상과정 시작 전 현상액 묻음
	정착액 오염	흰 반점	현상과정 시작 전 정착액 묻음
	착색	암갈색 또는 회색	정착시간의 부족
		황갈색	최종 수세가 불충분한 경우
필름 취급	현상액 부족	직선으로 흰 부분	현상액 부족으로 충분히 못 담김
	정착액 부족	직선으로 검은 부분	정착액 부족으로 충분히 못 담김
	겹친 필름	겹친 부분에 희거나 검은 부분	필름이 겹쳐져 붙음
	기포	흰 반점	현상액에 넣기 전 필름 기포부착
	손톱 자국	반달 모양의 검은 선	필름 취급과정에서 눌림
	필름 꺾임	검은 직선	필름 취급과정에서 꺾임
	지문	지문 모양의 동심원들	필름면을 손가락으로 잡는 경우
	정전기	가늘고 검은 나뭇가지 모양 선	필름포장 너무 빨리 벗길 때, 술자의 몸에 있는 정전기
	긁힌 필름	흰 선들	감광유제가 날카로운 것에 긁힘
	찢어진 필름	불규칙한 선	필름이 찢어짐
빛	빛에 노출	노출된 부분이 검게 보임	필름이 실수로 빛에 노출
	필름 포그	대조도 부족 전반적인 회색조 증가	부적절한 안전등, 빛의 누출, 유통기한이 지난 필름, 오염된 현상처리용액, 고온의 현상액, 부적절한 필름 보관

40. 파노라마촬영의 목적

① 제3대구치나 매복치의 평가

② 치아 및 치아 주위조직의 전반적인 평가

③ 악골의 질환, 병소 등의 평가

④ 큰 병소의 이환 범위 평가

⑤ 외상에 의한 악안면 골절의 평가

⑥ 치아 및 악골의 발육과정과 이상 유무의 평가

⑦ 상악동의 평가

⑧ 측두하악관절의 평가

방사선 4-8-1 파노라마촬영의 목적을 설명할 수 있다. (A)

41. 파노라마촬영법의 원리

(1) 회전중심

① X선 관두와 카세트가 회전하는 중심점

② 회전중심의 수는 촬영기종에 따라 다양

(2) 상층

① 파노라마 방사선영상에 해부학적 구조물의 상이 명확하게 나타나는 입체적인 곡선부

② 전치부 3~5 mm, 구치부 10~15 mm

③ 상층보다 전방에 위치하는 물체: 수평 축소

④ 상층보다 후방에 위치하는 물체: 수평 확대

방사선 4-8-2 파노라마촬영법의 원리를 설명할 수 있다. (B)

42. 파노라마촬영과정 2021 기출

(1) 장비준비

① 촬영조건 설정하고 환자의 키에 맞게 미리 높이를 설정

(2) 환자준비

① 촬영과정을 미리 설명함

② 갑상선 보호대가 없는 납 방어복을 환자의 목 아래 위치하도록 촬영

③ 안경, 귀걸이, 목걸이, 보청기, 머리핀, 가철성 보철물 등을 제거

(3) 환자자세

① 촬영기의 손잡이를 잡게 하고, 등을 똑바로 편 자세가 되도록 함

② 교합제에 있는 홈을 상·하악 전치로 물게 함

③ 촬영 중 전치부가 절단교합상태

④ 환자의 정중시상면이 바닥과 수직

⑤ 외이공 상연−안와하연을 이은 프랑크포트선이 바닥과 평행

⑥ 상·하악 절치가 상층 내 위치하도록 지시 등에 일치시킴

⑦ 환자에게 침을 삼키고 혀를 입천장에 위치하도록 지시

⑧ 교합제 주위의 입술은 다물도록 함

⑨ 노출되는 동안 움직이지 않도록 함

> **방사선 4-8-3** 파노라마촬영과정을 설명할 수 있다. (A)

43. 파노라마촬영에서의 오류 `2019 기출` `2020 기출` `2022 기출`

(1) 환자준비 오류

① 허상: 촬영 전 안경, 귀걸이, 목걸이 등의 금속성 물체를 제거하지 않음

② 납 방어복에 의한 오류: 잘못 착용하거나 갑상선 보호대가 있는 납방어복을 착용, 원추형태의 방사선불투과성 오류

(2) 부적절한 환자위치에 의한 오류

① 턱을 든 상태에서 촬영: 교합평면이 역 V자 형태로 나타남

② 고개를 숙인 상태에서 촬영: 교합평면이 과장된 V자 형태로 나타남

③ 상층보다 전방 또는 후방에 위치한 치열: 전방 위치−전치부 축소, 후방위치−전치부 확대

④ 정중시상면 위치 오류: 필름에서 먼 부위는 확대되고, 가까운 부위는 축소

⑤ 입술과 혀의 위치오류

- 촬영 시 입을 다물지 않으면 방사선 투과성의 음영이 전치부와 겹침
- 촬영 시 혀를 입천장에 접촉하지 않으면 상악치아 치근단 부위와 겹쳐서 나타남

⑥ 척추의 위치: 등을 구부린 경우 경추의 상이 전치부에 중첩되어 관찰이 어려움

> **방사선 4-8-4** 파노라마촬영에서의 오류를 설명할 수 있다. (A)

44. 파노라마촬영법의 장·단점 `2019 기출` `2022 기출`

(1) 장점

① 보다 많은 해부학적 구조물 관찰(구내 촬영 시 관찰되지 않은 병소나 상태 관찰)

② 촬영법이 간편하여 촬영법을 습득하는 데 시간과 노력이 적게 듦

③ 촬영 시 불편감이 없어 환자 협조도가 좋음

④ 어린이, 개구장애 환자도 촬영 가능

⑤ 환자의 방사선 노출량이 적음

(2) 단점

① 증감지 사용으로 구내사진보다 해상도와 선예도가 떨어짐

② 상층에서 벗어난 물체는 보이지 않음

③ 상의 왜곡, 확대, 중첩이 보이는 경우가 많음

④ 파노라마 촬영기가 크고, 고가

방사선 4-8-5	파노라마촬영법의 장점을 설명할 수 있다. (A)

방사선 4-8-6	파노라마촬영법의 단점을 설명할 수 있다. (A)

45. 전악구내촬영법과 파노라마촬영의 비교 `2020 기출` `2021 기출`

① 촬영시간 및 현상시간은 전악구내촬영법이 더 소요됨

② 파노라마촬영법은 악골 골절, 개구장애 등 구내촬영이 어려운 경우 가능

③ 전악구내촬영법은 움직임을 스스로 통제하지 못하거나 대화 소통이 어려운 소아 환자 등의 경우는 구내촬영이 유리

④ 방사선노출량은 파노라마촬영법이 적음

⑤ 파노라마촬영법은 해상도가 낮기 때문에 관찰이 어려운 부위를 자세히 관찰하기 위해서는 추가적으로 구내촬영법 시행

⑥ 파노라마촬영법은 비교적 표준화된 영상을 얻을 수 있고, 촬영 술식이 간단하여 집단검사에 유용

방사선 4-8-7	전악구내촬영과 파노라마촬영을 비교할 수 있다. (A)

46. 구외촬영의 목적

① 두개골이나 안면부의 광범위한 부위를 검사하는 데 유용

② 교정치료를 위한 성장·발육 상태 평가

③ 악골 내의 병소

④ 외상의 평가

⑤ 측두하악관절 평가

⑥ 부비동 평가

⑦ 매복치 평가

> **방사선 4-9-1** 구외촬영의 목적을 설명할 수 있다. (B)

47. 구외촬영에서의 기준선

(1) 종방향의 기준면(선): 정중시상면(선)

(2) 횡방향의 기준면(선)

① Frankfort 수평면(선): 안와하연과 외이공 상연의 중점을 연결한 선

② 교합평면

③ 이주 안각선: 외이공의 중점과 눈의 외측을 연결한 선, Frankfort 선과 약 10°의 차이

> **방사선 4-9-2** 구외촬영과정에서의 기준선을 설명할 수 있다. (B)

48. 두부규격촬영법

① 방사선원과 환자의 정중시상면까지의 거리는 60인치(152.4 cm)로 유지

② 두개골의 성장양상을 연구하는 데 필수

③ 측방두부규격촬영법: 성장과 발육을 평가하고 교정치료나 악교정 수술에 이용

④ 후전방두부규격촬영법: 안모의 좌·우 대칭성 여부와 측방성장을 평가

> **방사선 4-9-3** 두부규격촬영법에 대해 설명할 수 있다. (B)

49. 구토반사가 심한 환자의 촬영법

(1) 술자 태도

① 조용하고 안심시키는 목소리

② 신뢰감, 자신감 있는 태도

(2) 촬영 순서

① 상악 중절치 → 소구치 → 대구치 순으로

- 구토반사가 너무 심한 경우: 파노라마 등 구외촬영 시행

방사선 4-10-1 구토반사가 심한 환자의 촬영법에 대해 설명할 수 있다. (B)

50. 장애인 환자의 촬영법

(1) 신체적 장애

① 시각 장애

- 명확하게 말로 설명
- 환자에게 무엇을 할 것인지를 알려주고 시행 전에 과정을 하나씩 설명

② 청각 장애

- 동반자에게 통역을 해달라고 할 수도 있고 몸짓으로 의사소통을 할 수도 있고 글로 적어서 요청할 수도 있음
- 환자를 똑바로 보면서 명확하게 천천히 말해야 함

③ 운동기능 장애

- 촬영 중 동반자에게 필름을 잡도록 요청할 수 있음
- 동반자도 납방어복과 갑상선 보호대를 착용

(2) 정신적 장애

① 지적장애, 정신장애, 자폐성장애 등이 포함

② 촬영자는 환자의 개인적인 요구를 맞추기 위해 모든 노력을 기울어야 함

③ 협조가 문제라면 약간의 진정제 투여도 도움

④ 구내촬영을 견딜 수 없는 환자의 경우 구외촬영이나 파노라마 촬영을 이용

방사선 4-10-2 장애우 환자의 촬영법에 대해 설명할 수 있다. (B)

51. 소아환자의 촬영법 2020 기출 2022 기출

(1) 소아환자의 촬영 목적

① 초기 인접면 우식발견 및 2차 우식의 진행상태 평가

② 유치, 영구치, 악골의 발육상태 관찰

③ 치근단 감염과 다른 병소의 확인

④ 외상으로 인한 치아와 주위 골조직의 변화 관찰

(2) 필름선택

① 고감광도 필름 사용

② 필름의 종류와 수는 환자의 연령, 악골크기, 환자의 협조도를 고려하여 선택

③ 소아환자의 구내촬영

• 상악: 일반 성인용 필름 사용

• 하악: 소아용 필름 사용

④ 전악 구내필름

• 영구치, 혼합치열기: 성인처럼 치근단 14장이 원칙, 교익 2~4장

• 유치열기(3~6세): 치근단 10장, 교익 2장

(3) 촬영방법

① 소아촬영법은 성인과 동일

② 치근단 촬영을 하는 경우 소아는 악궁이 작기 때문에 필름유지기구 사용이 어려움

→ 등각 촬영

③ 성인필름사용 시 수직각도 증가시킴

④ 방사선 노출량이 성인에 비해 감소

• 10세 이하: 성인의 50% X선 노출을 줄임

• 10~15세: 성인의 25% X선 노출을 줄임

⑤ 소아는 구강에서 생식기까지 거리가 짧고 이온화 방사선에 매우 민감

→ 갑상선보호대가 부착된 납방어복 착용

(4) 소아환자의 관리

① 호기심을 유발하고 대화로서 긴장감 완화

② 촬영 전 필름, 촬영기, 납방어복 등을 만져보게 하여 친숙함을 줌

③ 응급의 상태가 아니라면 공포감이 사라진 2~3번째 방문 때로 촬영 연기

④ 협조가 잘되는 소아환자의 촬영모습을 보여줌

⑤ 필름고정은 가능하면 소아환자가 직접 하도록, 어려운 경우 동반한 어른이 고정

⑥ 구토하려는 경우, 코로 숨을 쉬게 하고 주먹을 쥐게 하는 등 관심을 돌리게 함

⑦ 촬영하는 동안 부모는 대기실에서 기다리도록 함

방사선 4-10-3   소아 환자의 촬영법에 대해 설명할 수 있다. (A)

52. 근관치료 환자의 촬영법

① 근관치료 위한 방사선사진은 치근단 부위가 반드시 포함

② 근관이 중첩되는 경우 근심 또는 원심으로 수평각 변화주어 촬영

방사선 4-10-4   근관치료 환자의 촬영법에 대해 설명할 수 있다. (B)

53. 무치악 환자의 촬영법 `2019 기출` `2021 기출`

(1) 무치악 환자의 촬영목적

① 잔존치근, 매복치나 병소(낭, 종양)의 유무 확인

② 골 내에 묻혀 있는 이물질 확인

③ 치조정과 비교하여 정상 해부학적 구조의 위치 판단

④ 현재 남아 있는 골의 양과 질의 평가

(2) 평행촬영법

① 필름유지기구 고정 시 상실치아의 위치에 솜 또는 거즈를 물도록 함

② 치조능 흡수가 심한 경우는 등각촬영법을 권장

(3) 등각촬영법

① 필름의 위치는 잔존 치조능 위로 필름의 1/3이 나오도록 위치

② 유치열보다 더 수평으로 필름 위치: 수직각도 증가

③ 수평각도는 치아가 없기 때문에 문제되지 않음

④ 노출시간: 유치악에 비해 약 25% 정도 감소시켜서 촬영

(4) 파노라마 촬영

① 무치악 환자를 검사하는 가장 일반적인 방법

② 악골 내 잔존치근, 매복치, 이물질 등이 관찰되면 치근단 사진 추가 촬영

(5) 교합촬영

① 치근단 치아에 추가로 촬영 가능

② 교익촬영은 필요없음

> **방사선 4-10-5** 무치악 환자의 촬영법에 대해 설명할 수 있다. (A)

54. 디지털촬영법 `2019 기출` `2020 기출` `2021 기출` `2022 기출`

1) 디지털영상

① 데이터 파일의 형태로 하드디스크와 같은 공간에 저장하고 컴퓨터를 이용하여 조회할 수 있는 영상

2) 디지털 영상 획득장치 비교

(1) 구내 디지털영상 획득장치

	직접	간접
검출기 형태	• CCD, CMOS 센서	• PSP plate 형태의 영상판
특징	• 주로 플라스틱 재질로 둘러싸 외부충격으로부터 보호	• 영상판을 비닐로 포장하여 빛과 타액으로부터 보호
장점	• 촬영 후 바로 영상조회	• 필름처럼 약간 휘어질 수 있고 전선이 없어 촬영이 용이
단점	• 두께로 인한 이물감 • 센서와 전선 사이의 연결부위 취약	• 영상획득 후 스캔 및 초기화 과정 필요 • 동시에 여러 부위를 촬영하는 경우 다수의 영상판 필요

(2) 구외 디지털영상 획득장치

	직접	간접
검출기 형태	• CCD, CMOS 센서, 평판검출기	• PSP plate 형태의 영상판
특징	• 슬릿형태로 센서가 구성된 스캔방식과 섬광판에 도달한 가시광선의 상을 CCD 센서에 전달하여 전기신호로 바꾸는 원샷방식	• 기존의 필름-카세트 시스템과 사용 방법이 동일

	직접	간접
장점	• 촬영 후 즉각적인 영상획득	• 상의 왜곡이 없음 • 하나의 CR시스템으로 여러 대의 방사선촬영기 운용 가능
단점	• 긴 촬영시간 또는 상 형성 과정에서 상의 왜곡 발생	• 영상획득 후 스캔 및 초기화 과정 필요 • 다수의 영상판 필요

> **방사선 4-11-1** 디지털영상에 대해 설명할 수 있다. (B)

> **방사선 4-11-2** 디지털영상 획득장치를 비교할 수 있다. (A)

55. 디지털촬영의 장·단점

(1) 장점

① 높은 해상도

② 노출량 감소: E군 필름에 비해 50~80% 감소

③ 빠른 영상조회

④ 장비와 필름에 대한 경비절감

⑤ 효율성 증대

⑥ 효율적인 환자교육용 도구

(2) 단점

① 초기 설치비용, 유지보수비용

② 구내용 센서의 이물감(센서의 재질이 딱딱하고 두꺼움)

③ 센서의 멸균소독이 불가능: 비닐 센서커버 사용

> **방사선 4-11-3** 디지털촬영의 장점을 설명할 수 있다. (A)

> **방사선 4-11-4** 디지털촬영의 단점을 설명할 수 있다. (A)

제5장 | 정상 해부학적 구조물의 영상

1. 치아의 구조

(1) 법랑질

① 방사선 불투과성의 흰층

② 인체를 구성하는 물질 중 가장 치밀한 조직

(2) 상아질

① 방사선 불투과성(치아 구조 중에서 가장 광범위한 부위)

② 법랑질에 비해 치밀하지 못하며 약간 어두움

③ 골의 흑화도와 비슷

(3) 백악질

① 발사선 불투과성

② 방사선 영상에서 식별할 수 없음

(4) 치수

① 방사선투과성

② 연조직 구성 → X선 통과 용이

방사선 5-1-1	치아의 구조를 구강영상에서 식별할 수 있다. (A)

2. 치아 지지구조 `2019 기출` `2021 기출`

(1) 치조골(이틀뼈)

① 피질골: 방사선 불투과성

② 해면골: 별로 치밀하지 못하며 내부에 골수 존재, 피질골보다 방사선 불투과성 정도가 적게 나타남

③ 상악 치조골의 골소주는 배열이 불규칙하며, 하악의 골소주는 보다 규칙적으로 배열되어 있으면서 치조백선과 직각을 이룸

(2) 치조정

① 방사선 불투과성의 흰선으로 나타남

② 백악법랑 경계부(CEJ) 하방 1.5~2.0 mm 이내 정상

③ 전치부가 더 뾰족

(3) 치조백선

① 얇은 피질골로 이루어진 치조백선은 치조정의 피질골과 연속되어 있음

② 방사선 불투과성이면서 치근을 둘러싸는 흰 선으로 나타남

③ 교합력이 과도하면 치조백선의 두께는 넓고 치밀, 나이 증가에 따라 두께는 얇아짐

④ 치근단 병소가 있을 경우 불연속성

(4) 치주인대강

① 치근과 치조백선 사이에 얇은 방사선 투과성 선으로 나타남

② 매복치나 대합치가 없는 경우 치주인대강의 폭은 좁아짐

방사선 5-1-2　　치아 지지구조를 구강영상에서 식별할 수 있다. (A)

---

3. 상악의 구조물　2019 기출　2020 기출　2022 기출

(1) 상악 전치부에 나타나는 구조물

① 절치공: 방사선 투과성

② 정중구개봉합: 방사선 투과성의 선

③ 비와: 방사선 투과성

④ 비중격: 방사선 불투과성의 선

⑤ 전비극: 절치부 치근단 영상에서 V자 모양의 방사선 불투과상

(2) 상악 견치부에 나타나는 구조물

① 역Y자: 상악동의 전내벽 + 비와의 측벽, 방사선 불투과상

② 상악동: 방사선 투과성

③ 비와: 방사선 투과성

④ 상악동 전내벽: 방사선 불투과상

(3) 상악 소구치부에 나타나는 구조물

① 상악동: 방사선 투과성

② 상악동 저(벽): 방사선 불투과상

(4) 상악 대구치부에 나타나는 구조물

① 광대돌기(관골돌기), 관골궁: U자형의 방사선 불투과성의 띠모양으로 관찰

② 상악결절: 방사선 불투과성

③ 구상돌기: 방사선 불투과성

④ 근돌기: 하악의 일부이지만 입을 크게 벌리고 촬영하는 경우 상악 제3대구치 부위의 치근단사진에서 나타남

   • 일반적으로 삼각형의 방사선 불투과성

⑤ 상악동: 방사선 투과성

⑥ 상악동 저(상악동의 후방 경계): 방사선 불투과성

방사선 5-1-3 상악의 방사선 투과성 구조물을 구강영상에서 식별할 수 있다. (A)

방사선 5-1-4 상악의 방사선 불투과성 구조물을 구강영상에서 식별할 수 있다. (A)

---

4. 하악의 구조물 2020 기출 2021 기출

(1) 하악 전치부에 나타나는 구조물

① 설공: 하악 중절치 치근단 하방에 방사선 투과성의 작은 점

② 이극: 방사선 불투과성

③ 이융선: 방사선 불투과성

④ 영양관: 방사선 투과성

⑤ 하악의 하연: 방사선 불투과성

(2) 하악 견치부에 나타나는 구조물

① 이융선: 방사선 불투과성

(3) 하악 소구치부에 나타나는 구조물

① 이공: 하악 제2소구치 치근단부나 제1,2소구치 중간부위에서 관찰되는 방사선 투과성

② 악설골융선, 하악의 하연: 방사선 불투과성

(4) 하악 대구치부에 나타나는 구조물

① 외사선, 내사선: 방사선 불투과성

② 악설골융선: 방사선 불투과성

③ 하악관, 영양관: 방사선 투과성

분류		방사선 투과성	방사선 불투과성
상악	절치부	절치공, 정중구개봉합, 비와, 영양관	비중격, 전비극
	견치부	상악동	역Y자
	소구치부	상악동	관골 전방부위
	대구치부	상악동의 후방 경계	관골돌기, 관골궁, 상악결절, 구상돌기, 하악의 근돌기
하악	절치부	설공, 영양관	이극, 하악의 하연, 이융선
	견치부	–	이융선
	소구치부	이공	하악의 하연
	대구치부	하악관, 영양관	하악의 하연, 외사선, 내사선, 악설골융선

> **방사선 5-1-5** 하악의 방사선 투과성 구조물을 구강영상에서 식별할 수 있다. (A)

> **방사선 5-1-6** 하악의 방사선 불투과성 구조물을 구강영상에서 식별할 수 있다. (A)

5. 구내필름을 배열하는 방법

① 인식점의 볼록한 부분이 관찰자를 향하도록 배열

② 마운터의 왼쪽에 환자의 우측, 오른쪽에 환자의 좌측이 오도록 배열

> **방사선 5-1-7** 구내 필름을 배열하는 방법을 설명할 수 있다. (A)

제6장 | 엑스선 영상 검사의 기초

1. 수복물의 구강영상

(1) 아말감 수복물

① 단면 아말감 수복물: 분명하고 작은 원형 또는 타원형의 방사선 불투과상

② 아말감 과잉충전: 주로 치아 인접면에서 방사선 불투과상으로 쉽게 관찰

③ 아말감 조각: 다양한 형태의 방사선 불투과 상으로 나타나며 연조직 어느 부위에서 나 나타남

(2) 금 수복물

    ① 금관과 가공의치: 매끄러운 외형과 경계를 가진 큰 방사선 불투과상으로 나타남

    ② 금박 수복물: 작고 둥근 방사선 불투과성

(3) 스테인리스스틸(stainless steel)과 크롬관: 방사선 불투과상

(4) 포스트(post)와 코어(core) 수복물: 아말감이나 금과 유사한 정도의 방사선 불투과성을 보임

(5) 자기(porcelain) 수복물: 약한 방사선 불투과성을 보이며 상아질과 방사선밀도가 유사

(6) 복합레진(composite resin) 수복물: 치아우식과 수복물을 구별하기 위해 일부러 방사선 불투과성 입자를 첨가하기도 함

(7) 아크릴수지(acrylic resin) 수복물: 방사선 투과상

(8) 지르코니아(zirconia) 수복물: 방사선 불투과상

(9) 라미네이트(laminate) 수복물: 방사선 불투과상

(10) 글라스아이오노머(glass ionomer) 수복물: 방사선 투과상에서 불투과상까지 다양

> **방사선 6-1-1**   수복물의 구강영상에 대해 설명할 수 있다. (B)

2. 치과재료의 구강영상

(1) 보존학에서 사용되는 재료

    ① 기저재: 방사선 불투과상

    ② 금속 핀: 방사선 불투과상

(2) 근관치료학에서 사용하는 재료

    ① Gutta percha: 방사선 불투과상

(3) 보철학에서 사용되는 재료

　① 총의치: 방사선 불투과상

　② 국소의치: 방사선 불투과상

방사선 6-1-2　치과재료 및 기타 물질의 구강영상에 대해 설명할 수 있다. (B)

3. 치아우식병의 구강영상 2021 기출

(1) **인접면 우식**: 절흔모양의 방사선 투과상으로 우식이 치아의 법랑질 내면쪽으로 진행하면서 삼각형을 이룸

　① 초기 인접면 우식(Class Ⅰ): 법랑질 두께의 절반을 넘지 않음

　② 중기 인접면 우식(Class Ⅱ): 법랑질 두께의 절반을 넘어서지만 상아-법랑 경계를 침범하지는 않음

　③ 진행된 인접면 우식(Class Ⅲ): 상아질 거리의 절반을 넘지 않음

　④ 심한 인접면 우식(Class Ⅳ): 상아질 거리의 절반을 넘어 침투, 임상적으로 치아에 와동으로 나타남

(2) **교합면 우식**: 초기 교합면 우식은 방사선영상에서 볼 수 없음

(3) **협면과 설면 우식**: 정상치아 구조물과 중첩되어 나타나므로 식별하기가 어렵고 임상적으로 가장 잘 관찰

(4) **치근면 우식**: 백악-법랑 경계(CEJ) 직하방에서 화산모양의 방사선 투과상으로 나타남

(5) **재발성 우식**: 수복물 직하방에서 방사선 투과성으로 나타남

(6) **광범위 우식(다발성 우식)**: 다수 치아에 이환되어 진행된 심한 우식

(7) **방사선 우식**: 치경부에서 시작되어 주위로 확산

방사선 6-1-3　치아우식병의 구강영상에 대해 설명할 수 있다. (A)

4. 치아우식병 감별에 영향을 주는 요인

(1) 치경부 소환

① 일반적으로 치경부는 법랑질과 치조골의 양이 적어 상대적으로 인접부위보다 방사선 투과상으로 나타나게 됨

② 전치부에서는 띠모양, 구치부에서는 삼각형 모양

③ 치근면우식증 및 재발성우식증과 감별

④ 치근면우식증은 치조골 소실 후에 발생, 치경부 소환은 소실 없어도 관찰가능

(2) 착시현상(마하 띠 효과)

① 치아의 배열이 비정상적이어서 부분 중첩되거나 관구의 수평각도가 잘못 주어졌을 때 겹쳐진 부위는 어두운 쪽에 접할수록 더 밝게 보이고 밝은 쪽에 접할수록 더 어둡게 보임

② 인접면 우식증과 감별

방사선 6-1-4 치아우식병 감별에 영향을 주는 요인을 설명할 수 있다. (A)

---

5. 치주병의 구강영상

1) 치주질환

① 백악-법랑(CEJ) 경계 하방 1.5~2.0 mm 이내 존재하지 않음

② 방사선 불투과성 소실

③ 치조정이 희미해지고 골소실 관찰

④ 심각한 골소실 및 치아상실 야기

2) 치주질환 발견

(1) 임상적 검사

① 연조직에 나타나는 염증의 증상을 평가

② 치주탐침 시행 → 방사선 촬영 시행

(2) 방사선학적 검사

① 잔존 골의 양에 대한 정보 제공

② 골소실의 양상 분포, 심각도를 나타냄

3) 치주질환의 영상판독

(1) 골소실

① 방사선 영상으로는 없어진 골의 양보다는 남아 있는 골의 양만을 평가

② 수평적 골 소실은 인접치의 백악-법랑 경계와 평행한 평면으로 골소실이 일어남

③ 수직적 골 소실은 인접치의 백악-법랑 경계와 평행하게 일어나지 않음

(2) 치주질환의 분류

① ADA Case 유형 Ⅰ(치은염)

- 골소실이 나타나지 않으므로 방사선영상에서 골변화가 나타나지 않음
- 치조정의 치조백선이 존재
- 치조정은 백악-법랑 경계 하방 1~2 mm 정도에 존재
- 치은조직만이 염증에 이환

② ADA Case 유형 Ⅱ(경도 치주염)

- 치조백선이 불명확해지고 연속적인 방사선 불투과성의 선으로 나타나지 않음
- 수평적 골 소실이 더 자주 관찰
- 치조골은 백악-법랑 경계로부터 3~4 mm 하방에 존재
- 탐침 시 출혈, 치주낭이 존재, 치은퇴축 나타남

③ ADA Case 유형 Ⅲ(중등도 치주염)

- 수평적 또는 수직적 골소실이 나타남
- 치조골은 백악-법랑 경계로부터 4~6 mm 하방으로 존재
- 치주낭 형성, 부착상실 6 mm, 치은퇴축, 분지부 이환, 경도의 동요

④ ADA Case 유형 Ⅳ(심한 치주염)

- 골소실이 더욱 진행되어 수평적 또는 수직적으로 나타남
- 치조골은 백악-법랑 경계로부터 6 mm 또는 그 이상 하방에 존재
- 분지부 병소가 구치부 방사선영상에서 나 타남
- 동요도가 심함

(3) 소인

① 치석: 방사선 불투과성

② 수복물 결함: 음식물이 낄 수 있고 음식물 잔사와 세균의 저장고 역할

방사선 6-1-5   치주병의 구강영상에 대해 설명할 수 있다. (A)

6. 치근단병소의 구강영상 2021 기출

(1) 치근단 농양

① 치수괴사의 결과로 치근단 주위에 농이 국소적으로 집약

② 방사선 소견

- 치주인대강의 확장(비후) 관찰
- 경계가 불명확한 방사선 투과성 병소가 관찰
- 치조백선 소실(연속성이 끊어짐)

(2) 치근단 육아종

① 실활치의 근단에 있는 만성적으로 염증화된 육아조직의 국소화된 덩어리

② 방사선 소견

- 치주인대강 확장
- 원형 또는 타원형의 방사선 투과상
- 치조백선은 치근단과 근단 병소 사이에 관찰

(3) 치근단 낭

① 장기간에 걸쳐서 진행하는 병소(무증상)

② 방사선 소견

- 농양과 낭을 뚜렷이 구별할 수는 없음
- 낭은 비교적 경계가 명확하고 경계부가 피질골로 싸여 있는 경향
- 방사선 투과상

③ 정상 해부학적 구조와 치근단 병소와 감별 요함(절치공, 이공, 상악동 등)

방사선 6-1-6 치근단병소의 구강영상에 대해 설명할 수 있다. (A)

7. 치근주위 방사선 불투과성 병소의 구강영상 2020 기출

(1) 경화성 골염

① 골소주의 수가 불규칙적으로 증가하고 두꺼워지며, 골수강의 크기는 감소되어 방사선 영상에서 희게 관찰

② 치근단의 중심 쪽에서 골 흡수가 일어나고 중심에서 멀어질수록 골경화가 일어남

③ 치주인대강 확장, 치조백선 소실이 관찰

④ 잔존치근과 감별 요함

(2) 골경화증

① 비염증성 원인으로 골수강이 좁아지고 골조직이 치밀해짐

② 비정상적인 외력에 의한 보상반응 결과 또는 원인 불명

③ 주로 하악 소구치, 대구치 치근단 주위에서 관찰

④ 관련 치아는 정상적인 치수생활력을 가지며 임상증상은 보이지 않음

방사선 6-1-7　치근주위 방사선 불투과성 병소의 구강영상에 대해 설명할 수 있다. (A)

8. 치근단병소와 해부학적 구조물을 감별하는 방법　2019 기출　2022 기출

① 절치공: 부적절한 수평각도

→ 상악 중절치 치근과 중첩된 경우에는 치근단 병소와 주의 감별

② 이공: 하악 제1,2소구치 근단에 겹쳐져 치근단 병소와 유사

③ 절치공이나 이공을 치근단 병소와 감별하는 법

- 치주인대강과 치조백선 관찰
- 수평각도를 전방이나 후방으로 20° 정도 바꿔 재촬영
- 임상검사 시 치수생활력 검사
- 사진상 오판하기 쉬운 해부학적 구조물 위치를 잘 확인

방사선 6-1-8　치근단병소와 해부학적 구조물을 감별하는 방법을 설명할 수 있다. (A)

9. 경조직 외상의 구강영상

(1) 치아와 치수손상

① 치관 균열: 치질의 손실없이 법랑질이 갈라짐

② 비복잡 치관파절: 치수의 노출없이 법랑질 또는 법랑질과 상아질의 파절

③ 복잡 치관파절: 치수의 노출을 동반한 법랑질과 상아질의 파절

④ 비복잡 치관-치근파절: 치수의 노출없이 법랑질, 상아질, 백악질의 파절

⑤ 복잡 치관-치근파절: 치수의 노출을 동반한 법랑질, 상아질, 백악질의 파절

⑥ 치근파절: 상아질, 백악질, 치수의 파절

(2) 치주조직의 손상

① 치아진탕: 비정상적인 치아의 동요나 전위없이 타진검사에만 반응

② 아탈구: 치아의 동요는 있으나 전위가 없는 경우

③ 함입성 탈구: 치조골의 골절과 함께 치아가 치조골 내부로 전위되는 경우

④ 정출성 탈구: 치조골로부터 치아가 부분 탈락되는 경우

⑤ 측방성 탈구: 치조골의 골절을 동반하여 치 방향을 제외한 다른 방향으로 치아가 전위

⑥ 잔존치근파절: 파절된 치근만 치조골에 남아 있고 치관부는 상실된 경우

⑦ 탈락: 치아가 치조골로부터 완전히 탈락된 경우

(3) 악골의 손상

① 하악 골절

② 상악골절

   → 파절(골절선): 방사선 투과상

방사선 6-1-9 │ 치아 및 악골 이상의 구강영상에 대해 설명할 수 있다. (B)

04 PART ▶▶

구강악안면외과학

Oral Maxillofacial Surgery

DENTAL
HYGIENIST

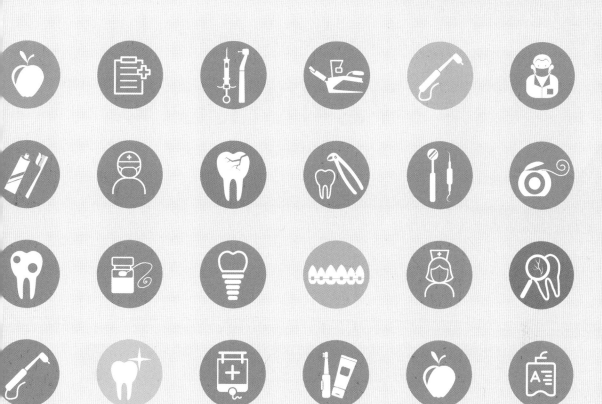

POWER 치과위생사 국가시험 핵심요약집 2권

PART
04

구강악안면외과학
Oral Maxillofacial Surgery

제1장 | 구강악안면외과와 치과위생사

1. 구강악안면외과학

안면 부위의 악골 및 이와 관련된 주위 조직에 발생하는 질병, 기형, 손상 및 결손에 관한 병인, 진단 및 이의 외과적 치료와 재건치료 및 보조적인 치료를 시행하는 학문

외과 1-1-1	구강악안면외과학을 정의할 수 있다. (B)

2. 구강악안면외과영역의 주요 질환 및 치료원칙

① 발치
② 임플란트
③ 외상: 원상태로 정복, 고정하며 심미성을 고려한 치료가 요구됨
④ 기형: 구순열은 생후 3개월, 구개열은 1년 6개월, 악안면 기형은 18세 이후에 치료하는 것이 바람직
⑤ 구강점막 질환: 종양성 병변을 제외한 약물요법이 적용되며, 대개는 대중요법을 시행
⑥ 치성감염: 절개·배농, 항균제 투여, 환자의 영양관리
⑦ 악관절 질환: 교합조정과 안정화의 보존적 요법을 우선적으로 시행한 후, 외과적 처치 시행

⑧ 낭종성 질환: 적출술 또는 개창술 시행

⑨ 종양: 양성과 악성의 감별 후, 종양의 절제

⑩ 타액선 질환: 종양 이외에는 보존요법 시행

⑪ 신경성 질환: 약물투여, 신경차단 등 대증요법 실시

⑫ 혈액질환과 출혈성 소인질환

외과 1-1-2	구강악안면외과영역의 주요 질환을 열거할 수 있다. (B)

외과 1-1-3	구강악안면외과영역의 주요 질환에 대한 치료원칙을 설명할 수 있다. (B)

3. 일반적 환자 관찰의 요점

체중, 식욕, 부종, 청색증 등의 이상소견, 환자의 걸음걸이, 언어사용 등 정신적 상태, 사회적 상태

외과 1-2-1	구강악안면외과 환자의 문진항목을 설명할 수 있다. (B)

4. 수술 전, 수술 중의 환자 관찰의 요점

(1) 수술 전

① 영양상태, 식사의 내용

② 배설상태

③ 수면상태

④ 긴장상태

⑤ 설명과 동의

(2) 수술 중

① 수술 도중에 일어나는 우발증의 징후를 체크(vital sign 변동에 주의)

② 환자의 표정

③ 신체의 특이한 동작에 주의

외과 1-2-2	수술환자의 검사항목을 설명할 수 있다. (B)

외과 1-2-3	수술 중환자 관찰사항을 점검할 수 있다. (B)

5. 구강악안면외과환자의 일반적인 관리사항

① 환자의 불안감을 해소해주고 진료진을 신뢰할 수 있도록 하는 노력이 필요

② 환자의 질병상태를 올바르게 파악

③ 치료내용을 설명할 수 있는 풍부한 지식 필요

④ 환자나 가족의 심정을 이해해 주는 인간성이 요구됨

⑤ 환자와 대화를 충분히 하여 환자와의 관계가 긴밀한 상태가 되도록 함

> **외과 1-2-4** 수술 후 환자를 관리할 수 있다. (B)

제2장 | 진찰과 진단

1. 문진의 내용

① 일반적 사항: 환자 성명, 거주지 주소, 연령, 성별, 직장, 보호자의 성명, 소개자, 가족 담당 주치의, 가족 담당 치과의 추가정보

② 주소(Chief Complaint, CC): 환자가 호소하는 자각증상 중 가장 먼저 해결해 주었으면 하는 사항

③ 현증(Present Illness, PI): "언제부터, 어디가, 어떻게" 식으로 청취하여 발병원인, 시기, 증상, 경과 기록

④ 과거병력 및 치과병력(Past Medical History & Past Dental History, PMH & PDH): 과거의 입원, 수술, 외상 등 최근의 질병이나 증상 및 최근 사용한 약물이나 과민 반응, 건강 관련 습관 등의 정보

⑤ 가족력(Familial History, FH): 가족 중 당뇨병, 고혈압, 뇌졸중, 신경증, 정신병, 악성 종양, 간 질환을 현재 또는 과거에 앓았는지 조사

⑥ 사회력(Social History, SH): 정신 신체의 불균형을 찾는 데 도움이 되는 것으로 결혼 상태, 음주력, 흡연력, 직업, 사회경제상태 기록

> **외과 2-1-1** 문진의 내용을 설명할 수 있다. (B)

2. 구강외 진찰

① 머리, 안면, 눈, 목 관찰

② 두경부 피부 평가

③ 타액선과 림프절 촉진

④ 하악운동 관찰

⑤ 측두하악관절 촉진

외과 2-1-2　구강 외 진찰을 기술할 수 있다. (B)

3. 구강 내 진찰

① 입술, 순측, 협측점막, 협점막 주름 관찰과 촉진

② 혀의 등면, 배면 및 외측경계와 기저부 검사와 촉진

③ 구강저의 점막 관찰과 촉진

④ 경구개, 연구개 및 편도부, 인두부 검사

외과 2-1-3　구강 내 진찰을 기술할 수 있다. (B)

4. 이화학적 검사의 종류

① 일반 혈액검사

② 출혈 및 응고장애검사

③ 혈액 화학검사

④ 혈청 전해질검사

⑤ 혈청검사

⑥ 소변검사

외과 2-1-4　이화학적 검사의 내용을 설명할 수 있다. (B)

5. 영상검사의 종류

① 교합촬영법: 경구개 낭종, 과잉치, 구강저 타석

② 방사선규격촬영법: 외과적 교정수술

③ 단층촬영법: 종양의 확산 상악골의 골절부위

④ 조영촬영법: 낭종조영, 타액선조영, 악관절조영

⑤ 전산화단층촬영법(CT)

⑥ 자기공명촬영법(MRI)

> **외과 2-1-5** 영상검사의 종류를 설명할 수 있다. (B)

6. 생검의 종류

(1) 절개생검

① 병소의 특징적이거나 대표적인 부분만을 얻는 조직검사

② 지름 1 cm 이상 크기의 병소가 위험한 위치에 있을 때

③ 병소부위가 커서 한 번에 제거가 힘든 경우

④ 악성 종양이 의심될 때 병소의 특징적이거나 대표적인 부분만을 얻음

(2) 절제생검

① 양성으로 보이는 작은 병소(약 1 cm 이하의 병소)에서만 시행

② 수술 전 진단과정을 행할 때 병소 전부를 제거하는 술식

(3) 흡인생검

① 용액을 포함한 병소 또는 외과적 절제 전 주사기로 병소를 관통하여 그 내용물을 뽑아내는 방법

② 가장 넓은 의미의 조직검사로 구강 안이나 구강 주위의 병소에 흔히 쓰임

(4) 세포박리검사

① 구강에서는 조직검사의 보조를 대신하는 방법으로 쓰임

② 세포의 이형성 변화를 알기 위한 검사

> **외과 2-1-6** 생검의 종류를 열거할 수 있다. (B)

7. 혈압

① 정상치: 성인 120/80 mmHg

② 혈압은 심장의 수축기에 높아지고 확장기에 낮아짐

③ 맥압: 수축기압과 이완기압의 차이(정상치: 30~50 mmHg)

④ 새벽에 가장 낮고, 오후 늦은 시간에 5~10 mmHg가 상승, 수면 중에 다시 하강

⑤ 압박대의 중앙이 상완동맥을 덮도록 위치

⑥ 상완은 심장과 동일한 높이가 되도록 하고, 청진기는 상완의 박동이 촉지되는 부위의 압박대 안에 밀어넣음

외과 2-2-1   혈압을 측정할 수 있다. (A)

8. 맥박

① 심장박동에 따라 대동맥에서 말초로 전달되는 혈관의 파동을 촉진하는 것

② 맥박수는 연령에 따라 크게 다르며, 1분에 성인 60~80회, 소아 90~110회

③ 주로 요골동맥에서 측정(요골동맥에서 측정 곤란한 경우에는 경동맥 측정)

④ 빈맥

- 1분에 100회 이상(성인) − 발열, 갑상선기능 항진, 심부전, 쇼크 등 발생
- 서맥: 1분에 60회 이하(성인) − 갑상선기능 저하, 심질환, 뇌압항진 등 발생

외과 2-2-2   맥박을 측정할 수 있다. (A)

9. 체온

① 열: 체내에서 내장 및 중추신경계, 골격근의 대사에 의해서 발생

② 피부(80%), 폐(호기), 배설물 등에 의해 체외로 방산

③ 정상범위:
- 성인: 액와(36.5℃) < 구강(37℃) < 직장(37.5℃)
- 아동: 37~37.5℃
- 노인: 36℃

④ 오전 2~6시경에는 최저, 오후 3~8시경에 최고의 온도치를 보임

⑤ 발열: 어떤 원인에 의해 정상적인 체온보다 상승하는 것

⑥ 체온의 측정: 액와, 구강, 직장에서 가능

외과 2-2-3   체온을 측정할 수 있다. (A)

10. 호흡

① 호흡 수, 깊이, 리듬, 흉곽과 복벽의 움직임, 환자의 자세, 손톱, 안색과 입술의 색깔 관찰

② 정상범위: 1분 15~20회(성인) , 1분 20~30회(유아)

③ 호흡과 맥박의 비 = 1:4

④ 빈호흡: 호흡수 25회 이상 / 서호흡: 호흡수 10회 이하

⑤ 호흡을 측정할 때는 맥박을 재면서 동시에 혹은 즉시 연속적으로 호흡을 측정하여 환자가 의식하지 않도록 함

⑥ 1회의 호기와 흡기를 합하여 1회 호흡으로 측정하며 보통 30초 동안 측정하여 2배로 하여 기록

외과 2-2-4	호흡을 측정할 수 있다. (A)

11. 심혈관계질환자의 치과치료

(1) 치과치료 시 고려해야 할 사항

① 치료 전에 환자의 건강상태를 주치의에게 의뢰하여 파악

② 치료는 환자의 건강상태에 맞도록 계획

③ 필요시 수술 전 진정이나 투약 시행

④ 시술시간을 짧게 함

⑤ 국소마취액의 양은 가능한 최소로 사용

⑥ 혈관수축제는 최소로 사용하거나 사용하지 않음

⑦ 필요시 치료 중 비관으로 산소 공급

(2) 선천성 심장질환

① 치과치료 시 예방적 항생제 투여, 통증제거를 위한 진통제 투여

② 술전 투약이 필요한 경우에는 적은 용량을 사용, 강한 진정은 피해야 함

(3) 류마티스성 심장질환

① 급성 류마티열의 결과로 심장손상이 발생

② 치과치료 후 세균성 심내막염이 걸리기 쉬움 → 치과치료 시 예방적 항생제 투여

③ 첫 날 가능한 많은 치료 수행, 저항균이 사라지도록 1주일 경과 후 새로운 치료계획 수립

(4) 협심증

① 관상동맥과 동맥경화증이 주요 원인이며, 흉통은 운동, 흥분, 추위, 과식 등에 의해 유발됨

② 심근의 산소요구량이 산소공급량을 초과하여 발생하는 가역적인 심근의 허혈상태

③ 통증이 잠깐 발생, 1~3분간 지속

④ 치과치료 중에 협심증의 증상이 발생하면 치료를 중지하고 환자를 45° 앉은 자세로 취하고, 수축기 혈압이 100 mmHg 이하이면 머리를 낮게 위치시키고, 설하로 니트로글리세린(nitroglycerin) 0.3~0.4 mg을 투여하고 필요에 따라 산소 공급

(5) 심근경색증

① 통증이 오래 지속되며 30분~1시간 지속 → 사망의 원인

② 심근경색 후 6개월 이내에는 통상적인 치과치료는 피하고 내과의사와 상담 후 응급치료만 시행

③ 효과적인 국소마취는 1:10만 에피네프린(epinephrine) 함유 국소마취제 3개 초과금지

④ 치과치료는 반드시 아침에 잠깐 동안 처치, 처치 전 5~10 mg의 diazepam (안정제)을 복용

⑤ 아스피린 등의 항응고제를 사용하고 있을 수 있으므로 반드시 확인

⑥ 니트로글리세린을 응급약으로 준비

⑦ 생징후를 감시하고 산소의 투여가 가능하도록 준비

(6) 고혈압

① 휴식상태에서 140/90 mmHg 이상인 경우(연령 증가 시 상승)

② 이완기 혈압이 120 mmHg 이상일 경우 즉각적 치료 요망, 치과진료 금기

③ 치과치료 시 스트레스 심리적 부담, 혈관 수축제 등에 의해 혈압상승

④ 심한 출혈, 고혈압 약제에 의해 구강건조증 알레르기, 구내염, 구강 내 궤양 유발

⑤ 치과치료를 위한 position에 따른 자세성 저혈압 유발 가능성 → 서서히 일으켜야 함

⑥ 1:10만 에피네프린 함유 국소마취제 3개 이상 사용 금지

⑦ 항고혈압 약 복용 시 가능한 혈관수축제 사용 금지

⑧ 전신마취 금지

외과 2-3-1	심혈관계질환자의 치과치료를 설명할 수 있다. (A)

12. 내분비계질환자의 치과치료 2020 기출

(1) 당뇨병

① 인슐린 분비의 절대적, 상대적인 부족이나 인슐린의 생물학적 효과의 감소로 인해 발생되는 고혈당 상태 및 대사장애가 장기간 지속되는 상태로, 소혈관 및 대혈관에 장애를 동반하는 질환

② 정상수치: 공복 시 혈당치 115 mg/dL 이하, 식사 후 혈당치 140 mg/dL 이하(공복 시 혈당 120 mg/dL 이상, 식후 혈당치 180 mg/dL 이상일 경우 당뇨로 진단)

③ 3대 증상: 다음, 다뇨, 다식

④ 구강영역의 합병증: 지각이상, 설 작열감, 치은염, 치주농양, 만성 치주질환, 궤양, 칸디다증, 구강건조증

⑤ 치과치료
  - 스트레스로 인한 인슐린 요구량 증가 → 과혈당증
  - 치료 때문에 식사시간 지연 → 저혈당증(오전 중 약속)
  - 감염(인슐린 양 증가 필요, 항생제 투여), 치유불량(발치 후 dry socket)
  - 면역능력 저하로 인해 감염에 취약해지기도 하므로 주의
  - 수술 후 스테로이드는 절대 투여하지 않도록 함
  - 조절되지 않는 당뇨환자나 조절이 불량한 환자는 예방적 항생제를 투여

(2) 부신기능부전증

① Addison병: 쇠약, 피로, 멜라닌(melanin) 침착, 식욕부진, 체중감소

② 쿠싱(Cushing) 증후군: 체중증가, 둥글고 달덩이 같은 얼굴, 복부의 줄무늬, 여드름, 칸디다증

③ 치과치료 시 스트레스 적응: 미리 스테로이드(steroid) 투여 후 치료

외과 2-3-2　내분비계질환자의 치과치료를 설명할 수 있다. (A)

13. 출혈성 질환자의 치과치료

① 치료를 하기 전 환자가 출혈문제를 일으킬 수 있는 코우마린이나 헤파린과 같은 항응고제, 아스피린, 광범위 항생제 등을 투여받고 있는지 확인

② 출혈성 질환인 간질환, 백혈병, 혈우병, 괴혈병을 가지고 있는지를 확인

③ 출혈성 소인을 가진 환자에서는 내과적 치료없이는 동통과 감염의 조절과 같은 보존적인 치료만 시행

④ 치과치료 시 혈소판 수 측정, 출혈시간 측정, tourniquet 검사, PTT, PT 검사 시행

⑤ 외과적 처리는 헤파린 투석 시행 전날 시술하는 것이 좋음

외과 2-3-3　　출혈성질환자의 치과치료를 설명할 수 있다. (A)

14. 폐질환자의 치과치료

(1) 천식

① 기관지의 수지상 구조의 과민 반응 상태

② 원인

- 외인성(알레르기성 천식, 유전, 어린이나 청년에 나타남)
- 내인성(35세 이상, 감염의 원인)

③ 시술이 시행될 때는 불안을 줄이도록 하고, 치료시간을 단축

④ 신체적·정신적 스트레스, 동통, 자극적인 냄새, 과로 등 질환을 악화시킬 수 있는 상태를 피하고 알러지 천식환자는 진료실 내의 알러지 기원을 제거

⑤ 천식발작 시: 치과치료 중지(발작이 계속되면 에피네프린 0.3 mL를 근육주사)

(2) 만성 폐쇄성 폐질환

① 호흡곤란이 일어나며, 만성적인 기침을 하여 진한 분비물을 많이 생성하고, 빈번한 호흡기 감염을 일으킴

② 호흡을 억제하는 진정제, 최면제, 마취제는 피해야 함

외과 2-3-4　　폐질환자의 치과치료를 설명할 수 있다. (B)

제3장 | 멸균과 소독

1. 멸균과 소독의 정의

① 멸균: 병원성, 비병원성 세균 및 바이러스 등 모든 형태의 미생물을 완전히 파괴하는 방법

② 소독: 포자를 형성하는 세균을 제외하고, 미생물의 일부 또는 전부를 파괴하는 방법

외과 3-1-1　　멸균의 정의에 대해 기술할 수 있다. (B)

2. 멸균방법

멸균법	작용기전	멸균조건	단점	장점
가압 증기	단백질 파괴	121℃ 15 psi 15분 132℃ 30 psi 6~7분	• 금속에 녹과 부식을 일으킴 • 기구의 날을 무디게 함 • 합성수지에 손상을 줌 • 멸균 후 건조 과정을 별도로 거쳐야 함	• 침투력 우수: 큰 포장, 다공성 제품, 면제품에 좋음 • 물, 화학용액 배지의 멸균에 좋음
불포화 화학 증기	알킬화 단백질 파괴	132℃ 15분	• 침투력이 약하여 포장이 크거나 면제품에 적절치 않음 • 물, 화학용액, 배지에 부적당 • 별도의 용액필요 • 자주할 경우 환기필요	• 금속이 무뎌지거나, 녹이나 부식이 생기지 않음 • 건조과정 필요없음
건열 멸균	산화	160℃ 2시간 120℃ 5시간 이상	• 긴 멸균시간 • 온도가 높아 금속성이 변하거나, 납착부가 떨어질 수 있음 • 반복사용 시 기구날이 무뎌짐	• 멸균기의 값이 저렴 • 유리·건조된 화합물·분말 제품에 유용
EO 가스	알킬화	상온 36시간 49℃ 2~3시간	• 매우 긴 멸균시간 • 하루 정도 환기요함 • 독성이 있고 발암물질이므로 취급 시 주의	• 고무제품에 유용 • 규모가 큰 병원용으로 적합
글루타르알데하이드	알킬화	6~10시간	• 멸균 포장이 어려움 • 계속 사용 시 비경제적 • 금속 부식성 있음 • 관리하기 까다로움 • 멸균확인이 어려움 • 피부, 점막에 유해	• 열에 민감한 제품에 좋음

외과 3-1-2 멸균방법에 대해 설명할 수 있다. (A)

3. 감염방지를 위한 기구관리 및 취급법

분류	정의	기자재
위험한 기재 (멸균 또는 고도의 소독)	연조직을 뚫고 들어가거나, 골에 닿거나, 혈류나 다른 정상적으로 무균인 조직에 들어가거나 접촉하는 기재	외과기구, 치주기구, 수술용 칼, 근관치료용 파일 및 버, 임플란트 기구

분류	정의	기자재
덜 위험한 기재 (멸균 또는 중등도 이상의 소독)	점막이나 손상된 피부에 접촉되는 것	검진기구, 보존기구, 핸드피스
위험하지 않은 기재 (저도의 소독)	손상받지 않은 정상 피부에 접촉	방사선 두부, 조명등 손잡이

외과 3-1-3   감염방지를 위한 기구관리를 설명할 수 있다. (B)

4. 술자의 무균처치

① 술자를 포함한 수술에 참여하는 모든 수술팀이 시행

② 손과 전완부까지 소독하는 과정: 피부표면의 세균과 부착물을 기계적으로 제거

③ 소독약을 이용한 손과 팔의 화학적 수세

④ 손톱을 중심으로 손가락 끝에서부터 솔로 문지름

⑤ 흐르는 물로 손가락 끝부터 주관절 쪽으로 향해 씻어냄

⑥ 손끝을 위로 향한 상태에서 멸균타월로 손에서 전완부 순서로 물기를 제거

⑦ 베타딘 용액이나 히비탄 용액을 이용

⑧ 수술 장갑을 끼고 수술 전까지 손끝을 위로 향하게 유지

외과 3-2-1   술자의 무균처치를 설명할 수 있다. (A)

5. 환자의 소독

(1) 구강 외 소독

① 수술 부위에 충분한 양의 베타딘 소독제를 이용해 안에서 바깥으로 향해 원을 그리며 닦아냄

② 구강 외 소독은 구순을 가장 먼저 닦아냄

③ 한 번 소독된 부위를 다시 닦지 않음

④ 위의 과정을 2~3회 시행 후, 그대로 건조

⑤ 필요시 70% 에틸알코올로 탈색

(2) 방포: 소독되지 않은 부위를 멸균된 천으로 완전히 덮어, 외부와 차단시키고 수술 부위는 노출

(3) 구강 내 소독

① 구내 상주균을 완전히 사멸시킬 수 없으나, 술 후 감염방지를 위한 과정

② 술 전 전악 치석 제거 및 치태막 제거와 함께 양치질을 시킴

③ 수술 시행 바로 전에는 10% 베타딘 용액이나 낮은 농도의 benzalkonium cholorite 또는 과산화수소용액을 면구에 적셔 구내 소독을 시행

| 외과 3-2-2 | 환자의 수술부위 소독을 설명할 수 있다. (A) |

6. 조직절개를 위한 기구

① 메스대: 3번, 7번(가늘고 긺)

② 외과용 칼

- 15번: 구강 내 수술에 가장 많이 사용, 비교적 작아서 치아 주변과 점막성 골막 절개 시 사용
- 10번: 15번보다 더 큰 형태로 모양이 유사하며 피부 절개에 사용
- 11번: 농양절개와 같은 작은 부위의 절개에 주로 사용되는 날카로운 끝을 가진 칼
- 12번: 절개가 치아의 후방부 또는 상악돌기에서 이루어져야 하기 때문에 치은 점 막 시술에 유용(날이 구부러짐)

| 외과 3-3-1 | 조직절개 시 필요한 기구를 준비할 수 있다. (A) |

7. 골막 거상을 위한 기구

(1) 골막기자(Periodontal elevator)

① 점막성 골막을 절개한 후 골 부위로부터 골막박리 및 거상시키는데 이용

② 뾰족한 끝은 치간유두를 거상할 때 넓은 끝 면은 골로부터 조직을 거상할 때 사용

(2) 9번 Molt 골막기자: 한쪽 끝은 날카롭고 뾰족하여 치아 사이의 치간유두 박리

| 외과 3-3-2 | 골막 거상 시 필요한 기구를 준비할 수 있다. (A) |

8. 지혈 및 조직을 잡기 위한 기구

(1) 지혈겸자(Hemostatic forcep)

① 출혈조절을 위해 혈관을 조여주거나 발치와의 육아조직 제거, 작은 조각들을 집어내는데 유용하게 사용

② Halsted와 Hartman 지혈겸자: 미세한 혈관출혈의 지혈 시 사용

③ Kelly: 큰 혈관의 지혈 시 사용

④ 5인치의 Halsted 지혈겸자를 mosquito라 함

(2) 조직겸자(Tissue forcep)

① 연조직 수술에서 조직을 부드럽게 잡아 안정시키는 데 사용될 수 있는 작은 기구

② 조직을 너무 단단히 잡아 조직이 손상되지 않도록 주의

③ 조직의 봉합이나 견인 시 조직을 잡고 이동하고 작은 골조직, 이물질 제거 시에도 사용됨

외과 3-3-3 지혈 및 조직을 잡을 때 필요한 기구를 준비할 수 있다. (A)

9. 골 제거를 위한 기구

① 론저겸자(rongeur forcep): 치조골을 깎고 다듬거나 대량의 골조직을 제거할 때

② 끌과 망치(bone chisel & mallet): 치아나 골을 절단하거나 제거할 때 사용

③ 버와 핸드피스(bur & handpiece): 피질골을 효과적으로 제거

④ 골줄(bone file): 피판을 제 위치로 봉합하기 전에 골연을 최종적으로 부드럽게 할 때 사용

외과 3-3-4 골 제거 시 필요한 기구를 준비할 수 있다. (A)

10. 봉합을 위한 기구

(1) 지침기(Needle holder): 조직의 봉합 시 봉합침을 지지하는 기구

(2) 봉합침(Suture needle)

① 원형봉합침: 얇은 점막의 봉합 시 사용

② 삼각봉합침이 원형보다 점막성 골막을 훨씬 쉽게 통과

(3) 봉합사(Suture silk)

① 봉합사 굵기: 번호가 클수록 얇아짐

- 구강 내 봉합에 가장 흔히 사용하는 봉합사: 3-0
- 창상봉합: 1-0
- 흉터가 염려되는 부위(가는 봉합사 사용): 6-0

② 종류

- 흡수성 봉합사: 피하조직이나 근육조직
- 비흡수성 봉합사: 주로 피부봉합에 사용
- 단선 및 복합선 봉합사

(4) 봉합사 가위(Dean scissor)

> **외과 3-3-5** 봉합 시 필요한 기구를 준비할 수 있다. (A)

11. 발치 시 필요한 기구 [2021 기출]

(1) 발치기자(Elevator)

① 치아가 부러졌거나 절단한 치근을 제거하는 데 사용

② 치아를 탈구시켜 주위 골로부터 분리

③ 발치겸자를 사용하기 전 치아를 느슨하게 하여 발치를 용이하게 할 때 사용

④ 발치할 치아주위 치조골을 확장시켜 줌

⑤ 삼각형의 발치기자: 인접 치조와가 비어 있을 때 사용

⑥ 직선형과 둥근 정 유형: 치아를 탈구시킬 때

> **cf** Root picker: 도달하기 어려운 위치에 있는 부러진 치근을 제거하기 위한 섬세한 기구

(2) 발치겸자

① 목적: 치조골로부터 치아 제거

② 구성: 핸들, 경첩, 손잡이로 이루어짐

③ 상악 발치겸자

- 1번: 상악 전치부
- 150번: 상악 소구치
- 53L, 53R: 상악 구치부 좌·우 구분
- 10S: 좌·우 상악 대구치 모두 사용
- 210S: 단근치인 상악 제3대구치

④ 하악 발치겸자
- Mead 1번, 151번: 하악 단근치(151번은 유치도 사용)
- 16번(소뿔모양), 17번: 하악 구치부
- 222번: 하악 제3대구치

> **외과 3-3-6** 발치 시 필요한 기구를 준비할 수 있다. (A)

12. 기타 외과기구의 사용목적 `2019 기출` `2022 기출`

① 치근단 소파기(surgical curette)
- 결손부로부터 연조직을 제거하기 위해 사용
- 치근단 병소로부터 육아종이나 작은 낭종을 제거
② 견인기(retractor)
- 수술 시 시야확보와 접근이 용이하도록 뺨, 혀, 점막성 골막피판을 당기기 위해 사용
③ 개구기
- Mouth prop: 고무개구기로서 환자가 개구를 한 다음 개구기를 환자의 최후방 구치부 상·하악 사이에 위치시켜 넣음
- Mouth gag: 구강 외에서 사용, 기어가 환자의 입술에 끼어 다칠 수 있으므로 주의
④ 이동겸자(sterilizing forcep): 소독된 기구를 옮기기 위해 사용
⑤ 타월집게(towel clamp): 수술포 유지시키기 위해 사용
⑥ 흡인을 위한 기구(aspirator): 타액, 혈액으로부터 적절한 시야확보를 위해 사용
⑦ 스킨 훅(skin hook): 피부에 대한 소수술을 시행할 때 사용하는 retractor의 한 종류

> **외과 3-3-7** 기타 외과기구의 사용 목적을 설명할 수 있다. (B)

제4장 | 치과국소마취

1. 국소마취법의 종류

(1) 도포마취(표면마취)

① 방법: 점막에 바르거나 뿌려서 점막하조직의 지각신경 종말지를 마취
② 효과: 도포 후 약 2분 후에 효과가 나타나고 10분 정도 지속

③ 주의: 구강과 인두점막의 흡수가 매우 빠르기 때문에 소량의 마취액을 분무로 충분

④ 특성: 지속성이 짧아 다른 마취법의 보조로 이용되는 경우 많음

⑤ 적응증

- 침윤마취나 전달마취 등의 주사 전에 주사바늘 자입부위의 점막에 사용, 특히 소아에서 필수적으로 요구
- 표재성(치은, 치조) 농양 절개부의 점막
- 치석제거, 치주소파 시 치주낭 내
- 유치, 영구치근의 파절편 등의 간단한 발치

⑥ 도포마취제의 종류와 방법

- 구강양치액
- 인상채득이나 치과 방사선사진 촬영 시 구토반사 반응을 나타내는 환자
- 구강 내 궤양 등에 의하여 심한 통증을 호소하는 환자
- 국소도포: 점막 표면 건조 → 면봉에 약제를 묻혀 바른 후(뿌린 후) 2~3분
- 연고제
- 스프레이(spray)

(2) 침윤마취

① 치료를 하고자 하는 부위의 작은 종말신경에 직접 주사하여 통증의 전달을 막는 방법

② 상악골은 다공성이어서 약제의 침투가 쉽고, 하악 전치부는 순측의 골이 얇고 다공성이어서 침윤마취 효과 좋음

③ 25~27 g의 짧은(1inch) 주사바늘을 이용하여 해당 치아의 치근단 부위에서 서서히 주입

④ 침윤마취 후 2~3분에 효과가 나타나고 약 10분 후 최고가 됨

(3) 전달마취

① 수술부위로부터 떨어진 곳의 신경전달로에 주사하여 그 신경이 분포되는 모든 부위의 마취효과 기대

② 25 g의 긴 바늘을 많이 사용, 마취 5분 후에 효과가 나타남

③ 적응증

- 수술부위가 넓고 장시간을 요하는 경우
- 발치와 동시에 치근낭종의 적출을 행하는 경우
- 침윤마취가 잘 되지 않는 부위(하악 구치부)
- 국소적으로(화농성) 염증이 있어서 침윤마취를 하기 곤란하거나 침윤마취가 잘 안 되는 경우

종류		마취
상악신경의 전달마취	후상치조신경	상악 대구치부위
	중상치조신경	상악 소구치부위
	전상치조신경	상악 전치부위
	안와하신경	상악골 전방부위
	대구개 신경	상악 구개 후방 2/3부위의 마취
	비구개신경	상악 구개의 전방부위의 마취
	상악신경	상악의 모든 부위의 마취
하악신경의 전달마취	하치조신경	설신경과 함께 마취하여 모든 하악 치아와 하악 제1대구치 전방의 점막 마취
	설신경	하악골 설측점막의 마취
	협신경	하악신경의 가지, 하악 구치 후방 협측치은 및 주위점막 마취, 지치 발치 시에 하치조신경과 함께 마취

(4) 치주인대 내 주사

① 주입 시 큰 압력과 통증

② 서서히 주사(jet 주사 이용)

(5) 치수 내 주사: 근관치료 시 전달마취로 효과가 나타나지 않는 경우 사용

외과 4-1-7 국소마취법의 종류를 설명할 수 있다. (B)

2. 국소마취제의 특성 2020 기출

(1) 이상적인 국소마취제의 조건

① 가역적이어야 함

② 소독이 가능해야 함

③ 과민반응이 없어야 함

④ 전신적인 독성이 없어야 함

⑤ 마취지속시간이 충분해야 함

⑥ 마취효과가 신속하게 나타나야 함

⑦ 용액상태에서 안정하며 수용성이어야 함

⑧ 말초혈관의 수축작용이 있거나 혈관수축제의 첨가가 가능해야 함

⑨ 신경이나 다른 조직에 손상을 끼치지 않고 완전한 국소마취 효과를 발휘해야 함

(2) 혈관수축제를 마취제에 첨가하는 이유

① 혈관을 수축시켜 주사 부위의 혈류량을 감소시킴

② 적은 양으로 충분한 마취효과 가능(독성 감소)

③ 마취제의 작용시간이 길어짐

④ 출혈을 최소화시켜 외과적 시술

> **외과 4-1-1**　국소마취제의 특성을 설명할 수 있다. (A)

3. 국소마취제의 종류

(1) 에스테르(Ester)형

① 종류: Cocaine, procaine, tetracaine, benzocaine

② 대사: 혈장

③ 배설: 신장(소변으로 배설)

④ Benzocaine: 불용성이므로 연고와 용액으로 제조하여 도포마취제로 사용

(2) 아마이드(Amid)형

① 종류: Lidocaine, prilocaine, mepicacaine, bupivacaine

② 대사: 간

③ 배설: 신장

④ 2% 염산 리도카인(에피네프린 혼합): 도포마취제로도 사용

> **외과 4-1-2**　국소마취제의 종류를 설명할 수 있다. (A)

4. 주사기와 주사침의 종류

(1) 주사기(Syringe)

① 흡입식 주사기: 대부분 적용

② 압력 주사기: 치주인대 마취 시

(2) 주사바늘(Needle)

① 긴 바늘: 전달마취

② 짧은 바늘: 침윤마취

③ 가장 많이 사용하는 마취용 바늘의 굵기: 27g(gauge)

(3) 마취제 카트리지(Ample)

① 카트리지는 저장기간을 연장하기 위해 금속용기에 진공상태로 포장

② 개봉 후에는 60일 이내에 사용

③ 내용물은 마취제, 혈관수축제, 방부제, 염화나트륨, 증류수 등

④ 혈관수축제: 에피네피린이 많이 이용됨

| 외과 4-1-3 | 주사기의 종류를 열거할 수 있다. (B) |
| 외과 4-1-4 | 주사침의 종류를 열거할 수 있다. (B) |

5. 국소마취 시 동통감소 방법

① 환자와 신뢰관계 형성 후 마취

② 표면마취를 병용

③ 자입부위를 압박, 긴장

④ 동통점의 부위가 적은 자입점을 선택, 급성 염증은 피함

⑤ 가는 바늘을 선택

⑥ 표층부에 소량의 국소마취제를 주사하고 15~20초간 기다린 후 마취액을 주입

⑦ 강한 힘을 주지 않음

⑧ 마취제는 체온온도와 비슷하게 하는 것이 좋음

| 외과 4-1-5 | 국소마취 시 동통감소 방법을 열거할 수 있다. (B) |

6. 마취와 관련된 합병증 2019 기출 2022 기출

(1) 국소적 합병증

① 빈혈대: 혈관수축제가 제한된 공간 내에 약이 축적되어 발생되며 보통 수 분 후 자연히 소실

② 혈종

- 주사침에 의해 혈관이 찢어져 주위조직으로 혈액이 삼출되는 것
- 출혈이 심하면 압박하면서 48시간 냉찜질, 이후 온찜질 시행

③ 구순과 협점막 손상

- 마취된 입술을 깨물어 부종이나 궤양이 발생하므로 마취시간이 종료될 때까지 입술을 깨물지 않도록 주의
- 소아 또는 정신지체아에서 호발

④ 감염: 오염된 주사기구의 사용으로 발생할 수 있으므로 주사부위와 마취기구의 소독을 철저히 시행

⑤ 신경병증(지각마비, 이상감각증, 지속적 무감각증): 주사 시 신경손상에 의해 발생되며 1~3주 후 회복

⑥ 개구장애

- 감염과 근육의 외상으로 발생
- 매일 3~4시간마다 5~10분 동안 개·폐구운동을 시행하고 통증이 심하면 약물치료 병행

⑦ 부종: 주사침에 의한 외상, 감염, 마취액에 대한 알러지, 출혈 등에 의해 유발되며 3일 이내 자연 소실

⑧ 안면신경마비

⑨ 주사 시 작열감: 낮은 pH의 마취약제, 알코올 유입, 고온과 냉온의 마취약제 사용 등으로 발현

⑩ 구강 내 병소: 국소마취 1~2일 후 아프타성 구내염이나 단순포진 등이 발생

⑪ 통증: 마취 전 도포마취제 사용, 예리한 주사침 사용, 천천히 마취제를 투입하여 통증을 감소시킴

(2) 전신적 합병증

① 독작용

- 마취제의 과량사용, 정맥 내 주사 등에 의해 발생되므로 마취액 주입 전에 흡인을 시행하고 가능한 적은 양을 천천히 주입
- 중추신경에의 대뇌피질이 자극되면 불안, 근심, 흥분, 경련 등이 나타남
- 부신수질 억제 시 혈압과 맥박 및 호흡이 감소
- 부신수질 자극 시 혈압과 맥박 및 호흡이 증가되고 오심과 구토 유발

② 알러지 반응(과민반응): 마취액에 대한 항원·항체반응으로 피부나 점막이 붉어지거나

담마진, 부종, 비연과 천식을 유발 → 약제에 대한 문진이 이루어져야 하고 항히스타민제를 투여

③ 실신(불안반응)

- 마취에 대한 불안, 긴장, 통증 등에 의한 스트레스(주사 시 신경반사에 의해 나타남)
- 일시 국소적 혈관확장과 혈압저하로 인해 발생되는 뇌빈혈
- 전구증상: 안색변화, 현기증, 구역질, 피로, 혈압하강, 식은 땀, 얕은 호흡 상태를 보이며 심하면 의식이 소실
- 처치
  - 계속적으로 생명징후를 측정하고 통풍이 잘 되는 곳에서 머리를 아래로 하고 안정 취함
  - 복장을 느슨하게 하고 얼굴, 목, 이마에 냉찜질, 산소공급과 기도확보, 환자안정, 암모니아 가스 흡입

외과 4-1-6	국소마취 후의 합병증을 설명할 수 있다. (A)

제5장 ┃ 응급처치

1. 실신의 전구증상

수 초에서 수 분간 오심, 발한, 어지러움, 시야 흐려짐 등이 있으며, 빈맥을 느끼다가 이윽고 심박동이 느려지고 혈압이 떨어짐

외과 5-1-1	실신의 전구증상을 설명할 수 있다. (A)

2. 실신 시 응급처치방법

① 소생의 고리
② 신속한 응급의료체계 호출
③ 신속한 기본 인명 구조술
④ 신속한 제세동
⑤ 신속한 전문심장 구조술

외과 5-1-2	실신 시 응급처치를 할 수 있다. (B)

3. 심폐소생술의 순서(A-B-C)

① Airway: 적절한 기도 확보

② Breathing: 적절한 호흡

③ Circulation: 적절한 혈액순환

외과 5-2-1　　심폐소생술의 순서를 설명할 수 있다. (B)

4. 기도확보 방법

① 환자의 이마에 손바닥을 대고 뒤로 힘을 가함

② 다른 손의 손가락 끝(엄지 제외)으로 턱 아래를 잡고 가볍게 하악에 힘을 주어 턱을 들어 올림

외과 5-2-2　　기도확보를 할 수 있다. (B)

5. 구조호흡 방법

① 호흡확인

② 환자의 입과 코 근처에 자신의 귀와 뺨을 위치, 3~5초간 호흡음 확인, 흉부와 상복부의 움직임 확인

③ 가능한 빨리 100%의 산소 공급

④ 구강 대 구강법

외과 5-2-3　　구조를 위한 호흡을 할 수 있다. (B)

제6장 | 발치술

1. 발치술의 적응증과 금기증 2021 기출

1) 적응증

① 심한 치아우식증

② 치료가 곤란한 급성 및 만성 치주염에 포함된 치아

③ 치아파절이나 치조골의 외상으로 치료가 불가능한 치아

④ 치수가 병적상태에 있으며 근관치료 및 치근단절제술 등으로 보존이 불가능한 치아

⑤ 매복치나 과잉치

⑥ 보철이나 교정치료 시 장애가 되는 치아

⑦ 심미장애 치아

⑧ 낭종, 골수염, 종양 및 골괴사의 원인 치아

⑨ 방사선 조사를 받을 영역의 보존이 불가능한 치아

⑩ 치성염증의 원인 치아

⑪ 만기잔존 유치

⑫ 치아 이식을 위한 발치대상

2) 금기증

(1) 전신적 금기증

① 출혈성 질환: 혈우병, 재생불량성 빈혈, 혈소판 감소증

② 심장·순환계 질환: 판막증 및 심내막염, 선천적 심장질환, 고혈압, 협심증, 심근경색

③ 만성 소모성 질환: 당뇨병, 간질환, 신장질환

④ 약제 장기복용 환자: 스테로이드제제, 항응고제

⑤ 생리석 변동: 월경, 임신

(2) 국소적 금기증

① 봉와직염을 동반한 급성 감염 ┐ 적당한 항생제로 전신적인 조건을 조절한 후
② 급성 지치주위염의 원인 치아 ┘ 가급적 빨리 발치

③ 급성 감염성 구내염이 있는 경우

④ 악성 종양이 증식하는 부위에 있는 치아(세포의 전이과정을 촉진)

⑤ 방사선 조사를 받는 부위의 치아

> **외과 6-1-1**　발치술의 적응증과 금기증을 비교 설명할 수 있다. (A)

2. 발치의 합병증 [2021 기출]

1) 발치 중 합병증

① 치아의 파절

② 인접치아의 손상

③ 치조골 및 상악결절 파절

④ 상악동 천공

⑤ 하치조신경의 손상

⑥ 출혈

⑦ 치은 및 점막의 열상

⑧ 악관절 외상

⑨ 상악동 내로의 치아전위

⑩ 악하간극으로의 치아전위

⑪ 피하기종

⑫ 실신

⑬ 엉뚱한 치아의 발치

2) 발치 후 합병증

(1) 출혈

① 1차 출혈

- 치은: 창상연 봉합
- 치조골 내: 스폰지 등으로 발치와 전색

② 2차 출혈

- 감염에 의한 출혈
- 항생제 사용, 발치와 내부 배농, 스폰지 등으로 발치와 전색

(2) 부종: 항생소염요법, 절개 및 배농, 생리식염수 창상세척 및 온습포 사용

(3) 동통: 항생소염요법, 생리식염수 창상세척 및 온습포 사용

(4) 감염: 건성 발치와(dry socket)

① 치아를 발치한 지 3~5일 후 발생

② 최초에 발치와의 혈병이 괴사, 육아조직없이 치조골 노출

③ 화농이 없고, 악취와 동통이 심한 치조골염이 됨

④ 수술 후 지연성 동통의 가장 흔한 원인

⑤ 동통 완화에 주력, 따뜻한 생리식염수로 발치창 세척(감염 억제 위해)

⑥ 유지놀 묻힌 iodoform 거즈를 삽입하여 배농

⑦ 항생소염요법을 시행

(5) 개구장애: 물리치료, 항생소염요법, 배농술, 진통제 투여

(6) 화농성육아종: 부골만을 제거하기 위한 소파술만 시행, 창상 세척

외과 6-1-2 발치의 합병증을 대해 설명할 수 있다. (A)

3. 발치 후 주의사항 2020 기출

① 거즈는 약 2시간 정도 물고 있게 함

② 48시간 동안 냉찜질 – 혈관 확장을 막아 부종 감소

③ 무리한 운동이나 뜨거운 목욕 등은 피함

④ 음압을 유발시킬 수 있는 행동을 금함(빨대 사용, 침 뱉기, 흡연)

⑤ 최소 1주간 음주를 피하게 함(2차 출혈야기)

⑥ 술 후 감염과 동통을 방지하기 위해 처방된 약물을 정해진 시간에 복용

⑦ 충분한 휴식을 취하고, 첫날은 유동식과 부드러운 음식을 섭취

⑧ 발치부위의 칫솔질을 피하며 식사 후에는 양치액으로 가볍게 입 안을 헹구게 함

외과 6-1-3 발치 후 주의사항을 설명할 수 있다. (A)

4. 단순발치의 수술순서

구강 내 세정 → 수술부위의 소독 → 국소마취 → 치주인대 절단 → 치아의 탈구 및 발거 → 근첨병소 소파 → 봉합 → 거즈 물림(지혈)

외과 6-2-1 발치과정을 설명할 수 있다. (A)

5. 단순발치의 사용기구 준비

① 치경, 핀셋

② 소독용 면구, 소독된 거즈

③ 치과용 마취주사기, 일회용 주사침, 국소마취제

④ 외과용 큐렛

⑤ 발치겸자, 발치기자

⑥ 생리식염수, 세척용 주사기

⑦ 지혈겸자

| 외과 6-2-2 | 단순발치 시 필요한 기구를 준비할 수 있다. (A) |

6. 외과적 발치의 수술순서 2019 기출

구강 내 세정 → 수술부위 소독 → 국소마취 → 치주 인대 절단 → 점막골막 피판 절개 및 박리 → 치조골 삭제 및 치아의 분할 → 치아의 탈구 및 발거 → 병소조직의 제거 → 골연 연마 → 피판의 재위치 및 봉합 → 거즈 물림

| 외과 6-2-3 | 외과적 발치 시 필요한 기구를 준비할 수 있다. (A) |

제7장 | 구강악안면영역의 외상

1. 치아 외상의 분류

① 법랑질 균열: 치질 손상이 없는 법랑질 잔 금
② 비복잡 치관파절: 치수노출없이 법랑질과 상아질의 파절
③ 복잡 치관파절: 치수노출을 동반한 법랑질과 상아질의 파절
④ 비복잡 치관–치근파절: 치수노출없이 법랑질, 백악질, 상아질 파절
⑤ 복잡 치관–치근파절: 치수노출을 동반한 법랑질, 백악질, 상아질 파절
⑥ 치근파절: 상아질, 백악질, 치수의 파절

| 외과 7-1-1 | 치아의 외상을 분류할 수 있다. (A) |

2. 치아파절의 치료방법

법랑질 균열	주기적인 치수생활력 검사, 치수괴사 시 근관치료와 수복치료
비복잡 치관파절	치수 보존함, 파절된 치관을 수복하고 주기적으로 치수생활력 검사
복잡 치관파절	치수복조나 치수 절단 또는 근관치료 시행 후 치관 수복

비복잡 치관-치근파절	파절된 치관을 제거, 근관치료와 함께 치은절제술
복잡 치관-치근파절	근관치료 시행, 치유되지 않을 경우 발치
치근파절	파절된 부위 제거, 필요에 따라 치수치료, 치유되지 않는 경우 발치

외과 7-1-2 외상 치아의 치료방법을 설명할 수 있다. (A)

3. 치주조직의 손상

① 진탕: 비정상적인 치아의 동요나 전위없이 타진검사에만 반응이 있는 경우

② 아탈구: 일부 치주인대가 끊어지고 치아의 동요가 보이나 변위되지 않은 치아주위조직의 손상

③ 함입성 탈구: 치조골 골절과 함께 치아가 치조골 내부로 전위된 경우, 치조와 골절이나 분쇄상을 보임

④ 측방탈구: 치조골 골절을 동반하여 치축이 아닌 방향으로 치아 변위가 있고 치조와 골절이나 분쇄상을 보임

⑤ 정출성 탈구: 치조골로부터 치아가 부분 탈락되는 경우, 치아의 부분적 변위가 치조와 밖으로 발생

⑥ 완전탈구: 치아가 치조골로부터 완전히 탈락된 경우

⑦ 잔존치근 파절: 파절된 치근만 치조골에 남아 있고 치관부는 상실된 경우

외과 7-1-3 치주조직의 외상을 분류할 수 있다. (A)

4. 외상 받은 치주조직 치료방법

(1) 진탕

① 치아의 동요나 전위 없음, 타진반응에 예민한 치아주위 조직의 손상

② 적극적인 치료는 필요하지 않음, 주기적 치수생활력 검사

(2) 아탈구

① 일부 치주인대가 끊어지고 치아의 동요 보임, 변위되지 않은 치아주위조직 손상

② 동요의 정도에 따라 고정 요구, 치료는 진탕과 비슷

(3) 탈구

① 함입성 탈구

- 치조골 내로 치아의 변위, 치조와의 골절이나 분쇄상 보임
- 재맹출을 기다림, 재위치가 느린 경우에는 교정장치를 이용하기도 함

② 정출성 탈구

- 치아의 부분적인 변위가 치조와 밖으로 진행
- 가능한 빨리 원위치시키고 splint, 무수치로 진행되면 근관치료 시행

③ 측방탈구: 치축이 아닌 방향으로 치아의 변위, 치조와의 골절이나 분쇄상

④ 완전탈구

- 치조와 밖으로 치아가 완전탈구된 상태
- 치아를 치조와에 부드럽게 위치시킨 후, 인접치아에 2주 정도 고정

외과 7-1-4   외상 받은 치주조직의 치료방법을 설명할 수 있다. (A)

5. 치아탈구환자의 치아보관방법

① 이상적인 경우로는 운반 시 치조와에 일시적 재식상태로 이동되는 것이 좋음

② 일시적인 재식이 곤란한 경우는 환자의 구강 내나 우유에 보관되어 이동

③ 치근표면을 건드리거나 문지르지 않는 것이 좋음

④ 치근표면의 혈병이나 이물질을 제거하기 위해 치관부위만 잡고 생리식염수를 뿌리거나 식염수에 적신 거즈를 사용

외과 7-1-5   탈구된 치아의 보관방법을 설명할 수 있다. (A)

6. 악골 골절의 원인

① 외상성 골절: 교통사고, 산업재해, 운동, 폭력, 폭발물 사고, 추락

② 병적 골절: 악골골수염, 낭종 및 악성 종양

(cf) 변위에 따른 분류: 유리한 골절, 불리한 골절

외과 7-2-1   악골 골절의 원인을 설명할 수 있다. (A)

7. 악골 골절의 분류 `2020 기출` `2021 기출`

(1) 중안모 골절

① 수평골 골절: 상악골 골체부 골절, 구개부 상부와 권골돌기 접합부 아래부위에서 두 개골 기저부와 분리되는 골절

② 피라미드형 골절: 상악의 안면부를 지나는 수직성 골절이 비골과 사골부까지 상부로 연장된 골절

③ 횡단골절: 비골의 기저부와 사골부를 지나 안와를 통과하여 권골궁까지 연장된 안모의 상방을 지나는 골절

④ 권골의 골절: 권골 상악골 복합체의 골절과 권골궁의 골절로 구분

⑤ 비–안와사골 골절: 안구손상 및 신경학적 증상 등의 합병증 유발

(2) 하악골 골절

① 골절의 상태에 따른 분류

- 단순골절
  - 하악 무치악 상태에서 많이 발생
  - 외부와 연결되지 않은 하나의 골절선
- 복합골절
  - 피부나 점막을 통하여 외부에 개방된 골절
  - 안면 중 중앙부에 골절이 야기되어 여러 개의 악안면 골이 포함된 중증의 골절
- 불완전골절
  - 완전골절을 시키기에는 외력이 부족하거나 유기질이 많은 어린이의 악골에 자주 발생
  - 골의 한쪽은 부러지고, 다른 한쪽은 구부러져 있는 불완전 상태의 골절 형태
- 분쇄골절
  - 절편이 아주 잘게 부서져 여러 조각의 골편이 형성되는 골절
  - 단순골절이나 때로는 복합골절이 될 수 있음
- 복잡골절
  - 혈관, 신경, 관절 등의 주위 인접 구조물에 손상을 주는 골절

② 골절선의 방향에 따른 분류

- 유리한 골절: 골절이 되어 있으나 골편에 부착되어 있는 근육에 의하여 골편 전위가 거의 없는 상태
- 불리한 골절: 골편에 부착된 근육에 의하여 심하게 전위된 상태의 골절

cf 하악골 골절 특징: 하악과두(과두돌기)에서 가장 호발

> **외과 7-2-2** 악골 골절의 분류법을 설명할 수 있다. (A)

8. 악골 골절의 호발부위

① 하악과두 > 우각부 > 정중부 > 하악체 > 치조돌기 순으로 호발

② 하악지와 근돌기 부위는 적음

> **외과 7-2-3** 악골 골절의 호발부위를 열거할 수 있다. (B)

9. 악골 골절의 증상

(1) 하악골 골절

① 하안면부의 열상, 출혈, 종창

② 구강점막의 열상, 출혈, 치아의 이완동요, 탈락

③ 동통(자발통, 압통)과 지각장애

④ 부정교합, 치열부정

⑤ 골절편의 변위

⑥ 골절편의 이상동요

⑦ 개·폐구장애, 저작장애, 발음장애

⑧ 종창에 의한 안모변형

(2) 중안모 골절

① 안면피하 출혈반

② 격막하 출혈, 안구편위, 복시, 유류

③ 비출혈, 비골의 변위, 비폐쇄

④ 안모의 함몰

⑤ 무의식 상태 초래

⑥ 권골궁의 골절 시 개구장애

> **외과 7-2-4** 악골 골절의 증상을 설명할 수 있다. (B)

10. 악골 골절의 치료방법

(1) 비관혈적 정복술과 고정

① 단순골절이 되어 있는 경우 악간고정에 의하여 골을 외과적으로 노출시키지 않고 상·하악 치열궁이 올바른 교합상태가 되도록 골절편을 제위치시키는 방법

② 적응증: 총상 등의 광범위한 분쇄골절, 심하게 위축된 무치악 환자

③ 정복할 때 강선이나 선부자를 이용한 악간고정법 사용
  - 악간고정법: 아치 바, wire 등을 이용해 상·하악 간을 고정
  - 스플린트 이용한 악골의 단독 고정법

(2) 관혈적 정복술과 고정

① 단순 악간고정으로 정복이 어려운 경우나 하악과두 골절이나 안면골의 여러 부위가 골절된 경우, 내과적인 문제를 가진 환자의 경우에 적용

② 적응증: 수평 및 수직적인 불리한 골절

③ 골을 노출시켜 정복한 후 강선이나 금속판으로 골 절단부위를 제자리에 고정
  - 구강 내 접근법, 구강 외 접근법

④ 장점: 치유기간 단축, 외상성 반흔이 없음, 국소마취하에서도 가능

⑤ 단점: 감염 위험, 외과 수술 시 골절 부위에 형성된 혈병이 제거됨

외과 7-2-5　　악골 골절의 치료방법을 기술할 수 있다. (B)

11. 연조직 외상처치 시 과정

① 창상의 세정
  - 조직에 자극이 없는 생리식염수를 사용하여 세정
  - 감염이 우려되는 경우 항생제를 혼합하여 사용

② 이물질의 제거
  - 솔로 이물질을 제거할 때 손상부위가 더욱 악화되지 않도록 주의

③ 괴사조직의 절제
  - 함입된 괴사조직은 blade (No.11)로 제거
  - 피부소독은 베타딘으로 세척하고 완전히 씻어냄

④ 봉합
  - 초기봉합 내지는 24시간 이내에 조기 봉합하여 감염로를 차단하고 치유를 촉진
  - 반흔 조직과 수축을 최소화하고 간호의 필요성을 감소시킴

• 환자의 사기를 개선시키고, 만족스러운 음식물 섭취를 가능하게 함

> **외과 7-3-1** 연조직 처치의 과정을 기술할 수 있다. (A)

12. 연조직 손상의 종류와 치료방법 `2021 기출`

(1) 좌상

① 둔기에 부딪쳐서 야기되는 타박상

② 초기에는 타박상 부위가 붉은색 혹은 청색을 띠지만 수 일 후에는 황갈색을 띠게 됨

③ 안면부에 발생한 타박상은 초기에는 냉찜질, 후기에는 온찜질

④ 혈종이 encapsulation된 상태이면 절개를 통해 흡인을 필요로 할 수 있음

(2) 찰과상

① 피부표면이 문질러지거나 벗겨짐으로써 발생되는 창상

② 피부 창상부위를 청결하게 유지하고 소독제를 국소도포하면 대체로 7일 이내에 완치

③ 일반적으로 창상을 보호하는 가피가 빨리 형성되기 때문에 개방창 상태로 피부표면을 노출시키는 것이 창상치유가 촉진

④ 그러나 진피까지 깊게 형성된 찰과상은 반흔조직의 형성과 영구적인 결손이 발생될 수도 있음 → 변연절제술과 봉합, 피부이식

(3) 열상

① 외력에 의해 조직이 찢어진 상태

② 신속하게 조기 1차봉합을 하는 것을 원칙으로 하며 가능한 24시간 이내 또는 6시간 내에 처치하는 것이 바람직

③ 함몰된 조직은 적절하게 변연을 절제해내고 조직편을 봉합할 때 사강을 남기지 않도록 함

④ 창상이 광범위하거나 창상변연부가 심하게 괴사되었을 때 교상 등의 경우에는 조기 1차봉합을 시행하지 않고 창상의 배농과 계속적인 습식 드레싱 후 5~10일 이내에 지연 1차봉합을 시행

(4) 관통상

① 날카로운 물체에 의해 조직이 관통되는 경우

② 파상풍 감염의 위험이 항상 존재

③ 치료: 보존적 치료

④ 1차 봉합을 하기 보다는 개방된 상태로 두어 육아조직에 의해 치유되도록 유도

(5) 화상

① 1도 화상: 피부에 홍반

② 2도 화상

- 피부나 점막에 수포 형성, 냉습포

- 창상 소독 후 건조시키거나 수포 속의 조직액의 배출시킨 후 붕대 교환하면 치유

③ 3도 화상

- 표피와 진피가 완전히 파괴되고 피하조직 내로 또는 그 이상까지 포함되는 화상

- 쇼크치료, 체액손실에 대한 수액투여, 피부이식

| 외과 7-3-2 | 연조직 손상의 종류를 열거할 수 있다. (B) |

| 외과 7-3-3 | 연조직 손상의 치료방법을 설명할 수 있다. (A) |

제8장 | 구강안면외과의 소수술

1. 절개 및 배농술의 적응증

① 변연성 치주염 등에 속발한 치은농양

② 근첨병소에 속발한 점막하 및 골막하농양

③ 하악 지치주위염 등에 속발한 치관주위농양, 익돌하악극농양

④ 치성 감염증에 속발한 악하농양, 악하극농양

⑤ 악골중심성 낭종 또는 종양에 대한 감염결과로 발생한 악주위 농양

⑥ 치성 감염증 및 비치성 감염증(타석증) 등에서 속발한 설하극농양 및 구강저 봉와직염

⑦ 비치성 감염증에 속발한 피하농양

| 외과 8-1-1 | 절개 및 배농술의 적응증을 설명할 수 있다. (A) |

2. 절개 및 배농술의 수술순서

① 수술 부위 소독

② 국소마취

③ 절개

④ 배농

⑤ 농양강 내의 괴사조직 제거 및 세정

⑥ 드레인의 삽입 및 주위조직과 봉합하여 고정

⑦ 거즈 드레싱

⑧ 후 처치

외과 8-1-2 절개 및 배농술의 수술순서를 나열할 수 있다. (A)

3. 절개 및 배농술의 사용기구 준비

① 치경 핀셋

② 마취주사기, 주사침, 국소마취제

③ 외과용 흡인기

④ 메스대(NO.3), 외과용 칼(#11, 15)

⑤ 골막기자

⑥ 지혈겸자, 조직겸자

⑦ 외과용 큐렛

⑧ 드레인(거즈드레인, 고무드레인, 폴리에틸렌관)

⑨ 봉합사, 봉합침, 지침기, 봉합사 가위

⑩ 외과용 가위

⑪ 소독용 면구, 거즈, 반창고

⑫ 농반(pus pan)

⑬ 세척용 주사기

⑭ 외과용 probe

외과 8-1-3 절개 및 배농 시 필요한 기구를 준비할 수 있다. (A)

4. 절개 및 배농시기 `2019 기출` `2022 기출`

① 종창부위의 파동이 촉지될 때(경결감이 없을 때)

② 국소적 동통이 감소할 때

③ 피부가 국소적으로 적색을 띠고 윤이 나며 피부에 뚜렷한 발적부위가 있을 때

④ 국소적인 열이 내려간 후

⑤ 염증이 최고조에 이르러 흡인 시 농을 확인할 수 있을 때

⑥ 봉와직염과 같이 감염이 신속히 파급될 때 압력을 해소시켜 확산의 억제 및 통증조절을 위해

⑦ 백혈구의 수가 정상 수치로 회복될 때

⑧ 종창부위에 과산화수소수를 도포하면 눈꽃 모양을 나타내는 때

> **외과 8-1-4** 절개 및 배농 시기를 설명할 수 있다. (A)

5. 절개 & 배농 후 환자관리

① 감염이 완전 해소될 때까지 매일 소독

② 감염 중심부까지 생리식염수로 충분히 세척하고 배농관을 교환하여 삽입

③ 절개 및 배농 술 후에는 온찜질

④ 배농관은 점차적으로 짧은 것으로 바꾸어 나가고 거즈드레인(Nu-gauze)은 감염 심부까지는 삽입하지 않음

⑤ 배농이 없고 혈액이 소량 배출되면 배농관을 삽입하지 않음

⑥ 배농이 멈추고 감염이 해소되었다고 판단된 시점에서 최소 3일 동안 항생제를 더 사용함

> **외과 8-1-5** 절개 및 배농 수술 후 환자관리에 대해 설명할 수 있다. (A)

6. 치성 낭종과 비치성 낭종 분류

(1) 치성 낭종

① 유아의 치은낭종　　　④ 맹출성 낭종

② 치성 각화낭종　　　　⑤ 측방 치주낭종

③ 함치성 낭종　　　　　⑥ 성인의 치은낭종

(2) 비치성 낭종

 ① 비구개관낭종

 ② 비순낭종

 ③ 갑상설관낭종

 ④ 새열낭종

 ⑤ 유치낭종

 ⑥ 유표피낭종

| 외과 8-2-1 | 치성 낭종을 분류할 수 있다. (B) |

| 외과 8-2-2 | 비치성 낭종을 분류할 수 있다. (B) |

7. 연조직에서 발생하는 낭종의 종류

 ① 점액낭종: 점액류, 하마종

 ② 태생기 상피 유래의 낭종: 유표피낭종, 유피낭종

 ③ 기타 낭종: 갑상설관낭종, 림프상피성낭종, 비치조낭종, 외상성골낭종

| 외과 8-2-3 | 연조직에서 발생하는 낭종을 분류할 수 있다. (B) |

8. 낭종의 증상

자각증상이 없고, 무통성이며 표면의 피부나 점막에 발적 궤양 등이 없음

| 외과 8-2-4 | 낭종의 증상을 기술할 수 있다. (B) |

9. 낭종의 합병증

하악골의 골절, 안면부 또는 경부에 누공, 상악동 폐쇄, 감각마비

| 외과 8-2-5 | 낭종의 합병증을 기술할 수 있다. (B) |

10. 낭종 적출술과 조대술의 비교 설명 **2022 기출**

	낭종 적출술	조대술
술식	피부점막을 절개한 후 낭종을 완전히 적출	환부에 개창을 형성하고 낭종 내부를 생리식염수 등으로 반복 세척, 낭크기를 줄인 후 적출
장점	• 병소의 완전 제거가 가능 • 빠른 치유	• 인접조직의 손상이 최소 • 크기를 줄여 적출을 쉽게 하게 함 • 누공유발과 신경혈관 속의 손상이 없음 • 함치성 낭종과 관련된 미맹출 치아의 맹출이 가능 • 방법이 간단, 골 삭제가 적음
단점	• 생활치의 손상 우려 • 상악동이나 비강으로의 누공 유발 가능 • 인접조직 손상 가능성	• 긴 치유기간 • 종양으로 이행 가능성이 있음 • 재발 가능성이 있음 • 장기적인 술 후 드레싱 필요

외과 8-2-6　낭종적출술과 조대술을 비교 설명할 수 있다. (A)

11. 낭종적출술 시 필요한 기구 준비

① 치경 핀셋

② 마취주사기, 주사침, 국소마취제

③ 외과용 흡인기

④ 메스대, 외과용 칼

⑤ 골막기자

⑥ 지혈겸자, 조직겸자

⑦ 외과용 큐렛

⑧ 봉합사, 봉합침, 지침기, 봉합사 가위

⑨ 외과용 가위

⑩ 세척용 주사기

외과 8-2-8　낭종적출술 시 필요한 기구를 준비할 수 있다.(A)

12. 치조골 정형 및 골융기 제거술의 적응증 2020 기출

① 국소의치나 총의치 제작과 장착을 위해서 과잉의 치조골이나 예리한 치조골이 돌출
되어 있을 경우
② 치조골에 골류가 발생한 경우
③ 다수치 발거 시 치조골 중격이 날카로워졌을 경우
④ 혀의 움직임을 방해하여 기능장애가 있을 경우

| 외과 8-3-1 | 치조골 정형 및 골융기제거술의 적응증을 설명할 수 있다. (A) |

13. 치조골 정형, 골융기 제거술의 순서 및 사용기구 준비 2021 기출

수술순서	기구 준비
수술부위의 소독	치경, 핀셋, 외과용 흡인기, 소독용 면구, 거즈
국소마취	마취주사기, 주사침, 국소마취제
점막의 절개	메스대, 외과용 칼
피판 형성	골막기자, 골겸자, 견인기, 조직겸자, 지혈겸자
골 삭제	끌과 망치, 골줄, 끌과 망치
세정에 의한 골 삭제편의 제거	생리식염수, 세척용 주사기, 외과용 가위
봉합	봉합사, 봉합침, 지침기, 봉합사 가위

| 외과 8-3-2 | 치조골 정형 및 골융기제거술의 순서를 나열할 수 있다. (A) |

| 외과 8-3-3 | 치조골 정형 및 골융기제거술 시 필요한 기구를 준비할 수 있다. (A) |

14. 치아재식술의 적응증

① 재식이나 이식할 치아의 파절이나 치근단 병소가 없어야 함
② 이식받을 부위의 치조와의 골절이나 염증이 없이 건강해야 함

| 외과 8-4-2 | 치아재식술의 적응증을 설명할 수 있다. (A) |

15. 치아재식술의 치료에 필요한 기구 준비

① 치경, 핀셋, 외과용 흡인기

② 소독용 면구, 거즈

③ 주사침, 국소마취제

④ 부목(강선, 레진), 교정용 플라이어, wire cutter, wire holder

⑤ 세척용 주사기

⑥ 근관충전재료

외과 8-4-3   치아재식술 시 필요한 기구를 준비할 수 있다. (A)

16. 치아재식술 시 치아처치법

① 외상에 의해 치아가 완전히 탈구된 경우에 단시간 내에 치아를 원래의 치조와에 삽입하여 보존함으로써 기능을 회복시키는 술식

② 치주인대가 상하지 않는 것이 중요하며, 탈구된 치아는 20~30분 이내에 시술해야 예후가 좋으므로 최대한 빨리 치과에 내원

③ 이 때 치아를 생리식염수나 우유, 자신의 입에 넣어 오도록 함

외과 8-4-4   치아재식술 시 치아처치법을 설명할 수 있다. (A)

17. 구강 임플란트의 적응증과 금기증

(1) 적응증

① 심한 치조골 흡수로 가철식 의치의 유지가 힘든 경우

② 가철식 의치의 장착을 싫어하는 경우

③ 가철식 의치의 안정을 저해하는 근육의 보조화와 비기능적인 습관

④ 잔존 지대치의 위치와 수가 부적절한 경우

⑤ 인접치 삭제에 대한 환자의 거부

⑥ 구토반사가 심한 경우

⑦ 부착치은의 양이 절대적으로 부족한 경우

(2) 금기증

① 절대적 금기증

- 두경부에 방사선 치료를 받은 환자
- 정신적 질환이 있는 환자
- 백혈병, 혈우병, 혈소판감소성자반병 등의 혈액 질환

② 상대적 금기증

- 경조직 질환
- 연조직 질환
- 조절되지 않는 당뇨병, 고혈압
- 약물 남용환자
- 적은 양의 방사선 조사 경력이 있는 환자

외과 8-5-1 치과임플란트의 적응증과 금기증에 대해 비교 설명할 수 있다. (A)

18. 치과임플란트의 구성요소

① 인공치근(Fixture): 1차 외과수술에 의해 악골 내에 매식, 고정
② 지대치(Abutment): 2차 외과수술에 의해 연조직 관통, 인공치근과 상부구조물과의 사이에 존재하여 양자를 연결
③ 고정용 나사(Abutment screw): 지대치를 인공치근에 고정
④ Abutment cylinder: 지대치에 완전하게 적합하는 형태의 실린더
⑤ Screw: Abutment screw를 개입시켜 상부구조물을 지대치에 연결 및 고정
⑥ Cover screw: 1차 수술 시 식립된 인공치근의 나사 수용부를 임시로 막아주는 나사
⑦ Healing cap: 2차 수술 시 cover screw 제거 후 연조직이 치유되도록 인공치근의 나사 수용부를 임시로 막아주는 나사못

외과 8-5-2 치과임플란트의 구성요소를 열거할 수 있다. (B)

19. 치과임플란트의 1차 수술 시의 기재 준비

국소마취용 기구 → 외과용 칼 → 메스대 → 골막기자 → 지혈겸자 → 조직겸자 → 골천 공용 드릴 → 임플란트용 핸드피스, 모터 → 인공치근 및 cover screw → screw driver, wrench → 외과용 스텐트 → 견인기 → 봉합침, 봉합사, 지침기, 봉합사 가위

외과 8-5-3 치과임플란트의 1차 수술 시 필요한 기구를 준비할 수 있다. (A)

20. 치과임플란트의 2차 수술 시의 기재 준비

국소마취용 기구 → 외과용 칼 → 메스대 → 골막기자 → 지혈겸자 → 조직겸자 → abutment cylinder, screw → screw driver, wrench → healing cap → 견인기 → 봉합침, 봉합사, 지침기, 봉합사 가위

외과 8-5-4 치과임플란트의 2차 수술 시 필요한 기구를 준비할 수 있다. (A)

21. 치과임플란트 수술 후 관리사항

① 물고 있는 거즈는 1시간 후에 제거
② 수술 후 첫 24시간 동안은 구강 세척을 강하게 하지 않음
③ 수술 후 첫 2일 동안은 환부를 냉찜질하고 이후에는 온찜질할 것
④ 코를 세게 풀지 않음
⑤ 5일 간은 유동식을 취하고 1주일 간 금주, 금연
⑥ 식염수나 구강소독제로 구강 내를 세척하고 청결유지
⑦ 이전의 보철물은 이장하기 전에는 장착하지 않음
⑧ 술, 담배는 한 달간 금지
⑨ 수술 후 2~3일간은 심한 운동 삼가
⑩ 나사가 풀렸을 경우 반드시 치과에 내원하여 점검

외과 8-5-5 치과임플란트의 수술 후 관리사항을 설명할 수 있다. (A)

제9장 | 구강악안면영역의 감염성 질환

1. 염증의 원인과 특징

(1) 원인

① 미생물: 세균, 진균, 바이러스

② 물리적 자극: 열상, 교상, 외상, 자외선, 방사선

③ 화학적 자극: 산, 약제 등

(2) 특징

① 화농성염으로 이행됨: 농양형성

② 감염경로: 치주조직, 치수강

③ 동통, 발열, 발적, 종창, 기능상실 등

| 외과 9-1-1 | 염증의 원인을 기술할 수 있다. (A) |

| 외과 9-1-2 | 염증의 특징을 기술할 수 있다. (A) |

2. 치성 감염의 합병증

① 치성감염: 파절된 치아, 치주질환으로 인해 안면부의 동통 및 종창으로 나타남

② 합병증: 급성 기도폐쇄, 종격동염, 괴사성근막염, 안와봉와직염, 혈행에 의한 전이성 감염, 해면정맥동혈전증, 뇌농양, 경막하농양, 사망 등

| 외과 9-1-3 | 치성 감염의 합병증을 설명할 수 있다. (B) |

3. 진행된 치성 감염의 종류

(1) 상악에 존재하는 일차성 근막간극

① 견치간극

② 협부간극

③ 측두하간극

(2) 하악에 존재하는 일차성 근막간극

    ① 이하간극

    ② 협부간극

    ③ 악하간극과 설하간극

(3) 루드위크 앙기나(Ludwig's angina)

    ① 양측성으로 이하간극, 악하간극, 설하간극이 함께 이환

    ② 2차성 근막간극으로 감염이 빠르게 확산되는 봉와직염

    ③ 주원인: 연쇄상구균에 의한 치성감염

    ④ 증상: 개구제한, 침을 흘리고 연하곤란, 호흡곤란

    ⑤ 치료: 기도유지에 주의를 요함, 적극적인 절개 및 배농, 항생제 요법

(4) 이차성 근막간극

(5) 경부 근막간극

외과 9-1-4　진행된 치성 감염의 종류를 설명할 수 있다. (B)

4. 치성 감염증의 치료방법

    ① 항생제 처방(가능한 항균범위가 좁고, 독성과 부작용이 가장 적은 항생제 선택)

    ② 절개 및 배농

    ③ 원인치아 치료

    ④ 수액 및 영양요법

외과 9-1-5　치성 감염의 치료방법을 설명할 수 있다. (B)

5. 치관주위염의 증상과 치료　2019 기출

(1) 치관주위염

    ① 치성감염의 가장 흔한 예

    ② 하악 지치의 맹출 공간이 부족하여 완전히 맹출하지 못한 하악 지치에서 치관주위
틈새나 치주낭에 음식물이 끼어서 발생하는 급성 또는 만성 염증 질환

(2) 증상

    ① 상방 연조직의 발적, 종창, 동통

    ② 오한, 발열, 권태

    ③ 저작 및 연하곤란

    ④ 개구장애

    ⑤ 악취

    ⑥ 림프선 부종

(3) 치료

    ① 보존적 치료법: 항생제, 진통제, 운동제한, 고단백식, 비타민 투여

    ② 치은절제술

    ③ 원인치 발거

| **외과 9-1-6** | 치관주위염의 증상을 설명할 수 있다. (A) |

| **외과 9-1-7** | 치관주위염의 치료방법을 설명할 수 있다. (A) |

6. 악골골수염의 원인과 치료 `2020 기출`

(1) 원인

    ① 혈행성 원인: 성인보다 어린이에게서 호발, 상악보다 하악에서 호발

    ② 골질환이나 혈관질환과 관련(골조직 내로의 혈액공급장애): 심각한 영양장애, 당뇨병, 백혈병 등

    ③ 치성, 비치성에 의한 국소적 감염과 관련(주요 요인): 치아우식증, 치주질환, 인접 연조직의 감염 등(포도상구균, 연쇄상구균 등)

(2) 치료

    ① 급성 악골골수염: 적절한 항생제 투여, 감염부위 실활치 발거, 동요도 보이는 부골 제거

    ② 만성 악골골수염: 적극적인 항생제 투여와 외과적 처치가 필요, 부골 적출술, 배 형성술

| **외과 9-2-3** | 악골골수염의 원인을 기술할 수 있다. (B) |

| **외과 9-2-4** | 악골골수염의 치료방법을 기술할 수 있다. (B) |

7. 치성 상악동염의 원인과 치료

(1) 원인

① 급성 또는 만성 치근단 염증과 치주질환에 의해 발생

② 외상에 의한 치아손상에 의해 발생

③ 발치와 관련된 외과적 처치 시 발생

(2) 치료

① 가습: 비강이나 상악동구의 분비물 배출 용이하게 함

② 항생제, 진통제, 충혈제거제 등을 투여

③ 상악동근치술, 비강상악동절개술 시행

외과 9-2-5	치성 상악동염의 원인을 기술할 수 있다. (A)

외과 9-2-6	치성 상악동염의 치료방법을 기술할 수 있다. (B)

8. 치성 상악동염 환자의 수술 후 관리

① 감염이 완전 해소될 때까지 매일 소독

② 감염 중심부까지 생리식염수로 충분히 세척하고 배농관을 교환하여 삽입

③ 절개 및 배농 술 후에는 온찜질

④ 배농관은 점차적으로 짧은 것으로 바꾸어 나가고 거즈드레인(Nu-gauze)는 감염
심부까지는 삽입하지 않음

⑤ 배농이 없고 혈액이 소량 배출되면 배농관을 삽입하지 않음

⑥ 배농이 멈추고 감염이 해소되었다고 판단된 시점에서 최소 3일간 항생제를 더 사
용함

외과 9-2-7	치성 상악동염 환자의 수술 후 관리에 대해 설명할 수 있다. (B)

제10장 | 구강악안면영역의 종양

1. 양성종양

(1) 법랑아세포종의 증상과 치료

① 증상: 악골의 팽창, 치아동요, 치아의 압박감, 단발성 및 다발성의 방사선투과상의 골파괴 양상

② 치료: 낭종의 확대박출술, 부분절제, 하악이단

(2) 치아종

① 복합치아종
- 정상 치아와 유사한 형태로 여러 개 모여 있음
- 상악 전치부에서 호발

② 복잡치아종
- 모든 치아성분이 나타나기는 하나 비정상적인 형태
- 하악 구치부에서 호발

③ 양성 백악아세포종
- 백악질과 유사한 조직을 형성
- 20~30대 남성의 하악 구치부에서 호발

(3) 골종

① 치밀골 및 해면골이 증식되는 양성 종양

② 잘 경계된 방사선 불투과성의 종물

③ 무통성, 서서히 증식

④ 종양이 커지면 악골의 종창과 안모 변형을 유발하기도 함

(4) 섬유종

① 구강 내에서 가장 빈발하는 양성 연조직 종양

② 30~50대에 빈발

③ 치은, 협점막, 입술 및 구개부에 표면이 돌출되어 있어 자극을 받아 궤양과 염증을 수반하기도 함

④ 외과적으로 절제

(5) 유두종

① 편평상피에서 유래된 양성 종양으로 구강 내에 호발

② 남녀 어느 연령층에서나 발생할 수 있으며 혀, 입술, 협점막, 치은, 구개부에 발생

③ 대개 한군데에 나타나며 다발성으로 나타나는 경우도 있음

④ 점막표면에 부착된 작은 양배추 꽃모양으로 나타남

| 외과 10-1-1 | 양성종양의 종류를 분류할 수 있다. (B) |

| 외과 10-1-2 | 양성종양의 증상을 기술할 수 있다. (B) |

| 외과 10-1-3 | 양성종양의 치료방법을 기술할 수 있다. (B) |

2. 악성종양

(1) 구강암: 구강에서 발생하는 악성종양

① 여성보다 남성에게 더 발생

② 흡연, 음주, 바이러스, 방사선 등의 원인으로 발병

(2) 구강암의 종류

① 설암

- 혀에 하얀색 병소가 나타나는 증상
- 50~60대 남성에게서 주로 발병
- 특별한 증상이 없음

② 구강저암

- 혀 밑 바닥에 통증이 느껴지지 않는 궤양으로 발병
- 볼 점막에 생기는 하얀 병변이 궤양으로 발전

③ 치주암

- 잇몸에 암이 생기는 증상
- 치주염과 비슷
- 치아가 심하게 흔들리거나 발치 후 회복이 더딤

(3) 구강암의 치료

① 수술적 치료

② 항암화학요법

③ 방사선 치료

| 외과 10-2-1 | 악성종양의 종류를 분류할 수 있다.(B) |

| 외과 10-2-2 | 악성종양의 증상을 기술할 수 있다.(B) |

| 외과 10-2-3 | 악성종양의 치료방법을 기술할 수 있다.(B) |

3. 구강 내 악성 종양과 양성 종양의 감별

	양성 종양	악성 종양
호발연령	전연령층	고령층
진행속도	느림	빠름
진행양식	팽창성	침윤성
궤양형성	없음	있음
색조	일률적	다양함
재발	거의 없음	많음
전이	없음	있음
예후	양호	불량
전신적 영향	거의 없음	악액질

제11장 | 악관절질환

1. 악관절질환의 분류 　2019 기출

(1) 선천성 기형: 관절과두의 부전, 과두비대

(2) 악관절 탈구

① 분류

- 급성 탈구: 심한 동통과 함께 폐구불능 상태로 연하장애 및 전이 부위의 함몰이 나타남

- 만성 탈구(습관성 탈구, 재발성 탈구)

② 증상
  - 개구상태 고정, 폐구불능
  - 얼굴모양이 기다랗게 됨, 하악 전돌
  - 하악두 돌출
③ 치료
  - 환자를 앉힌 상태로 환자의 후방 치아를 후하방으로 누르고, 하악골의 앞부분을 상방으로 올리면서 후방으로 밀어 넣음
  - 급성 탈구 발생 시: 재발성 탈구의 이행을 예방하기 위해 재빨리 원위치로 정복
  - 만성 탈구가 빈번할 시: 외과적으로 곤절융기 절제술, 과두돌기의 전방에 장애물 설치, 관절낭을 봉합해 주는 처치 등

(3) **관절염**: 다발성 관절염(류마티스성 관절염), 감염성 관절염, 골관절증

(4) **악관절 내장증**
  ① 원인: 관절원판의 변위 및 원판의 형태 이상, 천공, 섬유성유착 등에 의해 발생
  ② 증상: 기능장애, 운동의 제한, 악관절 부위나 안면부에 동통, 두통, 근육통, 관절 잡음
  ③ 치료
  - 동통을 완화시키고, 기능회복을 시행
  - 비외과적: 관절 내 압박의 회복으로 물리치료, 행동치료, 약물치료 및 교합 안정장치
  - 외과적: 관절강 세척술, 악관절경 수술, 악관절 성형술, 악관절 제거술

(5) **악관절 강직증**

(6) **종양**

외과 11-1-1 악관절 질환을 분류할 수 있다. (B)

---

2. 악관절 내장증

(1) **원인**

관질원판의 변위 및 원판의 형태 이상, 천공, 섬유성 유착 등에 의해 발생

(2) **증상**

기능장애, 운동의 제한, 악관절 부위나 안면부에 동통, 두통, 근육통, 관절 잡음

(3) 치료과정

① 동통을 완화시키고, 기능회복을 시행

② 비외과적: 관절 내 압박의 회복으로 물리치료, 행동치료, 약물치료 및 교합 안정장치

③ 외과적: 관절강 세척술, 악관절경 수술, 악관절 성형술, 악관절 제거술

외과 11-2-1 악관절 내장증의 원인을 기술할 수 있다. (B)

외과 11-2-2 악관절 내장증의 증상을 기술할 수 있다. (B)

외과 11-2-3 악관절 내장증의 치료방법을 기술할 수 있다. (B)

---

3. 악관절 탈구

(1) 분류

① 급성 탈구: 심한 동통과 함께 폐구불능 상태로 연하장애 및 전이 부위의 함몰이 나타남

② 만성 탈구(습관성 탈구, 재발성 탈구)

(2) 증상

① 얼굴모양이 길어지고 하악 전돌과 같은 상태가 됨

② 양측성인 경우 폐구불능, 편측성인 경우 하악 편위됨

③ 귓불 앞부분이 움푹 들어가고 하악은 협골궁 아래로 돌출

④ 통증을 동반하는 경우도 있음

⑤ 급성 탈구 시 측두통, 작열감, 종창, 압통, 신경예민, 연하장애, 안면비대칭이 나타남

⑥ 만성 탈구 시 급성 탈구에 비하여 통증이나 작열감이 심하지 않음

(3) 치료과정

① 술자는 양쪽 엄지손가락에 거즈를 감고 환자의 전방에 서서 한쪽 손가락으로 환자의 최후방 구치부 뒤쪽의 외사능 부위에 올려놓은 뒤 다른 손가락으로 하악골 우각부와 하연을 단단히 잡은 뒤 순간적으로 하악을 하방으로 밀면서 동시에 후방으로 밀어 하악와에 집어 넣음

② 정복된 후 2~3일 간 탄력붕대를 감아 고정과 안정을 도모하여 재발과 습관화를 방지

③ 맨 손으로 정복을 할 수 없는 경우에는 전신마취 하에 정복하는 경우도 있음

외과 11-3-1 악관절 탈구를 분류할 수 있다. (B)

외과 11-3-3   악관절 탈구 시 치료방법을 설명할 수 있다. (A)

제12장 | 타액선질환

1. 타액선질환의 종류

① 염증성 질환: 급성 타액선염, 만성 타액선염, 유행성 이하선염
② 폐쇄성 장애: 점액류, 하마종
③ 타석증
④ 구강건조증
⑤ 타액선 종양

외과 12-1-1   타액선질환의 종류를 분류할 수 있다. (A)

2. 타액선질환의 원인, 증상 및 치료

	급성 타액선염	만성 타액선염
원인	• 이하선의 급성 화농성 이하선염 • 고령, 노인, 영양장애, 만성질환자 등에서 발생 • 평균 호발 연령: 60세 남자	• 급성 타액선염의 만성화 • 장시간의 전신마취 및 탈수질환에 의해 발생
증상	• 발열 • 갑작스런 종창 및 발적 • 개구부위의 화농 • 편측성	• 무통 • 타액선의 경결 • 도관 폐쇄 • 구강 내 건조증 • 농양 및 낭종 발생
치료	• 수액제 및 항생제 투여 • 외과적 절개 및 배농 • 온습포 적용	• 타액선 조영술 시행 • 약물 투여, 분비관 세척, 구강 내 청결, 물리적 보존치료, 타액분비 촉진 • 경우에 따라 타액선 적출술 시행 • 재발 빈번

| 외과 12-1-2 | 타액선 질환의 증상을 기술할 수 있다. (B) |

| 외과 12-1-3 | 급성 타액선염의 원인을 기술할 수 있다. (B) |

| 외과 12-1-4 | 급성 타액선염의 증상을 기술할 수 있다. (B) |

| 외과 12-1-5 | 급성 타액선염의 치료방법을 기술할 수 있다. (B) |

| 외과 12-1-6 | 만성 타액선염의 증상을 기술할 수 있다. (B) |

| 외과 12-1-7 | 만성 타액선염의 치료방법을 기술할 수 있다. (B) |

3. 유행성 이하선염의 증상

(1) 특징

① 바이러스성 감염(원인균: paramyxovirus)의 급성열성질환으로 이하선에 주로 침범

② 12세 내외 아동에게 많이 발생(겨울, 봄에 호발)

③ 2~3주의 잠복기 → 동통이 수반되는 이하선 종창이 발생

④ 대개는 7~10일 내에 자연치유

⑤ 뇌막염, 고환염, 췌장염 등의 발병증이 발생할 수 있음

(2) 증상

① 대부분 양측성으로 발생

② 발열, 갑작스런 이하선의 종창 및 동통 발생

(3) 치료

① 동통의 완화, 발열의 감소, 수분 공급 등의 대증요법을 시행

② 충분한 휴식을 취하도록 함

| 외과 12-1-8 | 유행성 이하선염의 증상을 기술할 수 있다. (B) |

4. 타석증의 원인과 치료방법

① 원인: 이물질에 칼슘염이 침착

② 치료방법

- 급성: 항생제 및 진통해열제 투여, 소염요법
- 완화 후: 외과적 적출 시행

| 외과 12-1-9 | 타석증의 원인을 기술할 수 있다. (B) |

| 외과 12-1-10 | 타석증의 치료방법을 기술할 수 있다. (B) |

제13장 | 구강악안면영역의 신경질환

1. 삼차신경통

(1) 증상

① 극심한 동통, 수 초에서 수 분간 지속
② 발통 전 주변의 접촉성 자극이나 온도 자극에 의해 유발

(2) 치료방법

① 항경련성 약물 투여
② 알코올을 이용한 신경차단요법
③ 레이저 치료 및 감압술

| 외과 13-1-1 | 삼차신경통의 증상을 기술할 수 있다. (B) |

| 외과 13-1-2 | 삼차신경통의 치료방법을 기술할 수 있다. (B) |

2. 삼차신경마비

(1) 원인

악골절의 외상, 매복치 발치, 종양, 전달마취 등의 삼차신경의 손상에 의해 발생

(2) 증상

대개 신경에 직접적 손상이 없으면 6개월 이내에 회복됨

| 외과 13-2-1 | 삼차신경마비의 원인을 기술할 수 있다. (B) |

| 외과 13-2-2 | 삼차신경마비의 증상을 기술할 수 있다. (B) |

3. 안면신경마비

(1) 원인

① 한랭자극, 바이러스 감염, 외상으로 인한 신경의 손상 및 종양 등의 복합적 작용

② 치과: 외상, 감염, 의원성 손상 등에 의해 발생

(2) 증상

① 이환측의 운동기능 실조 → 이마 주름 소실, 하안검 및 구각의 쳐짐

② 미각 상실

③ 타액선의 분비 장애

④ 연구개 마비

⑤ 발음과 저작이 어렵고, 혀의 전방부 미각상실이 일어남

⑥ 경미한 경우 수개월에서 완화, 1년 이상 지속될 수도 있음

(3) 치료

① 부종 방지 및 소염 목적의 경구제 투여

② 혈행 개선 목적의 약물요법

③ 물리치료

④ 안면신경 감압술

⑤ 신경문합술 및 이식술

| 외과 13-2-3 | 안면신경마비의 원인을 기술할 수 있다. (B) |

| 외과 13-2-4 | 안면신경마비의 증상을 기술할 수 있다. (B) |

| 외과 13-2-5 | 안면신경마비의 치료방법을 기술할 수 있다. (B) |

4. 연조직 치유과정 2022 기출

(1) 1차 치유과정

① 날카로운 변연을 가진 창상이 발생 후 짧은 시간 내에 재접합되었을 때 일어남

② 1차 봉합 창상에서는 상피화나 창상의 수축이 거의 없음

    ex 잘 봉합된 열상이나 절개, 완벽하게 정복된 골절, 깊은 관통상, 3도 화상

(2) 2차 치유과정

① 외과적 처치없이 자연적인 생물학적 과정에 의하여 일어나며 보통 연조직의 상실과 관련된 큰 창상에서 발생함

② 결손부는 먼저 혈병으로 채워지고 육아조직으로 치환 → 창면이 협소화되고 얇아지면 상피화가 개시

    ex 발치창의 치유, 연조직의 광범위한 조직 상실·치유, 깊은 궤양

외과 13-3-1	연조직의 1차 치유과정을 설명할 수 있다. (B)

외과 13-3-2	연조직의 2차 치유과정을 설명할 수 있다. (B)

5. 창상치유를 지연시키는 요소 `2022 기출`

① 감염

② 창상의 크기: 크기가 클수록 치유과정이 긺 → 봉합으로 창상의 크기를 줄여줌

③ 혈액의 공급상태: 가장 중요한 요소 → 충분히 공급되지 못하면 치유 지연

④ 이물질: 발치창 치유지연의 가장 흔한 원인

⑤ 환자의 전신상태: 심한 빈혈, 당뇨병 및 만성 소모성 질환

외과 13-3-3	창상치유를 지연시키는 요소를 열거할 수 있다. (A)

6. 발치와의 치유과정

(1) 제1기(혈병기)

① 치조골염으로 발전되기 쉬우므로 주의를 요하는 기간

② 수분에서 30분 사이에 출혈이 멈추고 혈병이 형성되기 시작

(2) 제2기(육아기)

① 수술 후 2~3일째: 혈병의 기질화가 시작

② 수술 후 4~5일 후: 치은변연부의 반응성염이 소실, 일부의 괴사양 소견

③ 수술 후 7일: 혈병이 육아조직으로 대치

(3) 제3기(화골기): 약 10~15일(2주) 후: 발치와의 치조벽면에 골아세포가 증식

(4) 제4기(성숙기)

　　① 약 1개월 후: 발치와의 골형성이 성숙화되고 건강한 상태로 수복

　　② 약 2~6개월 후: 발치와 내의 골개조는 끝나고 발치창은 치밀골이 형성되고 완전히 치유

외과 13-3-4　발치와의 치유과정을 열거할 수 있다. (A)

7. 건성발치와

　　① 발치 후 정상적인 혈병이 형성되지 않아 발치와의 치유과정이 중단된 상태

　　② 치조골염: 발치 후 2~3일 후 발생(즉시 발생하지는 않음)

　　③ 혈병이 세균성 분해 산물에 의해 파괴 → 심한 통증과 악취

　　④ 치료: 창상 세척, 항생제, 유지놀 거즈

외과 13-3-5　발치창의 치유이상을 설명할 수 있다. (A)

8. 구강출혈 처치

(1) 지혈처치방법

　　① 압박지혈법　　④ 압박붕대법　　⑦ 지혈제 이용

　　② 탐폰법　　　　⑤ 발치와 봉합법　⑧ 혈관봉합법

　　③ 지압법　　　　⑥ 전기응고법　　⑨ 창상면봉합법

(2) 국소적 지혈제

　　① Gelatine sponge　　　　④ Fibrin접착제

　　② Oxidizing cellulose제　　⑤ Bone wax

　　③ Topical bovine thrombin　⑥ 혈관수축제

(3) 전신적 지혈제

　　① 혈관 강화제　　　　　　　④ 혈소판 감소에 대한 약제

　　② 응고 촉진제(thrombokinase)　⑤ 혈액응고인자 약제

　　③ 항섬유소용 해제

외과 13-4-1	지혈처치방법을 열거할 수 있다. (A)

외과 13-4-2	국소적으로 적용하는 지혈제를 열거할 수 있다. (B)

외과 13-4-3	전신적으로 적용하는 지혈제를 열거할 수 있다. (B)

제14장 | 구강악안면영역의 선천적 이상과 변형

1. 구강 연조직의 소대 이상

(1) 설소대 이상

① 설소대가 혀 첨단부 및 치조정상 부근에 부착함으로써 혀의 운동이 제한되어 혀를 전방으로 내밀려고 하면 혀 첨단부가 둘로 갈라짐

② 젖먹이 아이는 젖을 빨기 힘들며 소아는 발음장애 유발

③ 치료: 소대연장술, 소대절단술

(2) 상순소대 이상

① 상순소대가 양측 상악 중절치 간을 넘어 절치유두부에 이르는 경우에 상순의 운동장애나 상악 좌우 중절치 간에 이개가 생김

② 치료: 소대연장술, 소대절제술

(3) 협소대 이상

① 협소대에 이상이 있으면 부근의 치아는 치주질환에 이환되기 쉬움

② 치아가 없는 경우는 소대가 치조정상 부근에 부착하기 때문에 의치상연의 연장이 곤란하게 되어 의치의 불안정화 초래

③ 치료: 소대연상술, 소대절제술

외과 14-1-1	구강 연조직의 소대 이상을 설명할 수 있다. (B)

2. 설소대 강직증

(1) 치료목적

① 발음장애, 연하장애, 하악 중절치 사이 이개 해소를 위해

　　② 치주질환 예방을 위해

　　③ 의치의 불안정화를 없애기 위해

(2) 치료시기

　　말을 배우기 시작하는 2세 이전에 시행

외과 14-1-2	설소대강직증의 치료목적을 설명할 수 있다. (B)

외과 14-1-3	설소대강직증의 치료시기를 설명할 수 있다. (B)

3. 구순·구개열의 발생기전

(1) 발생기전

　　① 구순열
　　　　• 발생: 태생 4주경
　　　　• 내측비돌기와 상악돌기 융합부전

　　② 구개열
　　　　• 발생: 태생 6~12주
　　　　• 구개돌기와 비중격의 융합부전

(2) 발생률

　　① 약 1,000명 중의 1명

　　② 편측성은 5:3으로 좌측에 많이 발생

　　③ 구순열은 남자, 구개열은 여자가 많이 발생

외과 14-2-1	구순·구개열의 발생기전을 설명할 수 있다. (B)

4. 구순·구개열의 원인과 수반되는 장애, 수술시기

(1) 원인

　　① 유전, 감염, 약물, 방사선, 당뇨 등의 환경적 요인

　　② 구순열: 내측비돌기와 상악돌기 융합부전

　　③ 구개열: 구개돌기와 비중격의 융합부전

(2) 수반되는 장애

 ① 발음장애

 ② 치열부정

 ③ 우식

 ④ 상악골의 성장부전 및 변형

 ⑤ 형태적, 심리적 장애, 포유 및 흡입장애, 저작, 연하장애

(3) 수술시기

 ① 구순열: 생후 3~4개월(악렬 폐쇄, 외비 형성술, 구순 형성)

 ② 구개열: 연구개열은 1세, 경구개는 4세에 수술시행을 권고하였으나 최근에는 발음을 고려하여 1세~2세 정도에 권고

 ③ 치조열의 치료: 9~11세

외과 14-2-2   구순·구개열의 원인을 기술할 수 있다. (B)

외과 14-2-3   구순·구개열의 수반되는 장애를 설명할 수 있다. (B)

외과 14-2-4   구순·구개열의 수술시기를 설명할 수 있다. (B)

5. 두개악안면 기형의 종류

 ① 무악증   ④ 상악후퇴증

 ② 거악증, 소하악증   ⑤ 하악비대칭

 ③ 하악 전돌증, 상악 전돌증   ⑥ 개교증

외과 14-3-1   두개악안면 기형의 종류를 열거할 수 있다. (B)

05 PART ▶▶

치과보철학

Dental Prosthodontics

DENTAL HYGIENIST

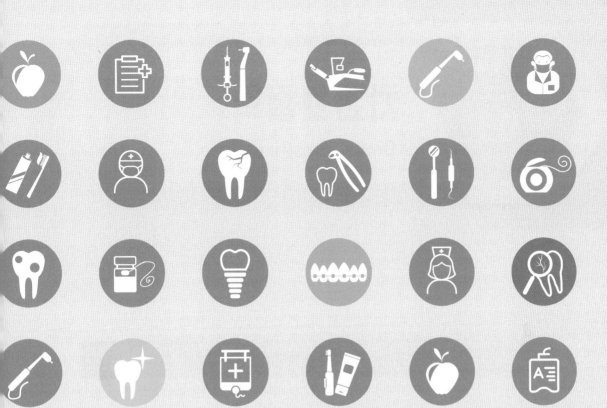

POWER 치과위생사 국가시험 핵심요약집 2권

PART 05

치과보철학
Dental Prosthodontics

제1장 | 치과보철치료

1. 치과보철학

치아우식증이나 치주병 또는 사고 등으로 결손된 치아, 그와 관련된 주위 조직을 인공적 대용물로 보충하여 손상된 기능, 외모, 발음, 저작을 회복하고 유지시켜 주는 임상치의학의 한 분야

> **보철 1-1-1** 치과보철학의 정의에 대하여 설명할 수 있다. (B)

2. 치과보철치료의 목적

① 구강 또는 안면 형태변화의 회복
② 기능의 회복(저작, 연하, 발음 등 저하된 기능을 회복)
③ 결손과 상실에 의한 2차적인 피해를 예방
④ 심미유지

> **보철 1-1-2** 치과보철치료의 목적을 설명할 수 있다. (B)

3. 치과보철치료를 필요로 하는 환자

① 치아의 상실과 결손

② 저작, 통증 및 외관상의 주된 문제 호소

| 보철 1-1-3 | 치과보철치료를 필요로 하는 환자를 나열할 수 있다. (A) |

4. 치과보철치료의 특징

① 치아의 상실 없이 치아우식증이나 치관파절 등으로 치관의 형태가 붕괴되는 경우 인공재료를 이용하여 외관과 기능 회복

② 하나 또는 그 이상의 다수 치아가 상실된 경우 결손된 치아 부위를 인공치아와 인공치은으로 회복

| 보철 1-1-4 | 치과보철치료의 특징을 설명할 수 있다. (A) |

5. 치과보철치료 대상자의 연령과 보철치료와의 관계

① 젊은 층: 고정성 보철물(금관, 가공의치)

② 노년 층: 가철성 보철물(국소의치, 총의치)

| 보철 1-1-5 | 치과보철치료 대상자의 연령과 보철치료와의 관계를 설명할 수 있다. (A) |

6. 치과보철물의 종류

① 고정성 보철물: 금관(crown), 심미보철(esthetic prosthodontics), 가공의치(bridge)

② 가철성 보철물: 국소의치(partial denture), 총의치(full denture)

③ 치과 임플란트(dental implant)

④ 악안면 보철

| 보철 1-1-6 | 치과보철물의 종류를 열거할 수 있다. (B) |

7. 치과보철물의 형식

① 고정성 보철물: 보존적인 방법으로 치아를 유지하기 어렵거나, 하나 이상의 치아가 상실된 경우 치아를 삭제하고 고정성 수복물로 회복시키는 것

② 가철성 보철물: 국소의치와 총의치가 있으며 치료목적에 따라 즉시의치, 임시의치, 치료의치, 구성에 따라 피개의치, 이식의치로 구분

③ 치과 임플란트: 치아가 상실된 부위에 금속으로 만들어진 인공치근을 심고 그 위에 치관이나 의치를 부착시켜 치아의 기능을 대신하는 것

④ 악안면 보철: 인공 대체물로 악안면 결손 부위를 수복하는 보철물

> **보철 1-1-7** 치과보철물을 형식에 따라 설명할 수 있다. (B)

8. 치과보철물의 종류별 적응증 `2021 기출` `2022 기출`

(1) 고정성 보철물

① 금관: 치아우식증 또는 치관파절로 인하여 치질의 결손이 큰 경우 해부학적 치관을 전부 덮어서 원래의 형태와 기능을 하게 하는 보철물

② 심미보철: 변색된 치아, 치간이개, 치아 배열이 불규칙한 치아 등으로 인해 심미적이지 않는 경우 자연치아와 색조 및 투명감이 유사한 도재를 이용하여 수복해주는 보철물

③ 가공의치(Bridge)
- 한 개 이상의 치아가 상실된 경우 상실치 양쪽의 건강한 치아에 금관을 제작하고 인공치를 연속형으로 연결한 보철물
- 2개 이상의 지대장치와 1개 이상의 가공치를 갖고 이를 연결하는 연결부로 구성

(2) 가철성 보철물

① 국소의치: 다수의 치아를 상실하거나 후방에 지대치가 없는 경우에 이를 수복하는 보철물

② 총의치: 자연치아가 전부 소실된 경우 이를 수복하는 보철물

(3) 치과 임플란트

① 상실된 치아 및 주위 구조물을 재건하는 보철

② 치아삭제를 꺼리거나 가철성 의치사용을 주저하는 경우 고정성 보철물로 사용

(4) 악안면 보철

① 구강 및 안면부의 소실이 함께 수반되는 경우 안면의 심미와 기능을 회복시키기 위해 가철성 혹은 비가철성으로 수복

> **보철 1-1-8** 치과보철물의 종류별 적응증을 설명할 수 있다. (B)

9. 치과보철치료에서 소독의 원칙

① 소독 전 혈액과 분비물을 제거해 둘 것
② 세균 수는 줄일 것
③ 적정 농도의 소독약을 사용할 것
④ 충분한 소독시간을 취할 것

> **보철 1-1-9** 치과보철치료에서 멸균과 소독의 원칙을 설명할 수 있다. (B)

> **보철 1-1-10** 치과보철치료에서 교차감염을 설명할 수 있다. (B)

10. 구강 내에서 사용한 보철기구의 소독방법

① 핸드피스: 세척 → 윤활 → 가열멸균
② 스텐레스 바
  • 습기와 열에 의한 부식이 거의 발생하지 않음
  • 가열증기멸균이나 가열멸균을 하기 전에 기구 표면 잘 세척
③ 텅스텐 카바이드 바
  • 가열증기멸균하면 부식이 일어나고 날이 무뎌져 절삭 효율이 감소
  • 건열멸균이나 불포화 화학증기멸균기에서 처리
④ 교합제와 왁스바이트: 아이오도포를 사용하여 스프레이법으로 도포
⑤ 교합등록 재료: 살균 소독제를 이용하여 스프레이 형태로 소독(단, ZOE인상체는 염소화합물 피함)
⑥ 개인용 인상트레이나 Mouth protector: 1:2나 1:3으로 희석한 아이오도포나 1:10 차아염소산나트륨에 담그거나 표면소독제를 스프레이해서 소독할 수 있음
⑦ 치아모형: 완성된 후 아이오도포 스프레이로 소독

⑧ 러버볼과 스파튤라: 스프레이법(글루타르알데하이드, 페놀류, 아이오도포 등 사용)

⑨ 기성 인상트레이: 인상재 제거 후 잘 닦아서 멸균, 밀폐된 공간에 보관

⑩ 교합기, 안궁, 플레인 가이드, 토치, 쉐이드 가이드: 소독제로 잘 닦고 스프레이(2분 이상 소독제 습기 유지 후 닦아서 말림)

보철 1-1-11 　사용한 보철기구의 소독방법을 설명할 수 있다. (B)

11. 감염증 환자의 치과보철기재의 소독방법

① 소형 기구류는 가능한 한 1회용을 사용하고 사용 후에는 정해진 용기에 넣어 내용물 명기 후 의료폐기물로 취급

② 핸드피스는 비닐 등으로 싼 후 사용하고 turbine은 압축공기의 역류방지기구가 구비 되어 있는 것을 사용한다. 사용 후 10배 sterihyde를 함유한 gauze 등으로 닦은 후 이 용액을 함유한 gauze 등으로 핸드피스를 싸서 가능한 한 장시간 방치

③ 인상, 교합상, 납의치 등은 12배 purax(sodium hypochlorite, 유효염소 6%)에 15분 동 안 침적

④ Linen류는 1회용 제품을 사용하고 사용 후에는 의료폐기물로 취급

보철 1-1-12 　감염증 환자의 치과보철기재의 소독방법을 설명할 수 있다. (B)

12. 치과보철치료의 진료협조행위

① 보철치료의 과정에 대한 설명

② 치석제거, 방사선사진 촬영, 진단모형 제작

③ 보철치료 시작 전, 치료 중, 장착 후 구강보건교육 시행

④ 정기적인 구강검진의 중요성 교육

보철 1-1-13 　치과보철치료의 진료협조행위를 열거할 수 있다. (B)

13. 치과기공과의 관련된 치과위생사의 업무

① 기공의뢰서에 필요한 사항과 치과의사의 지시내용 명확하게 작성

② 진료실 내의 임상처치와 치과기공작업 간의 교류 수행

③ 임상처치 뿐만 아니라 치과기공과정을 전반적으로 파악

보철 1-1-14 　치과기공과의 관련된 치과위생사의 업무를 설명할 수 있다. (A)

14. 치과보철치료 환자에게 필요한 환자지도 내용

(1) 치과보철치료 시작 전에 필요한 환자지도 내용

　　① 현재의 증상과 진단결과 및 치료계획 설명

　　② 진료기간 중 불편사항

　　③ 환자의 협조사항

　　④ 인공보철물의 한계성

　　⑤ 구강위생관리 방법

(2) 치과보철치료 기간 중에 필요한 환자지도 내용

　　① 환자에게 세심한 주의를 기울여야 함(지대치, 치은의 변형이 발생되지 않도록)

　　② 환자의 의문사항을 적극적으로 해결

(3) 치과보철물 장착 후에 필요한 환자지도 내용

　　① 자연치아와 달리 치은과 구강점막에 영향을 줄 수 있다는 점

　　② 구강위생관리 방법

　　③ 보철물과 치아경계부위 관리 방법

　　④ 구강위생용품 사용법

　　⑤ 정기적인 구강검진

보철 1-1-15 　치과보철치료 환자에게 필요한 환자지도 내용을 설명할 수 있다. (A)

제2장 | 치과보철치료의 기초지식

1. 치열

　영구치의 맹출이 끝난 후 교합면 방향에서 본 상·하악 치아의 열

보철 2-1-1 　치열을 설명할 수 있다. (A)

2. 치조제

- 치은조직과 악골로 이루어져 치근이 턱뼈에 고정될 수 있도록 도와주는데 치조제의 꼭대기를 치조정이라고 함
  ① 상악에서는 순측 및 협측이 흡수가 더 많이 되기 때문에 상악 치열궁은 시간이 지남에 따라 점차 작아지는 경향
  ② 하악 치조제에서의 골흡수는 주로 높이가 낮아지면서 설측의 흡수가 동시에 이루어지므로 치조궁의 크기는 거의 변화하지 않거나 오히려 커져 보이는 경우가 많음

보철 2-1-2	치조제를 설명할 수 있다. (A)

3. 치열궁

구치군의 협측 교두정과 견치의 교두정, 절치군의 절단연을 연결한 궁상의 선

보철 2-1-3	치열궁을 설명할 수 있다. (A)

4. 만곡의 종류별 특징 2021 기출

(1) 전후적 교합만곡
  ① 상악 치열을 협측면에서 볼 때 협측 교두정을 연결한 가상의 선
  ② 아래로 돌출된 원호를 보임

(2) 스피만곡
  ① 하악 치열을 측방에서 볼 때 하악의 소구치 및 대구치의 협측교두정을 연결한 가상의 선
  ② 하악치열을 협측에서 관찰하면 교합면과 절단연이 만곡을 이룸
  ③ 안와 내 누골 상연 부근에 중심을 둔 원호를 이룸

(3) 측방교합만곡(윌슨씨만곡)
  ① 자연치열의 전두면에서 볼 때 좌우 구치의 협·설 교두정을 연결한 가상의 곡선
  ② 상악에서는 볼록하고, 하악에서는 오목

(4) 몬슨만곡
  ① 각 치아의 교두와 절단면이 접촉하는 교합의 이상적인 곡선

② 스피만곡과 윌슨만곡의 결합으로 하악에서는 오목하고 상악에서는 볼록함

(5) 역몬슨만곡

① 측방교합만곡이 반대로 상방으로 돌출한 형

② 교합면의 교모와 마모가 심해져 교두가 닳아 몬스만곡의 반대로 돌출

보철 2-1-4   만곡의 종류별 특징을 설명할 수 있다. (A)

5. 평면의 종류별 특징 2022 기출

(1) 교합평면

① 하악 중절치의 절단연과 하악 좌우 제2대구치의 원심 협측 교두정을 포함한 가상평면

② 보철치료 시 교합면 형성의 기준

(2) 프랑크푸르트 평면

① 좌우 안와변연의 최하점과 양측 외이도 변연이 최상점을 연결하는 평면

② 모형제작, 두부 X선 규격사진촬영, 상악모형을 교합기에 장착 시 이용

(3) 캠퍼평면

① 비익 하연과 이주 상연을 잇는 선을 캠퍼선이라 하고 좌우 두 선 사이에 이루는 평면

② 교합평면과 일치하지는 않으나 평행에 가깝기 때문에 교합평면을 알 수 없을 때 가상교합평면을 정하는 기준

③ 무치악 환자의 총의치 제작 시 가상의 교합평면을 결정할 때 이용

보철 2-1-5   평면의 종류별 특징을 설명할 수 있다. (A)

6. 정상적인 교합관계

① 상하악이 맞물린 상태일 때 상악 치아는 하악 치아를 덮음

② 하악 중절치와 상악 최후방 치아를 제외한 각 치아는 대합치열의 두 개의 치아와 서로 닿은 상태

③ 각 구치의 기능 교두는 서로 대합되는 치아의 교합면에 있는 와 또는 변연융선과 교합 접촉하면서 치열 전체의 안정된 상태 유지

보철 2-1-6   정상적인 교합관계를 설명할 수 있다. (A)

7. 하악위

① 상악에 대한 하악의 임의적인 위치관계

② 종류: 중심위, 중심교합위(교두감합위), 하악안정위, 편심(교합)위

> **보철 2-2-1**   하악위를 설명할 수 있다. (A)

8. 중심위

① 하악이 상악에 대해 최후방 위치에 있고, 경첩운동을 할 수 있는 범위 내에서 좌·우로 편위가 없는 하악의 위치(악관절 기준)

② 치아 접촉과는 관계가 없이 항상 일정하게 재현

③ 무치악 환자의 교합을 재구성하기 위한 기준위

> **보철 2-2-2**   중심위를 설명할 수 있다. (A)

9. 중심교합위 `2020 기출`

① 형태적으로나 기능적으로 정상적인 교두감합상태에 있을 때의 하악위

② 상·하악 치열이 가장 많은 부위에서 접촉하고 안정된 상태

③ 정상인 경우 중심위와 중심교합위의 위치가 일정

④ 중심교합위는 교모, 정출, 결손 등에 의해 변할 수 있음(시간의 경과에 따라 변할 수 있음)

> **보철 2-2-3**   중심교합위를 설명할 수 있다. (A)

10. 하악안정위 `2019 기출`

① 환자가 직립위에 있고 완전히 휴식 중일 때 측정되는 하악골의 위치

② 안정 수직고경은 교합 수직고경보다 2~3 mm 크게 나타남

③ 생리적 안정기준(평생을 통해 잘 변하지 않음)

④ 안정간격을 이용하여 총의치의 교합 높이를 결정(보철치료에서 중요한 기준이 됨)

> **보철 2-2-4**   하악안정위를 설명할 수 있다. (A)

11. 편심위

① 중심교합위 또는 중심위에서 하악을 측방으로 이동시켰을 때 하악의 위치

② 전방위, 측방위, 후방위 등

| 보철 2-2-5 | 편심위를 설명할 수 있다. (B) |

12. 저작운동 시 작업측과 비작업측

저작운동 시 씹는 쪽으로 하악을 움직였을 때 움직여 간 쪽을 작업측이라 하며, 그 반대측을 비작업측이라 한다.

| 보철 2-2-6 | 저작운동 시 작업측과 비작업측을 설명할 수 있다. (B) |

13. 하악운동에 관여하는 근육

교근	하악 거상(교합력 발현)
측두근	전부, 중부: 하악 거상, 후부: 하악 후퇴
내측익돌근	하악 거상·하악 전방 운동
외측익돌근	하악 전방
악이복근	하악 전방·후방운동(보조)

| 보철 2-2-7 | 하악운동에 관여하는 근육을 설명할 수 있다. (B) |

14. 하악의 한계운동범위

① 하악운동은 골, 악관절, 근육, 인대, 기타 연조직, 치아의 접촉에 의해 규제

② 하악 절치점에 있어서의 운동 범위를 입체적으로 나타낸 것

③ 수평면, 전두면, 시상면에서 관찰할 것

| 보철 2-2-8 | 하악의 한계운동범위를 설명할 수 있다. (B) |

15. 하악의 기본운동

(1) 개폐운동

① 습관성 개폐운동: 일상적으로 의식치 않고 반사적으로 일어나는 운동으로 보철물 제작 시 교합채득, 교합조정에 이용

② 경첩운동: 하악을 중심위에서 개폐운동시킬 때 하악두가 하악와 내에 회전운동하는 것

(2) 전방 운동

① 상·하악 치아의 교합 접촉을 유지하면서 하악을 전방으로 이동하는 운동(약 10 mm)

② 하악의 기본운동은 상·하악 치열의 교합면과 관절의 형태에 의해 결정

(3) 후방운동: 상·하악 치아의 교합 접촉을 유지하면서 하악을 교두감합위로부터 최후방교합위까지 후방으로 이동하는 운동(약 1 mm)

(4) 측방운동

① 하악을 교두감합위 또는 중심위로부터 우측 방위 또는 좌측 방위까지 상·하악 치아를 접촉 활주시키면서 이동하는 운동

② 보철물의 교합면 형태, 교합조정 시 중요

| 보철 2-2-9 | 하악의 기본운동을 설명할 수 있다. (B) |

16. 교합양식의 종류별 특징

(1) 양측성 평형교합(균형교합)

① 중심교합위(교두감합위)에서부터 하악이 측방운동하는 전 과정 동안 모든 치아가 동시 접촉

② 총의치 제작 시 의치의 안정을 얻을 수 있는 바람직한 교합양식

(2) 편측성 균형교합(군기능교합)

① 측방운동 시 작업측에서 구치부의 모든 치아가 접촉하고 비작업측의 교합면은 접촉하지 않는 교합양식

② 작업측에 가해지는 측방압을 가급적 많은 치아에게 분산시키게 됨

(3) 견치유도교합

① 전방운동 시 전치군이 접촉하고 측방운동 시 작업측의 견치만이 접촉해서 다른 모든

전치, 구치가 이개하는 교합양식

② 치아의 접촉이 적으므로 치아가 최소한으로 마모되고 치주조직에 부담이 적어 건강한 치주조직을 갖게 하는 자연치의 이상적인 교합형태

③ 연령 증가와 교모에 의해 군기능교합으로 이행하는 경우가 많음

> **보철 2-2-10** 교합양식의 종류별 특징을 설명할 수 있다. (A)

17. 베넷운동

측방운동 시 작업측의 하악두는 회전을 주체로 한 근소한 운동

> **보철 2-2-11** 측방운동 시의 베넷운동(Bennett's Movement)을 설명할 수 있다. (B)

18. 치아상실 후 치조부의 주요 변화

① 발거된 치조와 → 혈병 → 육아조직 → 신생골

② 골의 위축경향을 나타냄

③ 골 흡수 속도는 여러 가지 원인에 따라 달라짐

④ 상악의 경우 순·협측이 흡수되기 쉬움

⑤ 하악의 경우 전치, 소구치부는 순협측·설측에서 주로 높이가 낮아지는 골 흡수 경향, 대구치부는 설측이 흡수되기 쉬움

⑥ 무치악의 치조궁: 상악 치조궁 < 하악 치조궁

⑦ 상악은 낮아지고 작아지는 경향이 있고, 하악은 낮아지며 변하지 않거나 오히려 커 보이는 경향이 있음

> **보철 2-3-1** 치아상실 후 치조부의 주요 변화를 설명할 수 있다. (A)

19. 치아상실 후 인접치아 및 대합치아의 변화

① 인접면 접촉을 상실하여 서서히 기울어지며 이동

② 대합치아는 서서히 정출

③ 구강기능의 저하

④ 교합 붕괴 → 우식 및 치주질환, 악관절 이상 등

보철 2-3-2 │ 치아상실 후 인접치아 및 대합치아의 변화를 설명할 수 있다. (A)

20. 치아상실 후 안모가 변화하는 기전 2021 기출

① 상·하악 치아에서 다수치가 상실되면 입술, 뺨이 움푹 들어감
② 교합지지를 상실: 수직고경의 감소, 주름이 심해지고 더욱 안모가 변함

보철 2-3-3 │ 치아상실 후 안모 변화를 설명할 수 있다. (A)

21. 악관절의 주요 구조

① 관절원판: 하악골의 하악두와 측두골의 하악와가 만드는 관절로, 이 둘 사이에 있는 것
② 하악두, 하악와, 관절원판: 섬유성 조직의 관절낭으로 쌓여 있음
③ 관절낭 내에는 활액이 있어 관절의 움직임을 원활하게 함
④ 관절강: 관절원판에 의해 상관절강과 하관절강으로 나뉨
⑤ 관절낭의 외측 인대: 관절 주위에서 두개골과 하악두를 연결

보철 2-4-1 │ 악관절의 주요 구조를 설명할 수 있다. (B)

22. 악관절의 주요 기능

① 음식을 먹거나 대화 시 하악 운동의 중심이 되는 관절
② 회전운동과 전방운동 이동이 가능한 특수한 기능
③ 하악두가 회전만을 했을 때 입은 상하 전치 30 mm 개구 가능
④ 하악두가 전방으로 이동하면 45~55 mm까지 개구
⑤ 크게 개구 시
  • 하악두의 윗부분과 측두골의 관절 융기는 서로 누르게 되어 큰 힘이 가해짐
  • 관절원판이 이 압력을 분산
⑥ 하악의 측방운동 시
  • 작업측: 하악두는 관절와 내에서 극소로 움직임

- 비작업측: 개·폐구 시와 유사한 움직임

| 보철 2-4-2 | 악관절의 주요 기능을 설명할 수 있다. (B) |

23. 악관절에 발생하는 질환

① 구조적 이상: 관절원판의 장애, 관절을 둘러싼 조직의 장애, 골이 변형되는 장애
② 기능적인 이상: 근육장애
③ 악관절증: 악관절의 이상
④ 악관절 내장증: 관절원판의 위치 이상 및 그로 인한 기능적·기질적 장애

| 보철 2-4-3 | 악관절에 발생하는 질환을 설명할 수 있다. (B) |

Part
05

치과보철학

24. 악관절증의 증상과 원인

① 원인
- 외상: 교통사고, 구타, 충격 등
- 악습관: 이악물기, 이갈기, 자세불량, 입술이나 뺨 깨물기
- 심리적 요인: 긴장, 스트레스, 우울, 불안감
- 유전적 원인
② 증상
- 개·폐구 시 불편하거나 소리
- 저작 또는 턱을 움직일 때 또는 입을 크게 벌릴 때 앞(귀 밑 또는 귀 뒤)부위가 아픔
- 두통, 목 어깨 결림
- 하품 시 입이 다물어지지 않음
- 현기증, 귀울림, 입맛 변화 등

| 보철 2-4-4 | 악관절증의 증상과 원인을 설명할 수 있다. (B) |

| 보철 2-4-5 | 악구강계의 기능을 설명할 수 있다. (B) |

제3장 | 고정성 보철물

1. 금관의 종류

(1) 전치부

① 금속도재관: 도재를 금속 구조물에 결합시킨 것, 도재가 가진 심미성과 금속의 높은 강도를 동시에 가짐

② Jacket crown: 도재 또는 레진에 의해 전부 피복형인 크라운

(2) 구치부

① 전부주조관: 모든 크라운 중 내구성 가장 뛰어남, 치관부의 치질 결손이 큰 구치부가 적응증

② 부분피복형

③ 금속도재관

> **보철 3-1-1** 금관의 종류를 설명할 수 있다. (B)

2. 피개 정도에 따른 금관의 분류

① 전부피개치관: 치관의 전부를 덮어주는 금관

② 부분피개치관: 치관의 일부만을 덮은 금관

> **보철 3-1-2** 금관을 피개 정도에 따라 분류할 수 있다. (B)

> **보철 3-1-3** 금관을 재료에 따라 분류할 수 있다. (B)

3. 귀금속 사용 시 장점

① 변색과 부식에 대한 강한 저항력

② 우수한 생체친화성

③ 조정 용이

④ 정밀한 주조 가능

⑤ 자연치와 유사한 강도

> **보철 3-1-4** 귀금속 사용 시 장점을 설명할 수 있다. (B)

4. 전부금속관의 장점 2021 기출

① 치아 피개면이 넓으므로 탈락에 저항하는 힘(유지력)이 좋음

② 치아형태의 재현성 우수

③ 교합면을 완전히 수복하므로 교합의 회복 우수

④ 시술과정이나 기공과정이 다른 보철물에 비해 쉽고 간단함

⑤ 치경부의 적합도 우수

⑥ 도재관보다 적은 치질 삭제량

> **보철 3-1-5**　전부금속관의 장점을 설명할 수 있다. (A)

5. 전부금속관의 단점

① 금속이 노출되므로 심미적으로 불리(구강 내에서 금속이 부식됨)

② 치수 생활력 검사 시 금속의 전기반응 때문에 치수에 대한 전기 치수검사 불리

③ 치아 전체면을 삭제하므로 치수, 잇몸에 대한 자극 가능성이 높음

④ X-ray에 불투과성이므로 2차 우식이 생기더라도 조기 발견이 어려움

> **보철 3-1-6**　전부금속관의 단점을 설명할 수 있다. (A)

6. 전부금속관의 적응증

① 보존치료로 치관부 회복이 불가능할 정도의 결손이 큰 치아

② 우식 이환율이 매우 높은 사람

③ 가철성 국소의치 장착 시 clasp가 걸리는 치아 및 attachment가 장착된 치아

④ 변색된 치아

⑤ 형태가 이상한 치아

> **보철 3-1-7**　전부금속관의 적응증을 설명할 수 있다. (A)

7. 가공의치의 구성요소

① 지대장치(retainer): 삭제된 지대치에 접착된 치관의 수복물(전치부: 금속도재관, 구치부: 전부주조관)

② 가공치(pontic): 결손된 치아를 대치하는 인공치아, 금속·금속과 도재·레진으로 제작

③ 연결부(connector): 지대장치와 가공치를 연결하는 부분

> **보철 3-2-1**　가공의치의 구성요소를 설명할 수 있다. (A)

8. 가공의치의 종류 `2021 기출`

(1) **고정성 가공의치**: 일반적인 가공의치로 연결부가 고정, 하나의 장치로 치아에 접착

(2) **반고정성 가공의치**: 지대장치와 가공의치의 연결부를 고정하지 않고 분리하여 가공의치 전체를 두 부분으로 나누어 구강 내에 접착

(3) **가철성 가공의치**: 소수치 결손에 적응, 환자 자신이 착탈할 수 있는 가공의치

(4) **기타**

① Cantilever bridge: 한 쪽 끝에만 지대치를 갖는 가공의치, 제2대구치 결손 시 제한적으로 적용
② 레진 접착성 가공의치(maryland bridge)
  • 전치부의 소수치아 결손 시 주로 사용
  • 장점: 인접 지대치의 법랑질을 일부만을 삭제하여 제작
  • 단점: 통상의 지대장치보다 유지력이 약함

> **보철 3-2-2**　가공의치의 종류를 열거할 수 있다. (A)

9. 가공치의 형태

① 안장형(saddle type): 치조제와는 크고 오목한 접촉면을 이루며, 치조제의 협설면을 덮음
② Modified ridge lap형: 많이 사용, 표면을 쉽게 청소할 수 있는 볼록한 형태, 치조제 협측면과 접촉(설측은 조직에서 완만하게 덜어지는 형태), 눈으로 보이는 심미적인 부위 많이 사용
③ Hygienic형(sanitary pontic): 무치악 치조제와 접촉하지 않는 pontic, 비심미적, 위생적
④ Conical형: 둥글고 청결 용이, 얇은 치조제 위 치아 대치하는 곳에 사용, 비심미적

> **보철 3-2-3**　가공치의 형태를 열거할 수 있다. (A)

10. 가공치의 요구조건

① 가공치 재료는 청결이 용이하고 위생적이어야 함
② 레진은 다공성이기 때문에 가공치면에 사용해서는 안 됨
③ 가공치와 치조제의 접촉부위는 작아야 하고 치조제에 닿는 가공치 부위는 가능한 볼록해야 함
④ 가공치는 각화된 부착치은에만 접촉해야 하며 치조제에 압력을 가해서는 안 됨
⑤ 치간공극은 청결이 용이하도록 가능한 한 넓게 열려 있어야 함
⑥ 가공치는 자연치보다 약간 좁게 만들며 가공치가 1개인 경우 교합면의 협·설 폭을 2/3 정도로 줄여 교합압을 지대치로 분산

보철 3-2-4 가공치의 요구조건을 설명할 수 있다. (A)

11. 지대치가 갖추어야 할 조건

① 가공의치의 장착방향을 고려하여 지대치 측벽 간의 평행성 확보
② 지대치가 되는 2개 또는 그 이상의 치아 상태를 동시에 고려
③ 지대치의 치주질환 여부와 치조골의 상태 평가
④ 지대치의 치근 면적은 인공치로 대치될 치아들의 치근면적과 같거나 또는 더 넓어야 함
⑤ 지대치 치축의 평행관계 고려(부적절할 경우 교정적 전처치)

보철 3-2-5 지대치가 갖추어야 할 조건을 설명할 수 있다. (B)

12. 가공의치의 제작과정

진단과 치료계획 → 지대치 형성 → 지대축조(post&core) → 치은압배 → 인상채득 → 교합채득 → 임시치관 → 보철물의 가공 → 시험적합, 조정접착 → 환자지도

보철 3-2-6 가공의치의 제작과정을 설명할 수 있다. (B)

13. 심미보철물의 종류 2020 기출

① 금속도재관(Metal ceramic crown): 금속 coping에 도재를 접착시켜 심미성과 강도를 고려한 금관

② 전부도재관(All ceramic crown): 도재만을 이용하여 치아의 전부를 덮는 금관

③ 도재 라미네이트 베니어(Porcelain laminate veneer): 치아의 순면을 최소한으로 삭제하여 얇은 도재판을 만들어 치아에 접착함으로서 전치의 모양과 색을 개선

④ 순 치경부 도재 변연 금속도재관(Collarless crown): 금속도재관의 순측 metal collar를 도재로 만들어 치경부 치은 부위의 심미성을 개선한 치관

보철 3-3-1　심미보철물의 종류를 설명할 수 있다. (B)

14. 심미보철물의 색조선택 방법 2019 기출

① 치아 삭제 전 선택

② 치아에 약간 물기가 남아 있는 상태에서 선택

③ 수복 할 치아의 반대편 치아의 색조를 기준

④ 너무 오랫동안 한 치아를 주시하지 않도록 주의

⑤ 기공실과 유사한 하나 이상의 광원에서 선택

⑥ Shade가 잘 맞지 않을 경우: 명도는 높고, 채도는 낮은 것 선택

⑦ 여러 사람이 확인, 관찰 횟수 증가

⑧ 명도를 맞춘 후 채도를 결정

보철 3-3-2　심미보철물의 색조선택 방법을 설명할 수 있다. (A)

15. 금속도재관의 장점

① 유지력 우수

② 강도 우수

③ 정확한 적합도

④ 심미적

보철 3-3-3　금속도재관의 장점을 설명할 수 있다. (A)

16. 금속도재관의 단점

① 치질 삭제량 많음

② 치은연하 변연치은 자극

③ 보철물과 치은경계부의 색 부조화

④ 시간경과 후 치은퇴축으로 금속 노출

⑤ 파절이 잘 됨

| 보철 3-3-4 | 금속도재관의 단점을 설명할 수 있다. (A) |

17. 금속도재관의 적응증

① 교합력을 적게 받는 전치

② 심미성이 요구되는 치아

③ 파절, 우식 이환치

④ 변색치

⑤ 국소의치의 지대치

| 보철 3-3-5 | 금속도재관의 적응증을 설명할 수 있다. (A) |

18. 금속도재관의 금기증

① 치관이 짧은 치아

② 치수가 큰 치아

③ 설면이 매우 오목하고 설면결절이 없는 치아

④ 치경부 좁은 치아

⑤ 과개교합, 반대교합, 절단연교합인 환자

⑥ 비정상적인 습관을 가진 환자

| 보철 3-3-6 | 금속도재관의 금기증을 설명할 수 있다. (A) |

19. 전부도재관의 장점 2019 기출

① 심미성 우수

② 형태, 색깔 조절 용이

③ 자연치아와 투명도 유사

④ 생체 친화성

⑤ 변색, 착색, 마모 안 됨

| 보철 3-3-7 | 전부도재관의 장점을 설명할 수 있다. (A) |

20. 전부도재관의 단점

① 특수장비 필요

② 시간이 오래 걸림

③ 제작과정 복잡

④ 파절이 쉽게 일어남

⑤ 고가의 비용

| 보철 3-3-8 | 전부도재관의 단점을 설명할 수 있다. (A) |

21. 전부도재관의 적응증

① 금속, 레진에 과민성인 경우

② 환자의 요구로 인한 구치부 수복

③ 심미적인 요구가 강한 경우

- 광범위한 치아우식

- 반상치나 변색된 치아

- 부러지거나 마모가 심한 치아

| 보철 3-3-9 | 전부도재관의 적응증을 설명할 수 있다. (A) |

22. 전부도재관의 금기증

① 미맹출치, 미성숙치(치수의 크기가 큰 치아)

② 치아가 작거나, 임상치관이 짧은 치아

③ Cingulum이 발육되지 않은 치아(유지 부족)

④ Bruxism, pipe smoker, hair pin biting의 습관이 있는 환자

⑤ 설면이 심하게 오목한 치아

⑥ Over bite가 심해 하악 전치가 상악 전치의 설면에 대합하는 경우

> **보철 3-3-10**   전부도재관의 금기증을 설명할 수 있다. (A)

23. 도재라미네이트의 장점

① 치질의 보존, 치수자극 적음

② 대개 마취가 필요 없으며, 환자의 스트레스가 적음

③ 지대치 형성시간이 적게 걸림

④ 설측 삭제 없어서 전치의 설면유도 변화 없음

⑤ 자연치아에 가까운 색조표현이 가능

⑥ 내마모성이 높고 착색이 되지 않음

> **보철 3-3-11**   도재라미네이트의 장점을 설명할 수 있다. (A)

24. 도재라미네이트의 단점

① 파절 시 수리 어려움

② 탈락의 위험 높음

③ 과풍융상태 가능성

④ 고도의 기술

⑤ 외면의 색조변화 불가능

> **보철 3-3-12**   도재라미네이트의 단점을 설명할 수 있다. (A)

25. 도재라미네이트의 적응증   2022 기출

① 변색과 착색된 치아

② 법랑질형성 부전 치아

③ 정중이개(전치부 치간이개)

④ 기형치(발육이상치)

⑤ 전치부 피개량의 개선

보철 3-3-13   도재라미네이트의 적응증을 설명할 수 있다. (A)

26. 도재라미네이트의 금기증

① 총생이 심한 경우

② 이갈이 등의 악습관이 있는 경우

③ 법랑질이 불충분한 경우

④ 절단교합, 긴밀교합으로 치아 교모를 보이는 환자

⑤ 우식, 치주염이 광범위한 경우

보철 3-3-14   도재라미네이트의 금기증을 설명할 수 있다. (A)

27. Collarless crown의 특징

① 목적: 금속도재관의 치경부 금속에 의한 심미장애 개선

② 장점: 순측 치경부가 도재로만 만들어져 치면세균막조절이 쉬워 치은건강에 유리

③ 단점: 제작이 어렵고 변연적합도가 떨어짐, 금속은 보이지 않으나 약간 부자연스러운 선이 존재

④ 적응증

　• 일반적인 PFM으로 원하는 심미적 결과를 얻기 어려울 때

　• 치경부 심미감을 특히 중시하는 경우

　• Smile line이 높아 전치의 치경부가 노출되는 환자의 치은연상에 마진을 설정하는 경우(치근노출 환자)

　• 젊은 사람 또는 견치와 같이 보철 처치 후 치은퇴축을 일으키기 쉬운 경우

⑤ 금기증

　• 가공의치의 지대치

　• 도재접합부에 아주 매끈한 1 mm 폭의 shoulder margin의 형성이 어려울 때

보철 3-3-15   Collarless crown의 특징을 설명할 수 있다. (B)

28. 귀금속도재관의 장·단점

(1) 장점

① 생체 친화성

② 강도와 탄성 등이 치아와 유사

③ 조작 용이

④ 도재와 귀금속의 좋은 결합력

⑤ 치은퇴축이 있어도 치은연하 부분이 비교적 심미적

(2) 단점

① 고가

② 낮은 강도

③ 여러 개가 연결된 가공의치에서 연결부 파절 위험성이 높은 편

보철 3-3-16　귀금속도재관의 장단점을 설명할 수 있다. (B)

29. 검사. 진단 및 전처치

① 환자의 전신질환과 치과병력 청취

② 저작근을 포함한 두부 및 목 부위와 악관절 상태를 문진, 시진, 촉진, 청진, X선 검사, 모형으로 검사 후 진단

③ 보철 전처치로 보존, 구강외과, 치주, 교정, 교합, 악관절 치료 등의 필요성 평가

보철 3-4-1　검사, 진단, 전처치의 내용을 설명할 수 있다. (B)

30. 고정성 보철물 제작의 임상과정 **2022 기출**

진단과 치료계획 → 지대치 형성 → 지대축조(post & core) → 치은압배 → 인상채득 → 교합채득 → 임시치관 → 금관의 기공 → 시험적합, 조정접착 → 환자지도

보철 3-4-2　고정성 보철물 제작의 임상단계를 열거할 수 있다. (A)

31. 지대치 형성 목적

① 보철물이 장착될 수 있는 공간 부여

② 보철물의 지지와 유지 부여

> **보철 3-4-3** 지대치 형성 목적을 설명할 수 있다. (A)

32. 지대치 형성 시 생체 고려사항

① 마찰열로 인한 치수 손상을 방지하기 위해 절삭 효율이 높은 bur와 냉각수 이용

② 보안경 착용: 파편이 눈으로 들어가는 것을 방지

③ 시야확보: 충분한 채광

④ 좋은 시야와 술자의 피로를 줄이기 위해 가끔 환자와 술자의 위치 변화 필요

⑤ 연조직 보호: 혀와 협점막, 입술 철저히 retraction, steel matrix band로 인접치아 보호

⑥ 물과 타액 신속배제: Vacuum tip, saliva ejector

> **보철 3-4-4** 지대치 형성 시 생체 고려사항을 설명할 수 있다. (A)

33. 고정성 보철물의 지대치 형성과정

① 국소마취

② 교합면 – 협설면 – 근원심부 치아 삭제

③ 교합면, 협설면, 근원심면 등이 만나는 line angle을 부드럽게 정리

④ 치경부 변연의 위치 설정

⑤ 치관이 짧거나 유지력이 부족한 경우 2차 유지형태 부여

> **보철 3-4-5** 고정성 보철물의 지대치 형성과정을 설명할 수 있다. (B)

34. 지대축조의 장점

① 치질을 보강하여 지대치 파절 감소

② 보철물의 두께 균등 → 보철물의 수명을 연장

③ 치경부의 적합성 향상

④ 지대치의 형태를 가짐 → 고정력 향상

| 보철 3-4-6 | 지대축조의 장점을 설명할 수 있다. (A) |

35. 지대축조의 단점

① 시술 중 치아 측면과 치근의 천공 발생 가능성

② 과다한 gutta percha의 제거로 치근단 폐쇄 부분 손상 가능성

| 보철 3-4-7 | 지대축조의 단점을 설명할 수 있다. (A) |

36. 지대치 형성에 필요한 기구

① 기본기구(Mirror, explorer, suction tip)

② 마취기구

③ 다이아몬드 스톤, 텅스턴 바 및 나선형 드릴

④ 소독약제, NaF와 EDTA가 포함된 약제, varnish

| 보철 3-4-8 | 지대치 형성에 필요한 기구를 준비할 수 있다. (B) |

37. 지대치 형성의 원칙

① 지대치의 치질손상을 최소화하면서 금관이 구강 내에서 장기간 기능하기에 충분한 강도와 심미성을 부여할 수 있을 정도의 적절한 공간 마련

② 깊으면 치수보호를 위해 이장재 깔고, 충전재로 재수복

③ 치축의 평행관계를 좌우 3°씩 하여 6°가 유지되도록 함

④ 유지력이 부족하면 보강을 위해 2차 유지형태(box, groove, pin hole) 사용

| 보철 3-4-9 | 지대치 형성의 원칙을 설명할 수 있다. (B) |

38. 치경부 변연의 형태

(1) Knife edge or feather edge: 치질 보존은 되지만 정확한 변연을 맞추어주기는 어려워 바람직하지 못함

(2) Chamfer: 0.3~0.4 mm의 폭, 주조금속관, 도재금속관의 금속 부분(주로 설측)에 이용됨

(3) Shoulder

① 심미 보철을 위한 도재와 레진은 0.7 mm 이상의 공간이 되어야 파절되지 않음

② 완전도재관, 금속도재관의 순측 부분에 추천되는 변연 형태

③ 삭제량이 많으므로 치수 손상 가능

④ Margin의 접합 부위에서 gap이 생길 수 있음

(4) Beveled shoulder: 금속도재관 순측에 사용

| 보철 3-4-10 | 치경부 변연의 형태를 설명할 수 있다. (B) |

39. 치은압배 목적

① 지대치 형성이나 인상채득 시 변연치은의 정확한 인기를 위해

② 인상채득 전 치은을 일시적으로 퇴축시켜 작업공간을 명확하게 하기 위해

③ 치은연하에 있는 우식검사를 하기 위해

| 보철 3-4-11 | 치은압배를 설명할 수 있다. (A) |

40. 치은압배 방법

① Double cord technique: 치은열구에 작은 압배용 cord 삽입 후 그 상방에 굵은 cord 삽입

② 임시치관을 이용한 치은압배법: temporary crown

③ 전기 나이프에 의한 외과적 방법(electrosurgery): 치은이 이상 증식한 경우, 염증성 치은이 남아 있는 경우

| 보철 3-4-12 | 치은압배 방법을 설명할 수 있다. (B) |

41. 치은압배 시 주의사항

① 치은 손상 최소한으로 하도록 함
② 적당한 압배력으로 20분 이내(15분이 넘으면 영구적 치은퇴축 야기)
③ 침이 고이지 않을 정도로 건조
④ 압배사가 들어가 있는 곳을 향해 진행 반대쪽으로 넣으며 진행
⑤ 제거할 때 적당한 습기 부여

보철 3-4-13   치은압배 시 주의사항을 설명할 수 있다. (A)

42. 교합채득 목적   2020 기출

① 상·하악 모형의 관계를 재현하기 위해 상·하악 치열의 교합관계를 기록하고 얻어진 교합 채득은 교합기에 상·하악 모형을 장착할 때 사용
② 교합채득은 교두감합위(중심교합위)에서 하며 교합인기 혹은 교합간 기록이라고도 함

보철 3-4-14   교합채득을 설명할 수 있다. (A)

43. 임시치관 장착 목적

① 발음과 심미적 이유
② 노출된 상아세관이 오염되어 치수에 해로운 영향을 미치는 것 방지
③ 인접치아와의 접촉관계 유지
④ 지대치가 형성된 치아의 경우 이동하여 향후 크라운이 맞지 않는 것을 방지
⑤ 교합기능 유지
⑥ 지대치 및 치주조직의 보호

보철 3-4-15   임시치관 장착 목적을 설명할 수 있다. (A)

44. 임시치관 제작과정

① 직접법에 의한 방법: 자가중합형 레진(아크릴릭 레진), 알루미늄관, 폴리카보네이트관, 셀루로오즈 아세테이트관

② 간접법에 의한 방법: 미리 모형상에서 치아삭제를 가정하고 레진 치관을 제작

| 보철 3-4-16 | 임시치관 제작과정에 대해 설명할 수 있다. (B) |

45. 인상채득

(1) 목적

① 진단모형(연구모형), 작업모형을 제작하기 위해

② 환자의 상·하악을 재현하기 위해

③ 진단에 도움을 주기 위해

④ 치료 전·후의 교합상태와 배열을 기록하고 보관하는 자료로 활용

(2) 종류

① 진단모형을 위한 인상채득

② 작업모형을 위한 인상채득

(3) 방법

① Rubber계 인상재에 의한 인상채득: 연합인상법, 이중동시인상법

② Poly ether 인상재에 의한 인상채득: 개인인상트레이 필요

③ 한천 인상재에 의한 인상채득: 한천 단일 인상, 한천-alginate 연합인상법

(4) 과정

① 올바른 tray 선택

- 치아의 순설측, 치아 교합면이나 절단면과 트레이 사이에 2~3 cm의 여유가 있어야 함
- 상악 tuberosity와 하악 retromolar pad를 덮을 수 있는 크기의 트레이 선택
- 트레이 깊이나 길이가 충분하지 않은 경우 utility wax를 이용하여 변연 연장

② 인상에 대해 환자에게 개략적으로 설명

③ 장착하고 있는 가철성 보철물 제거

④ 알지네이트 혼합

⑤ 알지네이트를 트레이에 담음

⑥ 인상채득: 하악부터(상악은 구토증상을 유발)

⑦ 환자의 뒤쪽에 서서 한 손에 알지네이트를 조금 묻혀 치아의 교합면에 바름

⑧ 바른 후 트레이를 구강에 시적

⑨ 알지네이트가 경화 후 제거(잡고 있을 때 움직이지 않으며 손가락으로 고정함)

⑩ 변형을 예방하기 위해 한 번에 제거

⑪ 상악도 하악과 같이 인상을 뜸

보철 3-4-17   인상채득을 설명할 수 있다. (A)

46. 금관 장착 환자의 구강관리 방법

(1) 금관 및 가공의치가 치은에 접촉하는 부위의 청결 중요

(2) 보조구강위생용품 사용설명

① 치실: 인접면 음식물 찌꺼기 제거

② 치간칫솔: 치간 부분 깨끗하게 치면세균막 관리

③ 첨단칫솔: 최후방 치아에 사용

(3) 6개월마다 정기적인 구강검진 필요

보철 3-6-1   금관 장착 환자의 구강관리 방법을 설명할 수 있다. (A)

47. 가공의치 장착 환자의 구강관리 방법

① 기본적으로 금관의 경우와 동일

② 칫솔질법: 챠터스법

③ 보조구강위생용품: 치실, 치실고리, 치간칫솔, 첨단칫솔, super floss, 치간세척기

④ 사용법을 철저히 설명하고 정기적인 내원을 통해 계속적인 유지관리가 이루어지도록 지도

보철 3-6-2   가공의치 장착 환자의 구강관리 방법을 설명할 수 있다. (A)

48. 보철물의 합착과정

① 지대치의 세척

② 가공의치 내면의 세척

③ 지대치의 물기 제거: 치아가 과도하게 건조되지 않게 한다.

④ 영구접착 시멘트 선택: 인산아연시멘트, 폴리카보실레이트 시멘트, glass—ionomer cement, resin modified glass—ionomer cement

⑤ 시멘트 혼합 후 crown 내면에 넣기

⑥ 지대치에 적합: Bite stick 등을 이용하여 중심교합 상태로 유지한다.

⑦ 과잉 cement의 제거

⑧ 교합 확인 및 연마

> **보철 3-6-3**　보철물의 합착과정을 설명할 수 있다. (B)

제4장 | 국소의치

1. 국소의치

상·하악 치열의 일부 상실치와 관련 조직의 결손을 수복하기 위하여 부분 무치악 환자에게 적용되는 환자 스스로 제거·장착할 수 있는 보철물

> **보철 4-1-1**　국소의치를 정의할 수 있다. (B)

2. 국소의치의 장점 2020 기출

① 대부분의 증례에 적용 가능

② 잔존치의 부담이 적음

③ 잔존치의 삭제가 적음

④ 착탈이 용이

⑤ 청소와 수리가 용이

⑥ 가공의치보다 경제적

> **보철 4-1-2**　가공의치와 국소의치의 장점을 설명할 수 있다. (A)

3. 국소의치의 단점

① 불편함

② 예후가 좋지 못함

③ 골의 지속적 흡수

| 보철 4-1-3 | 가공의치와 국소의치의 단점을 설명할 수 있다. (A) |

4. Kennedy의 분류법 2019 기출 2022 기출

Class I	• 양측성 치아 결손부위가 잔존 자연치아의 최후방에 위치 • 양측성 유리단 결손
Class II	• 편측성 치아 결손부위가 잔존 자연치아의 최후방에 위치 • 편측성 유리단 결손
Class III	• 잔존 자연치가 편측성 치아 결손부위의 전방과 후방에 모두 위치 • 편측성 중간 결손
Class IV	• 하나의 양측성 치아 결손부위가 잔존 자연치 전방에 위치 • 치아 결손부위가 치열의 정중부에 걸쳐 있어야 함(Class I)과 반대

| 보철 4-1-4 | Kennedy의 분류법을 설명할 수 있다. (A) |

5. 교합압의 지지

(1) 치아지지 국소의치

① 국소의치에 가해지는 교합압이 결손부의 전후에 있는 지대치에 의해 지지

② Kennedy III의 경우

(2) 치아조직(점막) 지지 국소의치

① 결손부 후방에 지대치가 없는 경우 후방으로 연장된 의치상을 갖게 되는데 후방 연장 국소의치라고 함, 이때 교합압의 일부를 지대치가 얻고 나머지를 무치악 치조제의 점막에서 얻게 됨

② Kennedy I, II의 경우

(3) 조직(점막) 지지 의치: 총의치

| 보철 4-1-5 | 교합압의 지지에 따라서 분류할 수 있다. (A) |

6. 국소의치를 사용목적에 따라서 분류

(1) **최종 국소의치**: 최종인상을 통하여 국소의치 목적에 맞게 제작하여 최종적으로 장착하는 통상적인 의치

(2) **임시 국소의치**

① 즉시의치: 발치 전 제작하여 발치 당일 장착해 주는 임시의치

② 치료의치: 정확한 보철치료를 제공하기 위해 교합수정, 점막수정 등의 목적으로 사용하는 임시의치

③ 이행의치: 잔존치 발거 후 총의치로의 개조를 예상하고 수정이 가능하게 제작하는 의치

보철 4-1-6 국소의치를 사용목적에 따라서 분류할 수 있다. (A)

---

7. 국소의치의 적응증

① 긴 치아 결손부

② 치조골 흡수로 잔존치가 가공의치의 지대치로 부적합한 경우

③ 결손부 후방에 지대치가 없는 경우

④ 잔존 치조제의 골 결손이 과도하여 입술과 볼의 정상적인 안모회복을 위해 국소의치의 의치상이 요구되는 경우

⑤ 나이 어린 환자의 경우 커다란 치수와 짧은 임상치관으로 가공의치가 불가능한 경우 임시 국소의치 적용

⑥ 고령의 전신적 건강이 나쁜 환자의 경우 치료가 힘든 가공의치보다 국소의치를 선택

보철 4-1-7 국소의치의 적응증을 설명할 수 있다. (B)

---

8. 국소의치 구성요소 `2021 기출`

(1) **주연결장치**

① 국소의치의 기초 구조물 역할하는 부위

② 악궁의 한 편에 있는 구성요소를 다른 편에 연결

③ 견고한 구조: 응력을 다른 부위에 고르게 분산

(2) 부연결장치

① 주연결장치와 국소의치의 다른 부분을 연결해주는 역할

② 기능압력을 지대치와 지지조직에 분포

(3) 레스트

① 국소의치의 수직적 지지를 부여하여 의치의 침하를 방지

② 교합압을 지대치의 장축방향으로 전달하여 의치를 제위치에 유지

③ 치아표면의 위치에 따라 교합면 레스트, 설면 레스트, 절단면 레스트 구분

(4) 직접유지장치

① 국소의치가 조직으로부터 탈락하려는 이탈력에 저항하기 위한 구성요소

(5) 의치상

① 결손치를 대신할 인공치아를 지지

② 교합력을 하방의 구강조직으로 전달

③ 잔존치조제를 마사지하여 자극

④ 치은부의 색조와 형태의 재현

(6) 인공치아

① 상실된 치아를 회복시켜주는 가공치

② 도재치아는 강력한 내마모성 때문에 자연치와 대합되는 국소의치에 사용하지 않으며 인공치와 교합되는 경우에 사용

③ 레진치는 통상적으로 가장 많이 사용되며 파절의 경우가 거의 없고 조정 및 수리 용이

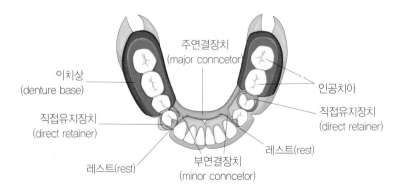

보철 4-2-1	국소의치 구성요소를 설명할 수 있다. (A)

9. 연결장치

주 연 결 장 치	상악	Single palatal strap(bar)	• 구개를 가로지르는 넓고 얇은 금속대 • 대부분의 상악 국소의치에 사용가능
		U-shaped palatal connector	• palatal torus가 있는 경우 • 몇 개의 전치가 상실된 경우
		Anterior-posterior palatal strap(bar)	• 구조적으로 가장 견고 • 상악에서 가장 많이 사용
		Complete(full) palatal plate	• 적응증: 몇 개 혹은 모든 전치부가 잔존하거나, 지대치 불량으로 직접적인 유지를 얻기가 어려운 경우 • 잔존 지대치의 치주상태가 안 좋을 때 • 단점: 광범위한 조직 피개 → 연조직의 염증 • 발음상의 문제
	하악	Lingual bar	• 하악 주연결 장치로 가장 흔히 사용
		Lingual plate (Linguoplate)	• lingual bar의 상부에서 치아의 설면까지 얇은 금속으로 연장된 연결장치 • 장점: 매우 견고함, 치주가 약한 치아를 고정 • 단점: 치아와 연조직을 많이 피개하여 치은에 염증 야기 • 설면과의 접촉이 긴밀하지 않은 경우 음식물 끼임
		Double lingual bar	• 치아와 치아 사이의 공간이 많은 경우 • 장점: 치은조직이 피개되지 않음 • 단점: 이물감이 linguoplate보다 큼, 음식물이 잘 낌
		Labial bar	• 하악 전치나 소구치가 심하게 설측 경사되어 lingual bar를 사용할 수 없을 때 • 커다란 하악골 융기로 인해 설측 주연결장치를 사용할 수 없을 때

보철 4-2-2 연결장치를 열거하고 설명할 수 있다. (A)

10. 유지(지대)장치 2022 기출

(1) 클래스프형 유지장치(Clasp-type retainer)

① 유지암(retentive arm): 클래스프의 끝이 지대치의 최대 풍융부 밑의 undercut에 위치하여 유지얻음

② 보상암(reciprocal arm): 국소의치의 착탈 시 유지암에 의해 치아에 가해지는 힘을 보상하여 치아를 안정시키는 부분

③ 몸체(body)

- 환상형 클래스프(circumferential clasp)
  - 교합면에서 시작하여 치경부 쪽 undercut으로 접근
  - Akers clasp, ring clasp, embrasure clasp
- 바형 클래스프(bar type clasp)
  - 치은에서 시작하여 최대 풍륭부 하방으로 접근
  - RPI-bar clasp, T-bar clasp, I-bar clasp
- 혼합형 클래스프(combination clasp)

④ 교합면 레스트(occlusal rest)

(2) 정밀부착형 유지장치(Attachment)

① Male (key) & Female (keyway)로 구성된 attachment를 이용한 유지장치

② 일반적인 형태에 따른 분류

- 치관 내 정밀부착형 유지장치: 지대치 치관 내에 있는 keyway 속으로 국소의치에 부착된 key가 들어감으로써 마찰력에 의한 유지를 얻음
- 치관 외 정밀부착형 유지장치: 유지장치의 일부 또는 전부가 지대치 주조관 외측에 위치
- Stud attachment: 노인환자에서 소수치가 잔존되어 있는 경우 overdenture의 유지장치로 사용
- Bar attachment: 지대치의 치관 또는 치근 사이를 연결하는 bar와 의치상 내면에 매몰되어 있는 clip으로 구성

③ 장점: 이물감 적음, 유지력 우수, 부피가 적음, 안정성 우수, 심미적, 스트레스 최소화, 힘을 지대치의 장축 방향으로 전달

④ 단점: 고가의 치료비, 수리 및 재제작이 곤란, 임상 및 기공 과정이 복잡, 지대치 삭제량 많음

(3) Telescopic crown을 이용한 유지장치: 내관은 잔존치에 제작, 외관은 의치에 제작

보철 4-2-3	유지(지대)장치를 설명할 수 있다. (A)

11. 레진의치상과 금속의치상의 장·단점

① 금속은 레진보다 정확하며 구강 내에서 형태변화가 없고 나중에 변형을 일으키는 내부 외력이 없음

② 금속의치상은 구강조직의 건강을 더 좋게 하는데, 이유는 레진보다 밀도가 크고 석회화질 침착물이나 점착성 침착물을 축적하려는 경향이 적기 때문

③ 금속의치상은 하부조직에 온도가 잘 전달되어 구강조직의 건강을 유지하는 데 도움을 주고 이러한 온도변화로 이물감을 잘 느끼지 못하는 반면, 레진의치상은 내부와 외부온도변화를 막는 절연 특성을 가짐

④ 금속의치상은 무게는 있지만 두께가 얇아 이물감을 덜 느끼고, 레진은 무게가 덜 나가기 때문에 상악에 유리

| 보철 4-2-4 | 레진의치상과 금속의치상의 장단점을 설명할 수 있다. (A) |

12. 국소의치의 지지

지지(support)는 저작압과 같은 조직방향으로 가해지는 힘에 저항하는 것을 의미하며, 주로 의치의 rest와 잘 적합된 의치상을 통해 잔존 치조제로부터 얻음

| 보철 4-2-6 | 국소의치의 지지를 설명할 수 있다. (B) |

13. 국소의치의 유지

유지(retention)는 조직으로부터 탈락되는 힘에 저항하는 것을 의미하며, 지대치에 장착되는 유지장치와 의치상 그리고 치아와 의치 구성성분 사이의 마찰저항과 의치상의 적절한 형태에 의한 근신경적 조절을 통해 얻음

| 보철 4-2-7 | 국소의치의 유지를 설명할 수 있다. (B) |

14. 국소의치의 안정

안정(stability)은 국소의치의 수평적인 움직임에 저항하는 것을 의미하며, 연결장치와 간접유지장치 등을 통해 얻음

| 보철 4-2-8 | 국소의치의 안정을 설명할 수 있다. (B) |

15. 국소의치의 임상과정 2019 기출

검사와 치료계획 → 구강형성(전처치) → 최종 인상채득 → 금속구조물의 시적 → 상·하악 교합관계의 인기 → 인공치 배열 및 치은형성 → 납의치의 시적 → 매몰 중합 후 교합기 재장착, 교합조정, 연마 → 국소의치 장착 및 조정 → 장착 후 관찰 → 유지 및 수리

> **보철 4-3-1** 국소의치의 임상과정을 설명할 수 있다. (A)

16. 검사진단 과정

① 구강검사: 잔존치아의 치아우식증, 치주질환, 동요도와 생활력 검사, 결손부 치조제의 높이, 폭경, 구강연조직과 점막 상태, 상하악의 교합관계, 수직피개, 수평피개 등
② 방사선 검사: 잔존치의 치근 길이, 굵기, 치조골의 상태, 치근단 병소의 유무 등
③ 진단용 인상채득과 진단모형 검사: 구강 내 경조직 및 연조직의 형태 평가, 환자의 교합, 악간 간격, 치아의 위치이상 검사 등

> **보철 4-3-2** 감사진단 과정을 설명할 수 있다. (B)

17. 전처치 대상

(1) 구강외과적 처치

① 수복할 수 없거나 사용할 수 없는 치아, 잔존치근, 매복치 등의 발치
② 날카로운 치조제, 골융기, 과증식성 조직 제거
③ 순·설측 소대의 외과적 위치변경
④ 구강 전정 성형술

(2) 치주적 처치

① 치주질환 원인 요소 제거
② 치주낭의 제거, 감소
③ 생리적 치은 및 골조직 형성
④ 부착치은의 양 증가
⑤ 기능적 교합관계의 설정
⑥ 치면세균막 관리 및 구강건강관리 유지

(3) 보존적 처치: 근관치료, 우식처치, 불량 수복물의 처치

(4) 교정적 처치

① 치아이동으로 인한 근심경사 구치

② 정출된 치아

③ Crowding된 전치 등의 처치

(5) 지대치 형성

① 국소의치의 설계에 따라 지대치의 외형을 형성

② 유도면, 레스트 시트, undercut 등을 부여

> **보철 4-3-3**   전처치를 설명할 수 있다. (B)

18. 인상채득 방법

① 개인 트레이의 환자 구강 내 시적과 조정

② 변연부 변연 형성(border molding)

③ 러버 접착제를 트레이 내면에 도포

④ 러버 인상재의 light body를 시린지에 담아 잔존 지대치 주변에 주입

⑤ Regular body를 담은 트레이를 구강 내 삽입 고정

⑥ 입술과 뺨, 혀를 움직여 협측과 설측의 인상 변연부를 변연 형성

⑦ 인상재 경화 후 트레이를 제거

> **보철 4-3-4**   인상채득 방법을 설명할 수 있다. (A)

19. 교합채득 방법

① 교합 고경의 결정

② 교합제의 형태 수정

③ 인공치아의 크기, 색조 선택

④ 정중선, 구순선, smile line을 교합재에 기록

> **보철 4-3-5**   교합채득 방법을 설명할 수 있다. (A)

20. 교합상

① 환자의 상·하악의 위치적 관계를 기록

② 교합상을 토대로 wax denture제작

보철 4-3-6 교합상을 설명할 수 있다. (B)

21. 납의치의 시험적합

① 배열에 대한 검사: 인공치아의 형태, 색조, 크기, 정중선 일치

② 안모의 조화도 검사: 입술 이완 시 중절치 끝이 살짝 보이도록

③ 의치상과 framework의 적합도

④ 교합고경 및 교합상태

⑤ 발음장애 여부

보철 4-3-7 납의치의 시험적합을 설명할 수 있다. (A)

22. 국소의치 장착

① 의치상의 적합성: 의치상이 치조제에 정확하게 적합되는지 여부를 확인하기 위해 PIP®(pressure indicating paste)나 fit checker®를 의치상 내면에 도포하고 시적하여 검사

② 교합오차 조정: 교합 시의 조기 접촉 부위를 교합지나 occlusal indicating wax로 검사

③ 클래스프의 유지력 조절: 환자가 무리한 힘을 가하지 않고 의치를 장착 및 제거할 수 있도록 plier로 클래스프 조절

보철 4-3-8 국소의치 장착을 설명할 수 있다. (A)

23. 국소의치 장착 환자 구강관리 방법 [2020 기출]

① 의치 삽입과 철거 시 반드시 손가락 사용

② 따뜻한 물과 비연마성 세척제를 사용하여 의치의 모든 면을 솔로 닦기

③ 매 식후 구강 내에서 제거한 후 세척하고 의치용 칫솔을 이용해 가볍게 닦음

④ 연마제가 거친 세치제 사용 또는 너무 세게 닦으면 의치상이나 인공치가 마모될 수 있음

⑤ 세면대에 물을 받아 놓거나 바닥에 수건을 깔고 의치를 닦아, 세척 시 떨어뜨려 파절되는 것을 방지

⑥ 취침 시에는 의치를 빼내어 의치세정제를 용해시킨 용액에 담가두고 다음날 아침 의치를 물로 세척한 다음 구강 내에 장착

⑦ 취침 시나 의치를 장착하지 않을 때는 찬물이 담긴 의치보관함에 담가 보관

⑧ 새로운 의치를 장착한 24시간 후에는 반드시 치과에 재내원하여 검사 및 수정

⑨ 6개월마다 정기적인 검사 수행

⑩ 발음 변화가 생길 수 있으나 의치에 적응함에 따라 사라짐

보철 4-4-1	국소의치 장착 환자의 구강관리 방법을 설명할 수 있다. (A)

제5장 | 총의치

1. 총의치 장착 환자의 특성

① 의치 지지조직의 점막은 일반 피부보다 각화가 덜 되고 두께가 얇기 때문에 의치로 인해 점막에 염증 발생

② 잔존 치조제는 낮고 둥글게 되며 치조제 정상이 좁아져 knife−edge 형태가 됨

③ 미각의 변화가 있으며, 식욕부진, 부분적인 영양결핍 초래

④ 구강건조로 인해 의치의 유지력 감소 및 소화능력 감퇴

⑤ 안모의 고경 감소

보철 5-1-1	총의치 장착 환자의 특성을 설명할 수 있다. (A)

2. 총의치의 적응증

① 최근 6개월 이내 무치악이 된 환자

② 기존의 총의치 장착 환자

보철 5-1-2	총의치의 적응증에 대해 설명할 수 있다. (B)

3. 총의치의 지지

① 의치 지지조직에 가해지는 힘
- 의치상 면적을 가능한 최대로 크게 함(지지점막의 양이 적은 하악이 상악보다 불리한 조건)
- 인공치의 교합면의 크기를 작게 함
- 의치 지지조직의 휴식기간 부여(취침 시 빼기)
- 이상 기능적 습관(이갈이 등), 악습관의 교정(비저작활동에 의한 압력 줄이기)

② 이상기능: 신경성 긴장, 일상의 스트레스, 교합간섭, 의치 악물기 습관

③ 연하: 연하 시 이루어지는 치아 접촉(연하 시 기저점막에 더 많이 전달)

④ 잔존 치조제: 잔존 치조제의 양이 많을수록 지지 좋아짐, 총의치 지지에 가장 중요한 요소

보철 5-1-3	총의치의 지지에 대해 설명할 수 있다. (A)

4. 총의치의 유지

① 응착력, 응집력, 표면장력, 모세관 인력, 기계적 유지, 변연봉쇄 및 대기압, 구강 및 안면근육에 의해 유지력 발생

② 혀와 빰의 근육: 음식물을 치아의 교합면 위에 올려주고, 의치를 유지시키는 역할 → 근육의 형태까지 포함하는 총의치의 인상과정은 매우 중요

③ 유지력 증가를 위해
- 의치상의 최대 연장
- 의치상과 의치상·하조직 간의 긴밀한 접촉

④ 의치의 유지에 관여하는 요소
- 계면력
  - 얇은 액체막이 개재된 두 개의 평행한 면이 분리될 때 발생하는 저항력
  - 의치상과 그 하부 점막 사이에 얇은 타액
- 부착력
  - 서로 다른 분자간의 물리적인 인력
  - 의치상과 타액 혹은 하부 점막과 타액 간의 인력
- 응집력
  - 서로 같은 분자 간의 물리적인 인력

　　　　– 타액의 점도가 높을수록 응집력이 커짐

　　　　– 대부분의 유지는 계면력과 부착력에서 얻어짐

> **보철 5-1-4** 　총의치의 유지에 대해 설명할 수 있다. (A)

5. 총의치의 구성요소

　① 의치상: 인공치아가 부착되어 있는 곳, 결손된 치은부와 치조제부 회복

　② 인공치아: 의치의 교합을 구성, 유지와 안정에 크게 기여, 저작이나 발음의 기능에
　　중요, 레진이나 도재로 만든 기성품(전치부: 심미성, 구치부: 저작 효율성)

> **보철 5-2-1** 　총의치의 구성요소를 설명할 수 있다. (A)

6. 의치상

　인공치가 부착되어 있는 부분으로 기저 조직 위에 놓이게 되는 의치의 한 구성요소

> **보철 5-2-2** 　의치상을 설명할 수 있다. (B)

7. 인공치아의 종류별 장점

(1) 도재치아

　① 심미적

(2) 레진치아

　① 심미적

　② 저작 시 충격 흡수

　③ 수리 용이

> **보철 5-2-3** 　인공치아의 종류별 장점을 설명할 수 있다. (B)

8. 인공치아의 종류별 단점

(1) 도재치아

① 교합조정이 어려움

② 대합치의 마모 초래

③ 부러지기 쉬움

④ 수리의 어려움

(2) 레진치아

① 마모가 잘 됨

② 교합조정으로 법랑질 제거 시 마모 속도가 빨라짐

보철 5-2-4	인공치아의 종류별 단점을 설명할 수 있다. (B)

9. 총의치의 임상과정 `2020 기출`

① 검사, 진단과 치료계획

② 전처치

③ 예비인상

④ 연구모형 제작

⑤ 개인트레이 제작

⑥ 최종 인상채득

⑦ 작업모형 제작

⑧ 기록상과 교합제 제작

⑨ 악간관계기록(교합채득)

⑩ 인공치아 선택 및 배열

⑪ 납의치의 시험적합

⑫ 레진중합(의치 완성)

⑬ 의치 장착 및 술후 관리

보철 5-3-1	총의치의 임상과정을 설명할 수 있다. (A)

10. 전처치

(1) 비외과적 처치

① 기존 의치 장착환자: 의치 제거 후 48~72시간 정도의 조직 휴식기간

② 의치의 청결, 의치 지지조직 마사지 교육

③ 국소적 병소가 있는 경우: Oral-base, benzocaine cream 등을 건조시킨 병소에 발라줌

④ 의치를 빼 놓을 수 없는 경우: Tissue conditioner를 첨가하여 조직의 회복을 유도

(2) 외과적 처치

① 불규칙하고 뾰족한 골조직, 골융기: 삽입, 지지에 방해

② 순소대, 협소대, 설소대: 유지, 안정에 방해

보철 5-3-2   전처치를 설명할 수 있다. (B)

11. 인상채득 방법

(1) 예비인상

① 연구모형(진단모형) 제작

② 정밀인상을 위한 개인 트레이 제작

(2) 최종인상

① 주모형(작업모형) 제작

② Modeling compound로 개인 트레이 변연 형성

③ Plaster, zoe paste, polysulfide rubber, silicone rubber

보철 5-3-3   인상채득 방법을 설명할 수 있다. (B)

12. 인상채득 시 필요한 기구 및 재료

① Alginate, modeling compound: 예비인상재

② Plaster, zoe paste, polysulfide rubber, silicone rubber: 정밀인상재

보철 5-3-4   인상채득 시 필요한 기구, 재료를 준비할 수 있다. (B)

13. 개인트레이 제작

① 상온 자가중합레진

② 파라핀 base plate wax (1 mm 두께): 최종 인상 시 압박이 필요한 부위는 제외

보철 5-3-5   개인트레이 제작에 대해 설명할 수 있다. (B)

14. 개인트레이 변연 형성

① 의치 주위의 점막 움직임과 조화된 의치상 변연부의 형태를 얻기 위해

② Modeling compound를 알코올 램프에 연화

보철 5-3-6　개인트레이의 변연 형성을 설명할 수 있다. (B)

15. 작업모형 제작

① 인상체의 외면에 인상변연보다 3~4 mm 낮은 위치에 막대형 왁스로 beading하고 이 것을 boxing wax로 둘러싸서 상자형을 만드는 것

② 변연부의 정확한 재현을 위해 boxing을 시행

보철 5-3-7　작업모형 제작에 대해 설명할 수 있다. (B)

16. 교합상

① 환자의 상·하악의 위치적 관계를 기록

② 교합상은 기초상(base plate)과 교합제(wax rim)로 구성

③ 교합상을 토대로 wax denture 제작

보철 5-3-8　교합상을 설명할 수 있다. (B)

17. 교합채득

• 상악에 대한 하악의 위치를 수직적, 수평적, 임의의 위치적 관계를 악간관계라 하고, 이러한 상·하악 간의 관계를 생체에서 기록하는 행위를 악간관계기록 또는 교합채득이라 함

① 상악 교합상의 시적과 조정: 교합제의 높이 조정은 전치부는 상순의 하연과 일치되 며 앞에서 봤을 때 동공선과 평행, 구치부는 캠퍼 평면을 참고하여 수정

② 하악 교합상의 시적과 조정: 하악의 교합제는 전치부는 하순 상연, 구치부는 치조정 선과 일치

③ 수직적 악간관계 기록(교합고경의 결정): 하악안정위를 이용하는 방법이 주로 이용

④ 수평적 악간관계 기록: 수직적 악간관계를 결정한 다음, 그 높이에서 상악에 대한 하 악의 전후적, 좌우적 악간관계를 기록

⑤ 교합인기: 수직적·수평적 악간관계가 결정되면 작업모형을 교합기에 장착하기 위해 구강 내에서 상·하악 교합상을 고정시키는 작업

⑥ 안궁에 의한 기록: 악관절과 상악과의 위치관계를 교합기의 과두부와 상악 모형과의 위치관계로 재현하기 위해 교합기에 장착할 때 사용하는 방법

보철 5-3-9　교합채득을 설명할 수 있다. (A)

18. 표준선의 기입

① 상·하악 교합상의 순측면에 정중선과 구각선을 wax 조각도 등으로 표시

② 정중선: 상·하악 교합상의 정중면, midline의 표시점, 중절치 위치결정

③ 구각선: 상악 견치 원심면과 일치되는 선, 상악 전치부 인공치의 폭경을 선택하는 기준

④ 입술의 위치를 나타내는 선은 전치의 길이를 정하는 기준

• High lip line: 활짝 웃었을 때의 상순연의 위치

• Low lip line: 가볍게 웃었을 때의 상순연의 위치

보철 5-3-10　표준선 기입을 설명할 수 있다. (A)

19. 납의치 시험적합 2021 기출

① 납의치(wax denture)는 교합기에 장착된 작업모형상에서 교합제에 인공치아를 배열하고 paraffin wax로 치은부를 형성한 것

② 구강 내 장착 후 안모와 연조직의 운동, 전치부 인공치아의 심미성, 교합상태, 치은의 형태 및 발음 점검

보철 5-3-11　납의치 시험적합에 대해 설명할 수 있다. (A)

20. 총의치의 장착

(1) 의치의 적합성 검사와 조정

① 의치상 내면의 예리한 부분

② 유지 상태

③ 의치상 하부에 압력 집중점: PIP, fit checker 사용

(2) 교합관계의 점검과 조정: 교합지를 사용하여 점검, 양측성 균형교합이 되도록 조정

| 보철 5-4-1 | 총의치의 장착에 대해 설명할 수 있다. (A) |

21. 총의치 장착환자의 구강관리 방법 2019 기출 2022 기출

① 세척 시 너무 세게 잡지 말고 세면대에 물을 받아 놓거나 바닥에 수건을 준비하고 의치세척
② 매 식후 총의치용 칫솔을 이용하여 의치를 가볍게 세척
③ 구강조직과 접하는 부분은 힘을 가하여 닦지 않도록 하고 가능한 흐르는 물에 씻거나 의치세정제를 사용
④ 취침 시나 장착하지 않을 때는 의치통에 물을 담아 보관
⑤ 구강점막은 의치를 제거할 때마다 입안을 따뜻한 물 또는 소금물로 헹구고 하루에 적어도 한 번은 칫솔질 시행
⑥ 구강점막은 손가락, 부드러운 칫솔, 치은 마사지 기구를 이용하여 마사지 실시

| 보철 5-4-2 | 총의치의 장착환자의 구강관리 방법을 설명할 수 있다. (A) |

제6장 | 보철치료에 사용되는 기재와 관리

1. 절삭. 연삭. 연마용 기구

(1) **치과용 버(Dental bur)**: 두부에 절삭 날이 있으며 핸드피스 앵글에 끼워서 회전시켜 사용

① 재질에 따라
- 강철 버(steel bur): 저속용 버
- 카바이드 버(carbide bur): 고속용 버

② 형태에 따라
- 구형 버(round bur): 우식와동의 개방 또는 연화 상아질 제거에 사용
- 역원추형 버(inverted bur): 아말감 와동의 유지 형태인 첨와 형성 시 사용
- 배형 버(pear shaped bur): 아말감을 위한 와동 형성에 주로 사용
- 평형 열구형 버(straight fissure bur): 와동의 수정이나 정리에 주로 사용
- 침형 열구형 버(tapered fissure bur): 끝으로 갈수록 좁아지는 원통형, 인레이 수복

을 위한 와동형성

③ 회전속도에 따라
- 고속용 버(high speed bur)
- 저속용 버(low speed bur)

(2) 다이아몬드 버(Diamond bur)

① 부서지기 쉬운 물질의 삭제 시 가장 효과적이므로 법랑질의 삭제 시 버보다 우수

② 주로 고속용이며 금관수복을 위한 지대치 형성, 복합레진 수복을 위한 치아형성 등에 주로 사용

③ 미세한 입자를 가진 다이아몬드 버는 수복물의 마무리에 사용

(3) 기타 연마기구: 포인트(Point), 휠(Wheel), 디스크(Disk)

보철 6-1-1	절삭, 연삭, 연마용 기구를 설명할 수 있다. (B)

제7장 | 특별한 명칭을 가진 의치

1. 치료 목적에 의한 명칭을 가진 의치

(1) 즉시의치

① 잔존된 자연치아 발거 및 외과적 처치 후 즉시 장착해 주는 의치

② 잔존치 발거 전 상태의 모형상에서 발거 후 상태를 예측하여 제작

③ 치유를 촉진하여 치아상실로 인한 기능저하나 악습관의 발생을 방지하는 역할과 심미적으로 유리

④ 부가적인 비용이 들고 시술 후의 많은 처치, 즉 잔존 치조제의 빠른 흡수에 따라 tissue conditioner를 이용한 reline 등이 필요

(2) 임시의치

① 최종보철물 제작하기 전에 제한된 기간 동안 사용하는 임시 의치

② 심미, 안정, 기능을 위해 제작되는 가철성 보철물

(3) 치료의치

① 보철물을 지지 또는 유지해야 하는 조직을 치료하거나 조절하기 위해 사용

② 더욱 정확한 보철치료를 위해 교합 수정의 목적으로 사용

| 보철 7-1-1 | 치료목적에 의한 명칭을 가진 의치를 설명할 수 있다. (A) |

2. 피개의치

① 잔존치근을 이용한 총의치
② 잔존치아의 치근 부분만을 이용하여 그 위를 덮는 가철성 의치
③ 심미성이 향상되며, 유지력이 더 좋음

| 보철 7-1-2 | 피개의치를 설명할 수 있다. (B) |

3. 매식의치

① 결손치 수복을 위한 영구적 지지를 부여하기 위해 골내 또는 골 위에 삽입된 장치물 또는 고정체
② 구조: 매식의치 고정체(fixture), 매식의지 지대주(abutment), 상부 구조물(super-structure)
③ 현재 나사 형태의 골내 매식의치가 임상적으로 많이 사용됨

| 보철 7-1-3 | 매식의치를 설명할 수 있다. (B) |

4. 악안면 보철장치

① 악안면 보철: 악골과 안면의 결손부위를 국소의치를 이용한 obturator와 같은 인공적인 장치로 수복하여 상실된 부위를 해부학적, 심미적, 기능적으로 회복하는 것
② 구개열폐쇄장치: 구개열 부분에 적합되어 구강과 비강을 분리시키며 연하, 저작, 발음, 심미 등의 구강 기능 회복
③ 장치 관리 방법: 가철성 국소의치나 총의치의 관리 방법과 유사

| 보철 7-1-4 | 악안면 보철장치를 설명할 수 있다. (B) |

제8장 | 보철장치의 보수, 제거

1. 고정성 보철물의 수리

① 대부분 제거하여 재제작하는 것이 원칙

② 도재 부분 파손, 파손된 부분이 교합력을 받지 않는 부위이며 정도가 경미할 경우 복합레진으로 수리

③ 나사유지형의 임플란트 고정성 보철물에서 도재 파절 등이 발생하였을 경우 고정성 보철물은 구강에서 분리하여 기공실에서 수리

보철 8-1-1 고정성 보철물의 수리를 설명할 수 있다. (B)

2. 유상의치의 보수

(1) **첨상 또는 이장(Relining)**: 잔존 치조제의 흡수로 인해 치조제 점막과 의치상 사이의 공간이 발생한 경우 의치상의 조직면에 레진 첨가

(2) **개상(Rebasing)**: 변성이 심한 경우 인공치를 보존하면서 새로운 재료(레진)로 의치상을 전부 교환하는 것

보철 8-1-2 유상의치의 보수를 설명할 수 있다. (A)

06 PART ▶▶

치과보존학

Conservative Dentistry

DENTAL
HYGIENIST

POWER 치과위생사 국가시험 핵심요약집 2권

PART 06

치과보존학
Conservative Dentistry

제1장 | 보존수복학 개론

1. 수복의 개념

치아의 일부나 전체의 모양, 형태, 기능을 보수하고 회복시켜 재형성시키는 치료의 마무리 단계로서 파괴가 계속되거나 재발되는 것을 방지하는 술식

보존 1-1-1	수복의 개념을 설명할 수 있다. (B)

2. 보존치료에 영향을 주는 인자(보존수복재료 및 치료방법의 선택 시 고려사항)

① 재료 자체의 물리적 특성(물성)
② 치수 및 치질의 상태
③ 치주조직의 상태
④ 심미성
⑤ 우식이환율
⑥ 환자의 경제적 사정
⑦ 대합치의 상태
⑧ 시술조건
⑨ 치관 외형의 재현
⑩ 전신의 건강상태
⑪ 술자의 숙련도

보존 1-1-2	보존치료에 영향을 주는 인자를 설명할 수 있다. (B)

3. 보존수복치료의 영역

(1) 아말감 수복

① 아말감 충전

② 핀-유지형 아말감 충전(복잡 아말감 충전)

③ 치질 접착형 아말감 충전

(2) 심미 수복

① 직접 심미 수복

•복합레진 수복

•글래스 아이오노머 수복

② 간접 심미 수복

•복합레진 및 도재 인레이 및 온레이

•복합레진 및 도재 라미네이트

•도재를 이용한 전장관

(3) 주조 금 수복: 금 인레이 및 온레이

보존 1-1-3   보존치료의 영역을 설명할 수 있다. (A)

4. 수복재료의 요구조건 `2021 기출`

① 와동벽에 완전히 적합할 수 있어야 함

② 구강의 타액에 의해 용해되지 않아야 함

③ 형태나 체적이 변하지 말아야 함

④ 적절한 강도 및 경도를 지녀 저작압에 견딜 수 있어야 함

⑤ 마모도, 강도, 경도 및 열팽창계수가 치질과 유사해야 함

⑥ 색조가 안정되고 조화를 이루어야 함

⑦ 경조직 및 연조직에 무해하여야 함

⑧ 열전도성이 낮아야 함

⑨ 변색 및 부식에 저항할 수 있어야 함

⑩ 열 및 전기에 불량도체이어야 함

⑪ 화학적 안정성이 있어야 함

⑫ 심미성이 있어야 함

⑬ 취급이 용이하고 표면이 매끄럽게 연마 가능

| 보존 1-1-4 | 수복재료의 요구조건을 열거할 수 있다. (A) |

5. 수복물의 내구성에 따른 분류

① 영구 수복물: 금, 아말감, 복합레진, 도재 등

② 임시 수복물: 캐비톤, 퍼미트, 산화아연유지놀시멘트(ZOE cement), 아크릴릭 레진, IRM(강화형 ZOE) 등

| 보존 1-1-5 | 수복물의 내구성에 따라 분류할 수 있다. (B) |

6. 보존치료계획 순서

① 치료의 적응증 확인 후 치료부위 우선순위 매김

② 수복재료의 선택

③ 수복방법의 선택

④ 치료시간의 배정

| 보존 1-1-6 | 보존치료계획 순서를 열거할 수 있다. (B) |

7. 보존수복 치료의 적응증

① 치아우식증

② 비우식성 치아 경조직 결손: 마모증, 교모증, 침식증, 굴곡파절

③ 파절된 치아

④ 왜소치, 원추치 등의 형태 이상

⑤ 가벼운 위치 이상

⑥ 변색된 치아

⑦ 치간이개

⑧ 법랑질 및 상아질형성 부전증 등의 유전성 질환

⑨ 상아질 지각과민증

⑩ 불량한 기존 수복물의 교체

<table>
<tr><td>보존 1-1-7</td><td>보존수복치료의 적응증을 설명할 수 있다. (A)</td></tr>
</table>

제2장 | 치아경조직 질환, 대상자의 검사와 진단

1. 치아우식증

(1) 정의: 치면세균막의 세균들이 음식물의 탄수화물(당분)을 분해하여 젖산 등의 산을 생성해 치아의 무기질을 탈회시키는 것

(2) 치아우식증은 탈회와 재광화가 일시적으로 교대하며 진행하는 과정

   ① 탈회가 재광화보다 우세하면 치질이 파괴되어 우식증이 발생

   ② 재광화가 탈회보다 우세하면 우식의 진행이 정지

(3) 우식에 관여하는 세균

   ① *S. mutans*: 우식유발

   ② *Lactobacillus*: 와동병소의 활성진행

<table>
<tr><td>보존 2-1-1</td><td>치아우식증을 정의할 수 있다. (B)</td></tr>
</table>

2. 치아 경조직 결손의 원인

   ① 병리학적 원인: 치아우식증, 치근 흡수

   ② 기계석 원인: 외상에 의한 치아파절, 교모증, 마모증, 굴곡파절

   ③ 화학적 원인: 침식증(부식증)

   ④ 발생학적 원인: 기형치, 법랑질형성 부전증, 상아질형성 부전증

<table>
<tr><td>보존 2-1-2</td><td>치아경조직 질환을 설명할 수 있다. (B)</td></tr>
</table>

3. 우식병소의 진행과정

1) 치아우식증

(1) 치아우식의 진행

① 법랑질에서의 우식병소 진행

- 교합면 우식병소
  - 교합면의 소와 및 열구발생
  - 우식병소는 표면에서 작게 시작해 상아법랑경계(DEJ)로 들어갈수록 부챗살처럼 넓게 퍼지는 양상(역V자형)
- 평활면 우식병소
  - 교합면 우식병소와 반대로 표면이 넓게 시작하여 상아법랑경계(DEJ)로 들어갈수록 점차 좁아지는 양상(뾰족한 V자형의 원추형)

② 상아질에서의 우식병소 진행

- 상아질의 특성에 따라 우식병소의 진행은 더욱 가속화되고 그 범위도 넓어짐
- 우식의 진행이 상아세관의 주행방향에 따르기 때문에 상아법랑경계(DEJ)를 따라 옆으로 넓게 확산되어 치수 방향으로 깊어질수록 점차 좁아짐
- 우식상아질 = 연화상아질 = 변색상아질 = 감염상아질

③ 백악질에서의 우식병소 진행

- 치근우식증: 치주조직의 상실로 인해 노출된 치근면의 백악질에 발생한 우식증
- 법랑백악경계(CEJ) 또는 노출된 치근 치경부 1/3부위에서 호발
- 백악질이 법랑질에 비해 표면이 거칠기 때문에 치면세균막이 쉽게 침착됨

(2) 치아우식증의 분류

① 진행정도에 따른 분류

분류	상태	치료
1도 우식증(C_1)	법랑질에 국한	재광화치료, 보존수복 치료
2도 우식증(C_2)	상아질까지 진행	보존수복 치료
3도 우식증(C_3)	치수까지 침범	생활치수치료, 근관치료
4도 우식증(C_4)	치근단질환의 발생 또는 잔존치근	근관치료, 발치

② 발생시기에 따른 분류

- 일차 우식증: 건전한 치아에 처음으로 시작된 우식증

- 이차 우식증(재발성 우식증): 수복치료를 시행한 이후에 그 주변에서 다시 발생한 우식증, 우식 감수성 높거나 구강위생이 좋지 않은 경우 발생
③ 진행속도에 따른 분류
  - 급성 우식증(다발성 우식증): 빠르게 여러 치아에 걸쳐 광범위하게 진행하는 우식증
  - 만성 우식증: 성인에서 관찰되는 대부분의 치아우식증으로 구강위생이 향상되고, 당분섭취를 피하는 등의 변화로 기존 우식병소의 치아우식 활성도가 낮아져 우식의 진행이 느려지게 됨
  - 정지 우식증(비활동성 우식증): 만성 우식증의 마지막 단계, 즉 우식병소의 활동성이 낮아져 우식의 진행이 정지된 우식증
④ 회복의 가역성 여부에 따른 분류
  - 가역성 우식증: 초기우식증(백색 반점, C_1)
  - 비가역성 우식증: 재광화 불가능($C_2 \sim C_4$)

2) 교모증

자연치아 사이의 마찰로 교합면이나 절단면의 경조직이 상실되는 것 **ex** 이갈이

3) 마모증

- 치아와 다른 이물질의 기계적 접촉에 의해 치아 경조직이 상실되는 것
- **ex** 칫솔질 마모, 단단하고 질긴 음식에 의한 마모, 못 등에 의한 마모

보존 2-1-3 | 치아우식 병소의 진행과정을 설명할 수 있다. (B)

4. 객관적 임상진단방법

① 시진: 육안으로 관찰하여 치아, 치주조직, 구강점막, 구강외조직의 상태의 색조, 외형, 견고성 등을 관찰
② 타진: 손가락이나 기구를 이용하여 치아를 가볍게 누르거나 두드려 그 반응을 평가하는 방법으로 특히 치주인대의 염증 여부를 평가하는 방법
③ 촉진: 손가락 끝으로 구강연조직을 가볍게 누르거나 문질러서 통증 유무나 질감을 평가하는 방법
④ 치아동요도검사: 손가락이나 기구를 이용하여 치아를 측방으로 움직여서 치주조직의 부착상태를 판단하는 방법
⑤ 치주낭검사: 치주탐침을 이용하여 치주낭 깊이를 측정하여 치조골의 파괴 정도를 확

인하는 방법

⑥ 저작검사: 치아의 균열, 파절 등의 상태를 확인하는 방법으로, 검사하고자 하는 치아와 대합치 사이에 나무를 위치시켜 깨물게 하는 방법 – 급격한 동통인 경우 치아균열증 의심

⑦ 교합검사: 수복물의 교합이 정상인지 판단하기 위해 교합지를 이용 저교합·과교합 여부를 검사

⑧ 방사선사진검사: 육안으로 확인되지 않는 부위를 확인하기 위하여 방사선사진을 촬영하여 치아 및 수복물의 상태를 검사하는 방법

⑨ 전기치수검사: 전기치수검사기를 사용하여 치수생활력을 평가하는 검사법으로 전류를 치아에 흘려보내 치수의 감각섬유를 자극하여 검사하는 방법

⑩ 온도검사: 급격한 온도 변화에 대한 치수반응을 확인하는 방법으로, 온열검사와 한랭검사법이 있음

⑪ 마취에 의한 검사: 통증의 원인이 되는 치아를 찾기 어려운 경우에 시행하며, 침윤마취를 이용하여 후방치아부터 차례대로 마취를 시행하여 통증 소실여부를 관찰하는 방법

⑫ 와동형성검사: 다른 치수생활력 검사법으로 유무가 명확하지 않을 때 최종적으로 사용하는 방법으로, 마취하지 않은 상태에서 법랑상아경계 또는 상아질을 직접 버(bur)로 삭제해 보는 방법

⑬ 투조검사: 치아의 균열이나 파절이 의심될 때 적용하는 방법으로, 외상을 받은 전치의 치수출혈이나 괴사 상태의 확인, 인접면 우식증 등을 확인할 때도 적용되는 방법 – 광섬유에서 나오는 빛을 검사 치아의 설면에 비추어 색조의 변화 여부를 관찰

| **보존 2-1-4** | 연조직 검사법을 설명할 수 있다. (B) |

| **보존 2-1-5** | 시진방법을 설명할 수 있다. (B) |

| **보존 2-1-6** | 타진방법을 설명할 수 있다. (B) |

| **보존 2-1-7** | 촉진방법을 설명할 수 있다. (B) |

| **보존 2-1-8** | 동요도 검사방법을 설명할 수 있다. (B) |

| **보존 2-1-9** | 동통에 관한 조사법을 설명할 수 있다. (B) |

보존 2-1-10 교합 검사법을 설명할 수 있다. (B)

5. 전기치수검사방법

(1) 검사방법

① 전기치수검사 방법에 대해 환자에게 설명

② 검사할 치아를 분리해서 공기로 건조시킴

③ 전기치수검사를 적용하여 치아 치관부 협면의 교합측 또는 순면의 절단측 중앙에 위치시킴, 이때 전해질이 치아 내 수복물이나 인접치은조직과 볼에 닿지 않도록 주의함

④ 환자가 치수검사기의 금속손잡이를 잡거나 만지게 함

⑤ 다이얼을 돌려 최소의 전류가 들어오게 하고 천천히 전류를 증가시킴
→ 환자가 감각을 갖는 첫 반응에 해당하는 전기자극 눈금의 수를 기록함

⑥ 검사할 각 치아에 상기의 과정을 반복함

(2) 평가

① 양성 반응은 생활력이 있음을, 음성반응은 생활력이 소실된 치수괴사를 의미

② 금관 장착한 치아는 검사할 수 없음

③ 치수충혈과 급성 치수염의 경우 정상보다 적은 전류에서 반응

④ 만성 치수염과 부분 치수괴사의 경우 정상보다 많은 전류 필요

⑤ 만성 치근단 병소(만성 치근단 농양·육아종·낭)는 반응이 없음

보존 2-1-11 전기치수 검사 장비를 준비할 수 있다. (A)

6. 온도검사 방법

(ㅣ) 한랭검사(Cold test)

① 검사에 대해 환자에게 설명함

② 솜과 타액제거기를 사용한 간이 방습법으로 검사할 치아를 분리하여 공기로 건조시킴

③ 검사하고자 하는 치아의 치관부 협측면에 냉자극을 가함, 이때 치은에 냉자극이 가해지지 않도록 주의(실활치에서는 반응하지 않음)

(2) 온열검사(Heat test)

① 임시 스타핑 이용

Part
06

치
과
보
존
학

② 검사하고자 하는 치아의 치관부 협측면에 온열자극을 가함, 이때 치은에 온열자극이 가해지지 않도록 주의함(반응이 없으면 치수괴사)

> **보존 2-1-12** 온도 검사 기구를 준비할 수 있다. (A)

7. 와동형성검사

① 치수생활력을 검사하는 방법 중 최종적으로 사용하는 방법
② 마취하지 않은 상태에서 상아질을 직접 삭제해 보는 검사방법으로 이 검사에는 핸드 피스와 버(bur)가 사용됨

> **보존 2-1-13** 와동형성검사 기구를 준비할 수 있다. (A)

8. 치수생활력검사

① 온도검사: 임상에서 흔히 사용되는 치수생활력 검사법의 하나로 급격한 온도변화에 대한 치수의 반응을 확인하는 방법
② 전기치수검사: 전류를 치아에 흘려보내 치수의 감각섬유를 자극하여 치수생활력을 검사하는 방법
③ 와동형성검사: 치수생활력을 검사하는 방법 중 최종적으로 사용하는 방법으로 마취 하지 않은 상태에서 상아질을 직접 삭제해 보는 검사방법

> **보존 2-1-14** 치수생활력검사 방법을 설명할 수 있다. (A)

제3장 | 와동형성 기구

1. 와동

(1) 와동의 정의

① 병소부위의 제거 후 수복할 재료의 특성에 맞추어 형태가 갖추어진 구조
② 치아우식으로 생긴 구멍

(2) 와동형성

치아의 결손을 형태적, 기능적 심미적으로 적절히 수복할 수 있도록 치아를 설계하여 기계적으로 변화시키는 외과적 작업

| 보존 3-1-1 | 와동을 정의할 수 있다. (B) |

2. 형성된 와동의 각 부분적 명칭

(1) 와동각

① 선각: 2개의 와동벽이 만나 이루는 선 모양의 연결부위로 명칭은 서로 만나는 와동벽 이름을 연결하여 부름

② 점각(첨각): 3개의 와동벽이 만나 이루는 점 모양의 연결부위로 명칭은 서로 만나는 와동벽 이름을 연결하여 부름

③ 와동 치면 우각: 형성된 와동벽과 치아의 외면이 만나 이루는 각

(2) 와동벽

① 축벽: 치아장축과 평행한 내부 와동면

② 치수벽: 치아장축에 수직인 내부 와동면

③ 와동저: 교합면에 평행하도록 수평으로 위치한 와동의 바닥부분

④ 상아질벽

⑤ 법랑질벽

⑥ 와동외벽
  • 와동 밖의 치면까지 연장된 삭제면
  • 근심벽, 원심벽, 안면측벽, 설측벽, 치은벽

(3) 와연: 와동 내면의 측벽과 치아의 표면이 접한 부분

| 보존 3-1-2 | 와동의 각 부분적 명칭을 열거할 수 있다. (B) |

3. 와동형성의 목적

① 수복할 수 있도록 경조직의 결손부위를 모두 제거하여 우식재발 방지

② 저작압에 의해 수복물이 파절, 탈락되지 않도록 형성

③ 수복재가 가지는 기능적, 심미적 성질 고려해 병적 치아에 기계적인 변화를 부여

④ 수복물 변연을 가능한 보존적으로 연장

⑤ 생활치수를 보호해야 함(치질 보존의 대원칙 고려)

보존 3-1-3   와동형성의 목적을 열거할 수 있다. (A)

---

4. 와동형성 순서

(1) **국소마취 및 러버댐 장착**

(2) **외형의 설정(깊이의 설정)**

① 파절되기 쉬운 법랑질은 모두 제거

② 문제가 되는 모든 부위를 와동형성에 포함시킴

③ 모든 변연은 수복물을 잘 마무리할 수 있는 위치에 있어야 함

(3) **저항형태의 형성**

① 치아 장축 방향으로 가해지는 저작력에 수복물 또는 치아가 깨어지지 않도록 와동의 형태를 설계

② 바닥을 편평한 박스 모양으로 와동형성

③ 충분한 두께의 수복재 사용

④ 수복물이 파절에 저항할 수 있는 충분한 두께를 갖도록 와동외벽의 확장을 제한

⑤ 깨질 수 있는 치질은 제거

(4) **유지 형태의 형성**: 수복물이 와동에서 탈락되고 않고 제자리에 유지되도록 와동의 형태를 설계하여 형성

① 와동형태에 의한 유지효과

② 접착 및 합착에 의한 유지효과

③ 핀과 포스트에 의한 추가 유지력 부여

(5) **편의 형태의 형성**: 시술부위의 관찰, 접근 및 기구조작이 편리하도록 와동의 모양 또는 형태를 만들어주는 과정

(6) **우식 상아질의 제거**: 잔존우식상아질(감염상아질)의 완전 제거, 저속형 구형 버 및 수동기구 사용

(7) 법랑질벽과 변연의 마무리

① 수복재와 치질 사이에 최적의 변연봉쇄

② 평활한 변연 경계부를 형성

③ 변연 가까이에 있는 수복재가 최대의 강도를 가질 수 있도록 와동벽을 마무리

(8) 와동의 세척: 모든 찌꺼기를 따뜻한 물로 제거 후 와동을 건조(지나친 건조는 안 됨)

보존 3-1-4	와동형성 단계를 설명할 수 있다. (A)

5. 와동형성 시 사용되는 기구

1) 회전 삭제기구

(1) 핸드피스(Handpiece)

① 회전속도에 따른 분류

- 고속 핸드피스: 두부에 카트리지가 들어 있어서 압축공기의 힘에 의해 버를 회전
- 저속 핸드피스: 마이크로 모터가 손으로 잡는 몸체 내부에 들어 있어서 전기의 힘으로 버를 회전

② 핸드피스 앵글에 따른 분류

- 콘트라앵글형: 손잡이와 자루 및 머리 부분에 각이 있는 형태
- 스트레이트앵글형: 각이 없는 직선 형태

(2) 삭제기구: 치과용 버, 다이아몬드 버, 기타 연마기구

① 치과용 버(dental bur): 두부에 절삭 날이 있으며 핸드피스 앵글에 끼워서 회전시켜 사용, 보존수복 치료를 위한 와동형성에 주로 사용

ⓐ 재질에 따라

- 강철 버(steel bur): 저속용 버, 탄소강
- 카바이드 버(carbide bur): 고속용 버, 텅스텐 카바이드

ⓑ 형태에 따라

- 구형 버(round bur): 우식와동의 개방 또는 연화 상아질 제거에 사용
- 역원추형 버(inverted bur): 아말감 와동의 유지 형태인 첨와(undercut) 형성 시 사용
- 배형 버(pear shaped bur): 아말감을 위한 와동 형성에 주로 사용(아말감 버)
- 평형 열구형 버(straight fissure bur): 평행한 원통형, 와동수정 및 정리에 주로 사용
- 침형 열구형 버(tapered fissure bur): 끝으로 갈수록 좁아지는 원통형, 인레이 수복을 위한 와동형성에 주로 사용

ⓒ 회전속도에 따라

- 고속용 버(high speed bur)
- 저속용 버(low speed bur)

② 다이아몬드 버(diamond bur)

ⓐ 부서지기 쉬운 물질의 삭제 시 가장 효과적이므로 법랑질의 삭제 시 우수

ⓑ 주로 고속용이며 금관수복을 위한 지대치 형성, 복합레진 수복을 위한 치아형성 등에 주로 사용

ⓒ 미세한 입자를 가진 다이아몬드 버는 수복물의 마무리에 사용

③ 기타 연마기구

ⓐ 형태: 포인트(point), 휠(wheel), 디스크(disk), 컵(cup), 브러쉬(brush)

ⓑ 재질: 기질은 고무와 레진이며, 연마재로는 실리콘 카바이드, 산화알루미늄, 석류석, 석영, 퍼미스

2) 수동 삭제기구

- 회전 절삭기구의 보조수단
- 제한적 사용: 유리법랑질 제거, 연화상아질 제거, 변연정리 및 마무리

(1) 절삭용 수동기구의 종류

① Chisel: 끌모양의 기구로 미는 힘을 이용하여 치질(법랑질)을 삭제

② Hoe: 날의 각도가 chisel보다 훨씬 직각에 가까우며, 잡아당기는 힘으로 삭제

③ Hatchet: 손잡이의 장축에 날이 평행

④ Angel former: Chisel의 개량형으로 날 끝이 손잡이 축에 대해 80~85°의 경사를 이룸

⑤ Gingival margin trimer: 날이 곧지 않고 굽은 형태로 hatchet을 개량한 기구

⑥ Ordinaries: 박스 형태의 우각 끝 마무리

⑦ Spoon excavator: Spoon의 형태로 연화상아질(잔존우식상아질)의 제거

⑧ Discoid-cleoid: 연화상아질의 제거 또는 아말감이나 왁스 형태의 조각, discoid (둥근 형태)와 cleoid (손톱형태)

(2) 비절삭용 수동기구

① 아말감 운반기, 아말감 응축기, 아말감 버니셔 등

② 기구의 끝부분에 날이 없이 다른 형태로 변형되어 절삭기구와는 다른 용도

보존 3-1-5 와동형성 시 사용하는 기구를 준비할 수 있다. (A)

6. 와동의 분류 2019 기출 2021 기출 2022 기출

(1) G. V. Black 분류법

① 1급 와동(Class Ⅰ cavity): 모든 치아, 구치부의 교합면 와동과 전치부의 설측에 형성한 와동

② 2급 와동(Class Ⅱ cavity): 구치부의 인접면 와동

③ 3급 와동(Class Ⅲ cavity): 전치부의 인접면 와동(절단연 포함하지 않음)

④ 4급 와동(Class Ⅳ cavity): 전치부의 인접면 와동(절단연 포함)

⑤ 5급 와동(Class Ⅴ cavity): 모든 치아의 순면이나 설면에서 치은 1/3에 위치한 와동

⑥ 6급 와동(Class Ⅵ cavity): 전치부의 절단연이나 구치부의 교두부위에 형성된 와동

(2) 기타 분류

• 치면의 수에 따른 와동 분류

① 단순와동: 와동이 위치한 치면의 수가 하나인 경우 ex (O)

② 복합와동: 와동이 위치한 치면의 수가 2개인 경우 ex (MO, DO)

③ 복잡와동: 와동이 위치한 치면의 수가 3개 이상인 경우 ex (MOD)

보존 3-1-6   와동을 분류할 수 있다. (A)

---

7. Bur의 특징 2020 기출

(1) 치과용 버(Dental bur): 두부에 절삭 날이 있으며, 핸드피스 앵글에 끼워서 회전시켜 사용

① 사용목적: 치아의 와동형성과 금속 수복물의 마무리 및 외과적 제거

② 재질

  • 강철 버(steel bur): 탄소강으로 만든 버

  • 카바이드 버(carbide bur): 텅스텐 카바이드로 만든 버

③ 형태

  • 구형 버(round bur): 우식와동의 개방 또는 연화 상아질 제거에 사용

  • 역원추형 버(inverted bur): 아말감 와동의 유지 형태인 첨와 형성 시 사용

  • 배형 버(pear shaped bur): 배모양, 아말감을 위한 와동 형성에 주로 사용

  • 평형 열구형 버(straight fissure bur): 평행한 원통형, 아말감 수복을 위한 와동형성 시 사용

  • 침형 열구형 버(tapered fissure bur): 인레이 수복을 위한 와동형성

④ 회전속도

- 고속용 버
- 저속용 버

(2) 다이아몬드 버

① 주로 고속용

② 금관 수복을 위한 지대치 형성, 복합레진 수복을 위한 치아형성 등에 주로 사용

| 보존 3-1-7 | Bur의 특징을 설명할 수 있다. (A) |

8. 보존기구의 감염관리방법

(1) 핸드피스의 관리

① 사용한 핸드피스는 화학 소독제를 이용하여 표면 오염을 제거한 후 세척, 주유, 멸균

② 핸드피스: 가압증기멸균법(가장 빠르고 적당한 방법), EO 가스멸균(멸균시간 길고, 치과의원에서 구비 어려워 비현실적)

③ 핸드피스의 관리는 제조사의 지시를 따름

(2) 치과용 버와 다이아몬드 포인트의 관리

① Bur에 묻은 찌꺼기는 wire brush와 소독용액으로 제거

② Diamond point 등은 연마재를 묻힌 rubber disc에 대고 돌리고 초음파세척기에 넣어 세척

③ Bur, diamond point 등은 건열멸균 또는 가압증기멸균법으로 소독

| 보존 3-1-8 | 기구의 감염관리 방법을 설명할 수 있다. (A) |

1. 방습법

① 건조한 상태 및 시야를 확보하기 위해 시술 부위를 격리하는 방법
② 시술 부위를 격리함으로써 연조직의 보호
③ 구강의 습기를 조절해서 건조한 상태 유지

| 보존 4-1-1 | 방습법을 정의할 수 있다. (B) |

2. 방습법의 종류

① 러버댐(rubber dam)
② 간이 격리법
- 흡수재(면봉격리법)
- 고성능 흡인기와 타액흡인기

| 보존 4-1-2 | 방습법의 종류를 열거할 수 있다. (B) |

3. 러버댐의 구성

① 러버댐 시트(rubber dam sheet): 매끈한 면이 환자 얼굴에 위치(술자의 눈이 덜 피곤하게)
② 러버댐 프레임(rubber dam frame): 러버댐 시트를 팽팽하게 유지하는 역할, 구강 외 장착
③ 러버댐 천공기(rubber dam punch): 러버댐에 구멍을 뚫는 기구
④ 러버댐 클램프(rubber dam clamps): 러버댐 시트를 치아에 고정, 지은압배, 혀의 보호 역할
⑤ 러버댐 냅킨(rubber dam napkin): 러버댐과 환자의 피부 사이에 위치시키는 일회용 종이, 장점은 구각과 입술 보호, 구각부위로 흘러나온 타액 흡수, 러버에 민감한 환자에게 알레르기 반응 위험 감소
⑥ 러버댐 겸자(rubber dam forcep): 클램프를 치아에 장착하거나 치아에서 제거할 때 사용되는 기구

⑦ 치실(dental floss) : 러버댐을 치아에 고정시킬 경우 또는 인접면을 지나 치아 사이의 공간으로 들어갈 수 있도록 하기 위해 사용

> **보존 4-1-3**   러버댐의 구성을 설명할 수 있다. (A)

4. 러버댐의 장점

① 타액으로부터 격리해 건조하고 깨끗한 시야확보
② 술중 순·협·설 등의 장애물을 배제
③ 약물과 기계적 자극으로부터 연조직 보호
④ 환치를 직시할 수 있어 정밀한 술식가능
⑤ 시술에 집중가능
⑥ 작은 기구 등을 떨어뜨렸을 때 생기는 우발적 사고방지
⑦ 수복재료나 약재가 환치 이외에 파급되는 것을 방지
⑧ 치아삭제 시 분말을 제거하기 편함
⑨ 치은압배를 겸할 수 있어 유리치은에 근접한 와동형성에 유리
⑩ 눈의 피로방지
⑪ 환자구강 내로부터의 감염에 대한 보호

> **보존 4-1-4**   러버댐의 장점을 열거할 수 있다. (A)

5. 러버댐의 단점

① 방습조작에 시간과 노력, 비용이 필요(실제로 시술시간은 단축)
② 불완전하게 맹출된 영구치, 비정상적인 형태나 위치를 가진 치아, 경사진 치아에 장착 시 탈락 위험
③ 코로 숨쉬기 곤란한 환자, 구호흡 환자에서 사용하기 힘듦
④ 러버댐 냄새를 싫어하거나 알러지가 있는 경우에서 사용하기 힘듦
⑤ 치아의 수직방향의 판단이 어려움
⑥ 와벽이 약한 치아는 러버댐 고정기에 의해 파절가능

> **보존 4-1-5**   러버댐의 단점을 열거할 수 있다. (A)

6. 러버댐의 장착방법 2020 기출

① 천공: 러버댐 장착을 위해 위치와 크기 등을 고려하여 구멍(hole) 형성

② 윤활제의 적용(생략 가능): 뚫은 구멍과 인접면에 윤활제를 바름

③ 클램프의 선택 및 시적: 치실로 묶은 클램프를 겸자에 끼운 후 치아에 시적

④ 러버댐의 장착: 클램프의 bow가 원심을 향하게 시트 구멍에 끼움 → 겸자로 클램프와 시트를 함께 치아에 고정 → 러버댐 냅킨을 위치 → 시트를 펼쳐 프레임에 고정 → 핀셋 등을 이용하여 날개 위의 시트를 클램프 밑으로 넣음

> **보존 4-1-6** 러버댐을 장착할 수 있다. (A)

7. 러버댐의 제거방법

• 러버댐 장착순서의 반대

① 러버댐 시트 위에 있는 모든 잔사와 치실 제거

② 러버댐 시트를 당겨 가위로 치아 사이의 러버를 자름

③ 한 손으로 프레임을 잡고 다른 한 손으로 겸자를 이용하여 프레임과 시트를 동시에 제거

④ 치간 사이에 고무나 잔사 등이 끼어 있는지 확인

> **보존 4-1-7** 러버댐을 제거할 수 있다. (A)

8. 흡습제(흡수제, 면봉격리법)

• 러버댐을 장착할 수 없는 경우 면봉(cotton roll)이나 거즈(gauze) 등으로 시술부위를 격리할 수 있다.

• 젖은 흡습제는 새 것으로 교환해 주어야 하며, 회전삭제 기구를 사용할 때는 버에 걸리지 않도록 주의해야 한다.

> **보존 4-1-8** 면봉 격리법을 설명할 수 있다. (B)

9. 치간이개

1) 방법

(1) 빠른 이개(즉시 이개법)

① 웨지(wedge), 치간분리기(separator) 등을 인접면에 삽입해 기계적으로 이개

② 국소 마취하에 시행(통증이 있을 수 있음)

③ 단시간에 치아 사이를 벌리는 방법

④ 근첨부 혈관 및 신경의 절단 등의 위험이 있으므로 이개 폭이 0.5 mm 이하인 경우

(2) 느린 이개(완서 이개법)

① Rubber, elastic ring, ligature wire, gutta percha 등을 사용하여 경미한 힘으로 서서히 치아 사이를 벌림

② 교정치료 시 대구치 사이에 교정용 밴드를 끼울 수 있는 공간을 확보하기 위해 사용

③ 환자에게 동통을 주지 않고 손상이 적지만 시간이 많이 걸리고 결과가 불확실

2) 목적

① 밴드 삽입으로 인한 두께 보상

② 기구의 접근이 어려운 인접면 치아우식증의 검사 및 와동형성을 위하여

③ 교정 밴드, 러버댐 삽입할 수 있는 공간 확보

④ 2급 와동형성할 때 인접치아의 건전치질을 보호하기 위해

⑤ 2급 와동형성 시 수복조작 및 연마 용이

⑥ 인접치아와의 접촉점과 그 외형을 적절히 회복하기 위해

보존 4-1-9	치간이개 목적을 설명할 수 있다. (A)

10. 치간쐐기의 목적

① 격벽이 제자리에서 움직이지 않도록

② 고정치아를 분리하여 격벽의 두께를 보상

③ 수복재가 치은연 하방으로 밀려 나가는 것을 막음

④ 치은 출혈 막음

⑤ 러버댐이 교합면 쪽으로 밀려 올라가 시야를 가리는 것 방지

보존 4-1-10	치간쐐기의 목적을 설명할 수 있다. (A)

11. 치은압배

① 수복치료 시 치아로부터 일시적인 치은의 분리를 위해 단시간 동안 유리치은을 측방 및 하방으로 변위시키는 것

② 너무 굵은 압배사를 사용하는 경우, 오랜 시간 압배하는 경우, 무리한 힘을 주는 경우 치은이 영구적으로 퇴축할 수 있으므로 주의

③ 목적
- 치은손상의 방지
- 치은열구액 및 출혈에 대한 방습
- 치은연하 시야 및 접근성 향상
- 정확한 인상채득을 가능케 함

보존 4-1-11 치은압배의 목적을 설명할 수 있다. (A)

12. 격벽법 2019 기출

① 두 면 이상의 복잡와동 수복 시 측방 개방면을 일시적으로 막아 단순와동이 되도록 인공적인 벽을 설정하는 것

② 즉, 벽이 없다면 아말감 수복이나 직접법에 의한 복합레진 수복 시 수복재료들이 다지는 힘에 의해 와동 밖으로 밀려 나가게 됨

보존 4-1-12 격벽법을 정의할 수 있다. (B)

13. 격벽법의 목적

① 상실된 와동 외벽을 대신함

② 인접면의 적절한 해부학적 외형을 재현

③ 인접 치아와의 접촉점을 회복

④ 기구 도달이 불가능하여 조각(carving) 및 문지르기(burnishing)를 할 수 없는 인접면을 매끈한 상태로 만듦

⑤ 가소성 수복재가 치은벽 밑으로 밀려나가는 것을 막아줌

보존 4-1-13 격벽법의 목적을 설명할 수 있다. (A)

14. 매트릭스밴드와 리테이너의 장착방법(토플마이어 격벽 시스템)

① 밴드를 구부려 고리를 만들어 유지기의 홈에 끼우고 밴드가 빠지지 않게 고정용 나사를 조임
② 밴드를 치아에 끼운 후 고리 크기 조절용 나사를 시계방향으로 돌려 밴드가 치아와 간격없이 붙도록 조임, 이때 너무 세게 조이면 치아가 변형될 수 있으므로 주의
③ 유지기의 U자형 머리부분의 홈이 항상 치은 쪽으로 향하게 하고 고리의 넓은 쪽이 교합면, 좁은쪽이 치은을 향하도록 함
④ 웨지를 인접면 치간공극에 삽입하고 잘 빠지지 않는지 확인

> **보존 4-1-14** 매트릭스밴드와 리테이너를 장착할 수 있다. (A)

15. 매트릭스밴드와 리테이너의 제거방법

① 유지기의 슬라이드(slide)를 이완시킴
② 유지기의 고정용 나사(set screw)를 제거
③ 매트릭스 밴드의 루프(loop)를 손가락을 두어 움직이지 않게 하면서 유지기를 제거하기 위해 교합면 방향으로 당김
④ 매트릭스 밴드의 한 쪽 끝부분을 잡고 교합측 및 설측으로 당겨 인접치와의 접촉점을 벗어나게 함
⑤ 매트릭스 밴드의 다른 쪽 끝 부분을 잡고 교합측 및 협측으로 당겨 인접치와의 접촉점을 벗어나게 함

> **보존 4-1-15** 매트릭스밴드와 리테이너를 제거할 수 있다. (A)

제5장 | 치수보호

1. 이장재(Liner)의 사용목적 `2021 기출`

(1) 용액 이장재(와동 바니쉬)

① 상아세관의 입구를 폐쇄, 와동과 수복물 사이의 계면을 밀폐함으로써 화학적 보호 역할
② 변연미세누출 감소
③ 상아질 착색 방지

(2) 현탁액 이장재(수산화칼슘 이장재)

① 화학적 자극을 차단하는 것이 주된 목적(열 차단은 안 됨)

② 치수에 대한 약리효과로 삼차 상아질의 형성 유도

③ 우식병소의 소독효과

| 보존 5-1-1 | 이장재의 사용목적을 설명할 수 있다. (A) |

2. 이장재(Liner) 사용법

① 도포용 기구(applicator) 끝에 소량 묻혀 노출될 우려가 있는 부위 및 노출된 치수에 0.5~1.0 mm의 두께로 도포

② 자가경화형이 기본

③ 동량으로 사용

④ 방사선 조영제 첨가: 방사선사진에서 존재 확인

⑤ 상아질에 국한해서 도포해야 변연유출을 방지

| 보존 5-1-2 | 이장재의 사용법을 설명할 수 있다. (A) |

3. 기저재(Base)의 사용목적

① 남아있는 상아질의 양이 불충분한 경우 상아질을 대체하기 위해 사용

② 치수에 가해지는 화학적 자극으로부터 방어벽 역할, 열 자극으로부터 보호

③ 충전 시 충전압력으로부터 치수 보호

④ 치수의 진정효과

⑤ 항우식효과

⑥ 와동 내면의 형태 수정·보충

| 보존 5-1-3 | 기저재의 사용목적을 설명할 수 있다. (A) |

4. Z.P.C (인산아연시멘트) 취급방법

① 기저재, 합착재의 용도

② 상아질과 열전도율 비슷, 압축강도가 비교적 양호, 단열효과가 뛰어남, 치질 접착성 없음

③ 인산용액의 높은 산도에 의해 치수에 자극을 주므로 이장재(dycal) 적용 후 사용

④ 인산용액의 산도를 감소시키고 경화 시 치수로 가해지는 열자극 감소 위해 차게 식힌 혼합용 유리판에서 여러 번 나누어 90초간 혼합

보존 5-1-4 인산아연시멘트의 취급법을 설명할 수 있다. (B)

5. Z.O.E (산화아연유지놀시멘트) 취급방법

① 치수에 대한 진정효과

② 봉쇄성이 뛰어남

③ 복합레진의 중합을 방해하기 때문에 함께 사용하면 안 됨

보존 5-1-5 산화아연시멘트의 취급법을 설명할 수 있다. (B)

6. 폴리카복실레이트 시멘트(Polycarboxylate cement)의 취급방법

① 치질과 화학적 결합이 가능, 치수에 자극 없음

② 인산아연시멘트에 비해 기계적 성질이나 용해성이 떨어짐

③ 혼합이 힘들고 작업시간이 짧음

보존 5-1-6 폴리카복실레이트 시멘트의 취급법을 설명할 수 있다. (B)

7. 글래스아이오노머 시멘트(Glassionomer cement)의 취급방법

① 복합레진 수복 시 가장 추천(plastic spatula 사용)

② 자연치와 유사한 색조(심미적)

③ 치수에 친화성이 좋음

④ 불소가 포함되어 항우식 효과

⑤ 치질과 열팽창계수 유사

> **보존 5-1-7** 글래스아이오노머 시멘트의 취급법을 설명할 수 있다. (B)

제6장 | 아말감 수복

1. 아말감합금의 구성성분

① 은: 경화팽창과 강도 ↑, 수은과의 반응성을 좋게 함, 크립 ↓

② 주석: 아말감화 촉진, 경화팽창, 강도와 경도 ↓, 크립 ↑

③ 구리: 강도·경도·경화팽창 ↑, 크립 ↓, 변색 ↑

④ 아연: 합금을 용융하여 제조할 때 산소가 은, 주석, 동 등과 결합하는 것을 막는 역할

> **보존 6-1-1** 아말감의 구성성분을 열거할 수 있다. (B)

2. 아말감의 종류

① 저동 아말감합금

② 고동 혼합형 아말감합금

③ 고동 단일조성형 아말감합금

> **보존 6-1-2** 아말감의 종류를 열거할 수 있다. (B)

3. 아말감 수복의 장점

① 재료의 취급이 용이하고 사용이 간편함

② 높은 강도와 치아와 유사한 마모도를 가지고 있음

③ 수명이 길고 경제적

④ 임상적용 범위가 넓음

⑤ 치아 경조직이나 치수에 화학적인 자극을 주지 않음

⑥ 시간이 경과될수록 금속의 지연팽창으로 인해 미세누출을 감소시킴

⑦ 장기간에 걸친 우수한 임상결과

> **보존 6-1-3** 아말감 수복의 장점을 설명할 수 있다. (A)

4. 아말감 수복의 단점

① 치아색과 구별: 비심미적
② 부식에 의해 치질에 착색을 유발
③ 수은 함유로 취급에 주의를 요함
④ 치질과 결합이 일어나지 않음
⑤ 열전도성이 높음
⑥ 이종금속과 갈바닉 반응을 일으킬 수 있음
⑦ 수복초기에 변연 누출의 가능성이 있음
⑧ 변연강도가 낮아 아말감 변연이 떨어져 나가기 쉬움
⑨ 완전히 경화되고 충분한 압축강도에 도달할 때까지 일정한 시간을 필요로 함
⑩ 연조직에 들어가면 지워지지 않는 문신을 만들 수 있음

> **보존 6-1-4** 아말감 수복의 단점을 설명할 수 있다. (A)

5. 2급 와동의 아말감 수복과정

• 마취 → 러버댐 → 와동형성 → 격벽법 → 배합 및 연화 → 응축 및 충전 → 조각전 문지르기 → 격벽 제거 → 조각 → 조각 후 문지르기 → 러버댐 제거 → 교합 조정 → 마무리 및 연마

① 연화의 목적: 아말감 합금을 분쇄하여 반응 표면적 증대, 균일하게 혼합, 아말감화
② 멀링의 목적: 연화된 아말감을 균질하게 함, 적절한 점도 유지, 아말감 운반기에 담기 쉽도록 모양 다듬음
③ 응축의 목적: 기포 제거, 과잉의 잔여 수은 제거, 연화된 아말감을 와동에 잘 적합시킴
④ 조각 후 문지르기 목적: 와동변연부의 아말감 밀도↑, 매끄러운 표면 형성

> **보존 6-1-5** 2급 와동의 아말감 수복과정을 설명할 수 있다. (A)

6. 아말감 연마의 목적

① 긁힌 흔적을 매끄럽게 함으로써, 치면세균막의 축적과 2차 우식 발생을 억제
② 치은 자극 최소화, 파절 가능성이 있는 과잉변연(overhanging margin)을 제거
③ 교합상태 및 교합면의 형태를 다듬어 마무리
④ 부식 저항성을 증가시켜 아말감 수명 연장
⑤ 표면을 활택하게 함으로써 변색을 줄이고, 심미성을 개선

보존 6-1-6	아말감 연마의 목적을 설명할 수 있다. (A)

7. 아말감 연마의 과정

① 저속 핸드피스를 사용
② 거친 연마기구 → 고운 기구사용(스톤 포인트 → 러버 포인트 사용)
③ 교합이 높았던 부위는 반짝이는 마모면이 나타나는데 bur로 삭제
④ 연마 시 과도한 열로 수은 증기가 발생하거나 치수에 열 손상을 입히지 않도록 표면이 물에 젖은 상태에서 천천히 연마를 시행
⑤ 산화주석을 사용하여 최종 광택을 냄

보존 6-1-7	아말감 연마를 수행할 수 있다. (A)

8. 핀 유지형 아말감 수복

(1) 적응증

① 금속주조 수복물을 경제적 사정으로 인해 연기할 때
② 와동이 너무 넓게 연장된 경우
③ 치질이 광범위하게 손상된 경우
④ 예후가 의심스러운 구치의 경우
⑤ 근관치료 후 아말감 코어 형성할 때
⑥ 전치부의 class Ⅳ 와동에서 절단부의 충전 재료의 유지증가가 필요할 때

(2) 금기증

① 과민증상이 있는 치아는 사용하지 않음
② 치아 외형이 해부학적으로 기형인 경우
③ 탈수된 치아

(3) 장점

① 적은 경비, 시간

② 치질 삭제가 적어 치질 보존에 유리

③ 주조수복물에 비해 내원 횟수가 적음

④ 핀을 사용하지 않는 아말감 수복에 비해 유지력 증진

⑤ 핀을 사용하지 않는 아말감 수복에 비해 저항성 증진

(4) 단점

① 수복물의 파절, 수복물과 핀의 분리, 핀의 파절

② 치수관통, 측방으로 치질 천공 발생할 위험

③ 상아질 내부에 스트레스 주어 균열이나 파절을 일으킴

④ 상아질 과민증 유발 가능

보존 6-1-8	핀 유지형 아말감 수복의 특징을 설명할 수 있다. (B)

제7장 | 심미 수복

1. 심미 수복

- 자연치아의 색과 조화되는 재료로 치아를 수복하는 술식

직접수복법	아말감, 복합레진, 핀유지형 아말감, 글래스아이오노머
간접수복법	인레이, Crown

보존 7-1-1	심미 수복 정의를 설명할 수 있다. (B)

2. 심미 수복재료 2022 기출

1) 복합레진

(1) 구성성분

① 기질

② 충전제: 강도를 증가시키고 열팽창계수를 줄임으로써 복합레진의 물리적 성질을 향상

③ 결합제

(2) 중합수축 최소화하기 위한 방법

　　① 복합레진에 처음 광조사를 할 때 약한 강도로 시작

　　② 복합레진을 소량씩 여러 번에 나누어 충전(적층법), 광중합을 함

　　③ 탄성이 있는 이장재를 사용하여 스트레스를 흡수

　　④ GIC와 같은 기저재를 사용하여 충전된 복합레진의 전체 부피를 줄임

(3) 적응증

　　① 구치부의 1, 2급 수복

　　② 전치부의 3, 4급 수복

　　③ 5, 6급 수복

　　④ 전치부 정중이개의 폐쇄

　　⑤ 치아 외형의 수정

　　⑥ 레진 인레이의 접착

　　⑦ 근관치료한 치아의 코어재료

(4) 금기증

　　① 치은연하 등과 같이 격리(방습)가 불가능한 경우(수분에 취약함)

　　② 교합력이 집중되는 경우(깨질 수 있음)

(5) 장점

　　① 심미적

　　② 치질삭제를 최소화하여 치질을 최대한 보존

　　③ 와동형성이 다른 수복법에 비해 복잡하지 않음

　　④ 열전도율이 낮음

　　⑤ 치질 접착이 우수

　　⑥ 미세누출이나 변색이 적음

　　⑦ 접착을 통해 잔존 치질의 강도를 증가시킬 수 있음

　　⑧ 부분적인 수리가 가능

(6) 단점

　　① 복합레진의 중합수축 때문에 틈새가 생길 가능성이 있음

　　② 술식이 까다롭고 어려움

　　③ 교합력이 집중되는 곳에서 마모가 일어날 수 있음

④ 수분에 민감해 치은연하 같은 방습이 불가능한 경우 사용할 수 없음

2) 글래스 아이오노머(GIC = GI)

GI 적응증

① 노인 및 우식활성도가 높은 환자의 치근면 우식증

② 응력을 적게 받는 3급, 5급 와동의 수복

③ 유치의 1급, 2급 와동

3) 도재

• 도재 인레이 및 온레이, 라미네이트 비니어 등에 사용

4) 아크릴레진

• 임시치관의 제작에 사용하는 임시수복재

5) 컴포머

① 복합레진의 변형 재료

② 불소를 유리하는 효과

③ GI cement보다 물성이 우수하지만, 복합레진보다는 뒤떨어짐

보존 7-1-2   심미 수복재료를 열거할 수 있다. (A)

3. 복합레진의 술식과정

(1) 국소마취 및 치면세마

(2) 색상 선택

① 치아가 젖은 상태에서 선택

② 자연광 아래에서, 수복할 치아 옆에 대고 관찰하는데 가능한 빠르게 선택

(3) 격리

(4) 와동형성

(5) 치수보호

① ZOE 시멘트는 복합레진 중합 방해(바니쉬도 기저재로 사용하지 않음)

② 필요한 경우 수산화칼슘 이장재(dycal)와 GIC 기저재 사용

③ 샌드위치 충전법: GIC (와동부, 심부) + 복합레진(상층부)

(6) 산부식

① 산부식제 도포: 32~37% 인산용액으로 상아질과 법랑질의 전체 산부식을 하는 경우에는 15초, 법랑질만 산부식을 하는 경우에는 30초간 시행

② 수세: 15초 동안 물을 뿌려 산부식제를 깨끗하게 제거

③ 건조: 법랑질만 부식하는 경우 완전히 건조, 상아질을 함께 부식하는 경우 약간의 습기가 남을 정도로만 살짝 건조

(7) 접착강화제 도포

(8) 액체 레진 도포: 2회 이상 접착레진을 얇게 도포하고 광중합

(9) 격벽: 산부식을 하기 전에 장착

(10) 복합레진 충전 및 광중합

① 전용 수동기구 사용: 플라스틱기구와 테프론을 입힌 금속기구

② 충전 시 기포가 생기지 않도록 주의, 각 층마다 40초간 광중합

③ 적층법
- 큰 와동의 경우 소량씩 2 mm 이하로 얇게 충전하고 광중합(광조사기는 2 mm 이상 투과하지 못함)
- 광중합기의 조사구는 충전면에 직각이 되도록 조사
- 순·설면 두 방향 모두 조사

(11) 마무리: 외형 다듬기 및 교합 조정

(12) 연마

(13) 재접착과 광택처리

① 연마가 끝나 표면을 다시 한 번 산부식한 후, 접착레진과 같은 액체 레진을 도포

② 중합수축이나 연마로 인해 발생되는 미세균열을 메우고 변연이 저합도를 향상시켜 미세누출 감소 효과

보존 7-1-3	복합레진의 술식과정을 설명할 수 있다. (A)

4. 광중합형 복합레진 취급방법

① 단일 용기의 연고형태

② 광중합기, 광조사기 사용: 작업시간 조절가능

③ 중합 깊이는 약 1.5~2 mm (2 mm 이상이면 적층법)

| 보존 7-1-4 | 광중합형 복합레진의 취급법을 설명할 수 있다. (B) |

5. 글래스아이오노머 시멘트의 장·단점

(1) 장점

① 불소 유리에 의한 항우식성

② 치질과 화학적 접착

(2) 단점

① 초기 산도로 인한 치수자극(혼합초기에 산도 높아 치수자극)

② 경화반응 초기 수분에 대한 민감성

③ 강도와 심미성 부족

| 보존 7-1-5 | 글래스아이오노머 시멘트의 장점을 설명할 수 있다. (A) |

| 보존 7-1-6 | 글래스아이오노머 시멘트의 단점을 설명할 수 있다. (A) |

6. 글래스아이오노머 시멘트의 충전순서

• 와동형성 → 와동내면의 처리 → 충전 → 외형 다듬기와 연마

| 보존 7-1-7 | 글래스아이오노머 시멘트의 취급법을 설명할 수 있다. (A) |

7. CAD·CAM system을 이용한 심미수복

• 짧은 시간 내에 최소한의 인력으로 컴퓨터의 도움을 받아 porcelain block으로부터 수복물을 정밀 삭제하는 방법 – 인레이, 온레이, 라미네이트, 크라운 등 제작 가능

① 장점: 장비가 간단하고 환자의 재내원이 필요없음

② 단점: 장비가 고가이고, 숙련기간이 필요하며 변연부의 정밀도가 떨어짐

③ 수복과정: 구강 내에서 특수레진을 압인(imprint)하여 패턴(pattern)을 얻음 → 패턴을 광중합 → 스캐닝하면서 삭제함 → 수복물 완성

보존 7-1-8 CAM system을 이용한 심미 수복과정을 설명할 수 있다. (B)

제8장 | 주조 금 수복

1. 금 인레이의 장점

① 아말감에 비해 강도 우수
② 마모도가 낮아 수복물의 변형이 매우 적음
③ 체적변화가 적음
④ 해부학적 형태회복이 우수
⑤ 부식이나 용해되지 않아 생체 친화성이 가장 좋음
⑥ 고정성 및 가철성 보철물의 지대치로 사용 가능

2. 금 인레이의 적응증

① 마모가 심한 치아
② 넓은 우식 병소의 수복
③ 큰 아말감 수복물의 대체(특히, 2급 와동)
④ 고정성 수복물이나 가철성 의치의 지대치로 사용하는 경우

보존 8-1-1 금 인레이의 장점을 설명할 수 있다. (A)

3. 금 인레이 단점

① 여러 번 내원해야 하고, 치료시간이 더 많이 걸림
② 와동에 접착성이 없기 때문에 합착재가 필요
③ 임시충전이 필요
④ 심미적이지 못함
⑤ 열전도율 높아 기저재 필요, 수복 후 온도에 일시적 민감성 호소 가능

⑥ 치아를 파절시킬 가능성이 있음(특히 MOD인레이)

⑦ 가격이 비쌈

⑧ 치질 삭제량이 많음

보존 8-1-2 금 인레이의 단점을 설명할 수 있다. (A)

4. 금 합금의 종류

ADA Type	Gold 함량	경도	용도
제 I 형	83	연질(soft)	교합압이 크지 않은 작은 인레이
제 II 형	78	중질(medium)	인레이, 온레이(2급, MOD)
제 III 형	78	경질(hard)	온레이, 금관
제 IV 형	75	초경질(extra-hard)	금관, 계속가공의치, 국소의치

보존 8-1-3 금 합금의 종류를 열거할 수 있다. (B)

5. 금 인레이의 수복과정

① 마취 및 치아형성

② 치수보호

③ 치은압배 및 인상채득

④ 교합관계 기록

⑤ 임시충전

⑥ 기공작업

⑦ 주조체 시적 및 교합조정

⑧ 시멘트 합착

⑨ 과잉 시멘트 제거

보존 8-1-4 금 인레이의 수복 술식을 설명할 수 있다. (A)

6. 금 인레이의 합착과정

- 인레이를 치과용 시멘트를 이용하여 와동에 붙이는 과정

① 시술부위 청결 및 격리
② 시멘트 준비 및 혼합
③ 와동변연부에 시멘트 바르기 및 주조물 내면에 바르기
④ 주조물을 와동에 삽입
⑤ 환자에게 치아를 다물도록 하여 수복물이 완전히 장착되게 함
⑥ 탐침으로 변연을 점검해서 완전히 장착되었는지 확인
⑦ 환자에게 시멘트가 완전히 굳을 때까지 일정한 힘을 주면서 치아를 다물고 있도록 함
⑧ 시멘트가 경화된 후에 여분의 시멘트를 완전히 제거 → 인접면의 시멘트 잔사를 제거할 때 치실 사용하면 효과적으로 제거 가능
⑨ 교합 재확인 및 필요 시 조절
⑩ 환자에게 적절한 구강위생교육 실시

| 보존 8-1-5 | 금 인레이의 합착과정을 설명할 수 있다. (A) |

제9장 | 치수(근관)의 형태

1. 치아의 치수강 형태

(1) 전치 치수강

근관에 이행되어 구별이 어려움

(2) 구치의 치수강

① 치수상, 치근관의 형태는 해당치아의 치관과 치근의 외형 반영
② 치수의 형태는 나이, 우식, 질환, 외상, 마모나 치주질환, 수복물의 유무에 따라 변화 (대부분 좁아지고 얇아짐)
③ 치수각의 위치는 대개 cusp의 위치에 준하며 치아 최대 풍융부의 level에 위치
④ 대부분의 치근은 만곡
⑤ 치근단 협착부는 일반적으로 방사선학적 근첨보다 약 1 mm 위쪽(치관쪽)에 위치
⑥ 1개의 치근에 2개 이상의 근관 존재

⑦ 치수강은 치관부와 치근부로 구분

⑧ 때때로 측방관과 부근관을 볼 수 있음

보존 9-1-1	치아의 치수강 형태를 설명할 수 있다. (A)

2. 치아별 근관의 형태

치아 구분		치근의 수, 위치	근관의 수, 위치
전치	상·하악 절치	1	1
	상·하악 견치	1	1
소구치	하악 제1, 2소구치	1	1
	상악 제2소구치	1	1
	상악 제1소구치	2(B,P)	2(B,P)
대구치	하악 제1, 2대구치	2(M,D)	3(MB,ML,D)
	상악 제1, 2대구치	3(MB,DB,P)	4(MB,MB,DB,P)

* B: Buccal, P: Palatal, L: Lingual, M: Mesial, D: Distal

보존 9-1-2	치아별 근관의 해부학적 특징을 설명할 수 있다. (B)

3. 연령에 따른 근관의 형태변화 `2019 기출` `2022 기출`

(1) 젊은 사람

① 상아세관은 넓고 규칙적

② 근관과 치근단공이 넓음

③ 치수각이 길고 치수실은 큼

(2) 나이가 많아짐에 따라

① 2차 상아질과 수복상아질의 축적으로 근관은 좁고 가늘어짐

② 치수각과 치수실은 감소

③ 상아세관은 관주상아질이 경화하여 축적되므로 불규칙하게 좁아지거나 막히기도 함

④ 근관의 끝이 치근단에서 점점 멀어짐

보존 9-1-3	연령에 따른 근관의 형태변화를 설명할 수 있다. (A)

4. 백악-상아경계부(C-D junction) 2020 기출

① 조직학적으로 근첨에서 백악질과 상아질이 만나는 경계부

② 이 부위는 근관의 협착부와 일치하거나 근처에 존재하는데, 일반적으로 이 부위까지 근관기구를 조작

보존 9-1-4	백악-상아경계부(Cementodentin Junction)를 정의할 수 있다. (B)

제10장 | 치수질환과 치근단 조직의 질환

1. 치수질환의 원인

1) 세균학적 요인

① 가장 일반적인 세균 감염의 원인

② 천공, 파절, 균열, 치주낭을 통해 세균이 치수 내부로 전이

③ 우식관련 세균 및 독소(근관내 세균은 대부분 혐기성 세균)

2) 물리적 요인

(1) 전기적 자극

① 전기치수검사기(EPT)의 잘못된 사용

② 갈바니즘: 다른 종류의 금속성 수복물이 서로 접촉하면 정전기가 발생하여 치수 손상

(2) 기계적 자극

① 병적 마모, 교모

② 외상

- 외상성 치아손상: 사고, 추락, 타박, 스포츠 상해 등
- 악습관: 이갈이, 손톱 깨물기
- 의원성 손상: 와동형성 시 손상, 급격한 치아이동 및 치간이개, 상아질 탈수(과도한 압축공기 사용)

③ 치아 균열

④ 기압의 변화(항공성 치통)

(3) 온도적 자극

  ① 금속성 수복물에 의한 열전도   ③ 연마 시의 마찰열

  ② 와동 형성 시 발열   ④ 시멘트 경화 중 발열

3) 화학적 원인

(1) 산에 의한 침식

(2) 치과진료 시의 약제

  ① 알코올, 과산화수소수, 부식제 ③ 인산, 유지놀액, 질산은

  ② 페놀, 클로로포름   ④ 아크릴 레진의 단량체

> **보존 10-1-1** 치수질환의 원인을 설명할 수 있다. (A)

2. 치수질환의 분류

1) 염증성 변화

(1) 가역성 치수염

  ① 치수충혈   ② 상아질 지각과민증

(2) 비가역성 치수염

  ① 급성 치수염 ② 만성 궤양성 치수염 ③ 만성 증식성 치수염

(3) 치수괴사

2) 퇴행성 변화(치수변성)

  ① 섬유화 변성   ③ 석회화 변성

  ② 위축 변성   ④ 내흡수

> **보존 10-1-2** 치수질환의 종류를 설명할 수 있다. (A)

3. 치수충혈

  ① 짧은 통증(예리한 동통)은 자극이 제거되면 곧 완화

  ② 치수에 경미한 자극이 가해져 나타나는 일시적인 염증상태(가역성 치수염)

③ 초기염증상태로, 치수에 혈액이 과도하게 축적된 상태

④ 치료: 치수에 자극이 가해지지 않도록 예방하는 것

보존 10-1-3   치수충혈을 설명할 수 있다. (A)

4. 급성 치수염

① 자극이 제거된 후에도 통증이 지속(후기엔 자극이 없어도 동통)

② 통증이 간헐적·발작적으로 나타나는 급성 염증을 수반하는 것(점차 지속적으로 진행)

③ 원인: 치수질환의 원인으로 언급된 모든 요인이 될 수 있음

④ 증상: 대개 심한 통증이 나타나며 자세의 변화에 의해 통증이 유발되기도 함

⑤ 치료: 발수하여 근관치료

⑥ 치근단 치주조직까지 확산 → 급성 치근단치주염

보존 10-1-4   급성 치수염을 설명할 수 있다. (A)

5. 만성 치수염

(1) 만성 궤양성 치수염

① 젊은 사람의 치수에서 약한 정도의 감염과정에 저항해서 나타남

② 노출된 치수표면에 궤양형성

③ 음식물이 와동 표면에 끼일 경우 통증이 야기됨

④ 증상이 전혀 없거나 동통은 미약하고 둔한 불쾌감 등으로 나타남

⑤ 치료: 통상적인 근관치료를 시행(or 응급 치수절단술)

(2) 만성 증식성 치수염

① 젊은 사람의 치수나 유치에서 많이 볼 수 있음

② 때로는 상피로 덮여지기도 함

③ 약한 자극이 오래되고 서서히 가해진 경우, 육아조직이 증식되는 것

④ 증상: 증상이 없거나 음식물 등에 의해 압박받을 때 통증 유발

⑤ 치료: 육아조직을 제거하고 지혈한 후 치수절단술이나 근관치료 시행

보존 10-1-5   만성 치수염을 설명할 수 있다. (B)

6. 치수의 변성

(1) **섬유화 변성**: 치수세포성분이 섬유성 결합조직으로 대체되는 현상

(2) **위축 변성**

　　① 단위 면적당 교원섬유 증가, 치수세포의 수와 크기 감소
　　② 치아가 점차로 노화하면서 발생하므로 노년의 치수에서 보임

(3) **석회화 변성**

　　① 치수의 일부가 석회화된 물질로 대체되는 현상
　　② 치수결석이 생길 수 있으며, 근관전체가 석회화되기도 함

> **보존 10-1-6**　　치수의 퇴행성 변성을 설명할 수 있다. (B)

7. 치수괴사　2019 기출

　　① 치수 생활력이 완전히 상실됨
　　② 치수가 죽어 부패한 상태
　　③ 원인: 치수에 유해한 모든 자극
　　④ 증상: 치아변색, 뜨거운 음식물에 통증 유발되기도 함, 대개의 경우 증상이 없음
　　⑤ 치료: 근관치료

> **보존 10-1-7**　　치수괴사를 설명할 수 있다. (B)

8. 치근단 질환의 원인

　　① 급성 치근단 치주염의 원인: 통증이 매우 심하고 치아 접촉 시 압통 증가
　　　• 생활치: 새로 장착한 교합이 높은 충전물 등에 의한 교합외상에 의해 주로 발생(외상성 교합)
　　　• 실활치: 치수질환의 결과로 염증이 있거나 괴사한 치수로부터 세균이나 세균의 독성산물이 치근단 조직으로 파급된 경우 주로 발생(치수염 및 치수괴사의 속발증)
　　② 급성 치근단 농양의 원인: 죽은 치수조직으로부터의 세균 침범(통증이 심하고 고열 등의 전신적 반응)
　　③ 만성 치근단 농양의 원인: 치수괴사에 따른 감염이 치근단 주위로 파급된 결과
　　④ 치근단 육아종의 원인: 치수괴사 후 치근단 조직에 미약한 감염이나 자극이 가해져

증식성 세포반응의 활성화로 인해 발생

⑤ 치근단 낭종의 원인: 치수괴사를 일으키는 물리적, 화학적 자극 또는 세균에 의해 치주인 대에 정상적으로 존재하는 말라세즈 상피잔사가 자극을 받아 증식함으로써 낭종이 발생

보존 10-1-8 　치근단 질환의 원인을 설명할 수 있다. (B)

9. 치근단 질환의 분류

① 급성 치근단 질환
- 급성 치근단 치주염
- 급성 치근단 농양

② 만성 치근단 질환
- 만성 치근단 농양
- 치근단 육아종
- 치근단 낭종

보존 10-1-9 　치근단 질환의 종류를 열거할 수 있다. (B)

10. 급성 치조 농양(급성 치근단 농양, 골성 치근 주위농양)

① 치수가 괴사되고 감염이 근단 조직으로 파급, 치근단의 치조골에 농이 국소적으로 축적된 화농상태

② 붓고 통증이 심하고, 고열 등의 전신적인 반응 동반

③ 증상: 초기에는 촉진·타진에 예민한 반응을 보임, 치아가 솟는 느낌, 화농이 많이 진행되는 후기에는 치아가 더욱 솟는 느낌, 심한 동통, 종창(부종), 원인 치아의 심한 동요, 전신적인 증상(체온상승, 두통 등)이 나타남

④ 치료: 절개 및 배농(I & D), 항생제 등의 약물 치료, 근관치료

보존 10-1-10 　급성 치근단 농양의 증상을 설명할 수 있다. (A)

11. 만성 치근단 농양

① 근관의 치조골에서 농이 국소적으로 축적된 상태

② 원인: 괴사 치수의 세균 및 독성 물질, 과거에 앓았던 급성 치근단 농양

③ 증상: 보통 증상이 없어 방사선사진으로 발견되거나 누공에 의해 발견되기도 함

④ 치료: 근관치료

> **보존 10-1-11** 만성 치근단 농양을 설명할 수 있다. (B)

12. 치수질환과 치주질환이 미치는 영향

① 치주인대와 치수는 상호 개통
② 염증산물의 상호개통으로 인하여 치주질환이 치수질환에 영향을 주기도 하고, 치수질환이 치주질환에 영향을 주기도 함
③ 치수가 원인이 되는 치주조직의 염증은 근관치료로 치유가 잘 됨
④ 지속되는 치수의 염증반응 뿐 아니라 치료 시 고농도의 수산화칼슘 등을 사용할 경우에도 치주조직에 상처 유발
⑤ 잘못된 근관치료 시에도 치주조직은 심한 파괴를 나타냄
⑥ 근관치료를 시행한 치아에서는 골재생치료 시 33%에서 완전하게 치유

> **보존 10-1-12** 치수질환과 근관치료가 치주조직에 미치는 영향을 설명할 수 있다. (B)

> **보존 10-1-13** 치주질환과 치주치료가 치수에 미치는 영향을 설명할 수 있다. (B)

13. 치수-치주병소의 감별진단방법

임상검사와 증상	치수질환	치주질환
동통	심함, 국소적임	미약, 중등도, 넓게 퍼짐
종창	안면, 눈꺼풀	점막
치수생활력	없음	있음
충전물	깊은 충전물, 우식증, 치수절단	관계없음
누공(거터퍼쳐 콘이나 wire로 추적)	하나, 끝이 근첨으로 연결됨	여러 개, 끝이 치조정으로 연결됨
X선 소견	치근단에 투과상이 보임	전반적인 골소실이 보임
치주낭종	좁고 한 면에만 나타남	치관 쪽은 넓게 치근 쪽은 좁게 나타남

> **보존 10-1-14** 치수-치주병소의 진단방법을 구별하여 설명할 수 있다. (B)

1. 치수복조술

유치 또는 영구치에서 건강한 치수가 약간 노출되었거나 노출이 예상될 때 사용되며 치수의 생활력을 유지시켜주는 술식

(1) 간접 치수복조술의 적응증

정상 치수에서 우식을 제거할 때 치수가 노출될 가능성이 있는 경우

(2) 간접 치수복조술의 과정

① 국소마취 후 러버댐 장착

② 우식상아질 제거

③ 노출될 위험이 있는 부위의 연화상아질은 저속버나 스푼 익스커베이터로 조심스럽게 제거

④ 잔존 우식상아질 위에 수산화칼슘을 도포

⑤ 임시충전

⑥ 일정기간 관찰 후 영구수복

(3) 직접 치수복조술의 적응증

정상 치아에서 외상에 의해 또는 우식 상아질을 제거할 때 영구치 치수가 약간 노출된 경우

(4) 직접 치수복조술의 과정

① 국소마취 후 러버댐 장착

② 노출부위 주위의 우식상아질 제거

③ 노출부위의 출혈 압박 및 지혈

④ 노출된 치수 위에 수산화칼슘을 도포

⑤ 임시충전

⑥ 일정기간 관찰 후 영구수복

보존 11-1-1	치수복조술의 적응증을 설명할 수 있다. (B)

보존 11-1-2	치수복조술의 과정을 설명할 수 있다. (B)

Part
06

치과보존학

2. 치수절단술 <small>2020 기출</small>

(1) 정의

유치 또는 영구치에서 건강한 치수가 약간 노출되었거나 노출이 예상될 때 사용되며 치수의 생활력을 유지시켜주는 술식

(2) 치수절단술의 적응증

외상이나 우식 등으로 치관부 치수가 감염된 경우 적용

> **보존 11-1-3** 치수절단술의 적응증을 설명할 수 있다. (B)

3. 치수절단술의 과정

- 절단한 치수 표면에 적용하는 약제는 수산화칼슘, 포모크레졸을 많이 사용하고, 황산제이철용액, MTA도 사용됨
  - 포모크레졸은 독성에 대한 논란으로 황산제이철용액을 사용하며, MTA는 짙은 회색으로 전치부 사용시 주의 요함

(1) 수산화칼슘 치수절단술

① 국소마취 후 러버댐 장착

② 우식상아질 제거

③ 치과용 버를 이용하여 치관부 치수를 근관입구까지 절단

④ 생리식염수로 세척 후 압박 및 지혈

⑤ 노출된 치수표면에 수산화칼슘 도포

⑥ 임시충전

⑦ 일정기간 관찰 후 영구충전

(2) 포모크레졸 치수절단술

① 국소마취 후 러버댐 장착

② 우식상아질 제거

③ 치과용 버를 이용하여 치관부 치수를 근관입구까지 절단

④ 생리식염수로 세척 후 압박 및 지혈

⑤ 노출된 치수표면에 포모크레졸(FC) 도포

⑥ 임시충전

⑦ 일정기간 관찰 후 영구충전

보존 11-1-4 　치수절단술의 과정을 설명할 수 있다. (B)

4. 치수절제술의 적응증 2021 기출

① 치수의 감염이 치근관까지 파급된 경우
② 치수절단술 시행시 지혈이 불가능할 경우
③ 치근의 흡수, 분지부의 병변 등이 없는 경우
④ 치수절단술 후 계속적 증상이 존재할 경우

보존 11-1-5 　치수절제술의 적응증을 설명할 수 있다. (A)

5. 근첨형성술

(1) **정의**: 치근이 발육중인 미성숙치아에서 치근의 발육이 일어나도록 유도하는 술식

(2) 근첨형성술의 적응증

① 생리적 근첨형성술: 치수 생활력이 있는 미성숙치아
② 인위적 근첨형성술: 치수 생활력이 없는 미성숙 치아

보존 11-1-6 　근첨형성술의 적응증을 설명할 수 있다. (B)

6. 근첨형성술의 과정

(1) 생리적 근첨형성술

① 국소마취 후 러버댐 장착
② 우식상아질 제거
③ 치과용 버를 이용하여 치관부 치수를 근관입구까지 절단
④ 생리식염수로 세척 후 압박 및 지혈
⑤ 노출된 치수표면에 수산화칼슘이나 FC 등 도포
⑥ 임시충전
⑦ 일정기간 관찰 후 근관치료 시행

Part

06

치과보존학

(2) 인위적 근첨형성술

    ① 러버댐 장착

    ② 방사선사진상의 치근단보다 짧은 길이로 작업장 형성

    ③ 근관형성, 세정, 건조

    ④ 수산화칼슘을 근관 안에 적용

    ⑤ 임시충전

    ⑥ 일정기간 관찰 후 치근단에 석회화 조직 형성되면 근관충전

보존 11-1-7　근첨형성술의 과정을 설명할 수 있다. (B)

7. 근관치료의 기본원칙 2021 기출

    ① 무균적 처치

    ② 근관 내의 잔사제거

    ③ 배농

    ④ 주의해서 다루기

    ⑤ 동통조절

    ⑥ 치수조직의 완전제거

    ⑦ 근관의 확대 및 세척

    ⑧ 근관의 무균적 상태유지

    ⑨ 근관충전을 완전하게 하여 재감염 방지

보존 11-1-8　근관치료의 기본원칙을 열거할 수 있다. (A)

8. 무균적 술식과정

    ① 사용할 기구는 멸균 또는 소독 시행해야 함

    ② 러버댐을 장착할 경우 무균상태를 유지할 수 있음

    ③ 날카로운 근관기구는 멸균 전 초음파 세척기를 사용하여 표면에 남아 있는 찌꺼기를 제거하도록 함

    ④ 술자와 보조자: 복장과 마스크, 고무장갑, 보호용 안경을 착용하여 교차감염으로부터 보호

보존 11-1-9　무균적 술식과정을 설명할 수 있다. (A)

9. 괴멸 괴사조직

감염된 생활 치수 및 괴사된 치수는 치근단병소의 세균성장을 촉진하여 치유를 방해하므로 완전히 제거해야 함

보존 11-1-10 근관내 괴사조직을 설명할 수 있다. (B)

10. 근관 충천

(1) 측방 가압법

① 개요
- 근관실러를 묻힌 마스터 콘을 작업장만큼 근관에 위치하고 근관 스프레더를 그 옆에 삽입하여 압박
- 압력을 받은 마스터 콘은 측방으로 밀려 근관벽에 밀착되면 생겨난 빈 공간에 보조 콘에 근관실러를 묻혀 넣음
- 이 과정을 반복하면 여러 가닥의 거터퍼쳐가 쌓여 근관 전체를 채우게 됨

② 장·단점
- 사용되는 기구와 술식이 간단하고, 대부분의 경우에 적용할 수 있음
- 여러 가닥의 거터퍼쳐가 근관을 채우기 때문에 균일한 근관충전을 얻기 어려움

③ 사용 재료와 기구
- 기구: 근관 스프레더
- 재료: 거터퍼쳐 콘(한 개의 마스터 콘, 여러 개의 보조 콘), 근관실러

④ 술식
- 가봉재를 제거
- 근관세척 후 건조
- 작업장만큼 마스터 콘을 시적
- 방사선사진 촬영을 하여 그 깊이를 확인
- 혼합된 근관실러를 근관 벽에 얇게 도포
- 마스터 콘의 끝에도 근관실러를 발라서 근관장만큼 위치
- 근관 스프레더를 마스터 콘 옆으로 삽입하여 압력을 가함
- 만들어진 빈 공간에 근관실러를 바른 보조 콘을 넣음
- 근관의 중앙부 1/3부위까지 거터퍼쳐가 채워지도록 위의 두 개 과정을 반복

- 근관충전이 끝나면, 기구를 불에 달구어 근관 입구에서 여분의 거터퍼쳐를 절단
- 알코올 소면구를 이용하여 치수실에 묻은 근관실러를 깨끗이 닦아냄
- 영구 수복 때까지 가봉

(2) 수직 가압법

① 개요
- 근관실러를 근관 벽에 바른 후 마스터 콘을 삽입
- 열을 가해서 연화된 거터퍼쳐를 압박하는 방법이므로 '연화 거터퍼쳐 충전법'이라고 함

② 장·단점
- 근단의 끝 부위부터 차곡차곡 위로 쌓아 올리기 때문에 치밀한 충전이 됨
- 가열된 거터퍼쳐가 서로 녹아 붙기 때문에 균일한 충전이 됨
- 임상결과가 측방 가압법보다 더 우수하지는 않음
- 술식이 어렵고 시간이 오래 걸리며, 과충전의 가능성 등의 단점

③ 사용 재료와 기구
- 기구: 가열기구, 근관 플러거
- 재료: 거터퍼쳐 콘(한 개의 마스터 콘, 여러 개의 콘 조각), 근관실러

④ 술식
- 가봉재를 제거
- 근관세척 후 건조
- 확대가 끝난 근관의 경사도와 가장 비슷한 모양의 비표준화 콘을 선택
- 끝의 직경이 MAF에 일치하도록 거터퍼쳐 게이지로 조정하여 마스터 콘으로 사용
- 작업장만큼 마스터 콘을 시적
- 방사선사진 촬영을 하여 길이를 확인
- 혼합된 근관실러를 근관 벽에 얇게 도포
- 마스터 콘의 끝에도 근관실러를 발라서 근관장만큼 위치
- 열전달 기구를 달구어 근관의 치관부 1/3까지 압력 가하면서 삽입
- 근관플러거로 수직압 가함
- 방사선사진을 통해 기포나 과잉충전 등의 충전상태 관찰
- 나머지 부분은 거터퍼쳐 조각을 열을 가해 다져 넣음

보존 11-1-11　근관 충전의 목적을 설명할 수 있다. (B)

11. 배농

① 기구준비: 마취주사기, 주사침, 국소마취제, 치경, 핀셋, 외과용 흡인기, 메스대, 외
　과용 칼, 외과용 큐렛, Nu-gauze, iris 가위, 지혈겸자, 생리식염수, 세척용 주사기
② 배농 후에는 고무 드레인 등을 이용하여 농이 지속적으로 배농될 수 있도록 해야 함
③ 구강 외로 배농을 하는 경우, 거즈를 덮어 옷이나 다른 신체부위에 묻지 않도록 주의
④ 배농이 어느 정도 된 것이 확인되면 Nu-gauze로 대치하여 서서히 조직이 아물도록 유도

보존 11-1-12　배농에 대해 설명할 수 있다. (B)

12. 국소마취법

① 침윤마취: 치주치료 시 주로 사용
  • 골상막 주입법
  • 상악의 피질골이 얇아 침윤마취 시행(간단하고 빠름)
  • 급성 염증이 있는 경우에는 사용하지 않음
② 전달마취
  • 하악(이치조신경, 이신경)에 적용(피질이 두껍고 치밀)
  • 심도깊고 광범위한 부위 마취
③ 치주인대 내 마취: 전달과 침윤마취 등의 실패 시 많이 사용
④ 치수 내 마취: 치수인대 마취법의 실패나 치수의 부분적 노출
⑤ 근관 내 자입법: 근관 속에 바늘을 꽂아 근관의 치수에 마취액 주입
⑥ 골내 자입법: 가장 마지막에 시행하며 피질골로 통하는 작은 구멍을 뚫고 치근단 내
　부에 마취액 직접 주입

보존 11-1-14　국소마취법을 설명할 수 있다. (A)

13. 국소마취에 필요한 기구

(1) 주사기(Syringe)
  ① 흡입식 주사기: 대부분 적용
  ② 압력 주사기: 치주인대 마취 시

(2) 주사바늘(Needle)

    ① 긴 바늘: 전달마취

    ② 짧은 바늘: 침윤마취

    ③ 아주 짧은 바늘: 치주인대 마취(30게이지)

    ④ 가장 많이 사용하는 마취용 바늘의 굵기: 27G (게이지, gauge)

(3) 마취액

    ① 2% 염산리도카인을 가장 많이 사용

    ② 1 : 100,000은 고혈압 환자에게 주로 사용

    ③ 차가운 마취제를 주입하면 통증을 더 많이 느낌

보존 11-1-15	국소마취에 필요한 기구를 준비할 수 있다. (A)

제12장 | 근관치료의 술식

1. 근관치료에 사용되는 기구

(1) 탐사용 기구

  • 근관입구의 확인 및 탐색에 사용되는 탐침기구

    ① 근관탐침(endodontic explorer): 근관입구 탐색, 근관입구 장애물 분쇄할 때 사용

    ② 평활 브로치(smooth broach): 과거에는 페이퍼 포인트를 대신하여 사용

(2) 적출용 기구

  • 치수강 내의 치수 및 이물질을 제거하는데 사용되는 발수기구

    ① 근관 엑스카베이터(endodontic excavator): 치수 덩어리, 치수석 등을 긁어서 제거

    ② 가시 브로치(barbed broach): 치수제거, 소면구 등의 이물질 제거

    ③ 포스트 제거 기구들

(3) 확대용 기구

    ① 수동형 파일(K-파일, H-파일, 리머)

    ② 엔진 구동형 기구(게이츠 글리든 버, 니켈 티타늄 파일)

(4) 충전용 기구

① 근관 스프레더(root canal spreader): 측방 가압법에 사용

② 근관 플러거(root canal plugger): 수직 가압법에 사용

③ System-B, Obtura Ⅱ

| 보존 12-1-1 | 근관치료에 사용되는 기구를 설명할 수 있다. (A) |

| 보존 12-1-2 | 근관치료에 사용되는 기구를 준비할 수 있다. (A) |

2. 근관형성기구의 규격화

① 각 번호는 파일 끝의 직경(mm)을 100배로 곱하여 표시

ex 25번 파일은 파일 끝의 직경이 0.25 mm

② 가장 가는 파일: 6번, 가장 굵은 파일: 140번

③ 10~60번까지는 한 단계 올라갈 때마다 5번씩, 60번 이후부터는 10번씩 증가

④ 날 부분의 길이는 16 mm로 일정

⑤ 파일 끝: D0, 날이 끝나는 부분: D16

⑥ D16은 D0보다 직경이 0.32 mm 더 굵음(1 mm씩 위로 올라갈수록 직경은 0.02씩 굵어짐)

⑦ 파일 손잡이에 색깔을 표시해서 쉽게 고를 수 있게 함

(15-흰색, 20-노란색, 25-빨간색, 30-파란색, 35-녹색, 40-검정색)

| 보존 12-1-3 | 근관형성기구의 규격화를 알 수 있다. (B) |

3. 엔진 구동용 기구의 특징 2020 기출 2022 기출

(1) 게이츠 글리든 버(GGB)

① K-File의 역할을 보조하는 기구

② 삭제 날의 끝(tip)부분에는 날이 없어 옆면으로만 삭제가 되도록 고안됨

③ 가늘고 긴 대 끝에 불꽃 모양의 작은 삭제 날이 붙어 있음

④ 비교적 직선 부분의 근관 확대에만 조심스럽게 사용

(2) 니켈-티타늄(Ni-Ti) 회전형 파일

① 니켈과 티타늄(Ni-Ti)합금으로 제작됨

② 기존의 스테인리스강에 비하여 탄성, 유연성, 내구성 등의 물리적 성질이 우수

③ 근관형성의 효율을 크게 향상시켰지만 수동형 파일을 대체하는 것은 아님

④ K-File과 병용

⑤ 분 당 300번의 회전속도의 전기모터를 이용하는 것이 바람직

⑥ 파일의 기울기: 04, 06, 08, 10, 12 taper 등으로 다양

⑦ 비싼 단점이 있음

⑧ 삭제날 사이에는 구를 만들어 상아질 삭편이 빠져나오는 길이 있음

| 보존 12-1-4 | 엔진구동형 근관형성 기구의 특징을 설명할 수 있다. (B) |

4. 근관형성 기구

(1) K-Type File

① 가장 기본이 되는 파일로 제일 많이 사용

② 횡단면이 90° 각도를 가진 사각형

③ 상하동작, 회전동작에 의해 근관벽이 삭제됨

④ 근단부 1/3부위의 근관형성 시 추천됨

(2) H-Type File

① 단면이 원형인 스테인리스강 철선을 나사못처럼 선반기계로 깎아서 만듦

② 잡아당기는 동작으로 삭제

③ 삭제능력은 좋지만 파절되기 쉬워 상대적으로 치질이 두꺼운 중앙부 1/3~치관부 1/3부위에서 주로 사용

| 보존 12-1-5 | 근관형성 기구의 종류별 특징을 설명할 수 있다. (B) |

5. 근관치료의 술식과정 2020 기출

① 진단

② 치료준비

③ 치수마취

④ 러버댐 장착

⑤ 근관 와동 형성

⑥ 발수

⑦ 근관장 측정

⑧ 근관형성

⑨ 근관세척 및 건조

⑩ 근관 소독, 가봉

⑪ 근관충전 후 수복

| 보존 12-1-6 | 근관치료의 술식과정을 설명할 수 있다. (A) |

6. 근관장(작업길이)의 측정방법

(1) **전자 근관장 측정기를 이용하는 방법**: 전자 근관장 측정기가 알려 주는 근관의 끝 지점에 파일을 삽입하고 그 길이를 측정하여 작업장으로 정함

(2) **방사선사진을 이용하는 방법**: 전통적으로 가장 많이 사용하는 방법

　① 진단용 방사선사진에서 대강의 치아 길이를 자를 이용해 측정(잠정적 작업장)

　② 고무판을 끼운 파일을 잠정적 작업장보다 조금 짧게 근관에 삽입해 방사선사진을 촬영

　③ 방사선사진상의 치근의 끝에서 0.5~1 mm 짧은 곳, 즉 근관의 끝에 파일이 어느 정도 접근했는지 확인

　④ 근관의 끝과 파일의 위치에 차이가 있으면 그 길이를 가감하여 파일을 다시 위치시켜 방사선사진 촬영을 한 번 더 시행

(3) **기준점**: 구치부에서 교합면의 교두, 전치부에서 절단연

> **보존 12-1-7** 　근관장(작업길이)의 측정방법을 설명할 수 있다. (A)

7. 근관형성방법

　① 세정과 성형은 동시에 이루어짐

　② 주요 술식: 근관 세척 + 근관 확대

　③ 세정: 세균과 그 부산물, 괴사치수, 변성 상아질 등의 근관의 모든 내용물을 기계 및 화학적 방법으로 깨끗이 제거

　④ 성형: 근관충전에 알맞은 근관형태가 최종적으로 만들어지도록 하는 과정

> **보존 12-1-8** 　근관형성 방법을 설명할 수 있다. (B)

8. 근관의 세척 `2019 기출` `2022 기출`

- 치수조직 및 상아질 잔사를 제거, 근관형성의 주 목적 중의 하나인 근관세정은 근관세척에 이루어짐

　① 차아염소산나트륨($NaOCl$)

　　- 가장 우수하고 독성이 있으므로 근관 밖으로 넘어가지 않도록 주의

- 항균, 용해, 윤활, 표백, 도말층 제거

② EDTA: 칼슘치환제 – 석회화된 근관을 효과적으로 확대

③ 클로르헥시딘: 살균작용만 있음

④ 과산화수소(H_2O_2)

- NaOCl과 교대로 세척
- 과산화수소 사용 후 마지막은 반드시 차아염소산나트륨 사용

보존 12-1-9   근관 세척을 설명할 수 있다. (B)

9. 근관의 소독

① 근관형성 후에도 제거되지 않은 근관 미생물을 살균 또는 억제하기 위함

② 근관형성을 마친 후, 근관을 건조하고 근관 소독제를 넣음

③ 현재 가장 효과적이며 사용이 추천되는 근관 약제: 수산화칼슘

④ 동통의 완화, 근관에서 지속적으로 배출되는 농 등의 삼출물을 조절

보존 12-1-10   근관의 소독을 설명할 수 있다. (B)

10. 근관의 충전

① 재감염의 방지: 제거되지 않고 남아 있는 세균 등의 자극원을 근관 속에 매몰하여 가두어 둠으로써 더 이상의 자극원의 역할을 하지 못하도록 하는 것

② 근관치료의 최종단계

③ 근관형성이 끝난 후, 근관 내부를 3차원적으로 치밀하게 밀폐하는 과정

④ 거터퍼쳐 콘(gutta–percha cone, GP cone)과 근관실러(root canal sealer)를 이용

보존 12-1-11   근관 충전을 설명할 수 있다. (B)

11. 근관충전재의 종류

① 거터퍼쳐 콘(gutta–percha cone)

- 가소성이 있어 근관의 불규칙한 부위에도 적합
- 조작과 제거가 쉽고 독성이 거의 없음

- 좁은 근관은 삽입하기 어려움
- 상아질에 접착하지 않기 때문에 근관실러와 함께 사용

② 근관실러(sealer): 거터퍼쳐의 물리적 한계 보안(거터퍼쳐 콘과 근관벽 사이의 공간, 거터퍼쳐와 거터퍼쳐 사이의 공간을 채우는 역할)

- 독성 ×, 접착성 ○
- 서서히 경화, 방사선 불투과성
- 세균의 성장 억제
- 치질에 착색되지 않고 경화 시 수축 안 됨

③ 호제(paste)

보존 12-1-12 근관충전재를 분류할 수 있다. (A)

12. 근관충전 방법

① 측방가압법: 거터퍼쳐 콘을 근관에 위치시키고 근관스프레더를 넣어 공간 확보를 위한 측방 압력을 가하는 방법
② 수직가압법: 가열된 플러거를 이용해 열로 연화된 거터퍼쳐에 수직으로 압력을 가하는 방법

보존 12-1-13 근관충전 방법을 설명할 수 있다. (B)

13. 근관충전 후 치아의 수복과정

최종목표는 치아를 수복하여 저작기능을 회복하기 위함

(1) 근관치료 후 치아의 변화

① 상아세관 내 수분 함량 감소
② 근관와동 형성 시 많은 치질 삭제 때문에 치관이 약화되어 파절 위험

(2) 시기: 충전 후 1주일 후

(3) 방법

① 전치부: 교합압이 많이 작용하지 않고 심미성이 중요하기 때문에 치아우식 등으로

인한 치질 손상이 크지 않다면 복합레진으로 수복

② 구치부

- 치질의 손상이 적으면 access opening된 치수강을 아말감으로 수복하고, 그 위에 금관 장착
- 치질의 손상이 크고 지대치로 사용되어야 하는 경우 post (core)를 형성하고 그 위에 금관 장착

보존 12-1-14　근관충전 후 치아의 수복과정을 설명할 수 있다. (A)

제13장 | 외과적 근관치료학

1. 외과적 근관치료의 분류　2020 기출

① 절개와 배농: 농과 조직액을 배출시켜 조직의 압력을 줄임

② 치근단수술: 근관 내부를 통하여 접근을 할 수 없을 때 외과적 방법으로 치근단 주위에 처치하는 수술법

- 근관을 통해 수정할 수 없는 저충전 및 과충전
- 근관이 석회화되어 더이상 근관치료가 어려운 경우
- 재근관치료 후 치근단 염증이 치유되지 않을 때
- 근관에 제거할 수 없는 포스트가 장착되어 있을 때
- 파절된 기구를 제거할 수 없을 때

③ 치근절제술: 치관은 그대로 둔 채 1개 또는 2개 치근을 잘라내는 술식

④ 편측절제술: 치관을 협·설방향으로 절단하여 보존이 불가능한 한쪽의 치관과 치근을 모두 제거하는 술식

⑤ 치아분리술: 치관을 협·설방향으로 절단하여 양쪽을 치관과 치근을 그대로 보존

⑥ 치아재식술: 치아가 통째로 빠진 경우에 그 치아를 그 자리에 다시 심어 넣는 술식

⑦ 의도적 치아재식술: 치료할 치아를 의도적으로 발치하여 구강 밖에서 치근단 수술을 한 후 발치와에 다시 심는 술식

⑧ 치아이식술: 자신의 치아나 다른 사람의 치아를 옮겨 심는 방법

보존 13-1-1　외과적 근관치료를 분류할 수 있다. (A)

---

2. 치근단 수술

(1) 치근단 수술

치근단 수술은 '치근단 소파(술), 치근단 절제(술), 치근단 와동 역형성과 역충전(술)'의 세가지 술식을 중심으로 이루어짐

(2) 치근단 수술 과정

① 국소마취

② 판막절개

③ 판막거상

④ 치근단에 접근하기 위한 골절제술

⑤ 치근단 소파

⑥ 치근단 절제

⑦ 지혈

⑧ 치근단 와동 역형성, 치근단 와동 역충전

⑨ 봉합

⑩ 술후 처치

보존 13-1-2	치근단 수술과정을 설명할 수 있다. (A)

3. 치근단 외과술

마취	• 국소마취, 지혈을 위한 침윤마취를 함께 시행 • 흡입식 마취 주사기, 일회용 주사바늘, 국소마취용액
판막 절개	• 12·15번 수술도, 수술도 손잡이 또는 미세 수술도
판막 거상	• 골막기자, 판막 견인기
치근단 집근을 위한 골절제술	• 피진골 표면의 골 융기와 직업장 능늘 고려하여 치근단의 위치를 확인해 골 창을 형성 • 저속·고속 핸드피스, 버
치근단 소파	• 치근단을 둘러싸고 있는 골강 내의 병적 연조직을 긁어내어 제거 • 절제 생검(excisional biopsy) • 외과용 및 치주용 큐렛 또는 외과용 엑스커베이터, 10% 포르말린 용액

치근단 절제	• 치근단을 잘라서 제거하는 과정 • 대부분의 부근관이 존재하거나 휘어져있어 가장 문제가 되는 치근 끝 3 mm를 버를 이용하여 삭제 • 고속 핸드피스, 버
지혈	• 보스민 등의 지혈 용액을 묻힌 소면구들로 골강 표면을 압박하거나, 골 왁스를 채워넣기도 함 • 보스민(1: 1,000 에피네프린 용액), 황산 제2철 용액, 골 왁스

와동 역형성,
와동 역충전
	• 와동 역형성
	  – 수술용 현미경이 있으면 현미경(약 10배율)으로 보면서 이 과정을 시행
	  – 1급 형태의 와동을 3 mm 깊이로 형성
	  – 미세 치경, 초음파 수술 침, 초음파 발생기계
	• 역충전: 강화형 ZOE 시멘트 계통의 재료, MTA, 미세 치경, 미세 탐침, 미세 플러거, 미세 콘덴서, 미세 버니셔, 마무리 및 연마용 버

봉합 및 후처치	• 판막을 제 위치에 잘 위치한 후 봉합 • 필요한 기구 및 재료: 비흡수성 봉합사, 지침기, 절단용 가위 • 방사선사진 촬영 • 다음날 수술 부위를 소독하고, 1주일 이내에 봉합사를 제거 • 환자에게 주의사항을 잘 설명 • 항생제, 소염진통제, 클로르헥시딘 양치용액 등의 필요한 약물을 처방

보존 13-1-3 치근단 외과술에 필요한 기구를 준비할 수 있다. (A)

4. 치근단 외과술 후 주의사항

① 봉합된 부위가 뜯어질 수 있으므로 입술을 들추지 않도록 함

② 수술 당일에는 냉찜질

③ 첫 날은 수술부위를 제외하고 칫솔질을 함, 클로르헥시딘 용액으로 양치

④ 다음 날부터 따뜻한 소금물로 하루 3~4회 양치

⑤ 수술 후 3일 동안은 반드시 금연

⑥ 유동식을 수술 부위 반대쪽으로 섭취, 충분한 수분을 섭취

⑦ 열이 나거나, 통증 및 부종이 심해지면 곧 치과로 전화를 하거나 내원하도록 함

보존 13-1-4 치근단 외과술 후의 주의사항을 설명할 수 있다. (A)

5. 수술 후 나타나는 증상

① 종창   ⑥ 출혈

② 동통   ⑦ 상악동 천공

③ 반상출혈   ⑧ 인접치의 손상

④ 지각이상   ⑨ 절개 후 치유지연

⑤ 봉합부 농양

> **보존 13-1-5**   외과적 수술 후 나타나는 증상을 설명할 수 있다. (A)

6. 치아재식술

① 외상에 의해 치아가 완전히 탈구된 경우에 단시간 내에 치아를 원래의 치조와에 삽입하여 보존함으로써 기능을 회복시키는 술식

② 치주인대가 상하지 않는 것이 중요하며, 탈구된 치아는 20~30분 이내에 시술해야 예후가 좋으므로 최대한 빨리 치과에 내원, 이 때 치아를 생리식염수나 우유·자신의 입에 넣어 오도록 함

> **보존 13-1-6**   치아재식술에 대해 설명할 수 있다. (B)

제14장 | 치아미백

1. 치아변색의 원인 `2021 기출`

1) 국소적 요인

(1) 외인성 변색

① 치면세균막의 침착

② 치아표면 착색(커피, 차, 색소가 많이 함유된 기호식품, 담배의 니코틴)

(2) 내인성 착색

① 치수 괴사: 회갈색, 검정색의 변색(실활치 미백술 적용)

② 치수 출혈: 치아 외상 후 출혈 발생(실활치 미백술 적용)

③ 상아질 과석회화: 황색 또는 황갈색

④ 근관 약재: 비타펙스 등이 치관을 변색

⑤ 충전재: 거터퍼쳐(분홍색), 근관실러(치관 변색 유발)

⑥ 수복물(아말감): 치관변색

2) 전신적 요인

(1) 노화: 연령증가에 따라 황색으로 변함

(2) 발육성 변색

① 불소 침착증: 치아 형성기에 과량의 불소 섭취

② 테트라사이클린

③ 태아적아세포증

④ 선천성 포르피린증

⑤ 법랑질·상아질형성 부전증

| 보존 14-1-1 | 치아변색의 원인을 열거할 수 있다. (A) |

2. 치아미백제의 종류

과붕산나트륨	• 건조한 분말상태에서는 안전 • 물과 반응하여 과산화수소와 발생기 산소생성 • 취급이 쉽고 안전 • 내부 미백술에 가장 효과적으로 쓰임
30% 과산화수소	• 무색, 무취의 용액, 매우 강력한 산화제 • 불안정하고 폭발성이 있어 차광용기에 넣어서 냉장고 보관 • 피부나 구강점막에 닿을 경우 부식과 화학적 화상 → 취급에 각별한 주의 • 환자의 눈과 점막 등 보호에 세심한 주의 필요 • 외부 미백술에 주로 쓰임
과산화요소	• 3~15% 정도의 다양한 농도가 사용되지만, 10%가 가장 많이 사용됨 • 10% 과산화요소가 분해되면 약 3.5% 과산화수소 발생 • 외부 미백술에 많이 쓰임

| 보존 14-1-2 | 치아미백제의 종류를 설명할 수 있다. (A) |

3. 실활치 미백술(자가미백술) 2019 기출 2022 기출

① 근관충전 상태를 평가함

② 색본을 이용하여 치아색조를 평가 기록하고, 비교를 위해 사진을 촬영함

③ 러버댐을 장착함

④ 정확한 색상을 평가하기 위해 인접치까지 깨끗하게 닦음

⑤ 임시 충전재를 제거하고, 근관와동을 깨끗하게 닦음

⑥ 치은연 하방까지 거터퍼쳐를 제거함

⑦ 남은 거터퍼쳐 위에 시멘트(GIC)를 혼합하여 보호용 기저재를 형성

⑧ 과붕산나트륨과 증류수를 되게 혼합하여 치수강 내에 넣음

⑨ 근관와동을 Cavit을 사용하여 최소한 3 mm의 두께로 가봉함

⑩ 러버댐을 제거함

⑪ 1주 후 재내원하여 색상을 평가하여 필요 시 미백과정을 반복함

⑫ 미백이 완료되었으면 2주 후 근관와동을 복합레진으로 영구 수복함

보존 14-1-3   실활치의 미백술을 설명할 수 있다. (A)

4. 전문가에 의한 생활치 미백과정

(1) 열 미백술 또는 광 미백술

① 전기식 가열장비, 가열용 램프 등을 사용하는 재래식 방법

② 법랑질 표면에 30% 과산화수소를 적용한 후, 촉매로서 열을 가하거나 열과 광선을 동시에 가하는 방법

(2) 법랑질 미세 연마술, 산-퍼미스 연마술

① 외인성 변색인 풍토성 불소증의 미백치료에 사용

② 산 용액(18% 염산)가 퍼미스를 혼합하여 법랑질 표면에 문질러 탈회시킴으로써 변색된 법랑질의 표층을 미세하게 제거하는 술식

③ 산화제의 표백작용을 이용하는 것이 아니라 변색부위를 치질과 함께 제거하는 방법

(3) 레이저 미백술: 아르곤 레이저, 이산화탄소 레이저, 다이오드 레이저 등을 사용

보존 14-1-4   전문가에 의한 생활치의 미백과정을 설명할 수 있다. (B)

5. 자가 미백 과정

- 환자가 직접 집에서 시행하는 생활치 미백술로, 치과에서 환자에게 개인트레이를 제작해서 주면 환자가 직접 트레이에 10~15% 과산화요소 미백제를 담아 시행함
① 치과에서 환자 개인 트레이(마우스가드) 제작
② 미백제를 제공하고 사용법과 주의사항 교육
③ 1~2주 간격으로 치과 내원하여 상태 체크

보존 14-1-5 나이트가드(Nightguard)를 이용한 자가 미백과정을 설명할 수 있다. (B)

6. 치아미백술 시 부작용

① 미백치료 초기에는 찬 것에 대한 민감증과 연조직에 대한 자극을 느낄 수 있으나 이는 심하지 않고 일시적이므로 미백시간을 줄이거나 잠시 중단하면 대부분 해결됨. 처음에는 트레이를 짧은 시간 동안 착용하다가 점차 늘려서 치아나 치은이 적응하도록 해주는 것도 좋은 방법
② 드물기는 하지만 미백제에 대한 알레르기가 있을 수 있으므로 이러한 경우는 중단
③ 치료 초기에는 미백제가 닿는 부분이 균일하지 않아 미백이 균일하게 되지 않고 치아에 얼룩 반점이 나타날 수 있으나, 치료가 계속되면 균일하게 됨
④ 간편한 미백법이지만 환자에 의해서 미백제가 과용 또는 남용될 수 있으므로 반드시 치과의사가 주기적으로 점검하여야 하며, 과도한 미백은 미백 효과없이 오히려 치질 손상을 초래한다는 사실을 환자에게 미리 주지시킴
⑤ 치과의사의 처방없이 약국이나 인터넷에서 구입할 수 있는 미백제품이 있는데 치아미백에 어느 정도 효과가 있긴 하지만, 치열에 맞지 않는 기성 트레이를 사용하고 pH가 낮아 안정성 측면에서 좋지 않고 장기간 사용할 경우 치질의 비가역적 손상을 초래할 가능성이 높으므로 추천되지는 않음

보존 14-1-6 치아미백술 시 부작용을 설명할 수 있다. (A)

07 PART ▶▶

소아치과학

Pediatric Dentistry

DENTAL
HYGIENIST

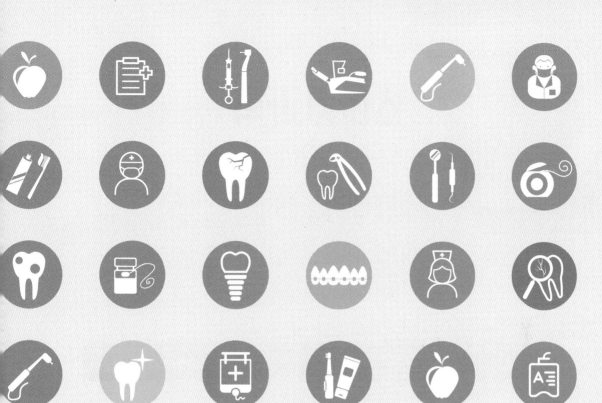

POWER 치과위생사 국가시험 핵심요약집 2권

PART 07

소아치과학
Pediatric Dentistry

제1장 | 소아치과학 개론

1. 유치의 기능

    ① 20개의 치아로 구성: 상·하악 각각 10개

    ② 저작기관

    ③ 발음기관: 유전치 조기 탈락 시 발음 문제가 발생

    ④ 안면의 심미 구성: 사회성, 적극성 등의 성격 형성에 영향

    ⑤ 건전한 영구치열의 완성을 위한 시간적·공간적 조정 역할

> **소치 1-1-2** 유치의 기능을 설명할 수 있다. (A)

2. 치아발육기에 따른 구강조직의 특징

  (1) 무치열기(태아기)

    ① 신생아기 유치와 영구치의 치배 발생기, 석회화 개시기

    ② 신생아 건강상태, 영양상태와 질병 → 치아형태와 치질에 영향 미침

    ③ 악구강계 이상 관찰: 구순·구개열

    ④ 선천치, 신생치, 본스 결절(bohn's nodule), 엡스테인 진주(epstein pearl), 리가페드병
       (Rigafede), 아구창, 아프타(aphtha) 발견

(2) 유치맹출기(유아기)

① 생후 6개월부터 3세까지: 유치 맹출 시작부터 유치열 완성기까지

② 저작, 연하운동 발달 중요: 반사적 빨기, 이유기, 저작기능 전환 시기

③ 유치 맹출 순서 및 시기 이상이 나타남

④ 입술과 치아의 외상 가능성이 높음: 걸음마 학습

⑤ 고형식 이행 실패 시 이상 연하습관 생기기도 함

⑥ 치과 검진 필요: 맹출성 혈종, 낭종, 급성 포진성 치은구내염, 유아기 우식 등 발견

(3) 유치열기(학령 전기)

① 모든 유치가 맹출되고 안정된 시기

② 우식이환율 매우 높음

③ 치과치료의 협조 유도: 이해력이 생겨 필요성 설명 가능

④ 유전적 요인과 습관적 요인(손가락 빠는 습관) → 기능성 치열 및 교합이상 발견, 조기치료 요구

(4) 혼합치열기(학동기)

① 제1대구치 · 영구 전치 맹출기(혼합치열기 전기)

- 제1대구치 맹출로 이소맹출(ectopic eruption)이 나타남
- 미운오리새끼 시기와 다양한 원인으로 치열 및 교합이상 나타남
- 제1대구치 교합면 우식이 다발함
- 활동이 활발해져 외상이 호발함

② 측방치군 교환기(혼합치열기 후기)

- 유견치, 제1 · 2유구치가 각각의 후속 영구치와 교환되는 시기
- 유구치 우식과 견치 순측 전위, 소구치 전위, 매복 등으로 영구치열 부정교합이 많이 나타남
- 영구 전치, 제1대구치 인접면 우식과 치은염 발생 쉬움

(5) 초기 영구치열기(청소년기)

① 사춘기로 구강질환에 대한 예방이 가장 곤란한 시기

② 치열과 교합이상이 확실히 나타남 → 본격적인 치과교정치료가 가능한 시기임

③ 다발성 우식증 호발: 소구치, 제2대구치 우식 다발

④ 사춘기성 치은염(유년성 치주염)이 발생

소치 1-1-4   치열발육기에 따른 구강조직의 특징을 설명할 수 있다. (A)

3. 소아치과 진료에서의 치과위생사의 역할

① 소아치과치료 삼각관계: 치과의사, 치과위생사, 소아환자, 보호자의 3자적 인간관계에 의해 치과치료 실시

② 양질의 치료를 위한 치과위생사의 중요성: 치료를 단기간에 종료하기 위한 기구 전준비, 시술자와의 협조체계, 소아의 신뢰감이 치료 성공의 중요한 요소

③ Tender loving care: 항상 상냥하게 애정을 가지고 대하는 자세로 진료 시작 전 소아에게 기계, 기구, 재료 등에 대해 교육

④ 구강보건교육, 부모교육, 칫솔질 지도, 간식지도, 예방처치, 계속 관리 등 담당

소치 1-1-5   소아치과 진료에서 치과위생사의 역할을 설명할 수 있다. (A)

4. 어린이 환자의 진료 전 준비 및 진료실 유도

① 환자에 대한 시술내용 확인

② 특수한 수술이나 시술이 있는 경우에는 재료 및 기구를 준비하고 점검함

③ 기구 소독 시 멸균과 소독방법을 충분히 이해함

④ 환자별로 진료기록부, 소독한 기구류, 필요한 재료 및 약품 등을 준비하여 배치

⑤ 모든 준비가 끝나면 소아환자를 진료실로 유도

⑥ 필요한 경우 rubber dam 장착한 후 치과의사에게 준비가 완료되었음을 알림

소치 1-1-6   어린이 환자의 진료 전 준비 및 진료실 유도를 설명할 수 있다. (B)

5. 어린이 환자 치료 시 주의사항

① 자세는 머리를 약간 위로 두 손은 아래쪽으로 내리게 함

② 상냥하게 애정을 가지고 대한다(TLC): 기본적인 대응법으로 시행

③ 기구는 소아의 시아에 들어오지 않도록 함

④ 초진 시에는 소리에 공포를 나타내므로 간단한 처치인 구강청결, 칫솔질 시도, 불화물의 도포 등을 실시하여 익숙해지도록 함

⑤ 인상채득 시 소아용 트레이로 하악부터 채득

⑥ 외과적 처치는 응급처치 외에는 치료에 익숙해진 후 실시

⑦ 타액 분비량이 많아지므로 방습 철저히 함

⑧ 공포심이 강한 소아나 저연령의 소아를 치료할 때는 마스크를 착용하지 않는 것이 바람직함

⑨ 기구나 재료를 주고 받을 때는 시술자가 사용하기 편리한 방향을 우선으로 하며, 기구가 눈에 띄어 소아에게 불안과 공포를 주지 않는 사각지점을 선택하는 것이 중요함

소치 1-1-7   어린이 환자 치료 시 주의사항을 설명할 수 있다. (A)

6. 어린이 환자 진료 후 업무

① 진료가 끝나면 rubber dam 철거, 입 주위의 이물질을 제거하고 양치질을 시킨 후 어린이를 안전하게 치료 의자에서 내려오게 함

② 보호자에게 그날 실시한 치료내용을 설명하고 주의사항을 자세히 알려주며, 내원일 예약

③ 귀가 시 어린이에게 상냥한 인사와 함께 안아주거나 머리를 쓰다듬어 줌으로써 친근함을 느끼게 하여 다음 번 내원이 즐겁도록 함

④ 환자를 보낸 후 진료실 내의 기구 및 재료를 정리정돈하고, 오염물이나 위험물은 안전하게 처리하며, 사용한 기구는 세척 후 소독해서 보관

소치 1-1-8   어린이 환자 진료 후 업무를 설명할 수 있다. (B)

7. 어린이의 구강검사 목적

① 예방: 소아의 치과질환을 예방하는데 있어 부모의 역할을 고려하여 상담하는 것이 중요

② 치과의 소개: 소아의 치과에 대한 긍정적인 사고를 개발하는 데 기여할 수 있어야 함

③ 구강상태의 평가: 치과질환의 이환 여부를 평가

소치 1-2-2   어린이의 구강검사 목적을 설명할 수 있다. (B)

8. 어린이의 3가지 구강검사

① 응급검사(emergency examination): 발치나 광범위한 치수치료는 연기하고 다른 방법으로 동통을 완화시킴

② 주기적 검사(periodic examination): 이미 상세한 검사를 받은 경우에는 매 4~6개월마다 정기적으로 내원

③ 종합검사(complete examination): 주소 및 현증, 병력, 구강건강 병력, 진찰, 방사선
검사 등

> **소치 1-2-3**   어린이의 3가지 검사방법을 설명할 수 있다. (B)

9. 구강검진의 목적

① 치과질환의 예방과 조기발견, 조기치료
② 환자와 치과 의료인 모두의 정신적, 신체적, 경제적 부담이 경감
③ 소아의 정상적인 발육을 도모하기 위함
④ 유치열기와 혼합치열기 아동의 우식다발, 치열이상, 구강습관 등을 관리

> **소치 1-2-4**   구강검진의 필요성을 보호자에게 설명할 수 있다. (B)

10. 어린이의 구강검진 시 진찰사항

① 구호흡 여부, 구취 등 평가
② 입술, 순측 및 협측 점막 크기, 모양, 색깔, 표면의 양상과 궤양형태, 수포, 열구 등
의 유무 관찰
③ 연조직 상태 평가
④ 치아 및 치열의 발육상태 평가
⑤ 구강 악습관 여부 평가

> **소치 1-2-5**   어린이의 구강검진 시 진찰사항을 설명할 수 있다. (B)

1. 유치의 맹출시기와 순서

생후 6~7개월　　생후 8~9개월　　생후 9~12개월　　생후 12~14개월

생후 14~16개월　생후 16~18개월　생후 18~20개월　생후 20~24개월

① 생후 6개월경에 하악 유중절치가 가장 먼저 맹출, 2세경에 제2유구치가 마지막으로 맹출

② 유중절치, 유측절치, 제1유구치, 유견치, 제2유구치 순서로 맹출

순 서	1	2	3	4	5	6	7	8	9	10
상 악			A	B		D		C		E
하 악	A	B			D		C		E	

소치 2-1-2　유치의 맹출 시기와 순서를 설명할 수 있다. (A)

2. 영구치의 맹출 순서와 시기

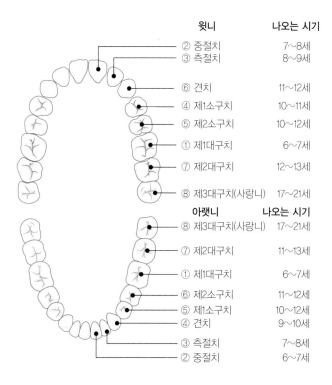

윗니	나오는 시기
② 중절치	7~8세
③ 측절치	8~9세
⑥ 견치	11~12세
④ 제1소구치	10~11세
⑤ 제2소구치	10~12세
① 제1대구치	6~7세
⑦ 제2대구치	12~13세
⑧ 제3대구치(사랑니)	17~21세

아랫니	나오는 시기
⑧ 제3대구치(사랑니)	17~21세
⑦ 제2대구치	11~13세
① 제1대구치	6~7세
⑥ 제2소구치	11~12세
⑤ 제1소구치	10~12세
④ 견치	9~10세
③ 측절치	7~8세
② 중절치	6~7세

① 6~7세경에 제1대구치가 최초로 맹출, 11~13세에 제2대구치가 맹출

순 서	1	2	3	4	5	6	7	8	9	10	11	12	13
상 악			6	1	2		4		5	3			7
하 악	6	1		2		3		4			5	7	

소치 2-1-3 영구치의 맹출 시기와 순서에 대해 설명할 수 있다. (A)

3. 유치의 해부학적 특징

(1) 치관

① 유전치의 외형은 영구치와 유사함

② 길이에 대한 근원심 폭경의 비율은 영구치보다 큼

③ 치경부는 후속 영구치보다 더 협착되어 있으며, 특히 유구치에서 현저함

(2) 치근

① 유치는 영구치에 비하여 상대적으로 치근의 길이가 치관에 비해 긴 형태

② 유치 치근의 생리적 흡수는 맹출될 영구치가 적당한 위치에 놓이도록 함

③ 유구치의 치근의 수는 상악 3개, 하악 2개

④ 유구치의 치근은 이개각도가 커서 후속 영구치 치배를 보호

(3) 치수

① 치수강이 영구치에 비해 상대적으로 크고 근관도 넓음

② 유구치 치수각(pulp horn)의 돌출이 현저함(근심협측 치수각이 현저하게 돌출)

③ 치수강의 형태는 영구치보다 치아의 외형과 거의 일치

④ 치수강이 차지하는 비율이 영구치보다 큼

소치 2-1-4   유치의 해부학적 형태를 설명할 수 있다. (A)

4. 유치와 영구치의 형태학적 차이점

① 치관과 치근: 유치 < 영구치

② 치관길이에 대한 치관 폭의 비율: 유치 > 영구치

③ 치경부–교합면 폭경이 근·원심 폭경에 비해 영구치보다 작음

④ 치경융선이 영구치보다 잘 발달

⑤ 치관의 협·설면은 영구치보다 잘 발달

⑥ 치관의 협·설면은 영구치에 비해 대체로 편평

⑦ 치경부가 근·원심으로 잘록

⑧ 교합면이 협설로 좁아짐

⑨ 법랑질의 두께는 약 1 mm 정도로 얇고 두께가 일정하나 영구치는 두껍고 일정하지 않음

⑩ 유치의 치경부 법랑소주는 영구치의 수평방향과 달리 교합면 방향으로 경사되어 있음

⑪ 상아질 두께도 얇아서 대체적으로 치수 보호 능력이 영구치에 비해 작음

⑫ 치수각은 영구치보다 교합면 쪽으로 돌출(영구치: 유치에 비해 법랑질과 떨어짐)

⑬ 유전치부 치근은 근·원심으로 압편되어 납작한 모양

⑭ 유구치의 치근은 치경선 근처에서 분지, 이개되면서 하부의 영구치 치배 보호

⑮ 치근은 치관에 비하여 길고 가늚(영구치: 유치에 비해 작고 넓음)

⑯ 치아 색깔: 밝은 청백색(영구치: 황백색 or 회백색)

| 소치 2-1-5 | 유치와 영구치의 형태학적 차이점을 설명할 수 있다. (A) |

5. 유치의 조직학적 특징

(1) 경조직

① 유치의 법랑질과 상아질과 두께는 약 1 mm로 영구치의 1/2 정도이고, 우식의 진행 속도가 빠르고 교모도 빨리 진행

② 상아질의 성장선: 오웬(Owen line) 선

③ 상아세관은 영구치에 비해 법랑질 경계부위에서 직경이 크고 주행방향이 단순한 직선을 나타냄

④ 법랑질의 경도는 전치는 비슷하나 구치는 영구치가 더 높음

⑤ 상아질의 경도는 법랑질 경도의 1/5~1/6 정도

⑥ 2차 상아질의 형성속도가 신속하며 형성량도 많으나 형태가 불규칙함

⑦ 백악질은 매우 얇고, 2차 백악질은 형성되지 않음

(2) 치수

① 유치 치수의 기본적인 구조는 영구치와 동일

② 치수의 신경분포는 영구치보다 성글게 분포되어 있어 일반적으로 자극에 대한 감수성은 낮음

| 소치 2-1-6 | 유치의 조직학적 특징을 설명할 수 있다. (B) |

6. 유치의 물리화학적 특징

① 결정구조는 대부분 수산화인회석[$Ca_{10}(PO_4)_6(OH)_2$]

② 결정의 크기는 법랑질이 상아질보다 크고, 영구치가 유치보다 큼

③ 화학적 조성

• 유치의 유기질 함유율은 영구치보다 높으나 무기질 함유량은 차이가 없음

• 유치와 영구치의 결정구조는 차이가 없음

④ 화학적 반응성

• 산에 대한 반응성은 유치가 영구치보다 큼

- 유치 법랑질은 불화물에 의한 치질 강화가 용이

| 소치 2-1-7 | 유치의 물리화학적 특징을 설명할 수 있다. (B) |

7. 미성숙 영구치의 형태학적 특징 `2019 기출` `2021 기출` `2022 기출`

① 전치부: 절연결절이 명확하게 드러남
② 구치부: 교두정이 명확하게 나타남
③ 부가융선 및 소와, 열구가 명확하게 나타남
④ 치수강이 크며, 치수각이 돌출: 성숙 영구치보다 치수노출 위험이 큼
⑤ 치근이 짧고 근단부위에서는 근관이 넓게 열려 있음

| 소치 2-1-8 | 미성숙 영구치의 형태학적 특징을 설명할 수 있다. (A) |

8. 미성숙 영구치의 조직학적 특징

① 초기 영구치의 상아질은 얇고 상아세관이 굵기 때문에, 외부 자극의 전달이 빠르고 와동형성 과정 중 치수가 노출될 위험이 큼
② 치수 조직에는 교원섬유가 적고 섬유모세포가 많음

| 소치 2-1-9 | 미성숙 영구치의 조직학적 특징을 설명할 수 있다. (B) |

9. 치아의 수 이상

(1) 선천성 치아결손(Congenital missing of teeth)

① 치아 수가 선천적으로 부족한 경우
② 유전이 가장 큰 요인
③ 주로 제3대구치, 상악 측절치, 하악 제2소구치에서 발생

(2) 과잉치(Supernumernary teeth)

① 정상 치판(dental lamina)의 과도한 증식의 결과로 발생
② 유전적 성향을 따름
③ 영구치열에서 많이 나타남(상악 > 하악, 남성 > 여성, 전치부 > 구치부)

| 소치 2-2-2 | 치아의 수 이상에 해당하는 발육장애를 설명할 수 있다. (B) |

10. 치아의 형태 이상

① 치내치(Dens invaginatus): 법랑기의 내측 법랑상피의 국소적 함입으로 인해 발생

② 치외치(Dens evaginatus): 법랑질이 원추형으로 돌출되어 결절을 형성한 치아

③ 구치결절(Paramolar tuberde): 영구치나 유치의 구치 근심협면에 존재하는 결절

④ 우상치(Taurodontism, 장수치): 치수강이 치근단 쪽으로 확장된 경우 상대적으로 긴 치수강과 짧은 치근을 가짐

⑤ 만곡치(Dilacevation teeth): 치아의 치관부나 치근이 비정상적으로 굽어 있는 상태

⑥ 허친슨 전치(Hutchinson's incisor): 영구전치의 치관이 원추형, 절단연에 절흔 형태를 보이는 치아로 선천성 매독 감염 시 발생

⑦ 융합치(Fusied teeth): 2개의 치배가 융합한 것으로 악궁 내의 치아 수가 부족

⑧ 쌍생치(Gemination): 1개의 치배가 2개의 치관과 1개의 치근형성

⑨ 유착치(Concrescence)

- 치아의 치근표면과 주위의 치조골이 유착되어 맹출이 정상적으로 이루어지지 않거나 정상적인 동요도를 갖지 못하는 치아(치주인대 소실)
- 유치에서 흔히 발생
- 교합평면 하방에 위치하여 함몰된 것처럼 보이며, 인접치아의 경사 및 대합치의 정출을 볼 수 있음
- 타진 시 금속음

> **소치 2-2-4** 치아의 형태 이상에 해당하는 발육장애를 설명할 수 있다. (B)

11. 치아의 맹출시기 이상

1) 조기 맹출

(1) 선천치: 출생 시 이미 맹출되어 있는 치아(신생치보다 3배 많음)

(2) 신생치: 출생 후 30일 이내 맹출되는 치아

① 하악 유전치에서 호발(85%)

② 치주염 이환

③ 심한 동요도를 보임(치근 발육 없음)

④ 치아의 날카로운 절단면에 의해서 치은, 혀 손상, 수유 장애

⑤ 흡인 가능성, 치은 손상 심하면 발거하나 증상 없으면 유지 가능

⑥ Bohn's nodule (무치열기)와 감별진단 필요

(3) 영구치 조기 맹출

　① 국소적인 요인: 유치의 만성 치근단염 → 후속영구치 상방치조골 파괴

　② 전신질환: 성적조숙, 갑성기능항진증과 같은 내분비장애 또는 유전적 요인

2) 맹출지연

(1) 유치: 잘 발생하지는 않음

　① 전신적 요인: 구루병, 갑상선기능 저하, 쇄골두개 이형증

　② 국소적 요인: 치은섬유 증식증

(2) 영구치

　① 국소적 요인: 과잉치, 외상, 유치 조기상실, 유치 만기잔존, 영구치배 위치부정, 유착치 등

　② 전신적 요인: 구루병, 갑상선기능 저하, 쇄골두개이형증, 터너증후군, 다운증후군 등

(3) 유착치

　① 치아의 치근 표면과 주위 치조골이 유착되어 맹출이 정상적으로 이루어지지 않거나 정상적 동요도를 갖지 못하는 치아

　② 원인: 가족적 성향

　③ 유치 < 영구치, 하악 제1유구치 호발

| 소치 2-2-6 | 치아 맹출시기 이상에 해당하는 발육장애를 설명할 수 있다. (A) |

12. 치아의 맹출위치 이상

(1) 변위맹출(이소맹출, 열외맹출, 전위성 맹출)

　① 정상적인 치열위치에서 벗어나서 맹출하거나 비정상적 치축경사로 맹출하는 경우

　② 상악 제1대구치의 근심경사 많음

　③ 원인: 영구치배 위지 이상, 악골과 지아크기 부조화, 과잉치 존재, 유치 만기잔존

　④ 치료: 경미한 경우 관찰하거나 제2유구치 흡수가 심하고 동통이 있는 경우 발거한 후 공간유지장치 장착

(2) 하악 영구 절치의 설측 맹출

　① 원인: 영구 전치 치배가 유치의 설측에 존재(영구 측절치 호발)

　② 발치가 간단한 경우 또는 치근흡수가 없는 경우 발거 후 혀, 입술 힘으로 정상위로 배열

| 소치 2-2-7 | 치아 맹출 위치 이상에 해당하는 발육장애를 설명할 수 있다. (A) |

13. 맹출에 수반되는 연조직 이상과 난맹출

(1) Teething

　① 타액분비 증가

　② 자주 치은부위를 만짐

　③ 심리적으로 불안해하거나 짜증

　④ 식욕 감소

　⑤ 불면증

　⑥ 맹출부위 구강점막의 발적과 부종 관찰

(2) 맹출혈종, 맹출낭종

　① 치아 맹출 수주일 전부터 제2유구치 혹은 제1대구치가 맹출할 부위의 치은이 청자색으로 융기된 것(동통 없음)

　② 치료: 치아의 맹출로 소실

(3) 맹출성 부골

　① 제2유구치, 제1대구치 맹출 시 관찰

　② 구치부의 교두가 구강 내로 처음 나타날 때 구치부의 교합면 부위에서 보이는 작은 뼈조각

　③ 치료: 표면마취 또는 국소침윤마취 후 제거

| 소치 2-2-8 | 맹출에 수반되는 연조직 이상과 난맹출에 대해 설명할 수 있다. (A) |

14. 유치의 정상적 흡수와 탈락시기

	치근흡수 시작	탈락
유중절치	4세	6~7세
유측절치	5세	7~8세
유견치	7세	9~12세
제1유구치	8세	9~11세
제2유구치	8세	10~12세

소치 2-2-9 유치의 정상적인 흡수와 탈락시기를 설명할 수 있다. (B)

제3장 | 구강질환

1. 평활면 우식증

① 평활한 법랑질 표면에 발생하는 우식증
② 제1유구치의 원심과 제2유구치의 근심 접촉면 바로 하방에 많이 발생

소치 3-1-2 평활면 우식증을 설명할 수 있다. (B)

2. 소와열구 우식증

① 음식물과 미생물이 잘 끼게 되고 자정작용도 안 됨
② 법랑질의 두께가 다른 부분에 비해 얇아서 진행이 빠름

소치 3-1-3 소아열구 우식증을 설명할 수 있다. (B)

3. 유아기 우식증(우유병 우식증)

① 2세 이하 어린이의 상악 4개의 전치에 흔히 이환되는 우식증(진행이 매우 빠름)
② 어린이들이 우유병을 입에 물고 잠드는 습관이 있거나, 모유를 먹는 어린이 중 이유기가 늦은 어린이에서 많이 발생
③ 약 20개월 경: 상악 전치의 치경부에서 흰색 또는 진한 갈색으로 변함
④ 호발 부위: 상악 견치, 상악 제1유구치와 상악 제2유구치에도 이환됨(하악 전치는 잘 발견되지 않음)

소치 3-1-4 유아기 우식증을 설명할 수 있다. (A)

Part
07

소아치과학

4. 다발성 우식증

① 급성으로 여러 또는 전 치아에 파급되는 우식증, 잘 이환되지 않는 치아에도 발생

② 치관부의 파괴가 급하게 일어나 치수까지 침범

③ 임시치료와 함께 식이조절, 구강위생교육, 불소처치와 최종 수복치료가 필요

④ 원인: 타액분비 감소, 자당성분의 잦은 섭취, 불량한 구강위생상태, 치료에 대한 비협조 등

| 소치 3-1-5 | 다발성 우식증을 설명할 수 있다. (A) |

5. 유치 우식의 특징 2019 기출

① 우식의 이환성이 높음

② 우식의 진행이 신속

③ 치수염이나 치근막염으로 쉽게 이행

④ 3차 상아질의 형성이 활발

⑤ 소아의 발육환경에 영향을 받음

⑥ 유치 우식의 발생부위에 특징이 있음

| 소치 3-1-6 | 유치 우식의 특징을 설명할 수 있다. (A) |

6. 유치 우식증 예방법

① 불소사용

- 상수도불소화
- 불소도포: 불화나트륨(NaF), 불화주석(SnF_2), 산성 불화인산염(APF)
- 불소양치: 0.05% NaF 용액(1회/일), 0.2% NaF 용액(1회/주)

② 치면열구전색

③ 치면세균막관리

④ 식이조절

| 소치 3-1-7 | 유치 우식증의 예방법을 설명할 수 있다. (A) |

7. 미성숙 영구치 우식의 특징

① 치수강이 넓고 치수각의 끝이 날카로움, 상아질도 성숙되지 않아 우식의 진행 빠름

② 치수염이나 치근막염에 이환되기 쉬움

③ 유치 우식과 인접한 경우에는 이환되기 쉬움

④ 평활면의 초기우식(백반)은 적절한 처치에 의해 재석회화됨

⑤ 하악 치아에 이환되기 쉬움

⑥ 호발 부위: 하악 제1대구치 교합면, 상악 중절치 인접면, 하악 제1대구치 협면구

소치 3-1-8	미성숙 영구치 우식의 특징을 설명할 수 있다. (A)

8. 어린이 치은염

① 치면세균막의 원인에 의한 치은염

② 맹출성 치은염: 영구치가 나기 시작하는 6~7세에 빈발

③ 영양부족의 원인에 의한 치은염: 비타민 C 결핍

④ 약제의 원인에 의한 치은증식: 항 경련제인 phenytion의 장기복용

소치 3-1-9	어린이 치은염의 종류를 설명할 수 있다. (B)

9. 어린이 급성 치은 감염

① 급성 포진성 치은구내염(Acute herpetic gingivostomatitis): 단순 헤르페스 바이러스의 감염, 발적·전신권태 및 치은염 수반, 치유까지 1~2주일 소요

② 재발성 아프타성 궤양(Recurrent aphthous ulcers): 변연은 융기와 발적을 나타내고 동통 수반, 치유까지 2주일 소요

③ 급성 괴사성 궤양성 치은염(Acute necrotizing ulcerative gingivitis): 빈센트 감염, 염증을 수반하고 동통·치은출혈·구취 등의 임상증상을 보임

④ 급성 칸디다증(Acute candidiasis): 국소적인 항생요법 후에 *Candida albicans* 진균에 의해 급속도로 증식하여 나타나는 것

소치 3-1-10	어린이 구내감염의 종류를 설명할 수 있다. (B)

제4장 | 어린이의 행동조절

1. 치과진료실에서 나타나는 어린이의 태도

① 협조적
- 치과 진료진과 친밀한 관계를 형성한 어린이 혹은 치과치료의 중요성을 인식하는 아이

② 협조능력 부족
- 협조능력이 결여되거나 부족한 어린이, 대화가 통하지 않는 매우 어린 아기

③ 잠재적 협조
- 행동에 문제가 있으나 적절한 행동조절에 의해 행동이 수정될 수 있는 아이
- 공포와 불안이 주된 요인이며 대화가 가능하나 완전한 이해가 어려운 경우, 소심한 경우, 과잉보호된 아이, 낯선 환경에 잘 적응하지 못하는 아이

④ 비협조적
- 치료받는 것이 싫다는 것을 노골적으로 표시하고 전적으로 거부하는 경우
- 설득이 어렵고 도전적인 행동을 보임, 이해를 얻기 어려운 경우 신체를 속박, 약물 이용

> **소치 4-2-1** 치과진료실에서 나타나는 어린이의 태도를 설명할 수 있다. (B)

2. 치과진료 시 어린이의 태도에 영향을 주는 요소

① 일반적인 경험
- 일반적으로 어린이가 자주 만나는 사람과의 경험을 통해 기본적인 신뢰를 형성

② 가정환경
- 초기 발육단계에서 자식의 행동을 지도하는 부모의 양육방식이나 태도는 어린이의 행동에 매우 중요한 영향

③ 과거의 의과·치과 치료경험
- 과거의 좋지 않은 의과·치과 치료경험으로 인하여 행동문제를 유발하는 경우가 많음

④ 어린이의 특징
- 어린이의 성숙 정도, 성격, 건강상태에 따라 협조도의 차이가 남
- 3세 이하의 어린이는 혼자 남겨지는 것에 대해 두려움을 가져 보호자가 동반하는 것이 바람직함

⑤ 부모와 의사와의 관계
- 부모가 의사를 신뢰하지 못하거나 협조적이지 않을 때는 어린이의 행동양상도 유사해짐
- 부모가 과도하게 불안해하는 경우도 행동조절을 어렵게 하는 요인임
⑥ 치과 진료실의 분위기
- 어둡거나 단조로운 분위기는 어린아이를 심리적으로 위축
- 시끄러운 소음, 울음소리, 병원 특유의 소독 냄새나 진료기구가 눈에 띄게 위치된 경우 공포 유발

| 소치 4-2-2 | 치과진료 시 어린이의 태도에 영향을 주는 요인을 설명할 수 있다. (A) |

3. 치과에서 나타나는 부정적 반응

① 공포   ③ 저항
② 불안   ④ 소심함

| 소치 4-2-3 | 치과에서 나타나는 부정적 반응을 설명할 수 있다. (B) |

4. 어린이와 보호자의 관리

① 처벌의 수단으로 이야기하지 않음
② 치과분위기에 익숙해질 수 있도록 함
③ 부모나 형제자매가 치료하는 장면을 보여줌
④ 주기적 구강검진을 통해 관리
⑤ 치료하기 전에 미리 뇌물을 주지 않음
⑥ 치료받는 상태에서 창피를 주지 않음
⑦ 가기 전에 미리 예고하고, 거짓말로 데려오지 않음
⑧ 치료 후에 적절한 보상을 함
⑨ 치과에 오면 치과 의료진에게 완전히 맡김

| 소치 4-2-4 | 어린이와 보호자의 관리방법을 교육할 수 있다. (B) |

5. 어린이의 연령별 행동조절법

(1) 유아의 걸음마 시기

① 구강검사나 치과치료의 필요성에 대해 거의 이해하지 못하는 시기

② 어린이가 협조하지 않더라도 구강검사나 특정치료를 효과적으로 수행할 수 있음

(2) 두 살에 대한 행동조절법

① 떨어지거나 예상치 못한 움직임에 공포를 느낄 수 있으므로 chair를 갑자기 아래로 내리거나 뒤쪽으로 기울이게 되면 공포를 일으킬 수 있음

② 어휘발달에 차이가 많아 대화능력에 있어서 크게 차이가 있음

③ 협조 전 단계, 낯선 사람·장소에 두려움을 나타내고 주의력의 집중시간이 짧음

④ 보호자의 무릎 위에서 진찰, 소아 곁에 보호자를 앉혀놓고 치료

(3) 세 살에 대한 행동조절법

① 술자와의 대화내용을 이해하므로 대화하고 설득 가능

② 낯선 사람과 낯선 장소에 대한 공포심을 가지고 있음

③ 치과 의료진과 치료과정에 대해서 충분히 익숙해질 때까지 부모가 함께 있다면 더욱 안심

(4) 네 살에 대한 행동조절법

① 설명해 주는 것에 대한 흥미를 가지고 들음

② 쾌활하고 말을 잘 하는 편

③ 낯선 사람에 대한 공포심은 감소

④ 주사 후의 아픔·발치 후의 출혈을 보는 것만으로도 동통과 맞먹는 반응 일으킴

(5) 다섯 살에 대한 행동조절법

① 단체 활동에 참여하고 사회경험에 적응할 준비가 되어 있는 연령

② 부모를 떠나 혼자 치료실로 들어오는데 공포를 느끼지 않는 것이 보통

③ 자기소유물과 복장을 자랑스러워하고 외모에 관한 말에 민감함

④ 옷에 관해 이야기하는 것이 효과적

(6) 여섯 살~열두 살에 대한 행동조절법

① 긴장상태가 최고에 달하여 큰 소리를 지르거나 거칠게 반항

② 다른 사람과 사이좋게 지내는 방법과 사회의 규칙을 지키는 것에 대하여 배우는 중요한 시기

③ 외부의 자극에 의해 영향을 받기 쉬운 시기

④ 신체적 안전에 관한 공포는 어느 정도 감소되고, 신체적 손상에 대한 공포심이 강하며, 불쾌한 상황을 잘 참아냄

| 소치 4-3-2 | 어린이의 연령별 행동조절법을 설명할 수 있다. (A) |

6. 어린이 진료 시 일반적인 고려사항

① 치료실 분위기를 바꿔줌

② 가능한 오전 중의 안정된 시간을 선택, 진료시간을 짧게(30분)

③ 보호자를 분리하는 것이 좋음(3세 이후)

④ 성장발육을 고려하여 정확한 진단과 치료계획 수립

⑤ 어린이가 이해할 수 있는 적절한 단어의 선택으로 의사전달 명료하게 함

⑥ 음성조절에 의한 대화를 시도

⑦ 어린이와 의료진 간의 신호체계를 명확히 함

⑧ 첫날은 가능한 한 무통치료 시행하여 치료에 대한 불안감을 감소시킴

⑨ 아동의 행동조절과 보호를 위하여 rubber dam의 사용이 바람직

| 소치 4-4-1 | 어린이 진료 시 일반적인 고려 사항에 대해 설명할 수 있다. (A) |

7. 어린이와의 의사소통 방법

① 대화를 시작하는 방법: 대화를 직접 하는 것이 환자로부터 더 많은 정보를 얻을 수 있고 어린이를 이완시켜 줌

② 음성 조절: 필요에 따라 음성조절에 의한 대화를 시도

③ 신체의 위치와 근접도: 어린이와 눈높이를 같게 하여 대하도록 함

④ 적절한 단어의 선택과 명료한 의사전달
  • 어린이가 이해할 수 있는 적절한 단어를 선택
  • 공포를 불러일으키지 않도록 치과 용어 대신에 대체 용어를 사용

⑤ 비언어적 의사소통
  • Body language: 말을 할 때 표정과 몸짓을 추가하면 더욱 효과적
  • 신호: 어린이와 의료진 간의 신호체계를 명확히 해둠

　　　　• Skinship: 머리를 쓰다듬어 줌

| 소치 4-4-2 | 어린이와의 의사소통 방법을 설명할 수 있다. (B) |

8. 체계적 탈감작법 2021 기출

① 행동조절 과정
② 문제가 되는 불안, 공포의 자극을 약한 것에서 점차 강한 자극으로 단계적으로 반복하여 불안과 공포를 극복시키고자 하는 것

| 소치 4-4-3 | 체계적 탈감작법을 설명할 수 있다. (A) |

9. 심리적 접근법의 종류 2020 기출

(1) 말-시범-시행 법(Tell-Show-Do)

• 불안, 공포의 자극을 약한 것에서 점차 강한 자극으로 단계적으로 반복하여 불안과 공포를 극복하고자 체계화된 탈감작법의 하나로 상상력이 부족한 소아에게 유효한 대응기법
① 말(Tell): 어린이 수준의 언어 사용, 천천히 반복, 솔직, 어린아이 같이 얘기하지 X
② 시범(Show): 기구 만져 봄, handpiece의 소리 듣게 함, 주사침 마개 끼운 채 보여줌
③ 시행(do): 지금 무엇을 하나 설명, 거울로 시술과정 보여줌

(2) 모방법

① 다른 사람의 행동을 따라함으로써 행동양식을 익히는 경우
② 자기 또래 어린이가 아무런 거리낌 없이 공포 대상에 접근하는 행동을 관찰하면서 회피행동이 소실됨
　　• 생체 모방법: 치료 협조적 어린이 행동과 진료받는 친척 보게 함
　　• 상징 모방법: 비디오, 슬라이드, 사진 보여 줌(진료 장면이 있는)

(3) 분산

① 진료 중 치료에 집중해 있는 어린이의 관심과 주의를 분산하여 공포를 줄여주는 방법
② 비디오 테이프, 헤드폰을 통해 좋아하는 음악을 들을 수 있도록 함

(4) 도구적 조건을 이용한 강화

① 긍정적 혹은 부정적 강화인자를 부여하거나 제거하는 등의 조절을 통해 바람직하지 않은 행동은 약화시키고 바람직한 행동은 강화시켜 나가는 방법

② 긍정적 강화

- 원하는 행동을 유발시키는 효과적인 방법
- 추상적인 강화(칭찬, 음성변조, 안면표정, 신체적인 표현)과 구체적인 강화(동전, 배지, 장난감)로 대별

③ 부정적 강화

- 음성조절, 신체의 속박, 격리나 무시 등
- 어린이에게 심리적 타격을 줄 수 있으므로 실제 적용 시 신중

소치 4-4-4   심리적 접근법의 종류별 특징을 설명할 수 있다. (A)

---

10. 물리적 접근법의 종류 `2019 기출`

1) 신체적 속박: Pedi-wrap (전신속박)

(1) 적응증

① 협조 전 단계로 3세 미만의 어린이

② 지체장애자와 같이 자발적인 협조를 기대할 수 없는 환자

③ 통상적인 의사소통에 의한 행동조절법이 실패한 비협조적인 어린이

④ 약물을 투여한 어린이

⑤ 수 회 내원하였으나 치료를 계속 거부하는 어린이

⑥ 어린이는 비협조적이나 부모가 치료를 강력히 요구하는 경우

⑦ 응급상황 시

(2) 금기증

① 협조적인 어린이

② 의학적, 전신적인 상태로 인해 신체속박이 불가능할 때

③ 치과경험 부족으로 소심하거나 수줍어하는 어린이

④ 장시간 진료를 요하는 어린이

(3) 주의사항

① 보호자에게 필요성 여부를 설명하고 동의를 구한 후 시행

② 부모의 동의사항과 신체속박의 유형과 사용 시간 등을 반드시 진료기록부에 기재

③ 치료 후에는 반드시 징벌이 아님을 강조하기 위해 친절히 이야기해 주고 달래주고 칭찬해 줌

④ 신체속박은 20분을 경과하지 않도록 노력하며, 체온이 상승되지 않는지 등을 수시로 확인

2) 입가리기(HOME 법: Hand-over-mouth exercise 법)

(1) 특징

① 반항적인 행동유형을 보이는 어린이 환자의 입을 치과의사 손으로 막는 방법

② 징벌이 아님을 보호자에게 설명하고 반드시 동의를 얻은 다음 시행

③ 사용한 후에는 반드시 진료기록부에 기재

(2) 적응증

① 어린이가 정상지능을 가지고 있고, 심리적인 접근으로 치료가 불가능한 경우

② 입가리기 방법을 이해할 수 있는 3~6세 아동

(3) 금기증

① 상황을 이해할 수 있는 능력이 부족한 3세 이하 어린이

② 치과경험 부족으로 불안해하는 어린이, 특히 수줍어하고 소심한 어린이

③ 장애가 심한 어린이(지체장애, 정서 미숙 등)

④ 호흡곤란을 초래할 위험이 예상되는 환자

3) 개구기를 이용한 속박 등

> **소치 4-4-5**   물리적 접근법의 종류별 특징을 설명할 수 있다. (A)

11. 약물을 이용한 진정요법의 종류 `2022 기출`

1) 아산화질소(N_2O-O_2) 흡입진정법

(1) 특징

① 저농도의 아산화질소와 산소를 혼합한 가스를 흡입시키는 것

② 중추신경을 억제함으로써 환자가 의식을 상실하지 않는 의식하에 치과치료에 대한 환자의 불안, 공포, 긴장을 제거

③ 폐로 흡수되어 폐로 배출

(2) 적응증

① 불안, 공포가 심한 어린이

② 심신장애나 의학적으로 이상을 가진 어린이

③ 구역반사 조절

(3) 사용의 한계

① 마스크 착용이 불가능할 정도로 비협조적인 어린이

② 폐쇄공포증이 있는 어린이

③ 상기도염 또는 기타 호흡기 질환을 가진 어린이

(4) 장점

① 부작용이 적음

② 발현과 회복이 빠름

③ 용량조절 용이

(5) 단점

① 효능이 약함

② 환자의 협조가 부족할 경우 시행하기 어려움

③ 잠재적인 만성 독성의 가능성(부작용의 잠재력)

2) 근육 내 주사

① 비경구 투여방법 중 가장 많이 이용

② 약효가 일정치 않고 부작용의 가능성이 많은 것이 단점

③ 비교적 신속히 나타남

3) 경구투여

① 임상에서 많이 사용함

② 소아의 경우 거부감 없이 약물을 복용할 수 있음, 어린 소아는 투여하기 어려워 용량
을 정확히 지키기 어려움

③ 비교적 안전한 방법

④ 개인 편차가 심하며 발현시간이 김

4) 정맥 내 주사

① 발현이 빠르나 부작용의 가능성이 높음

② 소아의 혈관을 찾기 어렵고 움직임이 많아 사용하기 어려움

③ 응급상황 시 정맥 내 접근이 용이함

5) 직장투여

① 경구투여를 거부하거나 주사에 대해 극심한 공포를 가지고 있는 경우 사용

② 약효가 일정하지 않고 흡수 후 약효가 오래 지속되어 회복이 늦음

③ 좌약은 직접주입, 현탁액은 고무관 사용 주입

6) 비강주입

① Midazolam 등의 진정용 약물을 코고 직접 주입하는 방법 사용됨

② 발현이 신속하고 약효의 지속시간이 짧음

> **소치 4-4-6**   약물에 의한 진정요법의 종류별 특징을 설명할 수 있다. (A)

제5장 | 어린이의 보존치료

1. 러버댐 방습법의 목적

① 시술 치아의 격리 및 습기 차단

② 시술부위의 노출(시야 확보)

③ 환자에 대한 상해의 방지

> **소치 5-1-1**   러버댐 방습법의 목적을 설명할 수 있다. (B)

2. 러버댐 방습 사용의 장점

① 시술시간의 단축

② 우수한 방습

③ 환자와 의사의 보호기능

④ 환자의 행동 조절에 도움

⑤ 좋은 접근성과 시야 제공

⑥ 환자와 부모의 교육에 도움

> **소치 5-1-2**   러버댐 방습 사용의 장점을 설명할 수 있다. (B)

3. 러버댐 방습법에 필요한 기구

Rubber dam sheet	빛이 덜 반사되는 탁한 면을 술자 쪽으로 향하게 함
Rubber dam frame	러버댐 시트를 팽팽하게 펴고 유지하는 틀
Rubber dam punch	치아 크기에 맞추어 러버댐 시트에 구멍을 뚫는 기구
Rubber dam clamp	러버댐 시트를 치아에 고정하는 역할을 하는 집게
Rubber dam forceps	클램프를 벌려 치아에 장착하고 시술 후 이를 제거하는 데 사용
Dental floss	치은을 밀어내는 동시에 러버댐 시트가 이탈되는 것을 막기 위해 사용

소치 5-1-3　러버댐 방습법에 필요한 기구를 준비할 수 있다. (B)

4. 러버댐 장착 순서

치은의 표면 마취 → clamp의 시험 적합 → rubber sheet의 천공 → rubber sheet에 clamp 장착 → 치아에 장착 → clamp에서 rubber 제거 → 점검 → 제거

소치 5-1-4　러버댐을 장착할 수 있다. (B)

5. 아말감 수복의 특징

① 치아우식증의 수복에 가장 많이 사용되고 가장 오래된 수복물
② 임상적으로 아주 우수한 수복물로써 유구치의 교합면 1급 와동 또는 협설면의 5급 와동 그리고 인접면의 2급 와동의 수복에 이용
③ 장점
  • 치수에 유해 작용이 없음
  • 와동에 대한 접합성이 우수
  • 매개물의 사용없이 직접 와동에 충전할 수 있음
  • 당일 수복 가능
④ 단점
  • 변연강도가 약함
  • 변연파절에 따른 2차 우식의 발생 가능성
  • 비심미적
  • 완전 경화까지의 시간 필요

소치 5-2-1　아말감 수복의 특징을 설명할 수 있다. (B)

Part 07
소아치과학

455

6. 유치의 와동 형성

① 1급 와동형성: Dovetail form의 외형을 형성
② 2급 와동형성
③ 인접면 와동의 아말감 충전을 위한 Matrix band와 Retainer: 2급 와동의 인접면의 정상적인 형태를 재현
④ 잔존 우식상아질 제거 및 법랑질 벽의 완성: Round bur를 저속으로 회전시키거나 spoon excavator를 사용하여 제거

> **소치 5-2-2**　유치의 와동형성 시 주의사항을 설명할 수 있다. (B)

7. 아말감 수복 시 치수보호

① 와동형성 중의 치수의 보호: 핸드피스를 사용할 때에는 물 분사 냉각을 시켜야 하며, 가볍고 간헐적인 접촉 등을 통하여 열발생을 방지하여 치수의 손상을 예방
② 와동 이장재(liner): 깊은 와동의 상아질에 비교적 얇은 층으로 직접 도포, 노출된 상아세관을 봉쇄하여 치수를 보호
③ 기저재: 영구수복물 하방에 교합력을 견딜 수 있는 강도와 두께로 도포, 치수에 대한 온도자극을 차단하는 역할, 항균 및 진통효과, 수복 상아질의 형성을 촉진하기 위한 목적으로 이용

> **소치 5-2-3**　아말감 수복 시 치수보호를 설명할 수 있다. (B)

8. 아말감 수복과정

연화 → 충전 → 조각 전의 burnishing → 조각 → 조각 후의 burnishing → 연마

> **소치 5-2-4**　아말감 수복과정을 설명할 수 있다. (B)

9. 아말감 수복 시 주의사항

① 24시간 후 완전 경화되므로, 치료 후 만 하루 동안 치료한 쪽으로는 씹지 않아야 함
② 변연(경계 주위) 강도가 약해 테두리 부위가 부러질 수 있으므로 주의

③ 다른 금속이 접촉될 때 정전기가 발생할 수 있음을 설명: 갈바니즘(Galvanism)

④ 일시적인 지각과민이 생길 수 있음을 설명

> **소치 5-2-5**　아말감 수복 시 주의사항을 설명할 수 있다. (B)

10. 아말감 연마 시 조작법

① 아말감이 충분히 경화되는 24시간 또는 1주일 후에 연마 시행

② Polishing bur나 rubber cup에 의해 열이 발생되면 기포를 남기고 아말감이 약화되므로 주의 → 물 분사

> **소치 5-2-6**　아말감 연마과정을 설명할 수 있다. (B)

11. 복합레진 수복 적응증

① 전치부의 치아우식증(class 3, 4, 5 cavity)

② 파절치아의 접착 및 수복

③ 법랑질형성 부전 치아의 수복

④ 변색 치아의 수복

⑤ 형태이상 치아의 수복

⑥ 외상받은 치아의 고정

⑦ 교정장치의 부착

⑧ 구치부 수복

> **소치 5-3-1**　복합레진 수복 시 적응증을 설명할 수 있다. (B)

12. 복합레진 수복과정

국소마취 및 치면세마 → 색조 선택 → 격리 → 와동형성 → 치수보호 → 산부식 → 접착 강화제 도포 → 액체 레진 도포 → 격벽 → 복합레진의 충전 및 광중합 → 외형 다듬기 및 교합 조정 → 연마 → 재접착과 광택처리

> **소치 5-3-2**　복합레진 수복과정을 설명할 수 있다. (B)

13. 유구치 기성금속관 수복의 적응증

① 파절된 치아의 임시수복

② 광범위한 치아우식증

③ 우식 활성이 높은 치아(다발성우식증)

④ 치수절단술이나 치수절제술 등 치수치료를 받은 치아

⑤ 치질의 결손이 있는 치아(법랑질형성부전증 or 상아질형성부전증)

⑥ 고정성 간격유지장치, 악습관 개선장치 등과 같은 장치의 지대치로 쓰일 치아

소치 5-4-1　유구치 기성금속관 수복의 적응증을 설명할 수 있다. (A)

14. 유구치 기성금속관의 장점　2020 기출　2022 기출

① 치질 삭제량이 적음

② 치관의 근·원심 길이의 회복이 쉬움

③ 치아의 해부학적 형태와 저작기능의 회복이 쉬움

④ 제작과 조정이 간편하여, 한 번의 처치로 수복이 가능

소치 5-4-2　유구치 기성금속관 수복의 장점을 설명할 수 있다. (A)

15. 유구치 기성금속관의 단점　2020 기출　2022 기출

① 치경부 적합성이 떨어짐

② 완전한 교합의 형성 어려움

③ 치질과 금관 사이 간격의 큰 부분이 존재

④ 두께(0.15~0.2 mm)가 얇아 교합면의 파절이 나타날 수 있음

⑤ 형태를 자유롭게 부여할 수 없어 형태 이상들의 심한 기형치 등의 수복이 어려움

소치 5-4-3　유구치 기성금속관 수복의 단점을 설명할 수 있다. (A)

16. 유구치 기성금속관 수복과정

① 국소마취, 러버댐 장착

② 우식와동의 처치, 지대치 형성

③ 러버댐의 철거

④ 치은연하의 지대치 형성 및 지대치의 수정

⑤ 치관의 선택, 시험 적합 및 조정

⑥ 적합상태 및 교합상태의 확인

⑦ 연마 및 청결

⑧ 협착

⑨ 잉여 시멘트의 제거

소치 5-4-4   유구치 기성금속관 수복 과정을 설명할 수 있다. (A)

17. 유구치 기성금속관 수복 시 필요한 기구

① 기성관(preformed crown)

② Curved crown scissors

③ Divider 혹은 caliper

④ Diamond point

⑤ Contouring pliers

⑥ 연마기구

소치 5-4-5   유구치 기성금속관 수복 시 필요한 기구를 준비할 수 있다. (A)

18. 유전치 레진관 수복법의 적응증

① 광범위한 인접면 우식증

② 치수치료를 받은 치아

③ 치관이 파절되어 치질의 상당량이 상실된 치아

④ 치관에 형성부전이나 발육장애가 있는 치아

⑤ 변색되어 심미적으로 불량한 치아

⑥ 작은 인접면 우식과 광범위한 치경부 우식에 이환된 치아

유전치 레진관 수복의 적응증을 설명할 수 있다. (A)

19. 유전치 레진관 수복과정

① 국소마취, 러버댐 장착

② 우식와동 처치, 지대치 형성

③ Crown form 선택

④ Crown 수정, 시험 적합, 에어벤트 형성

⑤ Composite resin 충전하여 지대치에 압접

⑥ 잉여 resin 제거

⑦ Crown form 제거

⑧ 러버댐 철거

⑨ 형태수정, 교합 확인

유전치 레진관 수복과정을 설명할 수 있다. (A)

20. 치수상태의 평가

① 동통의 병력

- 정상적인 치수의 반응: 자극이 있는 경우 동통을 느낌

- 음식물 섭취 시 따르는 동통

- 밤에 아픈 경우: 치수상태가 비가역적인 경우가 많음

② 임상적 증상과 징후

③ 방사선 검사

④ 치수검사: 온도자극검사, 전기치수검사

⑤ 환자의 전신상태

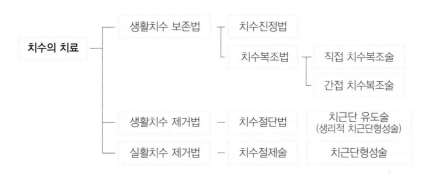

소치 5-5-1   치수상태의 평가방법을 설명할 수 있다. (B)

21. 치수복조술의 적응증

(1) 간접 치수복조술의 적응증

① 치수가 노출되지 않고 임상적 증상이 없는 치아

② 자극이 가해지거나 저작 시 동통을 느끼는 이 외에 자발통의 병력이 없는 치아

③ 치아동요도가 없는 치아

④ 방사선상에서 치근단 병변이 없는 경우

(2) 직접 치수복조술 적응증

① 미성숙 영구치

② 직경 1 mm 이내 작은 치수노출

③ 와동 형성 시 기계적인 노출

소치 5-5-2   치수복조술의 적응증을 설명할 수 있다. (A)

22. 치수복조술의 종류 2021 기출

(1) 간접 치수복조술

① 병소에서 심한 우식을 제거하고 미생물을 억제할 수 있는 물질로 와동을 일정 기간 막아주는 술식

② 치질과 치수생활력의 보존, 치아우식증의 진행 억제, 이차상아질 형성 등의 장점

(2) 직접 치수복조술

① 외상, 와동형성 중 우발적으로 생긴 작은 크기의 치수노출, 우식 진행에 의한 치수노출 및 주위에 건전한 상아질이 있을 경우 사용하는 치수의 생활력과 기능을 유지시키는 술식

| 소치 5-5-3 | 치수복조술의 종류를 설명할 수 있다. (A) |

23. 치수복조술의 시술과정

(1) 간접 치수복조술

① 국소마취, 러버댐 장착

② 연화상아질 제거

③ 와동 기저부에 남아 있는 우식상아질에 수산화칼슘을 도포

④ 강화된 산화아연유지놀시멘트로 임시충전

⑤ 아말감으로 수복

⑥ 2~6개월 후 재평가

(2) 직접 치수복조술의 시술과정

① 국소마취, rubber dam을 장착

② 치수가 노출된 부위는 saline을 이용하여 세척

③ 출혈이 있는 경우 cotton pellet으로 가볍게 압박하여 지혈

④ 노출된 치수에 수산화칼슘을 도포

⑤ 산화아연유지놀시멘트(ZOE)로 임시 충전

⑥ 2~3개월 후 재평가하여 이상 없을 시 영구충전

| 소치 5-5-4 | 치수복조술의 시술과정을 설명할 수 있다. (A) |

24. 유치치수절단술의 적응증

• 치수감염이 치관부 치수의 일부분에 국한되어 있어 비정상적인 치수조직을 제거하고 정상적인 근단부위 치수조직의 치유가 일어날 수 있도록 유도하는 술식

① 기계적 노출 혹은 외상으로 인한 치수 노출

② 자발통의 병력이 없는 경우

③ 타진에 민감한 반응을 보이지 않는 경우

④ 치근단 주위 및 치근 분지부에 병변이 없는 경우

⑤ 치근의 1/3 이하가 흡수된 경우

⑥ 치수절단술 후 수복치료가 가능한 경우

| 소치 5-5-5 | 유치치수절단술의 적응증을 설명할 수 있다. (A) |

25. 유치치수절단술의 시술과정 `2020 기출`

(1) 수산화칼슘을 이용한 치수절단술

① 국소마취, 러버댐 장착

② 와동형성 후 우식상아질 제거

③ 치수강 개방

④ 치관부 치수조직 절단

⑤ 출혈 조절(지혈)

⑥ 노출된 치근부 치수 위에 수산화칼슘 제제 도포

⑦ ZOE나 IRM 혹은 ZPC로 임시충전

⑧ 관찰 후 이상 없으면 영구충전

⑨ 정기적(3~6개월) 검진

(2) FC를 이용한 치수절단술

① 국소마취, rubber dam 장착

② 와동형성 후 우식상아질 제거

③ 치수강 개방

④ 치관부 치수조직 절단

⑤ 출혈 조절(지혈)

⑥ formocresol을 적신 cotton pellet을 노출된 치수조직에 5분간 위치

⑦ 면구 제거 후 IRM이나 ZPC 임시충전

⑧ 아말감 수복 후 stainless−steel crown으로 최종수복

| 소치 5-5-6 | 유치치수절단술의 시술과정을 설명할 수 있다. (A) |

26. 유치치수절제술의 적응증

- 치관부, 치근부의 괴사된 치수조직을 완전히 제거하는 술식

  ① 치수의 감염이 치근관까지 파급된 경우

  ② 치수절단술 시 지혈이 불가능한 경우

  ③ 치근흡수와 분지부 병변이 없는 경우

| 소치 5-5-7 | 유치치수절제술의 적응증을 설명할 수 있다. (A) |

27. 유치치수절제술의 시술과정

① 국소마취, rubber dam을 장착

② Round bur 이용하여 치수강의 상부를 완전히 제거

③ 치근관 내 치수를 barbed broach나 file을 이용하여 제거

④ 근관세척

⑤ Paper point를 이용하여 근관을 건조

⑥ 근관소독제(CMCP), FC를 면구에 적셔 꼭 짜서 치수강 내에 위치 → 근관소독

⑦ 산화아연유지놀시멘트(ZOE)로 임시수복(충전)

⑧ 4~5일 후 내원 후 근관소독제 제거, 수산화칼슘제제로 근관충전

⑨ 산화아연유지놀시멘트(ZOE)로 영구 충전

⑩ Stainless—steel crown로 최종수복

| 소치 5-5-8 | 유치치수절제술의 시술과정을 설명할 수 있다. (A) |

28. 치근단 유도술(생리적치근단형성술)의 적응증 2019 기출 2020 기출 2022 기출

- 치수생활력이 있는 미성숙영구치 치근의 길이 성장과 치근단 폐쇄가 정상적으로 일어나도록 치근부 치수의 생활력을 유지시켜 치근형성을 유도하는 술식

① 외상에 의한 미성숙 영구치의 치수노출 시

② 미성숙 영구치의 기계적 치수노출 시

③ 노출된 치수조직에 MTA (mineral trioxide aggregate) 도포

| 소치 5-5-9 | 생리적 치근단유도술의 적응증을 설명할 수 있다. (A) |

29. 생리적 치근단유도술의 시술과정

① 국소마취, 러버댐 장착

② 와동형성 후 우식상아질 제거

③ bur를 이용하여 치수강을 노출

④ 치관부 치수조직을 모두 제거

⑤ 지혈

⑥ 치근부 치수조직의 상부에서 수산화칼슘이나 MTA를 덮어줌

⑦ 산화아연유지놀시멘트로 임시충전

⑧ 아말감으로 영구충전

소치 5-5-10 생리적 치근단유도술의 시술과정을 설명할 수 있다. (A)

30. 치근단형성술의 적응증

• 치근단이 폐쇄되지 않아 넓은 치근단을 가진 실활된 미성숙 영구치에서 치수강과 근관의 괴사된 치수를 모두 제거한 후 수산화칼슘 제제를 사용하여 치근단의 형성을 유도하는 술식

① 치수의 감염이 치근관까지 파급된 경우

② 치수절단술 시 지혈이 불가능한 경우

③ 치근흡수와 분지부 병변이 없는 경우

소치 5-5-11 치근단형성술의 적응증을 설명할 수 있다. (A)

31. 치근단 형성술의 시술과정

① 국소마취, rubber dam을 장착

② Round bur나 spoon excavator를 이용하여 치관부 치수를 제거

③ 방사선사진상에서 근관의 길이를 측정한 후 reamer, file을 이용하여 치근관 내 감염되었거나 괴사된 치수조직 제거(감염된 조직이 치근단공을 빠져 나가지 않도록 주의)

④ 근관세척 후 paper point로 건조

⑤ CMCP를 면구에 묻혀 치수강 내에 넣어 근관소독

⑥ 산화아연유지놀시멘트(ZOE)로 임시수복(충전)

⑦ 1~3주 후 치아에 증상이 없는 경우 근관을 세척하고 건조

⑧ 수산화칼슘제제와 CMCP를 혼합하여 치근관 내에 충전(약제가 치근단 밖으로 빠져나가지 않도록 주의)

⑨ 산화아연유지놀시멘트(ZOE) 또는 IRM으로 임시충전

⑩ 주기적으로 내원, 방사선사진을 찍어 치근단 형성 유무 확인

⑪ 치근단 형성이 이루어지면 약제를 제거하고 통상적인 근관치료 시행

소치 5-5-12	치근단형성술의 시술과정을 설명할 수 있다. (A)

32. 치수치료에 사용되는 약제

① 산화아연유지놀(ZOE): 치수진정작용

② 수산화칼슘: 2차 상아질 형성과 항세균효과

③ Formalin을 포함한 약제: 살균력과 치수조직을 고정시키는 능력

④ 글루타르알데하이드: 소독

⑤ 페릭설페이트: 지혈제

⑥ MTA: 생체친화성이 좋은 시멘트로 수분이 있어도 밀폐성이 좋아 천공부위의 수복과 치근단 역충전, 직접 치수복조술 등에 사용

소치 5-5-13	치수치료에 사용되는 약제를 설명할 수 있다. (B)

1. 소아의 국소마취 후 주의사항

① 최대 권장 투여량을 알아야 함

② 약 용량은 체중에 기초를 두고 계산해야 함

③ 구강점막에 도포할 때에는 적은 양의 국소도포제만을 도포해야 함

소치 6-1-3 소아의 국소마취 후 주의사항에 대해 설명할 수 있다. (A)

2. 유치 발치의 적응증

① 과잉치, 매복치

② 장애가 되는 선천성 치아

③ 장애아동 등에서 보존치료가 곤란한 치아

④ 만기잔존 유치

⑤ 영구 계승치가 존재하고, 정상적으로 탈락할 수 없는 유착 치아

⑥ 심한 치아우식증 또는 치아 외상에 의한 파절로 수복이 불가능한 경우

⑦ 치근단 병소 또는 이개부에 병소가 심하여 감염을 제거할 수 없는 경우

⑧ 급성 치조골농양이 존재하는 경우

소치 6-1-4 유치 발치의 적응증을 설명할 수 있다. (A)

3. 유치 발치의 금기증

① 당뇨병

② 혈액질환

③ 악성 종양이 의심되는 경우

④ 전신적인 급성 감염

⑤ 급성 감염성 구내염 및 포진성 구내염

⑥ 방사선 치료를 받은 부위에 존재 치아

⑦ 급성 치근막염

⑧ 봉와직염을 동반하는 심한 급성 치조골 농양이 있는 경우

⑨ 급성 또는 만성 류마티스성 심장질환, 선천성 심장질환, 신장질환

소치 6-1-5   유치 발치의 금기증을 설명할 수 있다. (A)

4. 유치 발치에 사용하는 기구

① 국소마취용 기구

② Suction tip

③ Straight elevator, crane pic elevator

④ Forcep

소치 6-1-6   유치 발치에 사용하는 기구를 준비할 수 있다. (B)

5. 유치발치 시 주의사항 2021 기출

① 반드시 보호자의 동의를 얻음

② 어린이가 국소마취 후 접하게 될 감각과 경험을 설명

③ 발치기자보다 발치겸자를 사용하여 발거하는 것이 편리

④ 치아 탈구 시 과도한 압박이 있어서는 안 됨

⑤ 발치 전에 방사선사진의 확인이 필요

⑥ 발치와의 기저부는 병소가 없는 한 반드시 소파할 필요는 없음

⑦ 창상에 30분 이상 거즈를 물고 있게 함

⑧ 발치 후 첫날은 유동식을 함

⑨ 발치 후 무의식중에 입술이나 협점막을 씹을 경우 외상성 궤양이 나타날 수 있으므로 주의 깊게 관찰

⑩ 발치 후 최소한 하루에 4~5회씩 미지근한 식염수로 양치

소치 6-1-7   유치 발치 시 주의사항을 설명할 수 있다. (A)

6. 치성 감염의 특징

① 급격히 체온이 상승

② 탈수를 방지하기 위해 구강 내 수분섭취가 중요

③ 정상적인 백혈구의 수, 호흡수, 맥박수, 혈압이 성인과 차이 남

④ 악골이 성인에 비해 치밀하지 못하고 골수강이 넓어 감염이 확산될 우려가 많음

⑤ 치조농양이 형성되면 계승영구치의 법랑질형성 부전을 유발할 수 있음

> **소치 6-1-8**　치성 감염의 특징을 설명할 수 있다. (B)

7. 치성 감염의 치료

① 배농을 위한 절개는 최대의 파동성을 보이는 부위에서 함

② 절개는 그림자와 주름이 지는 부위를 이용

③ 감염원인 치아의 치근이 위치한 골막까지 절개

④ 절개는 중력에 의한 배농이 용이하도록 시행

⑤ 광범위하게 종창이 생긴 경우에는 관통배농관을 실시할 것을 고려

⑥ Drain을 장기간 방치하지 않도록 하고 배농이 최소가 되면 제거

⑦ 창상을 매일 소독

> **소치 6-1-9**　치성 감염의 치료방법을 설명할 수 있다. (B)

8. 과잉치아가 구강 내에 미치는 영향

① 절치의 적절한 맹출 방해

② 낭종 형성이나 정중이개를 나타냄

> **소치 6-2-1**　과잉치기 구강 내에 미치는 영향을 설명할 수 있다. (A)

9. 설강직증이 구강 내 미치는 영향

① 짧은 설소대로 인해 혀의 움직임이 제약을 받아 하악 전치의 설측경사를 일으킴

② 혀의 비정상적인 위치로 인해 구개정이 낮아지고 협소한 상악 치열궁을 나타내며, 여러 가지 교정적인 문제 초래

③ 짧은 설소대로 혀의 운동장애나 발음장애를 일으킴

> **소치 6-3-1**　설강직증이 구강 내 미치는 영향을 설명할 수 있다. (B)

10. 설소대절제술

① 마취 후 혀 밑에 있는 설소대를 Z자 형으로 성형해주는 술식
② 혀의 근섬유를 절개, 박리하여 모양을 바로잡는 성형술을 시행 후 상처가 벌어지지 않게 봉합사로 절개부위 봉합
③ 수술에는 약 15~20여 분 소요
④ 어린이의 경우 국소마취로 수술을 진행하기 어려워 전신마취 필요

> **소치 6-3-2**　설소대절제술을 설명할 수 있다. (B)

11. 점액종

① 소타액선의 분비도관이 손상받아 찢어졌을 때 섬유성 결합조직 내로 점액이 유출되어 낭종과 유사한 공간을 형성하여 점액저류성 현상으로 발생(이장상피가 없음, 위낭 = 가성낭)
② 공간의 내벽은 대부분 교원성섬유 다발로 되어 있음
③ 발생률은 10대와 20대에 빈발하고 성별차이는 없음
④ 하순에 가장 흔히 나타나며 구강저와 순측점막에도 나타남
⑤ 낭종을 외과적으로 제거하고, 이와 관련된 소타액선을 제거하는 것이며, 완전 제거되지 않으면 재발되기 쉬움

> **소치 6-4-1**　점액종을 설명할 수 있다. (B)

12. 하마종

① 외상이나 감염 등에 의해 악하선 또는 설하선의 타액분비도관의 파열로 인히여 디액이 주위 연조직으로 빠져나와 저류되어 나타나는 가성낭종
② 구강저의 전방에 편측성으로 나타남

③ 병소의 크기가 증가됨에 따라 혀의 움직임을 방해하여 저작이나 발음의 기능장애를 초래함

④ 점막을 절제하고 하마종의 내벽이 구강점막의 일부가 되도록 만들어주는 조대술을 시행

| 소치 6-4-2 | 하마종을 설명할 수 있다. (B) |

13. 외상의 역학

(1) 외상의 원인

① 걸음마를 시작하는 시기(1~2세): 서툰 보행으로 인해 외상의 빈도가 증가(악안면 손상)

② 소아기인 시기(3~6세): 운동성은 활발하지만 운동기능은 못 미쳐 넘어져서 외상이 나타남

③ 학교생활을 하는 시기: 노는 도중에 사고를 당함

④ 2급 부정교합을 가진 어린이: 외상성 손상을 받을 가능성이 높음(상악 전치 돌출)

⑤ 장애아동과 간질환자: 외상성 손상을 받을 가능성이 높음

⑥ 법랑질형성부전증을 가진 치아의 경우: 외상에 의해 손상받을 가능성 높음

(2) 외상의 발생빈도

① 남자가 여자보다 2배 높음

② 상악 중절치가 하악 중절치보다 호발

③ 2~4세, 8~10세 아동에게서 발생빈도 높음

④ 유치열에서는 상악의 경우 함입(intrusion), 하악의 경우 설측변위(lingual displacement)가 많음(지지조직의 손상)

⑤ 영구치열기에서는 치관파절이 많이 나타남

| 소치 6-5-1 | 외상의 역학을 설명할 수 있다. (A) |

14. 외상의 손상의 분류

1급	치관의 단순파절
2급	치수노출은 안 된 상아질을 포함한 광범위한 치관파절
3급	치수노출을 동반한 광범위한 치관파절
4급	치관의 손상여부와 관계없이 생활력 상실한 경우
5급	외상에 의해 치아가 상실된 경우
6급	치관 손상과 관계없이 치근이 파절된 경우
7급	치관이나 치근의 파절과 관계없이 치아가 변위된 경우
8급	치관 전체가 파절된 경우

소치 6-5-2　외상성 손상을 분류할 수 있다. (B)

15. 외상에 대한 치아의 반응

① 치수충혈(pulp hyperemia)
- 손상받은 치아의 순면에 강한 빛을 비추고 설면을 관찰하면 인접치아보다 밝은 적색
- 수주 후 변색되면 예후가 좋지 않음

② 내출혈(internal hemorrhage)
- 손상 후 치수충혈과 압력의 증가로 인해 모세혈관이 파열

③ 치수의 석회화 변성(calcific metamorphosis)
- 손상 후 치수강과 치근관이 상아질의 점진적인 침착으로 인해 부분 또는 완전 폐색이 일어남

④ 치근의 내흡수(internal vesorption)
- 손상 후 수주 또는 수개월 후에 방사선 검사 시 치수강과 치관에서 관찰되며 치관과 치근 천공이 일어남

⑤ 주변 치근흡수(external resorption)
- 치아의 변위가 나타날 정도로 심한 손상 시 치근 주변이 흡수

⑥ 치수괴사, 유착(pulp necrosis, ankylosis)
- 치주인대의 비가역적 손상으로 치조골과 백악질 사이에 골성연결이 생기는 것
- 타진 시 금속성 소리가 나며 방사선상에서도 치근막이 단절된 것을 관찰

소치 6-5-3　외상에 대한 치아의 반응을 설명할 수 있다. (B)

16. 외상성 손상의 치료법

1) 치관 파절

(1) 법랑질에 국한된 치관 파절
- 날카로운 부위를 갈아내어 주고 인접치아와 모양이 같도록 incisal edge를 재형성

(2) 치수노출이 없는 치관 파절
① 교정용 band 이용: 수산화칼슘 유지 위해 사용
② Celluloid crown: 심미적인 요구가 필요할 때
③ 치아 파절편의 재부착: 심미성 회복, 장기간 유지되는 장점

(3) 치수노출을 동반한 치관 파절
① 약간 노출된 경우: 1 mm 이하의 치수노출을 동반한 치관파절의 경우 직접치수복조술을 실시
② 노출이 큰 경우
- 치근단 미완성 시
  ⓐ 노출부위가 작으며 손상 후 경과시간이 오래되지 않은 경우 생리적 치근단형성술 시행
  ⓑ 노출부위가 크고 손상 후 경과시간이 오래되었을 경우 치근단형성술 시행
- 치근단 완성 시: 치수절단술 또는 근관치료
- 유치인 경우: 치수절단술 또는 치수절제술 시행

2) 치근파절
① 치아장축에 수평적인 충격으로 유발
② 파절편 사이에 염증성 육아조직이 침착되어 치유되는 경우 예후가 좋지 않음
③ 파절 부위에 따른 분류
  ⓐ 치경부 파절(cervical 1/3): 치관부 보존하거나 고정하는데 어렵고 치은열구와 가까워 감염이 쉬워 예후가 좋지 않으므로 교정적정출술을 시행
  ⓑ 중앙부 파절(middle 1/3): 치경부 파절과 근단부 파절 중간 정도의 예후로 고정시킨 후 근관치료 시행
  ⓒ 치근단 파절(apical 1/3): 고정이 잘 되므로 예후가 가장 좋아 근관치료하고 계속적인 검사 필요

3) 치아의 변위

(1) 진탕

    ① 치아의 변위나 동요가 없으며 치주인대만 손상을 입었을 경우

    ② 특별한 치료는 없고, 주기적인 검사가 필요

(2) 함입

    ① 치아가 치조와 내로 들어간 경우(동요도가 없고, 치조골 손상)

    ② 유치: 함입된 유치가 영구치 치배에 손상을 줄 가능성이 있으며 즉시 발치

    ③ 영구치: 심한 경우 교정력에 의한 견인하는 방법

(3) 정출(측방탈구)

    ① 동요가 있고, 치조골 손상된 경우

    ② 유치: 발치가 원칙이나 심하지 않으면 고정

    ③ 영구치: 치아를 재위치시키고 고정

(4) 완전탈구

    ① 유치: 발치가 원칙

    ② 영구치: 가능한 한 빠른 시간내에 치조와에 재식

소치 6-5-4   외상성 손상의 치료방법을 설명할 수 있다. (A)

17. 완전탈구에서 재식된 치아의 예후에 영향을 미치는 요인 `2022 기출`

(1) 구강외에서 존재 시간

    ① 30분 이내 재식 시행 → 90% 성공률

    ② 30~90분 사이 재식 시행 → 43% 성공률

(2) 탈구된 치아 보관상태

    ① 치아를 치조와에 넣고 오는 것 좋음

    ② 우유, 식염수, 환자나 보호자의 구강 내 담아 오는 것(빨지 않고 머금), 수돗물 세척, 인공 타액통

(3) 치조와 처치: 세척(Irrigation) 후 → 소파 X

(4) 치근의 처치

① 이물질이 있는 경우는 치관 잡고 식염수나 물로 세척

② 잔사가 있는 경우 핀셋으로 잡아 제거

③ 불소나 소독제 도포하지 않아야 함(치주인대의 잔존물 보존)

(5) 근관치료

① 치근단 형성된 영구치는 바로 근관치료 → 2주 후 근관충전(수산화칼슘)

② 치근단 형성되지 않은 경우 30분 이내 재식 → 2주간 관찰(치수 재활 가능성 ↑)

(6) 고정: 최소 7~10일 고정 장치 필요

| 소치 6-5-5 | 재식된 치아의 예후에 영향을 미치는 요인을 설명할 수 있다. (A) |

제7장 ㅣ 유치열과 혼합치열기의 교합

1. 유치열기의 교합

① 유치열에서 영구치열에 이르는 동안의 악궁 과 치열, 두개안면골의 성장발육을 이용

② 6~30개월 사이에 유치가 맹출되어 유치열이 완성, 대략 3년 동안 유치열이 유지

| 소치 7-1-1 | 유치열기 교합의 특징을 설명할 수 있다. (A) |

2. 상·하악 제2유구치 교합관계

• 상악 제2유구치와 하악 제2유구치 원심면(terminal plane)의 근원심적 위치관계 이용

① 수직형(vertical plane type): 가장 많으며 상·하악 제2유구치의 원심면이 같은 수직선 상에 있는 경우

② 근심계단형(mesial step type): 상악 제2유구치의 원심면에 대하여 하악 제2유구치 원심면이 근심 위치에 있는 경우

③ 원심계단형(distal step type): 상악 제2유구치의 원심면에 대하여 하악 제2유구치 원심면이 원심 위치에 있는 경우

| 소치 7-1-2 | 상·하악 제2유구치 교합관계에 대해 설명할 수 있다. (A) |

3. 전치부 수직교합관계

① 절단교합(edge to edge bite): 상·하악 전치부의 절단연끼리 교합하는 경우

② 심피개교합(deep bite): 상악 전치가 하악 전치의 1/3 이상을 덮고 있는 경우

③ 개방교합(open bite): 상·하악 전치가 개방되어 있는 경우

④ 반대교합(cross bite): 하악 전치가 상악 전치를 덮고 있는 경우

소치 7-1-3 전치부의 수직교합관계에 대해 설명할 수 있다. (A)

4. 유치열의 공간

(1) 영장류 공간(primate space)

① 상악 유견치의 근심면과 하악 유견치의 원심면에 존재하는 공간

② 상악은 절치 맹출에 필요한 공간을 확보

③ 하악은 측방치군의 원활한 교환을 위한 공간

(2) 발육공간(developmental space)

① 유전치 사이에 존재하는 공간

② 유치 맹출 시기부터 존재하며 영구 절치와 교환 시 공간을 미리 확보하는 역할

③ 생리적 치간 공간(physiologic interdental space): 발육 공간과 영장류 공간

(3) Leeway space

① 영구측방치군의 근원심 폭경의 합은 유측방치군의 경우보다 작음, 치관 근원심 폭경의 합의 차이를 말함

② 측방치군의 원활한 교환을 위해 이용

③ 제1대구치가 근심이동 또는 경사되면 Leeway space가 없어짐

소치 7-1-4 유치열의 공간을 설명할 수 있다. (A)

5. 유치열의 이상적인 교합

① 한 치열궁에 10개씩 모두 20개의 치아를 가짐

② 치열의 형태: 난원형, 반원형

③ 전치부에 공간이 있으며, 상악 유견치 근심과 하악 유견치 원심에 영장류 공간이 있음

④ 치관의 각도가 교합면에 대해 거의 수직이며, 교합력은 치근단방향으로 작용함

⑤ 상·하악 제2유구치의 원심면이 같은 수직 평면상에 있음

> **소치 7-1-5** 유치열의 이상적인 교합을 설명할 수 있다. (A)

6. 혼합치열기의 교합 `2022 기출`

(1) 제1대구치의 맹출 및 이동

① 제1대구치는 6세경에 맹출 시작: 6세 구치

② 제1대구치의 이동

- 조기 근심이동(early mesial shift): 제1대구치가 맹출하면서 하악 유치열에 존재하는 영장류 공간을 폐쇄시키고, 근심이동되는 현상
- 만기 근심이동(late mesial shift): 10~13세 사이에 유치의 측방치군이 탈락하고, 영구치들이 맹출할 때 여분의 leeway space를 이용하여 제1대구치가 근심으로 이동

③ 전치의 맹출과 교환

- 상악 전치: 유치 치축에 일치되게 맹출하다 순측으로 기울어 맹출
- 하악 전치: 유치의 설측에 위치, 유치 탈락 직전 순측으로 이동
- 공간들의 작용: 유절치 공간, 유견치 사이 폭경 증가, 치열궁의 전방길이 증가, 절치 치축 변화, 미운 오리새끼단계

④ 치열궁 길이와 폭경의 변화

- 유중절치 순면에서 제2유구치 원심면까지의 치열궁 길이: 제1대구치나 중절치가 맹출을 시작하는 시기(6세)에 약간 감소, 중절치와 측절치가 맹출된 시기(6~8세)에는 유치열기보다 증가
- 영구치열이 완성되면서 상악은 큰 변화가 없고 하악은 많이 감소
- 제1대구치가 맹출하는 시기: 유견치 사이의 폭은 증가하기 시작
- 상악은 중절치 맹출 시, 하악은 측절치 맹출 시 많이 증가

> **소치 7-1-6** 혼합치열기의 교합의 특징을 설명할 수 있다. (A)

7. 미운 오리시기 단계

① 중절치 맹출 시 흔히 V자 모양으로 벌어진 모습(견치까지 맹출하면 정중이개가 없어
   지며 정상치열로 조정됨)

② 70% 정도의 어린이에서 관찰 가능하며, 이 중 82% 정도는 자연적으로 공간이 폐쇄
   된다고 알려져 있음

소치 7-1-7   미운오리시기를 설명할 수 있다. (A)

8. 혼합치열기 공간분석법

• 미맹출 영구치를 위한 맹출 공간이 있는지 여부를 알아보기 위해 시행하는 것으로, 미
  맹출 영구 견치 및 소구치의 근원심 폭경을 예측하는 방법

① Nance 분석법: 방사선사진을 이용하여 미맹출된 영구치의 크기를 예측하는 방법

② Moyer 분석법: 구강 내 치아들의 크기는 서로 연관성이 있다는 원리에 근거한 것으
   로서 일찍 맹출하고 정확하게 측정할 수 있는 하악 절치의 크기를 이용하여 미맹출
   한 견치, 제1·2소구치의 크기를 확률적으로 예측하는 방법

소치 7-2-1   혼합치열기 공간분석법에 대해 설명할 수 있다. (B)

9. 치아공간상실의 원인

(1) 전신적인 요인

① 다운 증후군

② 두개안면 이형성증

③ 쇄골두개 이형성증

④ 갑상선기능 저하증

(2) 국소적인 요인

① 인접면 치아우식증   ⑤ 영구치 맹출지연

② 유착된 치아   ⑥ 영구치 맹출순서 변이

③ 선천성 결손   ⑦ 변위 맹출

④ 유치 조기상실   ⑧ 구강 악습관 → 비정상적 근육기능

10. 공간유지장치의 목적

① 치간 공간없이 총생이 있는 유치열의 경우

② 심미성

③ 발음

④ 구강악습관 방지

소치 7-2-3   공간유지장치의 목적을 설명할 수 있다. (B)

11. 공간유지장치 종류   2019 기출

① Band & loop	④ Distal shoe
② Crown & loop	⑤ 낸스구개호선장치
③ 설측호선장치	⑥ 횡구개호선장치 등

소치 7-2-4   공간유지장치의 종류를 열거할 수 있다. (A)

12. 공간유지장치의 종류별 특징   2020 기출   2021 기출

1) 유절치의 조기상실: 고정성 공간유지장치를 사용, 인공치를 포함한 가철성 공간유지장치

2) 유견치의 조기상실: Band and loop나 bar를 포함하는 장치(편측), 설측호선 장치(양측)

3) 제1유구치의 조기상실

(1) band & loop

① 장점
- 제작이 쉽다.
- 기공작업으로 chair time이 짧다.
- 조절이 쉽다.
- 영구치 맹출에 장애를 주지 않는다.

② 단점

- 저작지능을 회복하지 못한다.
- 대합치의 정출을 막지 못한다.
- 2개 이상의 다수치아 결손 시 사용이 어렵다.
- 주기적으로 장치를 제거하여 치아를 청소해 주어야 한다.

(2) Crown & loop

- band & loop와 기능이 같고 적응증도 같으나 다음 경우 선택 가능
① 지대치의 광범위한 치아우식증
② 치수치료를 시행한 치아
③ 법랑질 형성부전 치아
④ 구강위생 상태가 나쁜 경우

4) 제2유구치의 조기상실: band & loop 또는 crown & loop, 설측호선

① 제1대구치가 맹출한 후 제2유구치 상실 시 제1대구치를 지대치로 하여 band & loop 또는 crown & loop, 설측호선 등의 장치 장착
② 제1대구치가 맹출 전 제2유구치가 조기상실되면 distal shoe 장치 장착

5) 영구 전치의 조기상실: 상실 즉시 공간유지 장치를 해주어야 함

6) 제1대구치의 조기상실

① 제2대구치가 맹출되기 전에 제1대구치가 상실된 경우 distal shoe 장착
② 국소의치 형태의 가철성 장치 또는 adhesion bridge 형태의 임시 보철물을 장착

7) 다수 치아의 상실

① 상악 편측 상실: 횡구개호선
② 상악 양측 유구치 상실: 낸스구개호선
③ 하악 편측 또는 양측 2개이상 치아 상실: 설측호선

소치 7-2-5 공간유지장치의 종류별 특징을 설명할 수 있다. (A)

---

13. 가철성 교정장치의 종류

① Hawley type appliance

② Spring을 포함하는 appliance

③ Screw를 포함하는 appliance

④ Wrap-around retainer

⑤ Bite plane

| 소치 7-3-2 | 가철성 교정장치의 종류를 설명할 수 있다. (B) |

제8장 | 어린이의 악습관

1. 구강악습관의 종류

① 손가락 빨기

② 혀내밀기

③ 구호흡

④ 입술 빨기와 입술 깨물기

⑤ 이갈이와 이악물기

| 소치 8-1-1 | 구강습관의 종류를 열거할 수 있다. (B) |

2. 손가락 빨기

• 흔히 어린이의 불만이나 부적응의 한 양상으로, 부정교합을 야기할 수 있음

(1) 원인과 증상

① 생후 1년 이내에 손가락을 빨기 시작하여 3.5~4세경이 되면 이 습관이 저절로 없어지나, 손가락 빨기를 계속할 경우 부정교합을 야기할 수 있음

② 하악 전치에는 설측으로 압력이 가해지는 반면, 상악 전치에는 순측으로 힘이 가해지므로, 수평피개도(overjet)가 증가되고 수직피개도(overbite)는 감소

③ 상악 전돌과 전치부 개방교합 등의 전형적인 부정교합이 나타날 수 있음

(2) 치료

① 부모의 지나친 걱정은 잔소리나 처벌을 하게 하여 습관을 더 지속시키고 더 큰 정신적 긴장을 초래할 수 있으므로, 어린이가 습관을 극복하기 전에 가정환경과 일상생활의 변화가 필요함

② 구강 내 장치로는 tongue crib이 있음

> **소치 8-1-2** 손가락빨기에 대해 설명할 수 있다. (A)

3. 혀내밀기

① 젖빨기 반사와 관련된 특징적인 연하 양상으로, 상악 전치가 전돌되고 전치부 개방교합과 복잡한 치간이개 문제가 발생할 수 있음

② 치료: Hawley type 장치에 crib이나 rake를 첨가할 수 있고 oral screen을 장착하여 치료할 수 있음

> **소치 8-1-3** 혀내밀기에 대해 설명할 수 있다. (B)

4. 구호흡

(1) 원인과 증상

① 구호흡 분류
- 폐쇄성 구호흡 환자: 코로 통하는 공기의 정상적 흐름에 대한 저항이 커졌거나 완전히 막혀서 입을 통해 호흡하는 경우
- 습관성 구호흡 환자: 비정상적인 기도폐쇄 요인이 제거되어도 습관적으로 구호흡을 계속하는 경우
- 해부학적 구호흡 환자: 상순이 짧아 의도적인 노력 없이는 완전히 입을 다물 수 없는 경우

② 상·하악 전치부 치은이 정상치은보다 붉은 색조의 부종성 만성 각화성 변연 치은염이 나타날 수 있으며 상악 치아의 전방돌출이 두드러지게 나타남

(2) 치료

① 비인후기도의 크기와 아데노이드의 팽창, 비중격의 전위 등 해부학적 기형을 검사하

고 수술이 필요한 지를 결정

② 1급 부정교합인 경우 oral screen을 장착

③ 2급 2류, 3급은 Activator 장착

| 소치 8-1-4 | 구호흡에 대해 설명할 수 있다. (B) |

5. 입술빨기와 입술깨물기

(1) 원인과 증상

① 입술을 빠는 습관은 하순과 깨무는 습관은 상순과 관련이 있음

② 상·하악 전치 사이의 입술을 밀어 넣게 되며, 따라서 상악 절치가 순측으로 이동하고, 하악 절치는 총생과 함께 설측으로 협착되어 수평피개가 증가됨

(2) 치료

① Oral shield가 1급 부정교합에서 유용한 장치임

② 습관차단장치로는 lip bumper가 있는데, 이 장치는 하순이 전치를 설측으로 미는 것을 방지하고 어린이에게 습관을 상기시킴

| 소치 8-1-5 | 입술빨기와 입술깨물기에 대해 설명할 수 있다. (B) |

6. 이갈이와 이악물기

(1) 원인과 증상

① 이갈이에 의해서 법랑질의 마모뿐 아니라 치수조직이 비칠 만큼 상아질이 노출된 것이 관찰되면 치료 필요

② 이갈이의 정확한 원인은 밝혀지지 않았으나 교합과 정서적인 긴장이 중요한 요소로 지적되고 있음

(2) 치료: 교합장애가 관찰된다면 장애나 조기접촉을 제거

| 소치 8-1-6 | 이갈이와 이악물기에 대해 설명할 수 있다. (B) |

제9장 | 장애아의 치과치료

1. 치과의료 측면에서 장애인의 문제점

① 치과치료 행위에 의해 전신상태와 장애증상이 악화될 수 있음

② 장애에 의해 치과치료의 예후가 악화될 수 있음

③ 치과치료 시 협조가 잘 이루어지지 않음

④ 장애인의 구강 내에 특별한 문제가 발생할 수 있음

⑤ 예방 및 계속 관리하는 데 문제가 있음

> **소치 9-1-1** 치과의료 측면에서 장애인의 문제점을 설명할 수 있다. (B)

2. 장애 발생 원인

(1) 태아기

① 감염: 풍진, 매독

② 약물

③ 방사선 조사

④ 외상이나 압박 등 기계적 자극

⑤ 순환장애: 빈혈

⑥ 임신중독

⑦ 영양장애

⑧ 무산소증

⑨ 혈액형 부적합

(2) 출생기

① 조산, 미숙아

② 출생 시 기계적인 자극

③ 무산소증, 태반 조기박리, 양수 흡입, 황달, 마취제

(3) 유아

① 감염: 뇌막염, 뇌염, 뇌종양

② 뇌의 외상

③ 영양부족

④ 대사이상: 저혈당, 저나트륨 혈증

⑤ 내분비장애: 부갑상선기능 저하, 부신기능 장애

⑥ 경련성 질환

⑦ 애정 결핍, 어린이 학대

⑧ 중독

3. 장애의 종류

(1) 신체장애

　① 근골격계 질환: 관절염, 척추측만증, 골형성부전증

　② 신경근육계 질환

- 뇌성마비
- TSD법에 의한 심리적 접근이 원칙
- 간단한 치료는 휠체어에서 직접 치료
- 환자가 편안한 자세로 하는 것이 원칙
- 사고를 대비하기 위해 rubber dam 필수 장착
- 뇌졸중
- 파킨슨씨병
- 근이양증: 임상적으로 팔을 올리지 못하거나 머리를 가누지 못하거나 보행불능이 나타나므로 주의

(2) 정신지체

　① 염색체 이상 증후군, 외배엽이형성 등

　② 치과치료 시 유의사항

- 진료시간은 짧게 하고, 간단한 시술부터 시행
- 공포가 격렬할 경우 약물투여나 전신마취 고려

(3) **선천적 결손**: 구순열 및 구개열, 하악안면이골증, 두개안면이골증, 쇄골두개이형성증 등

(4) **대사 및 전신질환**: 심혈관계 질환, 만성 호흡기 질환, 만성 신질환, 내분비기관 기능 이상 등

(5) 경련성 질환

　① 치료 중에 갑작스런 자극의 최소화

　② 신체 속박장치 이용

Part
07

소아치과학

③ 항경련제를 치료 전 복용

④ 발작 시에는 외상을 입지 않도록 주위의 위험한 물건을 치워두고 구토물의 흡입예방을 위해 얼굴을 돌려주며 가능한 한 만지지 말게 하고 경과를 기다림

(6) 소아 자폐증

① 언어 및 비언어적 의사소통을 하면서 직접적인 눈 접촉을 하도록 함

② 오래 기다리지 않도록 하고 간단한 지시만을 행하고 천천히, 반복적인 노력 필요

③ 보호자나 간병인에게 구강위생관리방법을 교육하고 도움을 청할 수 있음

④ 행동조절을 위해 진정제, 아산화질소 흡입진정, 전신마취 등 약물 사용이 선택적으로 사용

(7) 감각기능장애

① 시각장애

- 의사소통의 방법에 변화를 주어 불안, 공포를 없애도록 함
- 이해나 협조없이 진료대에 앉히거나 예고없이 구강 내에 기구를 넣으면 즉각적인 거부를 나타내므로 주의

② 청각장애

- 환자가 직접 진료자 입이 움직임을 볼 수 있도록 하고 과장된 표정을 짓지 않으며 보통음성으로 자연스럽게 말함
- TSd 법을 이용하여 기구의 자세한 설명과 시범을 보이고 환자의 손을 잡거나 어깨 위에 손을 놓는 등 육체적 접촉으로 환자를 안심시키고 미소로 신뢰와 불안을 덜어줌

③ 언어장애

(8) 혈우병

(9) 종양: 백혈병, 림프종 등

소치 9-1-3 장애의 종류를 설명할 수 있다. (B)

4. 장애질환별 치과치료 시 유의사항 2019 기출

(1) 뇌성마비

① TSd 법에 의한 심리적 접근이 원칙

② 간단한 치료는 휠체어에서 직접 치료

③ 환자가 편안한 자세로 하는 것이 원칙

④ 사고를 대비하기 위해 rubber dam 필수 장착

(2) 정신지체

① 진료시간은 짧게 하고, 간단한 시술부터 시행

② 공포가 격렬할 경우 약물투여나 전신마취 고려

(3) 경련성 질환

① 치료 중에 갑작스런 자극의 최소화

② 신체 속박장치 이용

③ 항경련제를 치료 전 복용

(4) 자폐증

① 언어 및 비언어적 의사소통을 하면서 직접적인 눈 접촉을 하도록 함

② 오래 기다리지 않도록 하고 간단한 지시만을 행하고 천천히, 반복적인 노력 필요

③ 보호자나 간병인에게 구강위생관리방법을 교육하고 도움을 청할 수 있음

④ 행동조절을 위해 진정제, 아산화질소 흡입진정, 전신마취 등 약물 사용이 선택적으로 사용

(5) 청각장애

① 진료자 입의 움직임을 환자가 직접 볼 수 있도록 하고 과장된 표정을 짓지 않으며 보통 음성으로 자연스럽게 말함

② TSd 법을 이용하여 기구의 자세한 설명과 시범을 보이고 환자의 손을 잡거나 어깨 위에 손을 놓는 등 육체적 접촉으로 환자를 안심시키고 미소로 신뢰와 불안을 덜어줌

(6) 시각장애

① 의사소통의 방법에 변화를 주어 불안, 공포를 없애도록 함

② 이해나 협조 없이 진료대에 앉히거나 예고 없이 구강 내에 기구를 넣으면 즉각적인 거부를 나타내므로 주의

소치 9-1-4 장애질환별 치과치료 시 유의사항을 설명할 수 있다. (A)

08 PART ▶▶

치주학

Periodontology

DENTAL
HYGIENIST

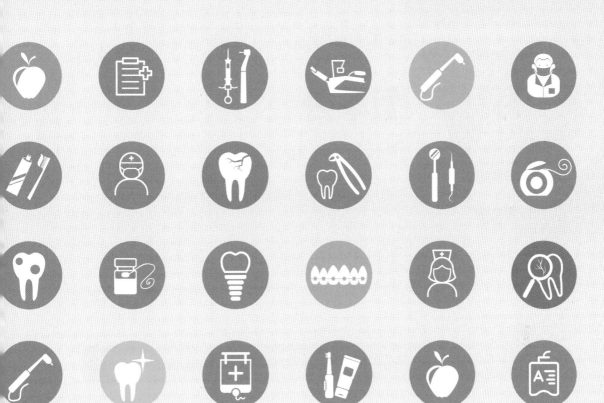

POWER 치과위생사 국가시험 핵심요약집 2권

PART 08

치주학
Periodontology

제1장 | 치주조직

1. 치주조직의 종류

① 치은(gingiva)
- 치조골과 치경부를 둘러싸고 있는 저작점막의 일부
- 상피조직과 결합조직으로 구성
② 치주인대(periodontal ligament)
③ 백악질(cementum)
④ 치조골(alveolar bone)
- 고유치조골
- 지지치조골

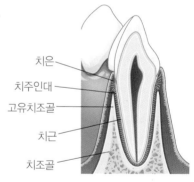

치은
치주인대
고유치조골
치근
치조골

치주 1-1-1	치주조직의 종류를 열거할 수 있다. (A)

2. 치은의 형태학적 분류 및 특징 2022 기출

① 변연치은(유리치은, 비부착치은, marginal gingiva)
- 치아의 치경부위: 옷깃모양
- 치아를 둘러싼 부분: 부채꼴 모양, 부착되어 있지 않음

- 산호빛 핑크색
- 유리치은구에 의해 부착치은과 경계: V자 형태의 좁은 치은열구 존재

② 부착치은(attached gingiva)
- 변연치은과 치조점막 사이의 치은
- 견고하고 탄력성이 있고 하부 치조골에 견고히 부착(비이동성)
- 점몰(stippling)을 가짐: 성인의 약 40% 존재하며 염증이 있는 경우 소실
- 부착치은의 폭: 1~9 mm 정도로 다양
- 전치부가 가장 넓고 구치부가 좁음
- 나이가 들수록 증가

③ 유두치은(치간치은, 치간유두, interdental gingiva)
- 치아와 치아 사이의 삼각형의 공간(치간공극, embrasure)을 채우고 있는 치은(전치부-피라미드모양, 구치부-완만)
- 콜(col): 협설측으로 하나씩 2개의 유두가 있고, 두 부위를 연결하는 계곡 모양의 함요부
- 인접치아가 없거나 치간사이가 넓으면 col이 없음

④ 치조점막(alveolar mucosa)
- 각화되지 않은 상피
- 골막에 비부착
- 부착치은에 비해 혈관이 풍부

구분	부착치은	치조점막
각화 상태	각화 혹은 착각화	비각화
상피돌기	있음	없음
유동성	치조골에 부착	유동성
세포층	4개층	3개층
색	분홍색	붉은색
점몰	있음	없음

⑤ 치은열구(gingival sulcus)
- 한쪽으로는 치아면과 다른 한쪽으로는 치은변연의 상피부에 의해 경계되는 치아둘레의 얇은 공간이나 틈
- 치주조직의 상태를 파악할 수 있는 진단학적 기준

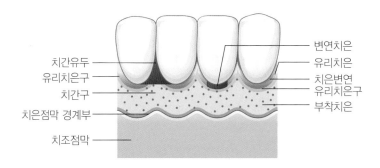

치간유두	변연치은
유리치은구	유리치은
치간구	치은변연
	유리치은구
치은점막 경계부	부착치은
치조점막	

> **치주 1-1-2** 치은의 형태학적 특징을 설명할 수 있다. (A)

3. 치은열구액의 기능 2020 기출

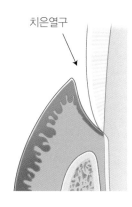

치은열구

① 항세균작용

② 기계적 자정효과

③ 치은열구 내 이물질 세척

④ 치아에 대한 상피부착의 유착 증가: 끈끈한 혈장 단백
  질로 접합상피와 치아 사이 부착력 증대

⑤ 항체 활성: 면역기능(면역글로불린 함유)

⑥ 염증이 있거나 기계적인 자극이 가해질 경우 분비량 증가
  • 저녁 무렵 최고, 이른 아침 최소

> **치주 1-1-3** 치은열구액의 기능을 설명할 수 있다. (A)

4. 부착치은의 임상적 중요성

① 치조골에 단단하게 부착되어 있으므로 비이동성임

② 부착치은의 폭경은 임상적으로 아주 중요한 의미를 가짐

③ 치주낭 기저부(or 치은열구)~백악법랑경계부

> **치주 1-1-4** 부착치은의 임상적 중요성을 설명할 수 있다. (A)

5. 치은상피의 종류와 기능

(1) 종류: 구강상피, 열구상피, 접합상피

(2) 특징 및 기능

　① 구강상피

　　• 육안으로 확인 가능

　　• 부착치은이나 유리치은에 가해지는 외부 자극이나 세균성 물질의 침입 방지 → 조직 보호

　　• 기저층, 유극층, 과립층, 각화층으로 이루어진 중층편평상피: (정)각화 또는 착각화

　　• 상피돌기에 의해 결합조직과 파상으로 연결

　② 열구상피

　　• 치은열구의 내면을 이루고 있는 비각화 중층편평상피

　　• 기계적인 자극 시 각화되려는 경향이 있음

　　• 치은열구액 분비

　③ 접합상피

　　• 비각화 중층편평상피

　　• 치은열구 바닥에서 백악-법랑경계까지 부착

치주 1-1-5	치은상피의 특징을 설명할 수 있다. (A)

6. 주행방향에 따른 치은섬유의 분류

(1) 치아치은섬유군

　① 치조골연상의 백악질로부터 부착치은과 유리치은 속으로 부채꼴로 퍼짐

(2) 치조골치은섬유군

　① 치조골정에서부터 치간유두치은, 유리치은으로 뻗음

　② 치조골 정상에서부터 변연치은쪽을 향해 주행

　③ 방사형태

(3) 백악골막(치아골막)섬유군

　① 백악질 - 치조골정 - 골막에 이름

　② 치아를 골에 고정

③ 치주인대를 보호

(4) 환상섬유군

① 유리치은을 중심으로 치아 주위를 감싸듯 주행(고리 모양)

② 변연치은을 지지

(5) 치간횡단(중격)섬유군

① 치조중격 위로 주행– 두 치아 사이의 백악질에 매입

② 치아 사이의 간격 유지

치주 1-1-6   치은섬유의 종류를 열거할 수 있다. (A)

7. 정상 치은의 임상적 특징

① 색상
- 산호빛 연한 분홍색
- 색상 차이: 인종, 나이, 혈액분포, 상피의 두께, 각화 정도, 색소 침착에 따라 차이가 발생할 수 있음

② 외형
- 변연치은 순설측: 옷깃과 같은 모양 + 치경부(부채꼴모양)
- 치간치은: 피라미드 모양

③ 견고도
- 변연치은: 유동적
- 부착치은 등: 치조골에 견고하고 탄력성 있게 부착

④ 점몰
- 염증 발생 시 소실
- 나이가 들수록 적어짐

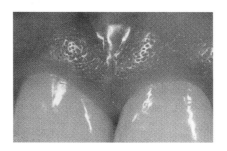

⑤ Col

　　• 계곡모양 함요부

　　• 비각화되어 있음

⑥ 열구깊이: 1~3 mm 이내

⑦ 멜라닌 색소 침착

　　• 정상인에게도 나타날 수 있음

　　• 외인성 원인

　　• 내인성 원인: 혈액의 헤모글로빈과 멜라닌(멜라닌 세포: 치은상피의 기저층에 존재)의 침착

> **치주 1-1-8** 　정상치은의 임상적 특징을 설명할 수 있다. (A)

8. 치주인대 주섬유의 종류별 기능 `2019 기출` `2021 기출`

(1) 횡중격(치간횡단, TF)섬유군

① 치아와 치아 사이의 치조골 상부를 횡으로 주행

② 치조골 파괴 후에도 다시 재생

(2) 치조정(ACF)섬유군

① 백악–법랑경계 직하 부위의 백악질에서 치조정까지 비스듬히 주행

② 치주인대 섬유 중 가장 적음(염증 시 가장 먼저 사라짐)

③ 치아가 측방운동에 저항하여 치아를 치조와 내에 지탱, 치주인대를 보호

(3) 수평(HF)섬유군

① 치아와 치조골 사이에서 치아 장축에 직각으로 주행

② 치관 쪽 10~15%에 부착

③ 측방압에 저항하며 치아를 지지(치조정과 비슷)

(4) 사주(OF)섬유군

① 백악질 표면의 80~85%를 차지

② 백악질에서 치관 방향으로 주행

③ 수직교합압에 저항하는 역할

(5) 근단(AF)섬유군

① 치근단 부위에서 치조와로 주행

② 치아의 기울어짐과 탈락 방지

③ 치수에 공급되는 신경과 혈관 보호

(6) (치)근간(IF)섬유군

① 다근치에 존재

② 치아의 기울어짐과 회전, 탈락에 저항

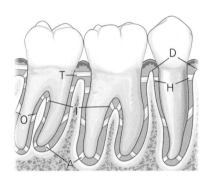

- T: transseptal fiber
- D: alveolar crest fiber
- A: apical fiber
- H: horizontal fiber
- O: oblique fiber
- I: interradicular fiber

치주 1-2-2	치주인대 주섬유의 종류를 열거할 수 있다. (A)

치주 1-2-3	치주인대 주섬유의 기능을 설명할 수 있다. (A)

9. 치주인대의 특징 및 기능

(1) 치주인대의 특징

① 교원섬유(대부분)와 세포성분, 혈관, 신경, 림프관으로 구성된 결합조직의 복합체

- 망상섬유, 옥시탈란섬유, 탄성섬유도 있음

② 양끝은 백악질과 치조골에 매입되어 있음

- 과도한 교합 시 치주인대가 파괴됨

③ 교합력의 완충

- 기능이 증가할수록 치주인대의 폭이 넓어짐
- 기능이 감소하고 연령이 증가할수록 치주인대의 폭이 좁아짐

④ 샤피섬유존재

- 치주인대의 주섬유가 백악질과 치조골에 매입되어 석회화되어 있는 부분

- 치주인대의 섬유아세포에 의해 생성

(2) 치주인대의 기능

  ① 물리적 기능
- 저작 시 가해지는 교합압을 치조골에 전달 → 완충작용
- 신경 및 혈관의 연조직 보호
- 치아와 치조골 연결하며 치은조직을 유지시켜줌
- 정상교합으로 유도

  ② 재생 및 형성 기능
- 백악모세포: 백악질 재생
- 골모세포 및 파골세포: 치조골의 형성과 흡수에 관여
- 미분화간엽세포: 세포와 섬유의 대체

  ③ 영양공급과 감각 기능
- 혈관존재: 백악질, 치조골 및 치은에 영양 공급
- 지각 및 자율신경 분포: 압력, 동통 등의 촉각을 감지

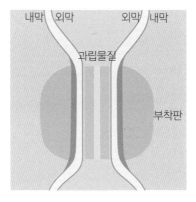

치주 1-2-5	치주인대의 기능을 설명할 수 있다. (A)

10. 1차 백악질과 2차 백악질의 특징 `2022 기출`

	무세포성 백악질(1차 백악질)	세포성 백악질(2차 백악질)
형성시기	치아형성과 맹출 시 생성	치아 맹출 후 기능에 따라 생성
세포	세포성분 없음	백악세포
위치	치근전체(치경부에 주로 분포)	치근의 중간부와 근단부

	무세포성 백악질(1차 백악질)	세포성 백악질(2차 백악질)
샤피 섬유	많음	적음(교원섬유가 대부분)
석회화	균일하고 완전	불완전한 석회화
발육선	분명한 구조	분명하지 않음
생성(교체)속도	느림	빠름
폭	좁음	넓음
기능	치아를 지지함	치근의 보호

치주 1-3-1 1차 백악질과 2차 백악질의 특징을 비교할 수 있다. (A)

11. 백악질의 정의와 기능

(1) 정의

① 치근표면을 덮고 있는 석회화된 조직으로 치주조직이면서 치아 경조직의 일부

② 평생침착: 실활치도 침착 → 연령이 증가함에 따라 두께 증가

③ 치경부의 백악질이 가장 얇음

④ 신경, 혈관, 림프관이 없음

⑤ 구성: 무기질(65%), 유기질(23%), 수분(12%)

(2) 기능

① 치아를 치조골에 부착(by 샤피섬유): 교합력을 하부 조직에게 균일하게 분포

② 치아 마모나 교모 → 치근의 길이 보충

③ 외부자극 → 상아질 보호

④ 치수질환 → 치근단공 폐쇄: 치수질환이 근단 치주조직으로 퍼지는 것을 막는 기능

⑤ 치근파절 → 생리적 결합 유도(치유 역할: 치주인대 내의 세포를 통해 일생동안 생성)

⑥ 치조골 흡수 → 치주인대의 폭 정상 유지

치주 1-3-2 백악질의 기능을 설명할 수 있다. (A)

12. 백악질 흡수의 원인과 백악질의 병리학적 양상

(1) 백악질의 흡수

① 국소적 원인: 외상성 교합, 강한 교정력, 종양의 압력, 이식치 및 재식치 경우, 매복치,

부정치열, 치주질환, 치근단병소, 대합치가 없는 경우

② 전신적 원인: 갑상선기능저하, 결핵, 폐렴, 칼슘 및 비타민 A·D의 결핍, 선천성 골

위축증에 의한 흡수

(2) 백악질의 병리학적 양상

① 백악질석   ④ 유착

② 백악질종   ⑤ 백악질 파절

③ 과백악질증   ⑥ 백악질 흡수

> **치주 1-3-3**   백악질 흡수의 원인을 설명할 수 있다. (A)

13. 치조골의 형태 `2020 기출`

(1) 고유치조골

① 치조경선(치조백선, lamina dura): 내측 치조와벽을 구성하는 얇은 치밀골로 방사선

상에서 하얀선으로 보임

② 다발골(bundle bone) 형성: 치아의 지지를 위한 샤피섬유 다량 함유

③ 사상판 형성: 치주인대의 신경, 혈관 등이 통과하기 위한 많은 구멍이 뚫린 상태

④ 치아를 직접적으로 지지

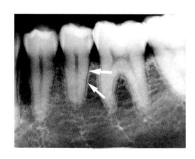 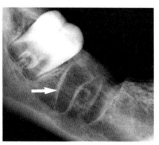

(2) 지지치조골

① 치밀골(피질판)

- 두께: 하악 > 상악, 순면 > 설면
- 상악 견치와 소구치가 가장 얇음, 구치로 갈수록 두꺼워짐
- 하버시안 시스템과 층판골이 잘 발달되어 있음

② 망상골(해면골)
- 스폰지 형태
- 하악보다 상악에 더 많음

치주 1-4-2   치조골의 해부학적 특징을 설명할 수 있다. (A)

14. 치조골의 병적 상태

① 천공(fenestration)
- 치근을 덮고 있는 치조골의 치밀골 판에 구멍이 뚫려 치근이 노출된 형태
- 견치나 소구치 부위에 많이 나타남

② 열개(dehiscence)
- 치아의 치경부에서 골이 흡수되어 내려가 파인 형태로 치근이 노출된 경우
- 전치부 순면에서 호발

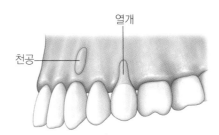

치주 1-4-3   열개와 천공을 설명할 수 있다. (A)

15. 연령증가에 따른 치은의 변화

① 섬유화 진행
② 상피의 각화와 점몰 수 감소
③ 세포질 감소
④ 세포간물질 증가 → 세포간극은 넓어짐
⑤ 부착치은: 폭 증가
⑥ 결합조직의 산소소모율(대사작용) 감퇴 → 외부자극에 의해 쉽게 손상되고 치유가 느림

치주 1-5-1   연령증가에 따른 치은의 변화를 설명할 수 있다. (A)

16. 연령증가에 따른 치주인대의 변화

① 세포 수가 감소되며 기저물질, 혈관분포도 및 세포분화 능력 감소

② 기능 증가하면 폭경이 증가하고, 기능 감소하면 폭경이 감소

> **치주 1-5-2** 연령증가에 따른 치주인대의 변화를 설명할 수 있다. (B)

17. 연령증가에 따른 치조골의 변화

① 혈관 분포 및 대사율과 치유능력 감소

② 골흡수가 더 크게 일어나 골다공증 초래

③ 교합력에 대한 저항력이 감소

> **치주 1-5-4** 연령증가에 따른 치조골의 변화를 설명할 수 있다. (B)

제2장 | 치주질환의 원인

1. 치주질환의 국소적 요인 `2022 기출`

① 염증성 요인: 치면세균막, 치석, 부적합 보철물, 치열부정, 식편압입, 구강위생 관리 능력 등
  • 식편압입: 인접하는 치아와 치아의 접촉이 느슨해진 결과로 치주조직에 염증유발
② 해부 및 형태학적 요인: 소대의 위치, 부착치은 폭 등
  • 부착치은의 폭이 좁은 경우: 세균의 공격, 치주낭의 심화에 견딜 수 있을 정도의 방어기능 작동 안 됨
  • 구강전정이 좁은 경우: 음식물의 흐름이 억제 → 치면세균막축적
  • 교합에 관여하지 않는 치아: 자정작용이 저하 → 치면세균막 축적
③ 외상성 요인: 외상성 교합이나 이갈이

> **치주 2-1-1** 치주질환의 국소적 요인을 열거할 수 있다. (A)

2. 치면세균막(치태)의 정의와 임상적 중요성

(1) 정의

① 치아나 보철물, 치은, 치석표면 등에 형성된 연한 침착물

② 치아표면에 형성된 획득피막 + 세균 부착

③ 치석 형성의 전구물질

④ 치아우식증과 치주질환의 주된 원인

(2) 임상적 중요성

① 치아우식증, 치은염 및 치주질환의 초기 원인

② 치석형성의 전구물질

③ 치은염과 치주질환의 심도와 분포에 직접적인 영향

치주 2-1-6 치면세균막의 임상적 중요성을 설명할 수 있다. (A)

3. 치석의 임상적 중요성

① 치면세균막의 강한 유지인자(위험인자, 기여인자)

② 치주염의 2차적인 요인

③ 치석 표면의 다공성으로 인해 치면세균막의 저장고 역할

④ 표면은 항상 석회화되지 않은 치면세균막로 덮여 있어 치아우식증, 치은염, 치주질환의 원인이 됨

⑤ 치은에 대한 직접적인 기계적 자극인자

⑥ 세균의 구강조직에 대한 접근을 용이하게 함

치주 2-1-10 치석의 임상적 중요성을 설명할 수 있다. (A)

4. 치주질환의 전신적인 요인

(1) 영양부족

① 단백질

- 치조골의 골다공증
- 치주인대의 폭 감소
- 교원섬유의 변성

- 백악질 침착 지연
- 치주조직의 외상이나 수술 후 상처 치유 지연

② 비타민 A: 감염증가, 치은·치주인대·백악질 비대, 골 성장 장애, 안구건조 및 야맹증

③ 비타민 B 복합체: 치은염, 설염, 구순구각염 등의 구강점막의 염증

④ 비타민 C: 구강건조증, 점막 점상출혈, 괴혈병, 감염의 원인 제공

⑤ 비타민 D: 치조골의 골다공증, 치주인대 폭 감소, 비정상적인 석회화

⑥ 비타민 K: 출혈의 원인

(2) 전신질환

① 매독, 결핵 등의 감염 환자: 치주질환이 발생하기 쉬움

② 당뇨병: 창상치유지연, 감염에 대한 감수성 증가, 타액분비감소, 구강건조증

③ AIDS 환자: 칸디다증, 카포시육종

④ 백혈병 등의 혈액질환: 치은의 비정상적 출혈

(3) 내분비계장애

① 갑상선호르몬(기능저하): 치아맹출지연, 법랑질형성 부전, 구강점막의 건조

② 부갑상선호르몬(항진): 골다공증, 부정교합, 치아동요, 치조백선 소실

③ 뇌하수체호르몬(기능저하): 악골의 성장지연, 치아발육지연

④ 성호르몬: 출혈증가, 치은염의 유발

(4) 유전(소인), 연령, 성별

(5) 약의 복용: 항경련제, 면역억제제, 부정맥치료제, 고혈압치료제 → 치은증식

(6) 스트레스: 골다공증, 접합상피의 하방이동, 치주낭형성

(7) 흡연: 치주조직 파괴속도 증가, 골소실 증가, 치주낭 증가

(8) 알레르기성 질환: 금속재료나 수복용 레진

> cf 전신병력과 치주치료와의 관련성: 감염에 대한 감수성 증가, 상처치유 지연

| 치주 2-2-1 | 치주질환의 전신적 요인을 열거할 수 있다. (A) |

5. 당뇨병, 고혈압과 치주질환과의 관계

(1) 당뇨병과 치주질환과의 관계
① 농양형성 증가
② 당뇨성 치근막 붕괴
③ 치은 확장
④ 감염에 대한 감수성 증가
⑤ 용종 모양의 치은증식
⑥ 치아의 동요도 증가
⑦ 치주질환 존재 시 골조직 소실
⑧ 수술 후 치유 지연
⑨ 다형핵 백혈구의 기능 저하
⑩ 콜라겐 대사의 변화
⑪ 세균총의 변화

(2) 고혈압과 치주질환
① 당뇨병과 심근경색의 발병 가능성을 높임
② 구강건조증 초래(by 혈압강하제)
③ 우식, 치주질환, 잇몸염증 증가
④ 치은증식

치주 2-2-5	당뇨병과 치주질환과의 관계를 설명할 수 있다. (A)

6. 교합성 외상의 원인 `2019 기출`

① 조기접촉
② 측방압
③ 과도한 교합력
④ 과개교합
⑤ 이갈이
⑥ 혀나 입술의 악습관
⑦ 식편압입
⑧ 과도한 교정력
⑨ 치열부정

치주 2-3-1	교합성 외상의 원인을 설명한다. (A)

7. 1차 교합성 외상과 2차 교합성 외상

① 1차성 교합성 외상
- 정상적인 치주조직에 과도한 교합력이 가해져 치주조직의 파괴가 나타남

② 2차성 교합성 외상
- 치주조직이 감소되어 있는 상태에서 정상적인 또는 과도한 교합력이 가해져 치주조직의 파괴가 나타남

치주 2-3-2 　 1차 교합성 외상과 2차 교합성 외상의 특징을 비교할 수 있다. (A)

8. 교합성 외상의 증상 2020 기출

① 특정 치아의 현저한 동요
② 저작과 타진반응 시 불편감
③ 특정 치아의 과도한 교모
④ 치조중격의 수직적 골파괴
⑤ 치주인대강의 비후
⑥ 치근단 치근 흡수 또는 과백악질증이 나타남

치주 2-3-3 　 교합성 외상의 증상을 설명할 수 있다. (A)

9. 교합성 외상이 치주조직에 미치는 영향

① 치아 동요의 증가와 병적인 치아이동
② 저작 및 타진반응 시 불편감
③ 측두하악관절 이상
④ 치아마모
⑤ 치근흡수
⑥ 방사선상 치주인대 공간의 확대와 치조백선의 소실
cf 손상받기 쉬운 부위: 치근이개부

치주 2-3-4 　 저작기능 저하 시 치주조직의 변화를 설명할 수 있다. (B)

제3장 | 치주검사

1. 의과 병력과 치과병력

(1) 전신병력과 치주치료의 관련성

- 전신 요인: 치주질환의 진단, 병인 및 치료에 중대한 영향

(2) 전신적 문제

- 감염에 대한 감수성 증가
- 상처치유 지연
- 치료방법의 수정을 요구함
  - → 현재 병원에서 치료받는 내용과 질병의 상태 및 복용하고 있는 약제 종류를 조사
  - → 환자의 전신질환으로 치과치료 중 합병증 발생 유무를 치료 시작 전에 조사

(3) 치과 병력

- CC 및 동기를 듣고 기록함
- 주된 주소로는 치은출혈, 흔들리는 치아, 치간이개, 구취, 식편압입, 통증
- 환자의 치료계획을 수립하는 데 매우 중요하므로 진단에 필요한 정보를 충분히 얻기 위해 환자에게 많은 질문 필요

| **치주 3-1-1** | 의과병력 조사의 목적을 설명할 수 있다. (A) |

| **치주 3-1-2** | 치과병력 조사의 목적을 설명할 수 있다. (A) |

2. 치은검사에서 임상적으로 평가해야 할 항목

① 치은의 색상(색조변화) ④ 표면질감과 위치
② 크기와 형태 ⑤ 출혈 성향
③ 견고도 ⑥ 동통

| **치주 3-2-1** | 치은검사에서 임상적으로 평가해야 할 항목을 설명할 수 있다. (A) |

3. 치은파열과 팽융

① 치은파열(cleft, 스틸만 균열)

- 치은 변연상에 나타나는 쉼표 모양의 흔적(순측)
- 원인: 외상성 교합

② 팽융(festoon)

- 변연치은이 구명대 모양으로 비대해진 현상(견치와 소구치의 순측)
- 원인: 외상성 교합과 기계적 자극

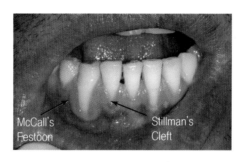

치주 3-2-2   치은 파열(Cleft)과 팽융(Festoon)을 설명할 수 있다. (B)

4. 치은퇴축의 원인과 임상적 중요성 설명 2020 기출

- 백악법랑경계와 치은변연 간의 거리를 의미

① 원인: 치은염증, 잘못된 잇솔질법(기계적 자극), 외상성 교합, 치아의 위치이상, 비정상적 소대부착, 치조골 상실(치은퇴축이 원인)

② 임상적 중요성

- 노출된 치근면: 상아질지각과민증 유발, 치근면우식증, 치수의 변성
- 치간부 퇴축: 치면세균막·음식물잔사·세균축적의 조건 제공

③ 호발부위: 상악 < 하악, 하악 절치와 상악 견치

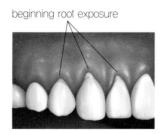
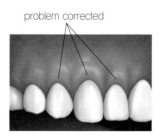

beginning root exposure   problem corrected

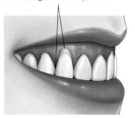
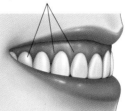

치주 3-2-3	치은퇴축의 원인을 설명할 수 있다. (A)

치주 3-2-4	치은퇴축의 임상증상을 설명할 수 있다. (A)

5. 치주낭의 정의

① 치은열구가 병적으로 깊어져서 생긴 것 → 정상조직에 병적 변화 유발

② 3 mm보다 깊은 경우로 치주질환의 중요한 임상적 특징

치주 3-3-1	치주낭을 정의할 수 있다. (B)

6. 치주낭의 증상

① 치은색조 변화

② 치근우식증, 치간이개, 치조골파괴

③ 치아동요 및 통증

④ 치은변연을 누르면 화농성 삼출물 유출

⑤ 치근면이 노출되고, 치석 침착

⑥ 치은염증증상: 치은발적, 치은출혈, 치은퇴축, 부종

⑦ 구취

치주 3-3-2	치주낭의 임상증상을 설명할 수 있다. (A)

7. 치조골과의 관계에 따른 분류

① 치은낭(위낭): 치주조직 파괴 없음, 치은 증식

② 치주낭: 치주조직의 파괴로 인해 생기는 낭

- 골연상 치주낭: 낭의 기저부가 하부 치조골보다 치관방향에 위치, 수평 골소실 양상
- 골연하 치주낭: 낭의 기저부가 인접한 치조골보다 치근 방향에 위치, 사선이나 수직 골소실 양상

| 치은낭 | 골연상낭 | 골연하낭 |

치주 3-3-3 치주낭을 형태에 따라 분류할 수 있다. (A)

8. 치주낭이 발생된 치아면 수에 따른 분류

① 단순 치주낭: 치주낭이 치아의 1면에 생긴 것
② 복합 치주낭, 혼합 치주낭: 치주낭이 치아의 2면 이상에 생긴 것
③ 복잡 치주낭: 한 개의 치면에서 시작하여 다른 치면으로 휘돌아서 연결된 경우, 치주낭 입구는 1면인데 내면에는 2면 이상에 치주낭이 생긴 것

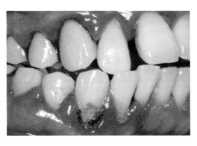 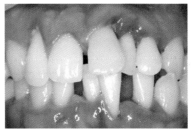

치주 3-3-4 치주낭을 감염된 치아의 면에 따라 분류할 수 있다. (A)

9. 치근이개부(치근분지부, Furcation area)의 병변

① 치주염에 의한 치조골 흡수가 진행하여 치근이개부에까지 도달하여 치근이개부가 치조골 밖으로 노출되는 현상

② 많은 양의 염증조직과 치면세균막 및 치석 부착

③ 치근이개부용 치주탐침을 이용해 탐침하거나 방사선사진에 의해 진단

④ 하악 제1대구치에서 가장 빈번히 나타남

⑤ Glickman의 분류

분류	특징
grade Ⅰ	치주낭 존재, 치근간 치조골은 정상
grade Ⅱ	치근간 치조골의 부분적 소실, 부분적으로 관통
grade Ⅲ	치근간 치조골의 완전한 소실, 관통, 육안 관찰은 되지 않음
grade Ⅳ	치근이개부가 구강 내로 노출(부착소실, 치은퇴축), 관통, 육안 확인

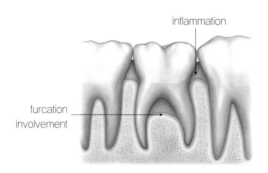

치주 3-3-6　치근분지부(Furcation area)의 병변을 설명할 수 있다. (B)

10. 치아 동요도의 분류

• 핀셋이나 치경 등을 이용한 협설 양측으로 흔들리는 정도를 검사

① 0도: 생리적인 치아 동요(정상 동요도)

② 1도: 치관이 수평으로 1 mm 이내의 동요도를 보일 때

③ 2도: 치관이 수평으로 1 mm 이상의 동요도를 보일 때

④ 3도: 치관이 수직 및 수평으로 동요도를 보일 때

치주 3-4-1　치아동요의 특징을 설명할 수 있다. (A)

11. 치아동요의 원인 [2021 기출]

(1) 생리적 동요

① 모든 치아는 약간의 생리적인 동요도를 가짐

② 아침에 일어난 직후 움직임이 제일 많고 점점 감소

(2) 병적 동요

① 생리적 동요의 범위를 벗어나 치아의 수직적 및 수평적 움직임이 있는 것

② 원인

- 치조골 소실
- 교합성 외상(by 과도한 교합압, 이갈이)
- 급성 치근단 농양(치은이나 치근단 염증 → 치주인대로 확산)
- 임신이나 월경과 호르몬성 피임약을 사용한 경우
- 골수염과 악골 내 종양이 있는 경우

치주 3-4-2 치아동요의 원인을 설명할 수 있다. (A)

12. 지각과민 치아의 원인

① 치은퇴축

② 치아마모

③ 차아우식증

④ 치주낭 형성

⑤ 치석제거술과 치은연하소파술

⑥ 치주수술 후 치근노출 시

치주 3-4-3 지각과민 치아의 원인을 설명할 수 있다. (A)

제4장 | 치은질환과 치주질환

1. 만성 치은염의 임상증상

① 주원인: 치면세균막

② 치간유두, 변연치은: 발적, 종창, 괴사, 증식, 변성

③ 기계적 자극(탐침)이나 외상 등에 의한 출혈

④ 치은 지각과민, 가려움증, 삼출물

⑤ 치은의 색조변화, 표면탄력 소실, 점몰(stippling) 소실

⑥ 통증없이 서서히 진행

⑦ 위낭 형성

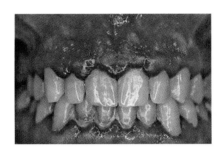

치주 4-1-2	만성 치은염의 임상증상을 설명할 수 있다. (A)

2. 급성 괴사성 궤양성 치은염의 임상증상 2022 기출

(1) 원인

① 세균(스피로헤타, 방사선 간균)의 감염

② 과도한 스트레스, 영양결핍, 소모성 질환, 급성 호흡기감염, 심한 위장장애, 치면세마 후의 외상 등

• 소모성 질환이 치주조직에 미치는 영향: 국소자극에 대한 저항의 감소, 치주질환이 발생하기 쉬우며 치주조직의 파괴와 상처 치유가 잘되지 않음, 2차적 감염이 올 수 있음

(2) 임상 증상

① 빈센트감염 혹은 참호구강염이라고도 함

② 변연치은, 치간유두: 분화구 모양의 함몰, 괴사·궤양·위막형성

③ 심한 구취, 타액분비 증가(점액성↑)

④ 염증의 심도가 심하여 지지조직이 파괴되어 골이 노출됨

⑤ 전신증상 발생: 고열, 맥박 수 증가, 식욕감퇴, 전신적 피로감, 두통 및 위장장애(어린이)

치주 4-1-4　급성 괴사성 궤양성 치은염의 특징을 설명할 수 있다. (A)

3. 급성 포진성 치은구내염의 임상증상 [2021 기출]

(1) 원인

① Herpes simplex virus에 의한 원발성 감염

② 과로나 정신적 압박과 열병에 의해 주로 발생(2차 세균감염 발생)

③ 주로 영유아의 구강점막에 가장 흔히 나타나는 급성 바이러스 감염

④ 열성질환의 회복기, 불안, 근심, 극도의 피로와 월경 동안에 빈발

(2) 임상 증상

① 치은과 구강점막: 발적, 치은출혈과 부종

② 수포형성 → 24시간 후 수포파열 → 통증이 심한 미란과 궤양을 형성

③ 열, 불안, 작열감과 같은 전구증상을 동반

④ 1~2주 이내에 자연 치유

치주 4-1-5　급성 포진성 치은구내염의 특징을 설명할 수 있다. (A)

4. 급성 치관주위염의 임상증상 [2020 기출]

① 불완전하게 맹출한 치아나 맹출 중인 치아의 치관주위를 둘러싸고 있는 치은과 지지 조직에 염증이 있는 상태 → 치관주위농양으로 진행되기도 함

② 하악 제3대구치의 원심부나 유치교환기의 치은 부위에 호발

③ 치관주위 치은: 부종, 발적, 종창

④ 귀나 목, 구강저의 통증

⑤ 악취, 개구장애, 발열, 권태감 등

⑥ 협부와 악골부위 부종

⑦ 국소림프절 종창

⑧ 대합치와의 접촉에 의한 통증

| 치주 4-1-6 | 치관주위염의 특징을 설명할 수 있다. (A) |

5. 만성 박리성 치은염의 증상과 치료법

(1) 원인

① 내분비계(성호르몬 등)의 불균형

② 만성 자극과 감염, 영양결핍, 피부점막질환(천포창, 편평태선 등)

③ 30세 이후 여성에게 호발

(2) 증상

① 치은 및 점막의 표면이 벗겨짐(협측에 국한)

② 변연치은과 부착치은: 미만성 홍반과 수포 형성

③ 치은표면의 발적, 출혈, 표피탈락

④ 온도의 변화, 저작 및 칫솔질과 같은 자극에 민감

(3) 치료

① 국소적 인자제거: 자연적으로 증상 호전

② Corticosteroids 계통의 약제를 도포 또는 섭취

③ 과산화수소와 따뜻한 물을 1:4로 희석하여 하루 2회 구강 내 양치

| 치주 4-1-7 | 만성 박리성 치은염의 특징을 설명할 수 있다. (A) |

| 치주 4-1-8 | 만성 박리성 치은염의 치료법을 설명할 수 있다. (A) |

6. 만성 치주염(성인형 치주염)의 임상증상

(1) 특징

① 가장 흔한 치주질환 형태(약 95%): 만성 치주염

② 35세 이후 호발(청년기에 발생)

③ 치면세균막와 치석에 의해 발생

(2) 임상증상

① 대부분의 치아를 침범, 통증없이 진행

② 치은 발적, 부종, 탐침 시 출혈

③ 치조골 높이 감소: 수평 혹은 수직형의 골 파괴

④ 치조백선 소실

⑤ 다근치: 치근분지부 병변을 보임

⑥ 부착상실

치주 4-2-2 만성 치주염(성인형 치주염)의 특징을 설명할 수 있다. (A)

7. 유년형 치주염의 특징 `2021 기출`

(1) 특징

① 사춘기 전후, 남자 < 여자

② 영구치열에서 한 개 이상에 해당하는 치주조직이 급속히 파괴되는 염증성 치주질환

③ 가족력 있음

(2) 원인

① 국소적 요인은 적음(국소적인 형태)

② 주로 절치와 제2대구치에 국한됨

③ 치조골이 심하게 파괴됨

④ 치조골 파괴가 제1대구치와 절치에 국한: 양측성, 방사선사진 수직적 골파괴(치아동요 진행)

⑤ 치은조직은 거의 정상(초기: 염증 없음)

⑥ 호발연령: 사춘기~25세

⑦ 전신질환(전반적인 형태): 당뇨병, papillon−lefevre 증후군, 중성구감소증, 다운증후군, 저인산효소증, 영양장애

(3) 치료: 항생제(tetracyclin 계통)를 복용하면서 scaling 및 root planing 등을 통한 물리적 치료

치주 4-2-3 국소유년형 치주염(국소급진형 치주염)의 특징을 설명할 수 있다. (A)

8. 급성 치주농양과 만성 치주농양의 비교 2019 기출 2022 기출

	급성 치주농양	만성 치주농양
동통	심한 통증	둔통
치은	촉진 시 둥근 모양으로 감지	적고 둥근 누공을 가짐
타진반응	예민	있거나 또는 없음
정출감	있음	약간 솟은 기분
전신적 반응	체온상승, 림프선염	특별한 증상 없음
방사선소견	특이한 변화 없음	치근의 측벽을 따라 방사선 투과상

치주 4-2-4 급성 치주농양과 만성 치주농양의 특징을 비교할 수 있다. (A)

9. 치주농양과 치근단농양의 비교

구분	치주농양	치근단농양
치수상태	생활치수	실활치수
원인	깊은 치주낭	심한 우식증, 치수염
X-ray	치근 측방에 검은 상	근단부 경계에 희미한 검은 상
통증	국소적이고 지속적인 동통	미만형의 간헐적 동통
발생부위	변연치은에서 부착치은 부근	근단부근

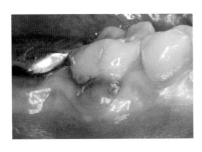 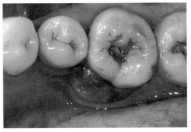

치주 4-2-5 치주농양과 치근단농양을 비교 설명할 수 있다. (A)

10. 급성 괴사성 궤양성 치은염의 응급치료법

① 환자가 불편감을 호소하지 않는 범위 내에서 치은연상치면세균막 및 치석을 제거

② 충분한 휴식과 적절한 구강보건교육 실시

③ 과산화수소를 따뜻한 물과 1:4로 희석하여 2시간마다 양치

④ 술, 담배 및 자극성 음식물 섭취 금지

⑤ 항생제 복용

⑥ 1~2일 간격으로 내원시켜 환자의 상태를 평가하면서 점진적으로 치은연하치면세균막 및 치석까지 제거함

⑦ 증상이 개선되더라도 치주낭이 존재하거나 치은 형태의 개선이 필요하다면 치주수술을 고려

⑧ 발치나 치주수술: 4주 이상 증상이 보이지 않을 때까지 연기

⑨ 치은연하치석 제거술과 치은소파술은 감염을 심부조직에 파급시키거나 균혈증을 유발 → 이 시점에서 가급적 피함

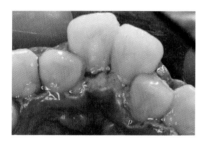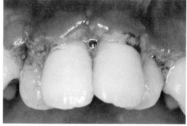

치주 4-3-2 급성 괴사성 궤양성 치은염의 응급치료법을 설명할 수 있다. (A)

Part 08

치주학

11. 급성 포진성 치은구내염의 응급치료법 2019 기출

① 7~10일째 자연치유 → 보존적 치료

② 치은연상치면세균막 및 치석와 음식물잔사 등을 제거

③ 도포마취

④ 수액과 영양공급, 비타민 B복합체 투여, 휴식 등

⑤ 금주

⑥ 코르티코스테로이드는 금기

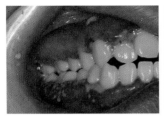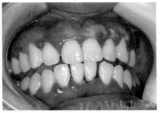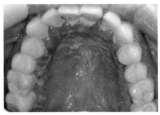

치주 4-3-3 급성 포진성 치은구내염의 응급치료법을 설명할 수 있다. (A)

12. 급성 치관주위염의 응급치료법

① 초기치료(증상 완화에 초점): 병소부위 국소마취 시행 → 따뜻한 식염수나 묽은 과산화수소수로 세척 → (필요하면) 큐렛이나 초음파치석제거기로 침착물 등을 제거

② 대합치의 치은 자극: 발치

③ 수분섭취

④ 열이나 전신증상 환자: 항생제 투여

⑤ 치은이 부어있으면 절개 후 1/4인치 거즈 삽입 → 24시간 후 내원하여 드레인을 제거하고 판막을 들어 올려 다시 세정

⑥ 급성 증상이 소실된 후: 치아 유지를 위한 수술 또는 발치 필요 여부 평가

치주 4-3-4 치관주위염의 응급치료법을 설명할 수 있다. (A)

제5장 | 비외과적 치주치료와 외과적 치주치료

1. 치주치료의 목적

① 국소적 요인 제거 → 치은 염증 제거

② 치면세균막 내의 미생물의 제거 또는 감소

③ 치주낭 제거 또는 개선

④ 치주조직 재부착 및 재생

⑤ 치주건강을 유지할 생리적인 치은 형태의 획득

⑥ 교합기능에 대한 수행능력의 부여

⑦ 치아와 치주조직을 관리하는 구강위생교육

⑧ 심부 치근면으로의 기구의 접근이 가능하고 시야가 좋아짐

치주 5-1-1	치주치료의 목적을 설명할 수 있다. (A)

2. 비외과적 치주치료

(1) **치석제거술**: 치은 건강회복

① 치면에서 치면세균막, 치석, 착색물 등을 제거

② 모든 치주치료 기본

(2) **치근활택술**: 치은 건강회복

① 치근면으로부터 변성되거나 괴사된 백악질을 제거하여 거친 면을 활택하게 함

② 세균 및 내독소를 감소시키는 술식

(3) **치면세균막조절**

치주 5-2-1	비외과적 술식을 구분할 수 있다. (B)

치주 5-2-2	치근면활택술과 치석제거술의 특징을 설명할 수 있다. (B)

3. 치주외과 기구의 명칭과 용도

① 치과용 주사기(dental syringe)

② 절개와 절제용 기구

• 치은절제용 수술칼(periodontal · kirkland knife)

– 날 부위가 콩팥 모는 반날 보양

– 치은절제술, 치은성형술에 주로 사용

• 치간치은용 수술칼(orban knife)

– 창같이 생김

– 뾰족하게 생겨 치간치은 절제에 유용

• 외과용 수술칼(surgical blade)

– 치주수술 시 연조직의 절개나 절제에 사용

– #11, #12, #15 날이 주로 사용

- 전기수술기(electrosurgery): 고주파수의 전류를 이용하여 연조직의 절개에 사용
- 레이저(laser): 레이저를 이용한 연조직 절개 시 사용(과다출혈방지)

③ 골막기자(periosteal elevator)
- 절개된 치은판막을 박리시키는 기구

④ 외과용 치즐(surgical chisel), 외과용 파일(surgical file), 외과용 버(surgical bur)
- 치주수술 시 치조골을 다듬거나 제거하는 데 사용

⑤ 골겸자(bone rongeur)
- 골을 제거할 때 사용

⑥ 가위(scissors)와 니퍼(nipper)
- 연조직을 절제하거나 성형할 때 사용
- 봉합 후 봉합사를 자르는데 사용

⑦ 치주낭표시자(pocket marker)
- 치은절제술과 치은성형술에서 치주낭 기저부의 위치표시에 사용

⑧ 지혈겸자(hemostat)
- 지혈을 위하여 혈관을 조여 주거나 조직을 잡는 목적으로 사용

⑨ 조직겸자(tissue forcep)
- 판막을 잡아 주어 봉합이 용이하도록 함

⑩ 지침기(needle holder)
- 봉합할 때 니들을 잡는 기구

⑪ 봉합침(suture needle)
- 봉합할 때 봉합사와 함께 사용되는 바늘

⑫ 봉합사(suture silk)

치주 5-3-1 치주외과 기구의 명칭과 용도를 설명할 수 있다. (A)

4. 치주외과술식의 종류와 정의

① 치은연하소파술(curettage)
- 치주낭의 조직 측벽을 긁어내어 질병에 이환된 연조직의 분리 및 제거

② 치은절제술(gingivectomy)
- 치주낭 제거를 목적으로 하는 외과적 술식
- 치주낭을 이루고 있는 병적인 치은조직을 절제하여 치주낭을 제거
- 치근면의 치석제거와 치근면 활택을 동시에 시행

③ 치주판막술(flap surgery)
- 치은을 최대한으로 보존하면서 판막을 형성하여 치근을 활택하게 함
- 치주낭을 제거하고 치은점막 결손 부위를 수정하여 파괴된 조직을 회복시키고자 시행하는 수술법

④ 치조골 성형술

⑤ 치근이개부(furcation) 병변의 수술

⑥ 치주성형수술(periodontal plastic surgery)

치주 5-3-2   치주외과술식을 구분할 수 있다. (B)

치주 5-3-3   치주외과술식의 특징을 설명할 수 있다. (B)

5. 치은절제술(Gingivectomy)의 적응증과 금기증 `2019 기출`

① 치주낭 제거하여 건강한 치은으로 회복시키는 외과적 술식(치근면의 치석제거와 치근면 활택 동시 시행)

② 적응증
- 단단하고 섬유화된 골연상 치주낭 제거
- 섬유성 치은증식 제거
- 치은연하 우식증의 치료나 치은연하로 치관이 파절되었을 경우
- 임상적 치관연장술: 임상치관(clinical crown)의 길이를 증가시키고자 할 경우
- 해부학적(anatomical crown) 치관을 노출시켜 심미성 회복을 할 경우
- 얕은 골연하낭과 치관주위염
- 치근이개부 병소의 치료

③ 금기증
- 치조골에 대한 처치가 필요할 경우: 치조골 흡수가 복잡한 형태를 나타내는 경우
- 전신질환으로 외과적 치주치료가 불가능할 경우
- 부착치은이 불충분한 경우
- 수술 후 심미적인 문제가 예상되는 경우
- 치아우식증 이환률이 높은 환자(치근우식증)
- 지각과민성 치근을 가진 경우
- 깊은 골연하 치주낭

④ 치은절제술 시행 전 체크해야 할 항목

- 부착치은의 폭
- 치조골수술의 필요성
- 골연하낭의 존재 여부

치주 5-3-5   치은절제술의 적응증과 금기증을 설명할 수 있다. (A)

6. 치은절제술의 기본술식

① 시술 전 투약과 마취(injection syringe)
② 치주낭의 표시(pocket marker)
③ 치은 절제(periodontal knife, interdental knife, surgical blade)
④ 육아조직의 제거 및 치석과 괴사성 치근물질 제거(surgical hoe, scaler, curette)
⑤ 생리적 치은형태의 성형(scissor, diamond stone, electrosurgery)
⑥ 치주포대의 부착(periodontal pack)
⑦ 1주 후 제거, 과도하게 형성된 육아조직 제거, 세척
⑧ 치면 연마

치주 5-3-6   치은절제술의 기본술식을 설명할 수 있다. (A)

7. 비변위 판막술(Unrepositioned flap) 2022 기출

– 치주판막술의 한 종류: 판막을 술전과 같이 위치시키는 것

① 적응증

- 깊은 치주낭
- 골연하 치주낭
- 치조골에 형태부정이 존재하여 치조골 수술이나 골이식이 필요한 증례
- 이개부 병소 치료를 위한 시야 확보를 위해

② 금기증: 각화치은이 부족할 경우
③ 장점

- 치주낭을 제거하면서 각화치은을 보존
- 치조골과 치근면에 대한 시야와 접근도를 증진시킴

• 1차 융합에 의한 치유 가능

치주 5-3-7 | 비변위판막술의 특징을 설명할 수 있다. (A)

8. 비변위판막술의 기본술식 2021 기출

① 마취 및 절개(surgical blade)

② 치주판막 거상(periodontal elevator)

③ 불량 육아조직 제거(surgical curette)

④ 치근활택술과 치근면처치(scaler)

⑤ 필요한 경우 치조골 처치 및 골이식재 식립(bone file, bur)

⑥ 판막을 위치시킨 후 봉합(suture silk, needle, needle holder)

⑦ 압박지혈 및 치주포대를 부착(periodontal pack)

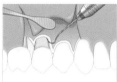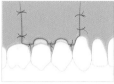

치주 5-3-8 | 비변위판막술의 기본술식을 설명할 수 있다. (A)

9. 치주성형수술

– 치은치조점막 부위의 불규칙한 형태를 외과적인 수술로 개선

– 치면세균막 관리가 쉬운 구강 내 환경을 확보하기 위한 수술

① 유리치은이식술(free gingival graft)

• 부착치은의 폭 증가

• 노출된 치근 피개

• 소대와 근육부착을 재위치

• 치은 결손 보충

• 심미성에 문제가 있음

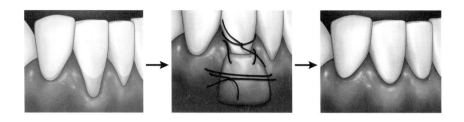

② 상피하결합조직 이식술
- 충분한 구개치은의 존재유무의 사전평가 필요
- 대구개신경 손상 가능

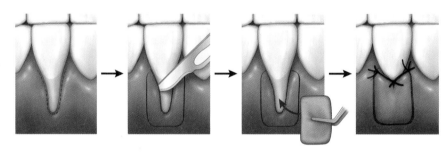

③ 치은이식술을 겸한 치관변위 판막술(변위판막이동술)
- 하나 또는 여러 개의 노출된 치근 피개
- 지각과민증을 없애기 위한 시술

④ 소대절제술(frenectomy, frenotomy):
- 소대를 완전히 제거하는 것(frenectomy)
- 소대가 변연치은에 가깝게 부착된 경우, 소대부위를 절개하여 부분적으로 제거해줌(소대부분절제술, frenotomy)
- 상순소대가 높이 부착된 경우의 문제점: 부착치은의 폭 감소, 치주낭 악화, 국소인자축적, 치료 후 → 치근과의 접착 방해 등으로 구강청결을 방해

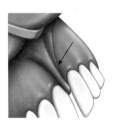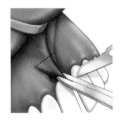

⑤ 구강전정성형술(형성술): 얕은 구강전정을 깊게 해주는 성형술

치주 5-3-9   치은-치조점막술을 분류할 수 있다. (A)

10. 치근이개부 병변 치료법(Treatment of furcation involvement) 2021 기출

(1) 이개부 개조술(Furcation reconstruction)

① 치근절제술(root amputation): 근관치료 후 치관을 남기고 잔존치근 중 하나만 제거하는 술식

② 치아절제술(hemisection): 치관부를 포함하여 1개 또는 2개의 치근을 잘라내는 술식

③ 치근분리술(root separation): 하나의 대구치를 2개로 나누어 2개의 소구치 모양으로 회복시키는 술식

④ 터널화, 터널형성술(tunneling): 협·설측 이개부를 외과적으로 관통시켜 구강위생을 용이하게 하는 술식
- 이개부가 넓고, 짧은 root trunk를 가진 경우
- 치간칫솔이 들어갈 수 있도록 공간 부여
- 부착치은의 양을 고려
- 공간을 내기 어려운 경우 치근분리를 고려

(2) 이개부 성형술(Furcationplasty): 이개부에서 치면세균막을 보다 용이하게 제거하기 위함

① 치은성형술

② 골성형술

③ 치아성형술

cf 치근이개부 병변의 치료

① 1급: 비외과적 치주치료(스케일링과 치근활택술), 이개부 성형

② 2급: 이개부 성형, 터널화, 치근절제술
- 조직유도재생술
- 조직반응의 차이(연조직과 경조직의 차이)를 이용하여 치주조직의 재생을 도모하는 술식
- 상피세포이 증식과 치은결합조직의 증식을 차단하여 치주인대 내의 미분화된 간엽세포들의 증식을 유도

③ 3급: 터널형성, 치근절제, 발치

치주 5-3-12	치근이개부 병변의 치료법을 분류할 수 있다. (A)

11. 치주포대의 기능

① 수술 후 창상보호 → 치유촉진

② 수술 직후의 출혈방지

③ 동통경감

④ 지각과민 경감

⑤ 신생 육아조직의 과형성 방지

⑥ 치아의 고정

> **치주 5-3-13** 치주포대의 기능을 설명할 수 있다. (A)

12. 치주수술 후 주의사항 `2020 기출`

① 마취가 깬 후 동통 등의 불편감이 올 수 있음

② 가능한 한 오랫동안 포대가 부착되도록 주의를 환기

- 포대 탈락되면 다시 내원하여 재부착
- 치주포대 제거 후 동통, 불편감, 치유지연될 경우: 필요에 따라 1주일 정도 재부착

③ 수술 후 출혈과 종창을 최소화하는 방법

- 처음 3시간 동안 더운 음식을 피함
- 차가운 음식 섭취, 수술 후 1~2일간 간헐적인 냉찜질을 권고

④ 구강 내 음압을 방지: 금연

⑤ 과도한 운동과 수술 당일 과도한 양치 금지

⑥ 치주포대 위에 칫솔질을 피하도록 함

⑦ 전신 무기력감과 오한 가능성에 대해 예고

⑧ 포대를 붙이지 않은 쪽으로 식사

> **치주 5-3-14** 치주수술 후 주의사항을 설명할 수 있다. (A)

13. 치주고정장치의 정의

① 치아가 손상을 받거나 치주질환에 의하여 동요되는 치아를 안정시키기 위하여 고정시키는 장치

② 식편압입 방지

치주 5-4-1   치주고정장치를 정의할 수 있다. (B)

14. 교합조정의 적응증

① 정상적인 치주조직에 과도한 교합력이 있을 때

② 치주조직의 파괴로 인하여 교합력에 의한 치아동요가 있는 치아

③ 광범위한 보철치료 하기 전

④ 하악의 기능적인 운동에 제한이 있는 경우

⑤ 교정치료나 다른 치과치료 후 교합이 불안정한 경우

⑥ 비정상적 악관절의 불편감이나 통증

⑦ 저작 및 교합 시에 통증이나 불쾌감이 있는 경우

치주 5-4-3   교합조정의 적응증을 설명할 수 있다. (A)

제6장 | 전신질환자와 치주치료

1. 당뇨병환자의 치주치료 시 주의사항

① 내과의사와 상담

- 당뇨병이 조절될 때까지 항생제와 진통제만 투여

- 비조절성 당뇨환자: 치주처치 금기(감염 감수성 높고, 치유 지연)

- 예방적 항생제 투여는 적응증이 아님(but, 광범위한 치료에는 예방적 항생제 투여)

- 공복 시 정상 혈당 70~100 mg/dL, 고혈당 126 mg/dL

② 처방된 인슐린과 식사여부 확인: 아침식사 후 오전 진료약속을 함

③ 외상 발생하지 않도록 주의, 가능한 한 2시간 이내에 치료를 완결

④ 절개와 배농이 필요한 경우: 시술 전에 항생제 투여

⑤ 지속적인 환자 관리가 중요

⑥ 국소마취제는 에피네프린의 농도를 1 : 10만 이상 포함되지 않는 것을 사용

⑦ 환자를 자주 내원시켜서 구강위생관리의 중요성을 강조

치주 6-1-1　당뇨병환자의 치주치료 시 주의사항을 설명할 수 있다. (A)

2. 고혈압환자의 치주치료 시 주의사항

① 치료시작 전: 혈압 측정하여 기록

② 치료 중 주의사항

- 전고혈압(139/89 mmHg)의 경우 모든 치과처치 가능(중등도 160~179/100~109 mmHg: 치료 연기)
- 치료시간은 짧게 하고, 치료 중 환자가 스트레스를 받지 않도록 주의(혈압 상승 주의)
- 국소마취제: 에피네프린 1:10만 정도가 적당 (0.04 mg 정도 최소량)
- 식염수 세척은 피함
- 조절되지 않는 환자는 치주치료 금기
- 항고혈압제 사용 중인 환자 주의사항
  - 진정제 함께 투여 → 저혈압 초래할 수 있음
  - 진료용 의자 변화 → 자세성 저혈압 초래할 수 있음
- 가능하면 아침에 약속, 환자가 부담스러워하면 치료를 곧 중단
- 경도고혈압 환자(140~159/90~99 mmHg): 에피네프린 함유 치은압배사 사용 금지

치주 6-1-2　고혈압환자의 치주치료 시 주의사항을 설명할 수 있다. (A)

3. 간염환자의 치주치료 시 주의사항

① 내과의사에게 의뢰 → 환자의 상태에 의한 치료계획 수립

- 회복된 A, E형 간염은 일반적인 치주치료 가능
- HBs 항원 음성 환자: 통상적인 방법으로 치료
- HBs 항원 양성, 활동성 감염환자: 내과의사상담(간염의 과거병력이 있었다면 내과의사와 상담 → 바이러스 보균 유무 판단)
- 질환이 활성화되어 있는 경우: 응급인 경우만 치료

② 가능하면 low speed handpiece 사용: 스케일러, air syringe, 고속핸드피스 사용 제한 → 에어로졸 발생 최소화 노력 필요

③ 격리된 치료실에서 마스크, 장갑, 안경이나 보안경 사용

④ 간염환자 진료 후 사용 기구는 멸균

⑤ 항생제, 리도카인은 간의 부담이 될 수 있으므로 감량 처방

⑥ 출혈이 예상되면 prothrombin time과 bleeding time 측정

⑦ 가능한 한 구강 내의 접촉부위를 적게 하고, rubber dam 격리시술

> **치주 6-1-4**　　간염환자의 치주치료 시 주의사항을 설명할 수 있다. (A)

4. 노인환자의 치주치료 시 고려사항

① 노인환자의 심리적·정서적·신체적·기능적인 범주를 인식해야 함 → 적절한 신뢰감 확립
  - 영양관리에 특별한 관심을 두어야 함
  - 병에 대한 설명과 사용하고 있는 보철물과 치과관리의 필요성 설명 후 치료 시행
  - 존중하며 대접받고 있다고 느끼게 행동해야 함(대화를 통한 적절한 관계 유지 필요)
② 수술 시간을 짧게 함
③ 가정에서 관리할 수 있는 환자능력 확립
④ 외상을 최소화 함
⑤ 처방용량의 재산출(과민성 증가문제 고려)
  - 성인량의 1/2, 1/3 정도에서 시작하여 서서히 양을 증량하며 투여량 고려
⑥ 오전 치료 약속
⑦ 고려사항
  - 구강위생지도 시 목표설정을 높게 하지 말 것
  - 잔존 치아 수가 적은 환자는 첨단 칫솔 권장
  - 치석제거와 치근활택술: 치주질환의 진행을 방지하는 데 매우 효과적
  - 구강건조증: 술과 담배, 자극성 음식 자제
  - 치근면우식증 발병률이 증가 → 불소치료 고려

> **치주 6-2-3**　　노인환자의 치주치료 시 주의사항을 설명할 수 있다. (A)

1. 임플란트 환자의 수술 전 고려사항

(1) 환자의 선택

① 절대적인 금기증

- 혈액질환과 같은 전신질환에 이환된 경우

② 상대적 금기증

- 입을 크게 벌릴 수 없는 환자
- 이갈이 환자
- 담배를 피우는 환자(골유착 실패 위험성이 10% 높아짐)
- 조절되지 않은 당뇨 환자
- 방사선 치료중인 환자

(2) 수술 전 체크사항

① 연조직과 경조직 임상검사: 부착치은을 포함한 연조직과 골결손부의 존재 유무 등 경조직에 대한 임상검사를 시행

② 환자의 전신상태를 파악: 혈액 및 소변 검사

③ 주요 해부학적 구조물의 위치 파악

- 상악에 식립할 경우: 절치공, 비강, 상악동의 위치 확인
- 하악에 식립할 경우: 이공, 하악관 주의

④ 스텐트는 세심하게 주의를 기울여 제작

- 임플란트의 식립위치, 길이 및 방향, 최종 보철물의 형태 및 위치 등의 정보 제공

⑤ 골조직의 양과 질에 대한 평가, 연조직 상태 및 전체적인 교합요소 평가

치주 7-4-2 임플란트 환자의 수술 전 고려사항을 설명할 수 있다. (A)

2. 임플란트 수술 후 유지치료 시 전문가의 역할

① 환자의 recall 간격: 시술 첫 1년간은 매월, 그 이후 최소한 6개월마다 점검

② 85%의 치면세균막조절 효율을 평가

③ 필요에 의해 6개월마다 방사선사진을 촬영

④ 상부구조의 탈착이 가능하다면 18~24개월마다 제거하고 초음파 세척기로 세척

⑤ 임플란트 고정체에 대한 처치: 육아조직을 제거하고 표면을 해독시킴, 골유도재생술을 이용하여 골을 재생시킴

> **치주 7-4-3** 임플란트 수술 후 유지치료 시 전문가의 역할을 설명할 수 있다. (A)

3. 임플란트 환자의 치면세균막관리법

① 플라스틱 스케일러나 teflon-coated curet, 티타늄으로 된 큐렛 등을 이용하여 치면세균막 조절

② Air powered polishing or rubber cup polishing 추천

③ 금속이 노출되지 않는 치간칫솔의 사용을 추천

④ 0.12% 클로로헥시딘을 적신 칫솔질, floss, tape, super floss 등을 사용

⑤ End-tufted 칫솔, water pick, 전동 칫솔, 플라스틱 치간세척기 등

⑥ 구강위생관리가 불량하거나 합병증의 위험이 높은 경우는 3개월마다 재소환

> **치주 7-4-4** 임플란트 환자의 치면세균막관리법을 설명할 수 있다. (B)

4. 임플란트 환자의 치면세균막관리 시 치위생사의 역할 `2019 기출`

① 유지관리 과정: 치면세균막검사, 구강위생교육, 치면세균막 및 치석제거

② 치면세균막조절 효율(85%)을 평가

③ 상부구조가 헐거운지, screw가 파절되었는지, sore spot가 있는지 등의 점검

④ 임플란트 주위의 염증성 변화 점검: 병변이 보이면 플라스틱 치주탐침으로 부드럽게 탐침(탐침 시 플라스틱 탐침을 이용하여 출혈 유부검사)

⑤ 치석제거할 경우 티타늄이나 플라스틱 기구를 사용(치은연상만 제거)

⑥ 유지관리과정에서 환자의 동기 유발: 유지관리 기간은 3개월이 적당하며 유지관리 프로그램에 협조적인 환자라도 6개월 내에 관리를 받도록 함

⑦ 자가관리 교육을 규칙적으로 시행하고 강조

> **치주 7-4-5** 임플란트 환자의 치면세균막관리 시 치과위생사의 역할을 설명할 수 있다. (B)

제8장 | 치주조직의 유지관리

1. 보조적 치주치료의 목적

① 치은퇴축 방지   ④ 구강위생상태 평가와 재강조

② 치조골흡수 방지   ⑤ 이상적인 구강건강 유지

③ 염증조절

치주 8-1-1　보조적 치주치료의 목적을 설명할 수 있다. (A)

2. 보조적 치주치료의 적용순서

① 초기(위생) 단계: 구강위생교육과 치은연상·연하 치면세균막과 치석을 제거하는 단계

② 재평가 단계: 초기치료의 결과를 평가하고 추가적인 치료가 필요한지를 결정하는 단계

③ 수술 단계: 치주상태를 더욱 증진하기 위하여 수술치료를 제공하는 단계

④ 수복 단계: 영구수복물 또는 고정식 및 가철식 보철물을 장착하는 단계

⑤ 유지 단계: 재평가 단계 이후 즉시 시작되며 초기 단계에서 얻어진 구강건강을 유지하는 단계

치주 8-1-2　보조적 치주치료의 적용순서를 설명할 수 있다. (B)

09

치과교정학

Orthodontics

DENTAL
HYGIENIST

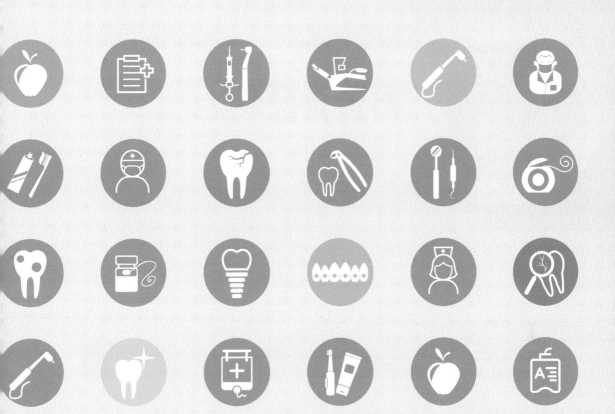

POWER 치과위생사 국가시험 핵심요약집 2권

PART 09 치과교정학
Orthodontics

제1장 | 치과교정학 개론

1. 치과교정학

① 치아, 치주조직, 악골 및 이 모두에 관련되는 안면의 정상적인 성장발육을 연구
② 구강과 안면 전체 구조의 비정상적인 성장발육에 의해 야기되는 부정교합을 개선하여 구강의 올바른 기능과 안모의 개선을 통하여 사회적·심리적인 건강에 기여
③ 비정상 상태의 구강 및 안면 발달을 예방하기 위한 치의학의 일부분

> **교정 1-1-1** 치과교정학을 설명할 수 있다. (B)

2. 치과교정치료의 목적

① 저작기능 개선
② 발음장애 개선
③ 치아우식증 예방
④ 근육이상의 개선
⑤ 치주질환 예방
⑥ 보철치료를 위한 교정
⑦ 악골의 정상적인 성장 유도
⑧ 악관절장애 개선
⑨ 안모 개선
⑩ 외상 예방
⑪ 심리장애 개선

> **교정 1-2-1** 치과교정치료의 목적을 기술할 수 있다. (A)

3. 부정교합에 의한 문제접

① 저작장애

② 발음장애

③ 치아우식증 및 치주질환 유발

④ 치아 외상 가능성 증가

⑤ 악관절증 유발

⑥ 안모 비대칭 유발

⑦ 근육에 악영향

⑧ 심리적 장애: 열등감이 생겨 비사교적일 수 있음

⑨ 심미장애 : 타인에게 안 좋은 이미지를 줄 수 있음

⑩ 보철치료 곤란

교정 1-2-2　　부정교합으로 인한 문제점을 설명할 수 있다. (A)

4. 치과교정 임상에 있어서 치과위생사의 역할

① 교정치료 전·후의 사진촬영 및 인상채득

② 교정용 브라켓의 치아 부착의 접착준비

③ 구치부 밴드의 적절한 사이즈 선택보조

④ 부분적인 교정용 철사의 결찰이나 철거 도와주기

⑤ 브라켓 제거 시 남아 있는 잉여레진의 제거보조

⑥ 여러 가지 교정장치의 사용법 지도

⑦ 고정식 장치 때문에 청소하기가 어려운 구강 내의 철저한 위생관리 및 구강기능의 개선을 위한 구강습관의 지도

교정 1-3-1　　치과교정임상에 있어서 치과위생사의 역할을 설명할 수 있다. (A)

제2장 | 성장, 발육

1. 차등성장(Differential growth)

① 하악골의 성장은 상악골 성장에 비해 활발하고 늦은 시기까지 진행되어 악골의 차등성장을 야기

② 성인의 영역에 접근하는 시기와 그 과정이 장기마다 다른 것

> **교정 2-1-2** 차등성장을 설명할 수 있다. (B)

2. 교정학과 관계가 깊은 장기의 성장발육곡선 2019 기출 2021 기출

(1) 림프형(Lymphoid type)

① 아데노이드, 림프선(임파선), 편도 등 림프 조직

② 사춘기 이전인 12세까지 성장이 완료하여 사춘기에는 거의 200%까지 성장

③ 이후 점차 퇴화하여 20세 경 정상치가 됨

(2) 신경형(Neural type)

① 뇌, 척수, 시각기, 두개골 등

② 비교적 조기에 성장, 6~8세경에 성인의 90% 정도 성장

(3) 일반형(General type)

① 신장, 호흡기, 소화기, 심장, 근육 및 골격, 안면골(상악골, 구개골, 하악골, 설골)의 성장

② 5세경과 사춘기를 전후하여 많은 성장을 보이고 S자 형태를 나타냄

(4) 생식형(Genital type)

① 생식기, 성호르몬, 전립선 등

② 사춘기 전에는 겨우 성인의 10% 정도로 성장하다가 사춘기부터 직선에 가까운 급격한 성장

※ 교정학과 관계 깊은 것: 일반형과 신경형

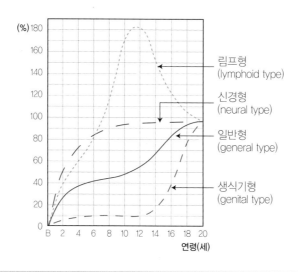

교정 2-1-3   교정학과 관계가 깊은 장기에 따른 성장발육곡선을 설명할 수 있다.(A)

3. 두부의 성장·발육 양상

(1) 두개관의 성장발육

① 두개관의 성장발육은 뇌 성장발육의 영향을 크게 받기 때문에 신경계형

② 두개관에서의 개조와 성장은 두개봉합에서 일어남

(2) 두개저의 성장발육

① 두개저는 뇌의 성장발육에 의한 영향(신경형 성장곡선)을 받지만, 뇌와 안면두개 사이에 위치하기 때문에 악안면 성장발육(일반형 성장곡선)의 영향도 받음

② 두개저의 성장발육

- 접형골간 연골결합: 출생 시 퇴화
- 후두골내 연골결합: 3~4세경에 퇴화
- 접형사골 연골결합: 5~7세경에 퇴화
- 접형후두골 연골결합: 18~20세, 두개저 성장의 중심역할, 뇌 및 상기도 공간확보

교정 2-2-1   두부의 성장·발육 양상을 설명할 수 있다. (B)

4. 안면의 성장·발육방향   2020 기출   2022 기출

① 안면골: 상악골, 구개골, 권골, 하악골, 설골로 구성

② 안면골 봉합의 주행방향: 4개의 봉합이 전상방에서 후하방으로 주행

③ 성장방향: 전하방(4개의 suture 방향에 직각으로 성장)

④ 성장방향 순서: 좌우(폭) → 전후경(깊이) → 상하(높이)

⑤ 상악의 성장: 상안면부는 하안면부보다 빨리 성장(신경형에 영향)

⑥ 하악의 성장: 인체 중 가장 오랫동안 성장 지속(만 20~21세)

교정 2-2-2　안면의 성장·발육방향을 설명할 수 있다. (A)

5. 상안면부와 하안면부 성장 완료시기의 차이

① 상안면부는 하안면부보다 빨리 성인의 크기에 도달

② 사춘기 이후의 안면은 하안면의 발육에 의해 완성된다고 할 수 있음

교정 2-2-3　상안면부와 하안면부 성장 완료시기의 차이를 식별할 수 있다. (B)

6. 상악골의 성장과 발육

① 태생 2~3개월에 걸쳐 좌우의 상악돌기가 정중방향으로 뻗어 나오고, 상방에서 내려오는 비전두돌기와 전방에서 융합하여 개시되고 후방으로 진행

② 상악의 성장은 봉합부위의 골형성, 상악 결절부의 골첨가, 치조돌기의 발육 등에 의해 일어남

③ 상악의 봉합(상악골의 전하방 성장): 전두상악봉합, 권골상악봉합, 권골측두봉합, 익돌구개봉합

④ 상악골의 성장: 일반형의 성장곡선을 나타냄

⑤ 상악골의 전후방 성장: 전치부에서의 전방발육과 상악 결절부에서의 후방발육

⑥ 상악골의 전후경 성장: 골내에서의 구치발육

⑦ 측방으로의 성장발육: 주로 정중구개봉합부위에서 일어남(급속 확대장치를 이용하여 성장을 촉진할 수 있음)

⑧ 상악골의 수직적 성장: 구개돌기의 상부에서 골흡수, 하부에는 골첨가가 일어나 구개가 서서히 하강하게 되고 치아의 맹출에 의해 치조골이 발육함으로써 상악골의 높이를 증대시킴

교정 2-3-1　상악골의 성장발육을 설명할 수 있다. (A)

7. 순악 구개열이 악골 성장발육에 미치는 영향

상악 치열궁의 협착이나 교합이상 등이 나타남

교정 2-3-2   순악 구개열이 악골 성장발육에 미치는 영향을 설명할 수 있다. (B)

8. 하악골의 성장발육

① 하악골은 생후 4개월에서 1년 사이에 하악 정중부의 연골이 골로 대치되면서 정중부에서 유합(좌·우에서 뻗어 나온 하악돌기의 융합)
② 하악골의 성장은 주로 하악지, 하악과두, 치조돌기 등
③ 하악과두의 연골내 골형성, 하악지 후연의 골첨가와 전연의 골흡수, 치조돌기 변연의 골첨가
④ 하악골 자체는 후상방으로 성장하나, 하악골의 구개안면부에서의 위치로 인해 그 크기가 증가됨에 따라 전하방으로 이동(하악각 변화: 둔각 → 예각)

교정 2-3-3   하악골의 성장발육을 설명할 수 있다. (A)

9. 유치열의 공극

(1) 유치열의 영장공극(Primate space)

① 대개 영장류 동물의 치열은 이런 공극을 일생에 걸쳐 지나게 되어 이런 명칭이 부여됨
② 영장공극은 상악 유견치의 근심과 하악 유견치의 원심 사이에 존재

(2) 유치열의 발육공극(development space)

① 영구치의 적절한 배열을 위해 필요
② 약 5세경 유전치 사이에 공극이 나타나는데 이것은 악골의 성장발육에 수반해서 발생
③ 유치 사이에 공극이 없는 폐쇄형 치열궁은 영구치열이 되었을 때 총생이 발생되는 경우가 많음

교정 2-4-1   유치열기에 나타나는 공극을 설명할 수 있다. (A)

10. 유치열의 Terminal plane

Terminal plane: 상·하악의 제2유구치의 원심면이 이루는 관계

교정 2-4-2 유치열의 Terminal plane을 설명할 수 있다. (A)

11. 유치열의 전·후적관계

① 수직형: 대부분의 경우로 상·하악 제2유구치의 원심면이 일직선
② 원심계단형: 하악 제2유구치의 원심면이 상악 제2유구치의 원심면보다 원심에 위치
③ 근심계단형: 하악 제2유구치의 원심면이 상악 제2유구치의 원심면보다 근심에 위치

교정 2-4-3 유치열의 전·후적 관계에 대해 설명할 수 있다. (A)

12. 영구치의 맹출순서

순서	1	2	3	4	5	6	7	8	9	10	11	12	13
상악			6	1	2		4		5	3			7
하악	6	1		2		3		4			5	7	

교정 2-4-4 영구치의 맹출순서를 열거할 수 있다. (B)

13. 혼합치열기에서 ugly duckling stage의 발생기전

① 상악 중절치의 치축이 정중선에서 원심방향으로 맹출하기 때문에 혼합치열기 때 정중이개가 나타남
② 정상적인 발육에 의한 과정: 상악 전치는 정중선에서부터 부채살(V)모양으로 벌어지면서 맹출하고 측절치나 견치 맹출에 의해 근심이동하여 공간이 폐쇄
③ 70% 정도의 어린이에서 관찰 가능하며, 이 중 82% 정도는 자연적으로 공간이 폐쇄
④ 견치까지 맹출하면 정중이개 없어지며 정상 치열로 조정
⑤ 견치맹출 완료 후까지 정중이개가 사라지지 않으면 교정치료나 보존치료를 수행

교정 2-4-5 혼합치열기에서 Ugly duckling stage의 발생기전을 설명할 수 있다. (A)

14. Leeway space의 정의와 영구치열 형성에 주는 영향

(1) 정의

① 유견치와 유구치의 치관 근원심 폭경의 총합이 그들의 후계 영구치의 치관 근원심 폭경의 총합보다 크고 또한 이 차이는 상악보다 하악에서 현저

→ C + D + E > 3 + 4 + 5 / 하악 > 상악

② 이 공극은 영구 전치의 배열에 일부가 소비되지만, 이보다 더 중요한 것은 제1대구치의 교합관계 조정(제1대구치가 근심으로 이동)

(2) 영구치열 형성에 주는 영향

① 영구전치 배열에 일부 소비

② 제1대구치 교합관계 조정에 큰 역할

교정 2-4-6	Leeway space를 설명할 수 있다. (A)

교정 2-4-7	Leeway space가 영구치열 형성에 주는 영향을 설명할 수 있다. (A)

제3장 | 교합

1. 교합

상·하 치아의 접촉관계를 말하는 형태적인 정적교합뿐 아니라 악운동에 의해 상·하악 치열이 교합하고 감합하는 생리적 과정의 동적교합을 모두 의미함

교정 3-1-1	교합을 정의할 수 있다. (B)

2. 중심교합위와 중심위

중심교합위(교두감합위)	중심위(과두안정위)
• 상·하악 치아가 가장 긴밀하게 교합한 상태에서 하악의 위치 • 치아와 치아와의 관계	• 관절와 내에서 하악과두가 후상방 위에 있고, 또한 그 지점에서 측방운동을 할 수 있는 하악의 위치 • 중심교합위보다 0.5~1 mm 후방에 위치 • 악골과 악골과의 관계

| 교정 3-1-2 | 중심교합위와 중심위를 구별할 수 있다. (B) |

3. 이태교합(Dual bite)의 문제점

① 하악 치열이 2개 이상의 장소에서 상악 치열과 습관성 교합위를 가지는 것
② 이갈이가 심한 환자, 턱관절의 과두가 짧아진 전방개교, 반대교합, 2급 부정교합 환자에서 많음

| 교정 3-1-3 | 이태교합(Dual bite)을 설명할 수 있다. (B) |

4. 하악안정위

① 사람이 의자에 곧게 앉아 하악운동에 관여하는 근육을 가능한 자연스럽게 휴식하고 있는 상태의 하악 정지위
② 안정위공극: 상·하악의 치아는 접촉하지 않으며, 2~3 mm의 공간이 존재
③ 상·하 치아의 접촉시간: 1일 30분에서 1시간 정도

| 교정 3-1-4 | 하악안정위를 설명할 수 있다. (B) |

5. 견치유도

① 절치, 소구치, 대구치에 가해지는 측방압의 치주조직에 대한 악영향을 막는 역할
② 하악의 측방운동 시 상·하악의 견치가 접촉하고, 그 외의 치아는 모두 이개하는 교합 방식

| 교정 3-1-5 | 견치유도에 대해 설명할 수 있다. (B) |

6. 정상교합의 정의와 종류

(1) **정의**: 중심교합위에서 해부학적으로 정상적인 교합상태를 이루며, 치주조직, 저작근, 악관절이 정상적으로 기능하는 경우

(2) **종류**

① 이상적 정상교합: 해부학적으로 이상적인 상·하악 치아의 교두감합을 이루며, 그 기

능을 최대한 발휘할 수 있는 교합상태

② 개별적 정상교합: 각 개인에 있어서 최선의 교합상태로 발치를 동반하지 않은 교정 치료의 목표가 됨

③ 전형적 정상교합: 어느 집단과 민족에게 가장 공통적인 특징을 가진 교합상태

④ 기능적 정상교합: 형태적으로 약간의 결함은 있더라도 기능적인 장애가 없는 경우의 교합상태로 발치를 동반한 교정치료의 치료목표가 됨

⑤ 연령적 정상교합: 각각의 연령의 단계에서 정상적으로 여겨지는 교합상태
- 유치열, 혼합치열을 거쳐 영구치열 교합에 이르는 단계에 따른 정상교합
- 영장공극, 발육공극, 정중이개, ugly duckling stage

교정 3-2-1 정상교합을 정의할 수 있다. (A)

---

7. 정상교합의 성립조건 [2020 기출] [2022 기출]

① 상·하악골의 조화가 이루어진 성장발육

② 치아의 크기와 악골 크기의 조화
- 치아의 크기와 형태, 치아 수의 균형이 이루어져야 함
- 1치 대 2치의 교합 관계를 가져야 함(하악 중절치와 상악 제3대구치 제외)

③ 치아의 정상적인 교합 및 인접면의 접촉관계
- 상·하 치열궁의 근·원심관계
- 전치: 상악 전치가 하악 전치 1/4~1/3을 피개
- 구치: 융선과 구와의 접촉, 인접 치아의 긴밀한 접촉

④ 올바른 치축 경사
- 근·원심경사: 치아 장축이 약간 근심경사를 이룸
- 순·설경사
  - 상악 전치는 순측경사, 하악 전치는 약간의 설측경사, 상악 구치는 설측경사
  - 하악 구치는 원심으로 갈수록 심한 설측경사
- 상악 견치의 첨두가 하악 견치의 원심 우각부와 접촉
- 스피만곡(curve of Spee)이 작아야 함(1.5 mm 이하)

⑤ 근육(근신경계)의 정상적인 발육과 기능

⑥ 치주조직의 건강

⑦ 악관절의 정상적인 형태와 기능

> **교정 3-2-2** | 정상교합의 성립조건을 설명할 수 있다. (A)

8. 유치열기의 정상교합

① 유치열의 상악 유견치 근심과 하악 유견치 원심에서 볼 수 있는 영장공극

② 유치열기의 발육공극

> **교정 3-2-3** | 유치열기의 정상교합을 설명할 수 있다. (B)

9. 혼합치열기의 정상교합

① 혼합치열기의 맹출 중인 전치에서 볼 수 있는 정중이개

② 원심경사를 나타내는 ugly duckling stage 등

> **교정 3-2-4** | 혼합치열기의 정상교합을 설명할 수 있다. (B)

10. 부정교합

① 치성 부정교합: 악궁에 치아배열 및 위치이상 등 치아와 그 지지조직만의 문제가 있을 때

② 골격성 부정교합

- 전후방적 골격성 부조화: 상악골의 전방 위치와 하악골의 후방 위치에 의한 상악 전돌 및 하악 후퇴, 상악골의 후방 위치와 하악골의 전방위치에 의한 상악 후퇴 및 하악 전돌 등
- 수직적 부조화: 악골의 수직적 성장 부조화 및 회전에 의해 나타날 수 있는데 상·하악의 수직적 과성장 또는 열성장
- 횡적 부조화: 한 악골의 좌우측 불균형 성장에 의해 나타나는 것

③ 근신경계 부정교합: 악안면 근육계의 기능 이상으로 인한 부정교합

> **교정 3-3-1** | 부정교합을 설명할 수 있다. (B)

11. 치아의 위치 이상

① 전위: 치열궁 내의 정상적인 위치에서 편위하고 있는 상태

② 경사: 치아의 정상적인 치축보다 순설 및 근원심으로 많이 기울어진 상태

③ 저위: 교합평면에 도달하지 못한 위치에 있는 것

④ 고위: 교합선 평면을 초과한 위치에 있는 것

⑤ 회전: 치아의 장축에 대해 회전하고 있는 것

⑥ 이전: 2개의 치아가 서로 그 위치를 바꾸고 있는 것

교정 3-3-2 치아의 위치이상을 설명할 수 있다. (B)

12. 치열궁 형태의 이상

① 협착 치열궁

- 상악의 구치와 특히 견치간의 폭경이 좁아서 발생하는 V자형 치열궁

- 하악 제2소구치의 설측 전위에 의한 말안장 모양의 치열궁

② 공극 치열궁: 치열궁이 치관 폭경보다 큰 경우(혀내밀기 습관)

교정 3-3-3 치열궁 형태의 이상을 설명할 수 있다. (B)

13. 상·하악 치열궁 관계의 이상

(1) 근원심적 관계의 이상

① 상악 전돌

- 골격성 상악 전돌: 상악골의 과성장

- 치성 상악 전돌: 치아만 전돌

② 하악 전돌

- 골격성 하악 전돌: 하악골의 과성장

- 치성 하악 전돌: 하악 전치가 상악 전치보다 상대적으로 근심에 위치

(2) 좌우 관계의 이상

① 골격성 구치부 교차(반대)교합: 상악 또는 하악의 형태 이상과 치열궁의 비대칭적 성장 또는 위치 이상(전후방, 폭경, 상악이 좁아서 발생)

② 치성 구치부 교차 교합: 치아의 교두간섭에 의한 하악의 편위에 의해 구치부의 교차 교합

(3) 수직적 관계의 이상

  ① 개교(개방교합): 혀를 내밀거나 손가락 빠는 습관에 의해 발생, 치아나 악골의 형태 이상

  ② 절단교합: 상·하악 전치가 서로 그 절단연에서 접하는 교합상태

  ③ 과개교합: 전치부의 수직적 피개가 매우 깊은 상태로 상악 절치가 하악 절치의 2/3 이상 피복한 것

> **교정 3-3-4**   상·하악 치열궁관계의 이상을 설명할 수 있다. (B)

14. Angle의 부정교합 분류법

(1) 기준

  상악 제1대구치의 위치를 기준으로 하여 이 치아와 교합하는 하악 제1대구치의 근원심 관계 분류

(2) 장점

  ① 다른 분류보다 부정교합의 상태를 대략적으로 설명이 가능

  ② 임상적 응용이 용이하다는 점에서 가치가 높음

(3) 단점

  ① 치열궁의 위치관계를 기준으로 하고 있어 상·하악골의 위치관계는 표현되지 않음

  ② 상악 제1대구치가 위치 이상인 경우는 문제가 될 수 있음

  ③ 수직적, 측방적 위치관계는 분류의 대상으로 고려되지 않음

> **교정 3-4-1**   Angle의 부정교합 분류법의 기준을 열거할 수 있다. (A)

> **교정 3-4-2**   Angle의 부정교합 분류법의 장점을 설명할 수 있다. (A)

> **교정 3-4-3**   Angle의 부정교합 분류법의 단점을 설명할 수 있다. (A)

15. Angle의 부정교합의 분류 `2019 기출` `2020 기출` `2022 기출`

(1) 제 I 급 부정교합

  ① 상·하악 치열궁이 정상적인 근·원심관계에 있으나 다른 치아에 이상이 있는 부정교합

② 전치부 총생, 공극, 과개교합, 개교, 상하악전돌 등

(2) 제II급 부정교합

① 상악 치열궁에 대해 하악 치열궁이 정상보다 원심에 있는 것(상악 전돌)

	II-1류	II-2류
골격	하악원심	하악원심
상악 중절치	순측경사	설측경사
피개	수평피개	수직피개
호흡	구호흡	비호흡

(3) 제III급 부정교합

① 상악 치열궁에 대해 하악 치열궁이 정상보다 근심에 있는 것(하악 전돌)
② 상하 전치의 반대교합

교정 3-4-4   Angle의 부정교합을 분류할 수 있다. (A)

16. 부정교합의 원인

(1) 전신적 원인

① 유전: 하악 전돌, 상악 전돌, 개교, 과개교합, 구치부 반대교합, 안모 비대칭, 3급 부정교합
② 선천적 이상: 구순구개열, 뇌성마비, 다운증후군, 선천성 매독, 쇄골두개이형성증
③ 대사이상과 질환: 근신경계질환, 열성질환, 내분비기능 이상
④ 영양장애: 비타민 결핍 시 부정교합 수반 가능
⑤ 환경: 분만 시 손상
⑥ 외상과 사고
⑦ 자세: 턱 괴는 습관
⑧ 비정상적인 습관이나 기능적 장애: 혀내밀기(설돌출벽), 손가락 빨기(엄지흡인벽), 입술 빨기(흡순벽), 뺨 빨기, 손톱 깨물기, 비인강질환과 구호흡 등
⑨ 음식물

(2) 국소적 원인

① 치아의 조기상실
② 치아의 만기잔존

③ 치아우식증

④ 치아 모양의 이상(형태의 이상): Peg lateralis, 쌍생치, 융합치

⑤ 치아 크기의 이상: 하악 소구치에 호발

⑥ 치아의 수의 이상

⑦ 치아유착

⑧ 비정상 소대: 상순소대 비대

⑨ 기타(맹출 장애, 맹출 이상, 부적절한 수복)

| 교정 3-5-1 | 부정교합의 원인을 설명할 수 있다. (B) |

17. 부정교합의 선천적 원인

① 유전: 하악 전돌

② 선천적 이상

- 구순구개열: 좌우의 상악돌기와 비전두돌기의 유합부전
- 쇄골두개이형성증: 상악골과 비골 등 중안면의 형성부전
- 뇌성마비: 근기능 이상으로 부정교합유발
- 선천성 매독: 비정상적인 형태의 치아와 위치 이상
- 다운증후군: 대설증, 개교 및 치아의 맹출지연

③ 치아 수 이상: 과잉치, 결손치

④ 치아형태(크기) 이상: 거대치, 왜소치

| 교정 3-5-2 | 부정교합의 선천적 원인을 설명할 수 있다. (B) |

18. 부정교합의 후천적 원인

① 턱의 발육 이상(악골의 성장장애)

② 외상

- 유치외상: 영구치배의 위치변화, 법랑질형성 부전, 치근만곡 등을 일으키는 경우가 있음
- 영구치 외상: 치아의 변위 초래
- 악골골절: 고정의 상황에서 악변형을 초래하여 부정교합 야기

③ 내분비 장애

- 성장호르몬 과잉 분비: 거인증 or 말단비대증

- 골격성 반대교합, 거대설, 공극치열 등이 나타남

④ 치아의 조기상실·만기잔존

⑤ 유치의 우식

교정 3-5-3   부정교합의 후천적 원인을 설명할 수 있다. (B)

19. 부정교합의 국소적 원인

① 치아의 조기상실: 제2유구치 상실 → 제1대구치 근심으로 경사 또는 이동

② 치아의 만기잔존: 유치만기잔존 → 계승치 맹출 위치 변화

③ 치아우식증

④ 치아 모양의 이상(형태의 이상): Peg lateralis, 쌍생치, 융합치

⑤ 치아 크기의 이상: 하악 소구치에 호발

⑥ 치아의 수의 이상

⑦ 치아 유착

⑧ 비정상 소대: 상순소대 비대 → 중절치 사이의 공간 초래, 설소대 → 구호흡과 하악 전돌

⑨ 기타(맹출장애, 맹출 이상, 부적절한 수복)

교정 3-5-4   부정교합의 국소적 원인을 설명할 수 있다. (A)

20. 부정교합의 전신적 원인

① 유전: 상악 전돌, 개교, 과개교합, 구치부 반대교합, 안모 비대칭, 3급 부정교합

② 선천적 이상: 구순구개열, 뇌성마비, 다운증후군, 선천성 매독, 쇄골두개이형성증

③ 대사이상과 질환: 근신경계질환, 열성질환, 내분비기능 이상

④ 영양장애: 비타민 결핍 시 치아 조기상실

⑤ 환경

⑥ 외상과 사고

⑦ 자세: 턱 괴는 습관

⑧ 비정상적인 습관이나 기능적 장애: 혀내밀기(설돌출벽), 손가락 빨기(엄지흡인벽), 입술 빨기(흡순벽), 뺨 빨기, 손톱 깨물기, 비인강질환과 구호흡 등

⑨ 음식물

교정 3-5-5	부정교합의 전신적 원인을 설명할 수 있다. (A)

21. 부정교합 예방법

① 구강습벽(악습관)의 제거

② 만기 잔존 유치의 발치

③ 유치우식(조기상실)의 치료

④ 상·하악 관계 이상의 조기개선

⑤ 과잉치의 발치

⑥ 조기접촉의 제거

교정 3-6-1	부정교합을 예방하기 위한 방법을 설명할 수 있다. (B)

제4장 | 구강악습관

1. 구강악습관의 종류와 치료 `2021 기출`

(1) 구강악습관의 종류

① 손가락 빨기

② 혀내밀기

③ 구호흡

④ 입술 빨기 및 입술 깨물기

⑤ 이갈이 및 이악물기

⑥ 손톱 깨물기

(2) 구강악습관 개선을 위한 장치

① 텅 크립(tongue crib) 장치

　• 손가락 빨기와 혀내밀기로 인한 개방교합의 개선을 위한 장치

② 립 범퍼(lip bumper)

　• 입술빨기와 입술깨물기의 습관개선에 도움을 주는 장치

③ oral screen, activator

　• 구호흡의 치료에 이용

④ occlusal bite guard

　• 이갈이와 이악물기 습관 치료에 이용

교정 4-1-1	구강악습관의 종류와 치료방법을 열거할 수 있다. (A)

2. 손가락 빨기의 악영향

① 전치부 개교, 상악 전돌

④ 구치부의 교차교합

② 상악 절치의 순측경사, 공극치열

⑤ 상악 치열의 협착

③ 하악 절치 설측경사

⑥ 구개의 변형(고구개)

교정 4-2-1　손가락 빨기의 악영향을 설명할 수 있다. (A)

3. 장기간의 손가락 빨기가 상악 전돌과 개교로 이행해 가는 과정

① 손가락 빨기 습관에 의해 상악 전치가 전돌되고 하악의 위치가 후퇴하며, 하악 절치는 설측으로 경사

② 전치부 개방교합은 엄지손가락 빨기 습관에 의해 발생되는 가장 흔한 부정교합

교정 4-2-2　장기간의 손가락 빨기가 상악 전돌과 개교로 이행해 가는 과정을 설명할 수 있다. (B)

4. 손가락 빨기의 원인과 발견 방법

(1) 원인

① 출생 1주만에 나타난 손가락 빨기 습관은 전형적으로 수유 문제와 관계가 있는데 그 시기의 불안은 배고픔과 같은 원시적 욕구와 관련되어 있음

② 일부 아이들은 그 후에도 정서적 긴장을 해소하기 위하여 손가락을 빨며, 유아기 행동양식으로 위안을 얻음

③ 모든 손가락 빨기 습관은 배고픔, 빨기 본능의 충족, 불안 또는 주의를 끌려는 욕구 등과 관련될 수 있기 때문에 심리적인 면도 검토되어야 함

(2) 발견방법

• 전치부 개교, 상악 치열 협착, 상악 전돌의 측모, 상악 전치 사이 혀내밀기, 불명료한 발음, 손가락 굳은살 등으로 발견

교정 4-2-3　손가락 빨기의 원인을 설명할 수 있다. (B)

교정 4-2-4　손가락 빨기 발견방법을 설명할 수 있다. (B)

5. 설돌출벽의 악영향(혀내밀기)

　　① 전치부 및 측방치부의 개교와 공극치열

　　② 이상연하벽을 수반하는 경우가 많음

　　③ 상하 구순의 이완, 구호흡

　　④ 불명확한 발음(혀 짧은 소리)

> **교정 4-3-1**　설돌출벽의 악영향을 설명할 수 있다. (A)

6. 유아형 연하와 성숙형 연하의 특징

(1) 유아형 연하

　　① 치조제 사이에 혀를 넣고 하악을 고정

　　② 상·하악 치아가 교합하지 않음

　　③ 혀가 앞쪽으로 돌출

　　④ 안면근과 구강 주위근을 활발히 움직임으로써 연하운동

(2) 성숙형 연하

　　① 설배를 경구개에 밀어붙이고 혀를 거상

　　② 구치를 교합하고 저작근의 긴장이 나타남

　　③ 혀가 후방부를 거상하고 연구개 인두부를 움직임

　　④ 구강 주위근에는 거의 긴장이 나타나지 않음

> **교정 4-5-3**　유아형 연하와 성숙형 연하의 특징을 설명할 수 있다. (A)

7. 근기능 요법의 정의와 과정

(1) 정의

　　① 손가락 빨기와 설돌출벽에 의해 발생한 개교증상과 구강 주위근의 부조화를 혀와 구
　　　강주위근의 훈련에 의해 조화로운 상태로 개선

　　② 교합상태에 좋은 영향을 부여하려고 하는 것

(2) 과정

　　① 올바른 연하와 혀의 움직임을 가르침

② 교근, 구강 주위근에 힘을 부여

③ 안정 시의 올바른 혀 위치를 길들임

| 교정 4-6-1 | 근기능요법을 설명할 수 있다. (B) |

| 교정 4-6-2 | 근기능요법 과정을 설명할 수 있다. (B) |

제5장 | 교정치료의 생역학 - 교정력과 치아의 이동

1. 교정력

치아 또는 악골에 외력을 작용시켜 주위조직에 변화를 일으키게 하는 외력

| 교정 5-1-1 | 교정력을 정의할 수 있다. (A) |

2. 교정력의 종류 `2021 기출` `2022 기출`

(1) **기계력(각종 교정용 와이어)**

① 금속 선의 탄성을 이용하는 것: 각종 교정용 와이어(원형 선 및 각형 선), 보조탄선, 코일 스프링

② 고무와 고분자 재료의 탄성을 이용하는 것: 각종 고무, 고무실, 고무체인, 치아 포지셔너

③ 금속의 강성을 이용하는 것: 확대나사

(2) **기능력(근육의 힘 차단, 아이용)**: 저작근, 구순, 협근, 설근 등 구강 주위의 안면근 작용에 의한 교정력 이용

① 저작근: 액티베이터, 교합사면판

② 구순압: 입술 범퍼

③ 협압: 프랑켈 장치

(3) **악정형력**

① 상악 전방의 성장 억제: 헤드기어(head gear)

② 상악 전방의 성장 촉진: 페이스 마스크(face mask)

③ 상악골의 측방 확대: 상악골 급속 확대장치

④ 하악 전하방 성장의 억제: 이모장치(chip cap)

> **교정 5-1-2** 교정력의 종류를 열거할 수 있다. (A)

3. 임상적으로 적정한 교정력

① 자발통이 없을 것: 교정장치 조절 후 2~3일 동안은 초기 동통을 수반하는 경우가 있으나, 자연히 소실되며 장기간에 걸친 심한 통증은 없을 것

② 타진에서 현저한 반응과 통증이 없을 것

③ 현저한 치아 동요가 없을 것

④ 이동이 계획한 방향대로 진행되고 있을 것

⑤ 방사선 검사에서 치주조직의 파괴와 흡수, 치근흡수 등의 이상이 없을 것

> **cf** 최적의 교정력: 치아 및 치아주위 조직에 병변을 일으키지 않으면서 빠르고 효과적으로 치아를 이동시키는 힘

> **교정 5-1-3** 임상적으로 적정한 교정력을 설명할 수 있다. (A)

4. 치아의 이동과 조직반응

① 압박측 변화

- 완속이동: 약한 힘 → 직접성 흡수 발생
- 급속이동: 압박측 치주인대의 압축정도(세포 빈혈) → 초자양변성되면서 30일 정도 후 천하성 골흡수 발생

② 견인측 변화: 섬유아세포 증식에 의한 골 첨가 발생

> **교정 5-2-1** 교정력이 치아에 가해질 때 치아의 이동과 조직반응을 설명할 수 있다. (A)

5. 치주인대와 치조골의 변화

- 압박측: 치아에 교정력이 가해지면 이동방향의 치경부 치주인대는 압축
- 견인측: 치아에 교정력이 가해지면 이동방향의 치경부 치주인대의 반대측은 견인

(1) 압박측에서 일어나는 변화

① 약한 힘: 치조벽에 직접성 흡수

② 강한 힘: 치주인대의 혈류가 막힘으로써 초자양변성이 일어나고, 압력이 가해지는 부근을 피한 곳에서 흡수가 시작되는 간접성 흡수가 일어남

(2) 견인측에서 일어나는 변화

① 견인측은 당겨지고 섬유아세포가 증식하며 치조골 표면에는 골모세포가 출현하여 골 첨가가 일어남

② 골 첨가는 힘의 크기, 방향, 골의 해부학적 요인 등에 의해 여러 가지 형태를 취함

교정 5-2-2   치주인대와 치조골의 변화에 대해 설명할 수 있다. (A)

6. 작용기간에 의한 교정력

① 지속적인 힘: 코일 스프링, 고무 체인

② 단속적인 힘: 감소되는 정도가 빠르고 급하게 없어지는 결찰선, 확대나사(screw)

③ 간헐적인 힘: 교합판·액티베이터, 일정시간만 작용하는 힘

교정 5-2-3   교정력이 가해질 때 작용기간에 의한 교정력을 분류할 수 있다. (B)

7. 교정력을 가하는 방법에 따른 치아 이동양식

① 경사이동(Tipping movement): 치근부보다 치관부가 더 많이 이동하는 치아이동 형태

② 치체이동(Bodily movement): 치아의 치근첨과 치관부위가 동일한 방향과 거리로 이동하는 것

③ 치근이동(토크, Root movement): 치관부는 거의 일정하게 유지되고 치근부의 움직임이 있을 때를 가리킴

④ 회전(Rotation): 교합면에서 봤을 때 장축을 기준으로 근원심으로 회전하는 것

⑤ 정출(Extrusion)
- 치주인대가 견인
- 치축에 따라 치관방향으로 교정력을 가하면 치아는 치조골에서 위로 이동

⑥ 압하(Intrusion)
- 이 이동으로 인해 치주인대 전체가 압박됨(압하 시 치근첨부의 흡수가 일어날 수

치과교정학

있으므로 약한 힘을 가해야 함)

- 치축에 따라 치근방향으로 교정력을 가하면 치아는 치조골 내로 이동

교정 5-3-1 교정력을 가하는 방법에 따른 치아 이동양식을 열거할 수 있다. (B)

제6장 | 교정진단에 관한 지식

1. 진단에 필요한 자료

① 기록지: 주소, 기왕력(손가락 빨기), 가족력(하악 전돌), 습벽

② 안면 사진: 정모, 측모, 45도 측모, 정면의 웃는 사진

③ 구내 사진: 치열의 교합상태, 교합면, 구강 연조직 상태, 치아의 색이나 착색 등을 기록

④ 석고 모형: 치아크기 계측, 치열궁의 장경과 폭경, 치조기전의 장경과 폭경 계측

⑤ 방사선사진: 구내, 파노라마, 교합, 악관절 방사선사진

⑥ 측모두부 방사선 계측 사진
- 상악과 하악의 전후적인 관계
- 상하 절치의 치축경사
- 치열궁의 경사
- 안면골격 전체의 형태적 특징
- 연조직 측모의 특징

⑦ 정모두부 방사선 계측 사진

⑧ 수완부 방사선사진: 골 연령을 평가, 종자골(사춘기 최대 성장기 끝)

⑨ 악골기능 검사: 저작근의 근전도, 악골운동의 궤적, 조기접촉의 유무

교정 6-1-1 진단에 필요한 자료를 열거할 수 있다. (A)

2. 문진표에 기록할 항목

기본적인 정보(주소[address], 성명, 성별, 생년월일, 주소[chief complaint])

교정 6-1-2 문진표에 기록할 항목을 기술할 수 있다. (B)

3. 안면 사진의 촬영목적

① 얼굴 사진은 두개악안면 영역의 부조화 정도를 기록하므로 교정진단에서 매우 중요
② 치료 중의 얼굴변화를 기록, 보존하여 시술 전후를 평가하는 데 도움을 줌
③ 환자에게 치료과정을 설명할 때 유용한 도구가 될 수 있으며 치료과정의 교육을 위해서도 필요

> **교정 6-1-3**   안면 사진의 촬영목적을 설명할 수 있다. (B)

4. 구강 내 사진의 촬영목적

① 구내 사진은 환자의 모형 및 방사선사진과 함께 임상적으로 문제가 되는 부위의 발견과 치료 방향의 설정을 위해 유용
② 환자와의 상담에 사용되어 신뢰를 높일 수 있고 치료 예후를 평가하는 데 사용될 수 있으며, 환자와의 법적인 문제 발생 시 중요한 역할

> **교정 6-1-4**   구강 내 사진의 촬영목적을 설명할 수 있다. (B)

5. 구강모형의 제작목적

치아크기 계측 및 치열궁의 폭경, 치조기저의 장경과 폭경을 계측하는 데 필요

> **교정 6-1-5**   구강모형의 제작목적을 설명할 수 있다. (B)

6. 진단에 필요한 X선 사진의 종류

① 구내 방사선사진
② 파노라마 방사선사진
③ 교합 방사선사진
④ 두부 방사선 계측 사진
⑤ 삼차원 치과 전산화 단층 방사선사진
⑥ 기타 방사선사진(이하두정 방사선사진, 3차원 두개하악관절 산화단층 방사선사진, 수완부 방사선사진 등)

> **교정 6-1-6**   진단에 필요한 X선 사진의 종류를 열거할 수 있다. (B)

7. 두부 X선 규격 사진의 용도

① 상·하악골의 형태 및 상호관계

② 두개골의 형태

③ 악안면 연조직 및 구순의 형태

④ 두개저에 대한 상·하악골의 위치관계

⑤ 비인강 질환 및 기도의 협착상태

⑥ 두개저에 대한 치아의 위치 및 경사도

⑦ 악골에 대한 치아의 위치 및 경사도

⑧ 상·하악치아의 상호관계

| 교정 6-1-7 | 두부 X선 규격사진의 용도를 설명할 수 있다. (B) |

8. 모형분석에서 얻을 수 있는 정보

치아의 수, 치아의 크기, 치아 형태의 이상, 치아의 회전, 치아의 배열상태, 치열궁의 대칭성, 치열궁의 형태, 구개의 형태, 소대의 부착 및 위치 등의 정보를 얻을 수 있음

| 교정 6-2-1 | 모형분석에서 얻을 수 있는 정보를 열거할 수 있다. (B) |

9. 두부 X선 규격 사진에서 얻을 수 있는 정보

두개골의 형태, 두개저에 대한 상·하악골의 위치관계, 두개저에 대한 치아의 위치 및 경사도, 상·하악골의 형태 및 상호관계, 악골에 대한 치아의 위치 및 경사도, 상하치아의 관계, 악안면 연조직 및 구순의 형태, 비인강 질환 및 기도의 협착상태, 악골·설골 및 척추의 위치적 관계를 관찰 가능

| 교정 6-2-2 | 두부 X선 규격사진에서 얻을 수 있는 정보를 열거할 수 있다. (B) |

10. 측모분석의 방법

① 코 끝과 턱 부위에 그은 접선을 기준선으로 사용. 이를 흔히 E-line이라 함

② 이 선을 소개한 리케츠는 상순은 4 mm, 하순은 2 mm 후방에 위치하는 것이 정상

| 교정 6-2-3 | 측모분석의 방법을 설명할 수 있다. (B) |

11. 치과교정치료에서 환자의 의식과 협력의 중요성

① 부정교합의 치료는 장기간에 걸쳐 진행되므로 환자의 협조도에 따라 치료결과와 치료기간에 많은 차이가 나게 됨

② 의사나 환자의 부모가 치료를 강요해서는 환자의 협조도를 얻을 수 없음 → 환자의 동기 유발 및 직접적 협조가 있어야 원하는 치료목표 달성이 수월(환자의 동기유발 및 의식을 위해 교정치료의 목적과 필요성을 교육)

교정 6-3-3   치과교정치료에서 환자의 의식과 협력의 중요성을 설명할 수 있다. (B)

제7장 | 교정치료에 사용하는 기구와 그 취급 방법

1. 와이어 굴곡용 겸자의 종류

① 영 플라이어(young pliers)

② 트위드 루프 밴딩 플라이어(tweed loop bending pliers)

③ 트위드 아치 밴딩 플라이어(tweed arch bending pliers)

④ 버드빅 플라이어(bird beak pliers)

⑤ 라이트 와이어 플라이어(light wire pliers)

⑥ 쓰리죠 플라이어(3-jaw pliers)

교정 7-1-1   와이어 굴곡용 겸자의 종류를 열거할 수 있다. (A)

2. 와이어 굴곡용 겸자의 용도

① 영 플라이이(young pliers)
  • 상장치의 클래스프, 순측선 및 설측호선 장치의 주선 등 비교적 굵은 선으로부터 설측호선 장치의 보조탄선 등 가느다란 선까지 구부릴 수 있는 있는 용도가 넓은 플라이어

② 트위드 루프 밴딩 플라이어(tweed loop bending pliers)
  • 에지와이즈(edgewise) 장치에서 사용하는 각형 와이어의 루프를 구부리기 위한 플라이어

③ 트위드 아치 밴딩 플라이어(tweed arch bending pliers)

- 고정식 장치에서 사용하는 각형 와이어를 치열궁의 형에 맞게 구부리는 데 사용
- 플라이어 선단은 양쪽이 모두 판상 형태

④ 버드빅 플라이어(bird beak pliers)
- 와이어를 원형 또는 각형으로 구부리는 데 사용

⑤ 라이트 와이어 플라이어(light wire pliers=jarabak pliers)
- 가느다란 원형 와이어를 구부리는 데 사용

⑥ 쓰리죠 플라이어(3-jaw pliers)
- 클래스프의 제작 및 조절하는 데 사용

| 교정 7-1-2 | 와이어 굴곡용 겸자의 용도를 설명할 수 있다. (A) |

3. 결찰, 치간이개용 겸자의 종류

① 리게쳐 타잉 플라이어(ligature tying plier)

② 메튜 플라이어(mathieu plier)

③ 웨인갓 유틸리티 플라이어(weingart utility plier)

④ 하우 플라이어(howe plier)

| 교정 7-1-3 | 결찰, 치간이개용 겸자의 종류를 열거할 수 있다. (A) |

4. 결찰, 치간이개용 겸자의 용도　2019 기출　2022 기출

① 리게쳐 타잉 플라이어(ligature tying plier): 와이어를 브라켓에 결찰할 때 결찰 와이어를 잡는데 사용

② 메튜 플라이어: 브라켓과 와이어를 결찰시키기 위해서 결찰용 와이어를 플라이어 주둥이에 넣고 잡은 상태에서 돌려 묶음

③ 웨인갓 유틸리티 플라이어(weingart utility plier): 선단이 가늘어 가는 와이어 조작에 적합하며 호선을 구강 내에 적합시키거나 빼낼 때 사용

④ 하우 플라이어(howe plier): 특별히 용도가 정해져 있는 것이 아닌 다양한 와이어의 조작에 사용(겸자의 선단이 file과 같이 만들어져 있음)

| 교정 7-1-4 | 결찰, 치간이개용 겸자의 용도를 설명할 수 있다. (A) |

5. Wire 절단용 겸자의 종류와 용도 [2020 기출]

① 디스탈 앤드 커터(distal end cutter): 고정식 장치의 호선말단을 구강 내에서 그대로 절단하는 것으로 절단된 와이어의 끝부분이 튀지 않도록 되어 있음

② 와이어 커터(wire cutter): 굵은 교정선을 절단

③ 결찰 커터(pin & ligature cutter): 끝이 가늘어 좁은 부분의 결찰선을 절단

교정 7-1-5	Wire 절단용 겸자의 종류를 열거할 수 있다. (A)

교정 7-1-6	Wire 절단용 겸자의 용도를 설명할 수 있다. (A)

6. Band contouring plier의 용도

밴드를 환자 치면의 팽융에 맞추거나 치아와 밀착하도록 맞추기 위한 겸자

교정 7-1-7	Band contouring plier의 용도를 설명할 수 있다. (A)

7. Band Removing plier의 용도

① 모양: 선단 한쪽은 치아의 교합면에 접촉시키기 위해 편평하게 되어 있고, 다른 쪽은 밴드의 치경부측 변연에 접촉하기 위해 예리하게 만들어져 있다.

② 용도: 치아교정치료가 끝나거나 밴드를 수리할 때 밴드를 제거하기 위해 사용

교정 7-1-8	Band removing plier의 용도를 설명할 수 있다. (A)

8. 밴드 푸셔(Band pusher)

① 모양: 엘리베이터(elevator)와 비슷하고 손으로 잡는 파지부와 고랑이 패인 선단으로 구성

② 용도: 밴드를 치아에 맞추기 위해 사용하는 기구로 밴드의 변연이나 결찰선의 말단을 치간에 밀어 넣는데 사용

교정 7-1-9	Band pusher를 설명할 수 있다. (A)

9. 결찰 터커(Ligature director) 2019 기출

① 모양: Band pusher를 소형화한 기구로 선단에 미세한 고랑이 파여 있음
② 용도: 선단에 미세한 고랑이 파여 있어 결찰 와이어의 말단을 치간에 밀어 넣을 때 편리하게 사용

> **교정 7-1-10** Ligature director를 설명할 수 있다. (A)

10. 아치 포머(Arch former)

① 모양: 원통형이며 몇 개의 고랑이 만들어져 있고 동시에 와이어의 크기를 표시
② 용도: 각형 와이어를 넣어 악궁 모양을 만들기 위한 기구

> **교정 7-1-11** Arch former를 설명할 수 있다. (A)

11. 브라켓 포지셔닝 게이지(Bracket positioning gauge)

① 모양: 불가사리 모양으로 3~4개의 부분으로 나누어져 있으며 작은 못의 형태와 부분마다 숫자를 표시하고 있음
② 용도: 브라켓과 튜브를 치면상에서 정확한 장소에 위치시키기 위한 기구

> **교정 7-1-12** Bracket positioning gauge를 설명할 수 있다. (A)

12. 점 용접기(Spot welder)

밴드에 브라켓이나 튜브를 붙일 때와 금속 재료를 용접할 때 사용

> **교정 7-1-13** Spot welder를 설명할 수 있다. (A)

13. Wire의 종류

① 호선(arch wire)
- 스테인레스 스틸 와이어(stainless steel wire)
- 니켈-티타늄 와이어(Ni-Ti wire)

- 코발트-크롬 와이어(Co-Cr elgiloy wire)
- 베타 티타늄 와이어(beta-titanium wire)
- 오스트리안 와이어(australian wire)
② 기공용 와이어
③ 결찰 와이어(ligature wire)
④ 치간이개 와이어(separating wire)

교정 7-2-1 Wire의 종류를 열거할 수 있다. (B)

14. 호선(Arch wire)

- 고정식 장치에서 브라켓과 튜브를 통해 치아에 교정력을 가하기 위한 와이어
① 스테인레스 스틸 와이어(stainless steel wire): 성형성이 좋아 치료 후기에 사용하는 와이어
② 니켈-티타늄 와이어(Ni-Ti wire): 치료 초기단계에 심하게 변위된 치아에 사용
③ 코발트-크롬 와이어(Co-Cr elgiloy wire): 스테인레스 스틸보다 연하고 큰 성형성을 가지며 열처리되어 탄력성 증가
④ 베타 티타늄 와이어(beta-titanium wire): 최종 단계의 직사각형 와이어로 사용
⑤ 오스트리안 와이어(australian wire): 변형에 대한 저항성이 크고 오랫동안 탄성 유지

교정 7-2-2 Arch wire를 설명할 수 있다. (B)

15. 결찰 와이어(Ligature wire)

와이어를 각 치아에 결찰할 때 쓰며, 대개 직경 0.010인치 또는 0.011인치의 얇은 와이어

교정 7-2-3 결찰와이어를 설명할 수 있다. (B)

16. 치간이개 와이어(Separating wire)

밴드를 치아에 장착하기 위해 인접치아와의 사이를 밴드 재료의 두께만큼 벌려줘야 하는데, 이 때 이 와이어를 치은 쪽에서 접촉점까지 삽입하여 비틀어 꼬아줌

교정 7-2-4 치간이개 와이어(Separating wire)를 설명할 수 있다. (B)

17. 브라켓(Bracket)

① 고정식 장치에 있어서 치면에 고정시켜 와이어로부터 교정력을 받기 위한 것
② 금속재질이 많이 사용
③ 구성: 와이어를 고정시키기 위한 슬롯(slot)과 이것을 결찰하기 위한 윙이 있음
④ 심미성을 위해 금속 대신 플라스틱, 세라믹 브라켓이 개발되어 이용

교정 7-2-5 Bracket을 기술할 수 있다. (A)

18. 튜브(Tube) 2022 기출

① 브라켓과 마찬가지로 고정식 장치의 와이어를 치아에 고정시키기 위한 것이지만 최후방 구치에 사용
② 와이어의 굵기에 따라 튜브의 종류 다양(싱글, 더블 등)
③ 튜브의 덮개를 제거할 수 있는 convertible tube도 있음

교정 7-2-6 Tube를 설명할 수 있다. (A)

19. 스크류(Screw)

나사의 조절에 의해 간격이 넓어지는 것을 이용해서 주로 치열궁 확대 장치에 사용

교정 7-2-7 Screw를 기술할 수 있다. (A)

20. 코일 스프링(Coil spring)

① 오픈 코일 스프링(open coil spring): 늘어날 때의 힘을 교정력으로 이용하여 공간을 넓힐 때 사용
② 폐쇄 코일 스프링(closed coil spring): 수축할 때의 힘을 교정력으로 이용하여 공간을 폐쇄시킬 때 사용

교정 7-2-8 Coil spring의 종류를 설명할 수 있다. (A)

제8장 | 교정장치

1. 교정장치 분류

가철식 교정장치	① 수동적인 장치: 가철식 공간유지장치, 가철성 보정장치
	② 능동적인 장치
	  • 능동적 상교정장치, 교합거상판, 투명교정장치
	  • 기능적 교정장치: 액티베이터, 바이오네이터, 프랑켈 장치, 입술범퍼
	  • 악외 장치: 헤드기어, 상악 전방 견인장치, 이모장치

고정식 교정장치	• 설측호선(lingual arch) • Multibracket 장치 • 상악골 급속 확대장치(RPE) • 고정식 간격유지장치

> **교정 8-1-1** 교정장치를 분류할 수 있다. (A)

2. 가철식 교정장치

① 환자 자신이 착탈할 수 있는 교정장치로서 항상 사용하는 것
② 주요 장치: 상교정장치, 기능적 교정장치, 악외 교정장치
③ 장점
  • 구강 내와 장치의 청결을 유지하기 쉬움
  • 환자 자신이 필요에 따라 장착 및 제거가 가능
④ 단점
  • 장치의 사용을 환자에게 맡기고 있기 때문에 장착시간이 대체적으로 단축되기 쉬워 치료의 결과가 환자에 의해 좌우됨
  • 장치의 사용과 조절을 잘못하거나 착탈 시에 손상 및 분실의 우려가 있음

> **교정 8-1-2** 가철식 교정장치를 설명할 수 있다. (A)

3. 고정식 교정장치

① 장치를 치아에 접착하는 것으로 환자가 장착하거나 제거할 수 없으므로 술자가 조절
② 장점: 항상 구강 내에 장착하고 있기 때문에 교정력은 술자가 조절하는 대로 확실히 작용

③ 단점: 구강청결을 유지하기 어려움(장치 장착 시에는 식사나 칫솔질에 대한 지도가 중요)

④ 종류: Multibracket 장치, 급속 측방확대장치, 설측호선장치 등

교정 8-1-3 고정식 교정장치를 설명할 수 있다. (A)

4. 고정성 교정장치의 종류 2019 기출 2020 기출

(1) Multibracket 장치

① 에지와이즈 장치(edgewise appliance)
- 각형 슬롯을 가진 브라켓이 있으며, 여기에 각형 와이어가 위치함으로써 삼차원적인 치아 이동이 가능
- 개개 치아를 정확히 조절

② 스트레이트 호선 장치(straight wire appliance)
- 호선에 굴곡을 부여하는 대신에 치아배열에 필요한 삼차원적 정보를 브라켓 슬롯에 반영

③ 설측 교정장치: 심미적인 면을 고려하여 치아의 설측에 장치를 부착
- 치료의 난이도, 기간, 비용이 모두 증가됨

(2) 확대장치

① 상악골 급속 확대장치
- 보통 제1소구치와 제1대구치에 밴드를 만들고, 작업모형상에서 구개 중앙부의 확대나사와 납착하여 연결하며 시멘트로 합착
- 확대를 급속히 시행하여 정중구개봉합을 벌어지게 하는 것
- 확장 가능 시기는 봉합의 활동이 끝나기 이전인 15~18세
- 확대나사는 하루에 180°(반바퀴)씩 돌리며, 0.5 mm가 확대
- 대개 수주 이내에 확대를 끝냄
- 확대 후에는 2~3개월 그대로의 상태에서 이개부에 신생골이 형성되기를 기다림

② 완서 확대장치
- Quad helix (고정식)
- 주로 상악에 사용하며 하악에는 2개의 helix를 가지고 있음
- 협착된 치열궁의 확대를 비교적 완만하게 확대
- 직경 0.8~0.9 mm의 교정용 와이어를 네 모서리에 helix (나선)를 가진 4각형 모양

으로 구부려, 제1대구치의 밴드와 납착하거나 밴드의 설측 튜브와 연결

    cf 가철식 확대상: 중앙에 확대나사가 있는 확대장치

(3) 설측호선과 구개호선

> **교정 8-3-1**   고정식 교정장치의 종류를 설명할 수 있다. (A)

5. 고정식 교정장치의 기본요소

- 브라켓과 튜브, 호선, 보조 장치로 구성

(1) 브라켓(Bracket)과 튜브(Tube)

    ① 브라켓: 산부식 접착술을 통해서 치관에 접착하거나 납착된 밴드를 통하여 치관에 견고하게 부착되고 그 위에 호선이나 보조 장치가 적용되어 치아를 이동시키게 됨

    ② 튜브: 최후방 치아나 고정원이 되는 구치부 협면에 브라켓 대신에 사용

(2) 호선(Wire)

    ① 브라켓과 기계적인 상호작용을 통하여 개개 치아를 이동시키고 치열궁의 전체적인 모양 결정

(3) 보조장치

    ② 고무줄, power chain, 코일 스프링, 직립 스프링, 자석 등

> **교정 8-3-2**   고정식 교정장치의 기본요소를 설명할 수 있다. (A)

6. 밴드의 적합과정

    ① 치간 이개장치 제거

    ② 밴드를 장착할 치아를 깨끗이 세척함

    ③ 적절한 크기의 밴드 시적

    ④ 밴드를 제거하고 적절한 튜브 납착

    ⑤ 밴드 내면에 샌드 블라스팅을 함

    ⑥ 치아를 세척, 건조시킨 후 면구를 이용하여 방습

    ⑦ 밴드의 내면 치은 쪽에 시멘트를 바름

    ⑧ 밴드를 치아에 위치시킨 후 어느 한 부분만 힘을 주지 말고 처음 밴드를 맞출 때와

같은 위치로 장착

⑨ 최종 위치 확인 후 약 10분 동안 방습을 하여 시멘트가 잘 경화되도록 함

⑩ 과잉 시멘트 제거

⑪ 하악 밴드를 한 경우 꼭 교합 확인

교정 8-3-3   밴드의 적합과정을 설명할 수 있다. (A)

7. Bracket 직접접착의 과정 2021 기출

① 치면세마: 부식을 위해 치아 표면을 청결히 하는 과정

② 격리 및 건조

③ 부식: 37%~50% 산을 이용하여 치아 표면 처리

- 영구치 40초~1분
- 산부식제를 문지르지 않고 접착할 부위에만 톡톡 두드리듯 적용

④ 수세: 부식 후 먼저 흡입기로 부식제를 대부분 흡입한 후 나머지는 물로 충분히 씻어냄

⑤ 건조: 교정용 본딩제(primer)를 바르기 전에 치면이 건조되어야 함

⑥ 교정용 본딩제(primer) 바르기

⑦ 브라켓을 치아에 위치시킴

⑧ 과다한 레진 제거

⑨ 광중합

교정 8-3-4   Bracket 직접접착의 과정에 대해 설명할 수 있다. (A)

8. 가철성 교정장치 2019 기출 2020 기출

(1) 가철성 교정장치

① 능동적 상교정장치(active plate)

② 교합거상판(anterior bite plane) - 전치부 피개 깊은 과개교합 증례

③ 투명교정장치(clear aligner)

- 모형상에서 이동시킬 치아를 재배열한 후 아크릴을 이용해 제작
- 단계별로 장치를 교환하여 치아를 서서히 이동시킴
- 디지털 기술 발달로 적용범위 확대 중

(2) 상교정장치의 구성

① 상부: 활성부와 유지부를 한 단위로 연결
- 가철식 장치의 가장 큰 부분으로 acrylic resin으로 형성
- Clasp나 spring을 수용하고, 치아 이동 시 반작용에 대한 고정원의 역할
- 교합면 쪽으로 연장되어 전치부 교합거상판이나 구치부 교합거상판으로 사용
- 상부 자체가 활성부의 기능

② 유지부: 장치의 고정원을 얻음, clasp

③ 활성부: 치아를 움직이는 힘 발생, screw·spring·labial bow

(3) 상교정장치의 적응증

능동적 상교정장치는 치아의 크라우딩과 배열 이상 시에 악궁 확장으로 치료를 시작할 수 있음

교정 8-4-1	상교정장치를 분류할 수 있다. (A)

교정 8-4-2	상교정장치의 구성을 설명할 수 있다. (A)

교정 8-4-3	상교정장치의 적응증을 설명할 수 있다. (B)

9. 기능적 교정장치

① 구강 내에 느슨하게 장착됨으로써(제거가 가능한 가철성 장치) 발육 중인 치열에 바람직한 환경을 제공

② 맹출 중인 치아를 바람직한 위치로 유도할 뿐 아니라 두개안면골의 바람직한 성장을 위하여 구강 주위 근육의 환경이나 하악의 위치를 변화시키도록 만든 장치

③ 혼합치열기에 많이 사용

④ 종류 : 액티베이터, 바이오네이터, 프랑켈장치, 트윈블록장치, 립 범퍼

교정 8-5-1	기능적 교정장치의 종류를 설명할 수 있다. (A)

10. 기능적 교정장치의 특징

(1) 액티베이터(Activator)

① Ⅱ급 부정교합의 치료를 위해 전방으로 하악골을 이동시키고 수직고경을 적당히 줌

② Ⅲ급 부정교합과 개방교합의 치료를 위한 것도 있음

③ 유도선과 레진 상부로 구성

(2) 입술범퍼(Lip bumper)

① 협측 튜브의 근심에 순측선의 stopper를 설정하여 전치의 순측 이동, 제1대구치의 원심 이동, 입술의 악습관이나 이상 기능압을 제거

② 전치의 순면에 작용하는 입술의 기능압을 차단

(3) 바이오네이터(Bionator) – Activator보다 상 부분이 적고, 근육의 기능력을 금속 선을 통해서 작용시키는 것

(4) 프랑켈 장치(Frankel appliance)

(5) 트윈블록장치(Twin block appliance) – 상악과 하악의 두 부분으로 분리된 형태

교정 8-5-2   기능적 교정장치의 특징을 설명할 수 있다. (B)

---

11. 악외 고정장치

(1) 특징

① 골격성 부정교합에서 상악이나 하악의 성장을 조절하기 위해 사용

② 이들 장치에 의해 생성된 힘은 두개안면부의 성장에 영향을 주게 되고 그 결과 Ⅱ급 혹은 Ⅲ급 부정교합이 개선될 수 있음

(2) 종류

① 헤드기어(Head gear)

- J hook 헤드기어
- 상방 견인 헤드기어
- 직후방 견인 헤드기어
- 경부 견인 헤드기어

   cf 제2급 부정교합: 상악골의 과도한 성장 시 head gear 적응증

② 상악 전방 견인장치(face mask)

③ 이모장치(chin cap)

교정 8-7-1   악외 고정장치의 특징을 설명할 수 있다. (B)

교정 8-7-2   악외 고정장치의 종류를 열거할 수 있다. (A)

---

12. 악외 고정장치의 적응증

1) Head gear 형태와 적응증

(1) 페이스 보우형 헤드기어

① 상악골의 전하방 성장 억제(2급 부정교합), 상악 대구치의 원심이동에 사용

② 고정원: 경부, 후두부, 두정부

③ 견인력: 300~500 g 정도

④ 장착시간 및 사용기간: 하루 12~14시간, 6~12개월

⑤ 상방 견인 헤드기어: 치아와 상악골을 후상방으로 견인

⑥ 경부 견인 헤드기어: 치아와 상악골을 후하방으로 견인

⑦ 직후방 견인 헤드기어: 치아와 상악골을 후방으로 견인

(2) J hook형 헤드기어

① J자형 고리(hook)를 전치부 또는 견치에 직접 걸어 전치의 압하(견치가 근심 쪽으로 가까울 때) 또는 견치의 원심이동에 사용(후상방으로 견인)

② 고정원: 두정부

2) 이모장치(Chin cap)

① 이모장치의 구성은 헤드 캡과 친 캡 및 고무링으로 되어 있음

② 제3급 부정교합의 성장기의 하악 전돌 증례에 사용

③ 견인력: 300~700 g

④ 보통 하루 12~14시간, 3~4년 이상 장기간 사용해야 함

⑤ 헤드 캡을 고정원으로 해서 이모장치를 후상방으로 견인하여 하악의 전방 성장을 억제하는 장치

3) 상악 전방 견인장치(Face mask)

① 상악을 전방으로 견인하고 전방성장을 꾀하는 장치

② 상악골의 열성장을 수반하는 반대교합 증례에 사용: 제3급 부정교합

③ 상악골 급속확대장치와 함께 사용하기도 함

④ 견인력: 400~600 g

⑤ 보통 하루 12~14시간, 6~12개월 정도 사용

교정 8-7-3   악외 고정장치의 적응증을 설명할 수 있다. (A)

제9장 | 보정

1. 재발의 원인

① 구강 주위 근 불균형과 악습관 잔존
② 악안면 성장 변화(예기치 않은 하악골 성장)
③ 치주조직 재형성
④ 불안정한 치아배열
⑤ 보정기간 동안 환자의 비협조
⑥ 악관절 질환
⑦ 치근막섬유의 탄성

> **교정 9-1-1** 재발의 원인에 대해 설명할 수 있다. (A)

2. 보정장치의 목적

재발(교정치료 후에 얻어진 치아 위치, 교합 및 악골 관계가 상실되는 것)을 방지하고 치료 결과의 안정을 얻기 위함

> **교정 9-1-2** 보정장치의 목적을 설명할 수 있다. (A)

3. 보정장치의 종류 2021 기출

1) 가철식

(1) Hawley 보정장치

① 처음 3~4개월은 하루 24시간 착용하도록 하고, 이후에는 밤에만 착용
② 대개 1년간 사용
③ 가장 흔히 사용되고 있는 가철식 보철장치
④ 구개 및 설측이 점막을 덮는 상부위, 유지부 및 순측호선으로 구성

(2) Circumferential 보정장치

① Hawley 보정장치의 순측호선이 견치와 소구치 사이를 지나는 부위에서 교합 시에 씹히는 것을 피하기 위해 사용

② 소구치와 대구치의 협측이 와이어에 접촉하므로 치아의 협측 변위를 막아 줄 수 있음

③ 제작이 어려우며 유지력을 얻기가 쉽지 않은 단점이 있음

(3) 투명보정장치(clear retainer)

① 써컴퍼렌샬(circumferential) 보정장치의 일종

② 심미성을 보완하기 위하여 전치부에 와이어 대신 투명한 플라스틱으로 제작

(4) Activator 형태의 보정장치

① 아직 성장이 남아 있는 II급이나 III급 부정교합의 유지장치로도 사용

② 상·하악골 간의 관계를 유지하고자 할 경우, 액티베이터를 보정장치로 응용

(5) 치아 포지셔너(Tooth positioner)

① 실리콘 등의 탄성재료로 상·하악을 일체로 제작하고 상·하 치열의 관계 보정에 사용

② 보정의 목적만 아니라, 일반적으로는 마무리 교정장치로 사용하고 계속 보정장치로 사용

2) 고정식

(1) 견치 간 고정식 보정장치(Fixed lingual retainer)

① 적용대상: 환자의 협조도가 떨어질 경우, 하악의 총생이 심한 환자, 하악 견치 간 폭경을 증가시킨 환자

② 설면에 직접 접착하는 고정식 보정장치로 주로 전치부 총생의 보정에 사용

교정 9-1-3	보정장치의 종류를 설명할 수 있다. (A)

4. 자연보정

동적 교정치료에서 얻어진 정상적인 상태가 장치 사용 없이 상하 치아의 교합과 치아 상호의 인접면 접촉 또는 구강 주위근 등에 의해 유지되는 것

교정 9-1-4	자연보정을 정의할 수 있다. (B)

5. 기계보정의 정의와 종류

(1) 정의

• 장치를 사용하여 이동된 치아가 제자리로 되돌아가려는 것을 막아주는 것

(2) 종류

① Activator

② 견치 간 고정식 보정장치(fixed lingual retainer)

③ 치아 포지셔너

④ Hawley형 보정장치

⑤ Circumferential 보정장치

교정 9-2-1	기계보정을 정의할 수 있다. (A)

교정 9-2-2	기계보정의 종류를 설명할 수 있다. (B)

6. 교정치료 후 관찰기간

① 보정 도입 후 약 6개월까지는 24시간 계속해서 사용하고 치열이 충분히 안정되었다는 확신이 서면 서서히 사용시간을 단축하여 밤에만 착용

② 교합이 안정될 때까지 정기적으로 관찰

- 소아: 영구치 교합이 완성될 때까지
- 사춘기 환자: 성장이 멎을 때까지
- 성인: 자연보정이 확인될 때까지

교정 9-3-2	교정치료 후 관찰기간을 설명할 수 있다. (B)

제10장 | 치과교정치료의 실제

1. 치과교정치료의 적절한 개시시기

① 상·하악골의 전후방적인 성장이 불균형하거나 하악골의 한쪽 편위로 인한 안면 비대칭이 있는 경우 사춘기 최대 성장기 1~2년 전에 여러 가지 악정형장치나 악기능 장치를 이용한 치료가 골격적인 부조화를 개선시키는데 효과적

② 골격적인 균형은 좋은 편이나 치아 배열이 잘못된 경우: 혼합치열기 후반~영구치열 완성기 초반

③ 목표: 영구치 교합기에 잘 씹을 수 있는 상태로 만든다는 것

④ 유치 교합기: 구강습벽의 지도와 제거
⑤ 혼합치 교합기 초기: 골격적인 이상을 개선해 주고 기능적 이상을 해소하여 정상적 성장발육의 궤도로 올려줌
⑥ 영구치교합기: 정상교합을 달성

교정 10-1-1 치과교정치료의 적절한 개시시기를 설명할 수 있다. (B)

2. 유치열기 교정치료의 목적

① 유치열의 부정교합상태가 지속되고 영구치열에서 더 복잡하게 되거나 골격성 부조화를 초래할 수 있는 상태를 중간에서 차단하거나 올바르게 고치는 것
② 치아우식증이나 외상으로 인해 유치를 조기 상실할 경우 공간유지장치를 이용하여 공간 유지
③ 손가락 빨기, 혀내밀기 등으로 인한 전치부 개방교합, 구치부 반대교합 및 상악전돌 증례에 대한 구강악습관의 제거와 지도

교정 10-2-1 유치열기에 있어서의 교정치료의 목적을 설명할 수 있다. (A)

3. 유치열기 치과교정치료의 대상이 되는 부정교합

기능성 부정교합, 골격성 부정교합

교정 10-2-2 유치열기에 치과교정치료의 대상이 되는 부정교합을 열거한다. (B)

4. 유치열기의 구강습벽의 제거와 지도의 중요성

영아기에는 생리적인 것이지만 5세가 지나서도 지속되는 경우에는 장래의 부정교합 예방을 위해서도 구강습벽을 중지하도록 지도하는 것이 바람직함

교정 10-2-3 유치열기의 구강습벽의 제거와 지도의 중요성을 설명할 수 있다. (B)

5. 유치열기 치료가 필요한 부정교합

(1) 기능성인 부정교합

① 손가락 빨기나 구호흡으로 인해 상악궁이 협착되어 구치부 반대교합이 야기되면 악골의 비대칭적인 발육을 유발하여 장래에 악기능 장애나 악관절증 유발 가능

② 치료: 상악 치열궁을 확대시켜 정상적인 악골의 성장발육 유도

(2) 골격성 부정교합

① 상악 전방 견인장치를 이용해 상악의 전방발육의 촉진과 하악의 성장발육 억제를 시행

② 혼합치열기 초기에 치료하는 것이 좋음

교정 10-2-4 유치열기에 치료가 필요한 기능성인 부정교합을 설명할 수 있다. (B)

교정 10-2-5 유치열기에 치료가 필요한 골격성 부정교합을 설명할 수 있다. (B)

6. 혼합치열기 교정치료

(1) 목적

① 부정교합을 일으키는 장애원인을 조기에 제거하고 악골의 성장을 개선시켜 나가는 것

② 적응증: 전치부 총생, 전치부 개방교합, 전치부 반대교합, 구치부 반대교합, 과개교합, 상악 전돌, 매복된 치아의 배열, 순악 구개열에 의한 이상

(2) 치료의 대상이 되는 증상

① 전치부 총생
② 순악 구개열에 의한 이상
③ 전치부 개방교합
④ 전치부 반대교합
⑤ 구치부 반대교합
⑥ 매복된 치아의 배열
⑦ 과개교합
⑧ 상악 전돌

교정 10-3-1 혼합치열기의 치과교정치료의 목적을 설명할 수 있다. (A)

교정 10-3-2 혼합치열기에 치료의 대상이 되는 증상을 열거할 수 있다. (B)

7. 외상성 교합의 원인

① 조기접촉
② 측방압

③ 이갈이 등과 같은 과도한 교합력

> **교정 10-3-7** 외상성 교합의 원인을 설명할 수 있다. (B)

8. 순악 구개열이 상악골의 성장에 미치는 영향

악골 발육부전이 나타나는 상악 치열을 확대하고 상악골을 전방으로 성장 발육시킴

> **교정 10-3-9** 순악 구개열이 상악골의 성장에 미치는 영향을 설명할 수 있다. (B)

9. 영구치 교합기의 교정치료의 특징

① 영구치가 맹출되고 성장이 완료된 이후에는 고정식 장치를 이용한 교정치료 시행
② 잔여 성장량이 적으므로 성장을 이용한 교정치료에 한계가 있기 때문에 대부분의 경우 고정식 장치로 치료
③ 총생, 상악 전돌, 하악 전돌, 양악 전돌증, 치아 사이의 공간, 전치부 개방교합

> **교정 10-4-1** 영구치교합기의 교정치료의 특징을 설명할 수 있다. (A)

10. 총생의 원인

치아 크기와 악골 크기의 부조화에 의해 발생되는 경우가 가장 많음

> **교정 10-4-5** 총생의 원인을 설명할 수 있다. (B)

11. 소아청소년과 성인의 치과교정치료 시 차이점

(1) 성인

① 치아의 이동속도가 약간 늦음
② 교정장치에 대한 이물감이 강함
③ 교정력을 부여했을 때 치통을 호소하는 경우가 많음

> **교정 10-5-1** 소아청소년과 성인의 교정치료 시 차이점을 설명할 수 있다. (B)

12. 외과교정치료

심한 골격적인 문제가 있거나 치조골의 부조화가 심해서 치열교정만으로는 결과가 만족스럽지 않을 때 시행

| 교정 10-5-2 | 외과 교정치료를 설명할 수 있다. (B) |

제11장 | 치과교정에 있어서 치과위생사의 역할

1. 교정치료와 일반치과진료의 차이점

① 교정치료의 진료내용은 다른 진료과의 진료내용과 구별
② 환자의 연령층이 비교적 낮으므로 보호자와 아동 모두 치료 및 상담의 주체가 됨
③ 장기의 치료기간이 요구
④ 좋은 결과를 얻기 위해서는 무엇보다 환자의 협조가 필요한 치료

| 교정 11-1-1 | 교정치료와 일반치과진료의 차이점을 설명할 수 있다. (A) |

2. 교정임상에서의 치과위생사의 업무범위

(1) 구강위생 지도관리

① 예방처치(불소도포, 예방전색, band 아래 치면의 실란트재 코팅, 불소양치 지도)
② 구강보건교육
③ 간식 지도, 식사 지도
④ 칫솔질 지도, 구강위생관리

(2) 악습관의 교정 지도

① 편측 저작습관의 개선을 위한 저작훈련
② 손가락빨기, 혀내밀기 등 악습관 교정을 위한 근기능요법

(3) 진료 보조

① 진료 도움(Chairside assistance)
② 브라켓 직접 접착의 접착 준비

③ 본딩재 철거 후 치면의 연마

④ 교정용 와이어의 결찰 및 제거

⑤ 밴드에 튜브 납착(welding)

⑥ 밴드 적합 및 접착, 잉여 시멘트 제거

⑦ 밴드와 브라켓의 탈락 검사

⑧ 진단자료 준비 – 인상채득, 석고주입, 석고모형 제작, 방사선사진 촬영

⑨ 치간이개(separation)

⑩ 진단보조 – 치료 동의서에 관한 사항의 기록, 스케줄 조정

⑪ 교정장치·보정장치 등의 취급법에 대한 설명 및 주의사항 교육

⑫ 보정장치 연마

⑬ 교정장치의 철거 보조

⑭ 환자 자료 정리

교정 11-1-2   교정임상에서의 치과위생사의 업무범위를 설명할 수 있다. (A)

3. 교정진단을 위해 필요한 자료수집항목

① 술전 검사

② 자료수집(검사)

- 안면 사진 촬영
- 인상채득
- 구강 내 사진 촬영
- X선 사진 촬영과 처리

③ 진단

④ 진단의 보조

⑤ 치료 전의 설명과 동의서 작성

교정 11-2-1   교정진단을 위해 필요한 자료수집항복을 열거할 수 있다. (B)

4. 치과위생사가 준비해야 할 검사항목

① 안면 사진 촬영

② 구강 내 사진 촬영

③ 인상채득

④ X선 사진 촬영과 처리

| 교정 11-2-2 | 치과위생사가 준비해야 할 검사항목을 열거할 수 있다. (B) |

5. 진단 후 구강위생관리계획의 필요성

• 교정치료에 의해 부정교합을 치료하고 치열이 양호해졌다 하더라도 치주조직의 건강상태가 상실되거나 치면의 탈회가 발생하면 장기간에 걸친 술자와 환자의 노력은 효과 없음

| 교정 11-2-3 | 진단 후 구강위생관리계획의 필요성을 설명할 수 있다. (B) |

6. 교정치료 전 동의서(Informed consent)의 내용

① 환자의 현증과 교정치료의 필요성에 대한 내용
② 발치의 여부 및 부위, 치료순서, 사용하는 교정장치 등을 포함하여 최선의 치료방법, 차선책에 대한 내용
③ 치료기간에 대한 설명, 비협력적인 경우나 성장발육이 왕성한 경우에는 치료기간의 연장과 치료법의 변경 가능성에 대한 내용
④ 치료 중에 주의해야 할 사항
⑤ 치료비에 대한 내용
⑥ 예측되는 치료의 성과와 한계에 대한 내용

| 교정 11-2-5 | 교정치료전 동의서의 내용을 기술할 수 있다. (B) |

7. 교정치료 시 구강위생지도를 위한 치과위생사 역할의 중요성

① 치열의 상태에 따라 약 1~2년에 걸쳐 구강 내에 장착하게 되므로 구강 내는 청결하기가 어려우며, 치태의 부착으로 치아우식이나 치은염을 일으키기 쉬운 환경에 노출
② 전치부에 총생이 있을 때에는 원래 자정작용이 이루어지기 어려운데다 칫솔질도 어렵기 때문에 구강이 불결해지기 쉽고, 따라서 구강위생지도를 위한 치과위생사의 역할은 중요

| 교정 11-3-1 | 교정치료 시 구강위생지도를 위한 치과위생사의 역할을 설명할 수 있다. (A) |

8. 치과교정치료 중의 치면탈회와 충치의 호발부위

① 교정장치와 우식치의 관계는 매우 깊으며, 장치를 장착하지 않은 환자에 비해 우식치의 발생률이 상대적으로 높음

② 특히 치경부, 인접면, bracket 주변부 등은 치태가 부착하기 쉬우며 세균이 번식하기 쉬움

> **교정 11-3-3** 치과교정치료 중의 치면탈회와 충치의 호발부위를 설명할 수 있다. (B)

9. 치과교정치료 중 세균 억제 방법

① 정확한 칫솔 사용법 교육(교정용 칫솔과 치간칫솔 및 치실 사용)

② 간식지도를 통한 당분 섭취의 제한

> **교정 11-3-4** 치과교정치료 중의 세균을 억제하는 방법을 열거한다. (B)

10. 교정장치 장착 전의 구강위생관리법

① 구강청결이 불충분할 때 치면이 탈회하거나 우식증 또는 치은염이 발생하게 됨을 인식시키고 사진을 보여주어 교정치료 중의 구강위생관리의 중요성과 그것이 환자 자신의 책임이라는 것을 강조해 동기부여

② 술전의 치태 부착상태의 차트, 시청각자료, 팜플렛, 모형 등의 설명용 매체를 사용하여 칫솔질 지도, 간식지도를 하고, 필요하면 예방처치 시행

> **교정 11-3-6** 교정장치 장착 전의 구강위생관리법을 설명할 수 있다. (B)

11. 교정장치 장착 후의 Brushing 지도법

① 브라켓 위에 교정용 칫솔을 수평으로 놓고 좌·우로 왕복하며 부위 당 5~10회씩 닦음

② 브라켓에서 45° 각도로 비스듬히 칫솔질을 위치시킨 후, 약간의 진동을 주며 교합면 쪽으로 쓸어 내림

③ 반대방향으로 칫솔을 위치시킨 후 치은 쪽으로 쓸어 올림

④ 치간칫솔의 작은 강모 끝으로 브라켓과 브라켓 사이의 치면 그리고 부정위에 있는 치아와 그 인접치아의 치면에 있는 치태 제거

⑤ 교합면은 전후로 왕복하여 닦고 교정장치를 붙이지 않은 안쪽 면은 일반적인 양치법으로 닦음

⑥ 구치부의 tube 주변과 치은에 닦이지 않은 곳이 없도록 주의

⑦ 가능하면 dental floss를 사용해서 인접면의 치태를 제거

> **교정 11-3-7** 교정장치 장착 후의 구강위생관리법을 설명할 수 있다. (B)

12. 교정환자를 위한 구강위생용품

① Rubber tip: 치은염을 일으키고 있는 환자의 치간 유두부의 혈행을 좋게 하며 치은 출혈을 줄임

② 칫솔질 후 수류분사식 청결용구: 인접면과 치은연하의 플라그, 특히 설측 교정 장치 부착 시

> **교정 11-3-8** 교정환자를 위한 구강위생용품을 설명할 수 있다. (B)

13. 교정장치를 환자에게 교육하는 방법

① 교정장치 장착에 대한 환자의 교육은 치아가 어떻게 움직이는가, 어떤 장치가 구강 내에서 무슨 역할을 하는가에 대하여 알기 쉽게 설명

② 시청각 자료를 이용하거나 거울을 보여주며 설명하면 효과적임

③ 이러한 과정은 환자가 직접 치료과정을 이해하고 치료에 협조하도록 하는 데 도움

> **교정 11-4-1** 환자에게 교정장치 사용에 대해 설명할 수 있다. (B)

14. 교정장치 장착 후 통증과 대처방법

① 고정식 교정장치를 장착하고 나면 2~3일 간 이가 뻐근하거나 시큰거리는 증상

② 이것은 이가 움직일 때 일어나는 현상으로 곧 적응되므로 걱정하지 않도록 설명

③ 만약 심하거나 철사에 찔려 아픈 경우에는 연락 후 치과에 내원하도록 설명

④ 약 3~4주가 지나면 장치에 대한 이물감은 적응

> **교정 11-4-2** 교정장치 장착 후의 통증에 대해 설명할 수 있다. (B)

15. 구강 내·외 교정장치 및 보정장치의 주의사항

1) 헤드기어(Hear gear) 및 페이스 마스크(Face mask)

(1) Head gear의 주의사항

① 벗겼을 때에는 케이스에 넣어서 보관

② 목 부위에 있는 밴드의 길이를 함부로 조절하지 않음

③ 1일 12~15시간 이상 착용 강조

④ 운동 시에는 제거

⑤ 장치가 파손되었을 때에는 연락

⑥ Face bow의 중앙을 눌러서 밴드를 착탈하며 face bow를 벗길 때에는 곧바로 앞쪽으로 당김

(2) 전방견인장치의 주의사항

① 장치가 파괴되었을 때에는 연락 후 내원

② 고무줄은 매일 바꿔줌

③ 충분히 양치질 수행

④ 구개의 고정 장치가 들어 있는 곳은 특히 주의해서 칫솔질

⑤ 저녁식사 후와 취침하고 있는 사이에 하루 12~15시간 이상 장착

2) 기능적 악골교정장치의 주의사항

① 제거 시 케이스에 넣어 보관

② 장치에 매일 칫솔질 수행

③ 손상 또는 분실하거나 어디엔가 통증이 있을 때에는 연락

④ 1일 14시간 이상 장착하고 시간을 그래프에 기재

⑤ 장치를 장착한 채 대화 가능

⑥ 장착하고 있을 때에는 가급적 입을 다물고 코로 호흡

3) 보정장치, Tooth positioner, Splint의 주의사항

(1) 보정장치의 주의사항

① 빼냈을 때에는 반드시 케이스에 넣어 보관

② 식사나 이 닦기, positioner를 넣고 있는 이외에는 항상 장착

③ 처음 1년간은 재발의 위험이 커서 24시간 착용해야 하고, 특히 처음 3개월이 중요

④ 전치의 wire를 손가락에 끼고 제거하면 왜곡되기 때문에 주의

⑤ 매일 양치질 수행

⑥ 손상되었거나 분실하였거나 느슨해진 wire가 치은에 닿아 아플 때에는 연락

⑦ 장착할 때에는 엄지로 플라스틱 부분을 누르고 wire를 전치의 중앙에 자리하게 함

(2) Tooth positioner의 주의사항

① 매일 양치질 수행

② 제거했을 때에는 케이스에 넣어 보관

③ 상악 치아부터 넣고 하악 전치가 올바른 치형으로 들어가도록 교합

④ 열을 가하거나 압력을 가하면 변형될 수 있으므로 주의

⑤ 일어나 있는 동안에는 꽉 물거나 휴식을 반복하며 잠자기 전에 1일 4시간 이상, 수면 시에 장착

(3) Splint의 주의사항

① 제거했을 때에는 케이스에 넣어 보관

② Splint를 장착하고 턱이 아플 때에는 연락

③ 이를 닦을 때에는 splint를 제거

④ 빈번하게 넣었다 뺐다 하지 말 것

교정 11-4-4   구강내·외 교정장치 및 보정장치의 주의사항을 설명할 수 있다. (A)

16. 구강 내에서 고무를 거는 방법

① 야간에 사용하는 것은 도움이 되지 않으며, 식사를 마치고 칫솔질 후 다시 걸어주고 하루에 한 번만 새 것으로 교환

② 고무줄이 잘 끼워지지 않거나 장치가 빠졌을 때, 고무줄이 부족할 때, 너무 아플 때 는 연락 후 치과에 내원

③ 고무줄 사용은 치아의 이동에 중요한 역할을 한다는 것을 설명하고, 고무줄 거는 방 법에 대해 연습하도록 함

교정 11-4-5   구강 내에서 고무를 거는 방법을 설명할 수 있다. (B)

17. 탈락 band와 탈락 bracket 유무의 점검

① 밴드 및 브라켓 탈락 시 바로 내원하도록 교육하며 내원 시 장치가 파손되지 않았는지 점검

② 밴드 및 브라켓의 점검과 기타 장치의 파손 또는 arch wire가 끊어지거나 휘어졌는지 ligature wire가 풀어졌는지 주의 깊게 검사하여 치료 전 준비를 하도록 함

교정 11-4-8 탈락 Band와 탈락 Bracket 유무의 점검방법을 설명할 수 있다. (B)

18. 비협력 환자에 대한 동기부여의 중요성과 방법

① 치료 시작 전 먼저 환자의 협력이 필요하다는 것과 치료결과는 환자의 협력에 의해 크게 좌우된다는 것을 설명

② 치과의사와 치과위생사가 실례를 제시하여 지도하고, 설득해서 치료에 협력하도록 함

③ 목표를 향해 다양한 방법을 확정하고, 행동의 개선을 꾀하는 행동요법을 응용

교정 11-4-9 비협력 환자에 대한 동기부여의 중요성과 방법을 설명할 수 있다. (B)

19. 치과교정치료 중 발생 가능한 문제점

① 교정력의 진행에 따른 구치부 방향의 arch wire의 돌출에 따른 협점막 손상

② 결찰 와이어의 풀림 및 말단 돌출 등에 의한 협점막 손상

③ Arch wire loop의 치은 매입에 따른 잇몸 염증

④ Bracket 탈락

⑤ 구내 및 구외 장치의 파손(보정장치, 헤드기어, 가철식 교정장치 등)

교정 11-5-1 치과교정치료 중에 발생 문제점을 설명할 수 있다. (B)

20. 치과교정치료 중 발생하는 문제점에 대한 응급처치법

① 호선, 결찰 와이어 등에 의해 점막에 손상을 받는 경우에는 우선 유틸리티 왁스를 이용하여 돌출 부위를 감싸붙이고 내원
② Arch wire loop 등이 치은에 매입되어 통증을 느끼게 되는 경우에는 즉시 내원하여 응급처치를 받도록 설명
③ Bracket 탈락, 구내 및 구외 장치의 파손 시 가능한 한 빠른 시일 안에 내원하여 처치를 받도록 설명

교정 11-5-2 치과교정치료 중에 발생하는 문제점에 대한 응급처치법을 설명할 수 있다. (B)

21. 치간이개의 목적

구치부에 밴드 삽입 시 환자의 통증과 연조직 및 치아에 가해지는 압력을 최소화하고 밴드의 변형을 감소시키기 위해 해당 치아의 근심면과 원심면에 공간을 만들어 주는 과정

교정 11-7-1 치간이개의 목적을 설명할 수 있다. (A)

22. 치간이개(separation) 방법 `2021 기출`

① 고무 치간이개장치(elastic separator)
② 황동선(brass wire)
③ TP 스프링: 교정용 밴드를 장착하기 전에 인접면 공간 확보를 위해 사용하는 재료

교정 11-7-2 치간이개의 방법을 설명할 수 있다. (A)

23. 고무 치간이개 장치(Elastic separator)를 이용한 치간이개 방법

① Elastic separator를 separation plier의 선단에 끼움
② Separating plier로 elastic separator를 최대한 늘려 치간이개 시행
③ 인접면에 elastic separator를 삽입한 후 separating plier 제거
④ 약 3일 후 밴드 제작 시 elastic separator는 explorer로 제거

교정 11-7-3 Elastic separator를 이용한 치간이개방법을 설명할 수 있다. (A)

24. Band 적합에 사용하는 기구

    ① 밴드 푸셔(band pusher)

    ② 밴드 시터(band seater or band adaptor)

    ③ 밴드 컨투어링 플라이어(band contouring plier)

    ④ 밴드 제거 플라이어(band removing plier)

    ⑤ 웰더(welder)

교정 11-7-4   Band 적합에 상용하는 기구를 준비할 수 있다. (A)

25. 감염예방을 위한 치과교정 기구 및 재료의 소독

    ① 구강 내에서 사용하는 플라이어류의 소독: 건열소독기 이용

    ② 기성 band 및 wire 등의 소독: 소독 용액 사용

    ③ 교정용 인상 tray의 소독

    ④ 가철성 교정용 장치: 2~3일에 한 번은 cleanser tablet을 섞어 물에 담구어 닦음

    ⑤ 교정 환자용 기본 세트의 소독: Autoclave로 멸균

교정 11-8-2   교정치료시 사용하는 기구 및 재료의 소독방법을 설명할 수 있다. (B)

Part

09

치과교정학

10 PART ▶▶

치과재료학

Dental materials

DENTAL
HYGIENIST

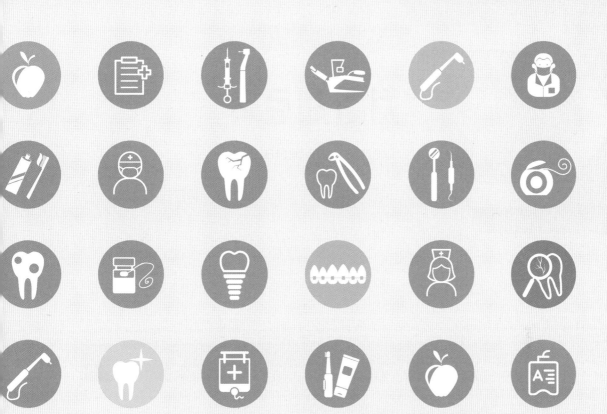

POWER 치과위생사 국가시험 핵심요약집 2권

PART 10

치과재료학
Dental materials

제1장 | 서론

1. 소재에 따른 치과재료의 분류

① 금속: 풍부한 연성과 전성, 큰 강도 ex 금, 아말감
② 고분자: 가공 용이, 낮은 강도, 큰 마모도 ex 인상재, 레진, 의치 및 근관충전재
③ 세라믹: 높은 내열성, 고강도, 낮은 인성, 우수한 심미성 ex 포세린

재료 1-1-1	치과재료를 소재에 따라 분류할 수 있다. (B)

2. 치과재료의 사용요령

① 환자진료 시 진료내용에 따른 적절한 치과재료를 미리 준비함
② 제조사에서 추천하는 사용방법과 사용량을 지킴
③ 청결과 소독에 만전을 기해야 함
④ 보관과 보충, 정리정돈에 만전을 기함
⑤ 치과재료 구입 시 유의사항을 숙지하고 있어야 함

재료 1-1-2	치과재료의 사용요령을 설명할 수 있다. (B)

3. 치과재료 규격기구

① 국제표준기구(ISO, International Organization for Standards): 치과재료에 대한 용어와
  시험방법을 통일
② 미국국립표준연구소/미국치과의사협회(ANSI/ADA, American National Standards
  Institution/American Dental Association)
③ 한국산업표준(KS, Korean Standards)
④ 대한치과의사협회(KDA, Korean Dental Association)

> **재료 1-1-3**　치과재료의 규격기구를 설명할 수 있다. (B)

제2장 | 치과재료의 특성

1. 치과재료의 경화반응에 의한 크기 변화

① 화학반응에 의한 경화과정 중에 팽창이나 수축을 함으로써 크기변화가 일어나는 것
② 경화반응에 의해 팽창하는 재료: 석고, 매몰재
③ 경화반응에 의해 수축하는 재료: 레진, 알지네이트, 고무인상재

④ 길이변화율(%) = $\dfrac{\text{최종길이} - \text{최초길이}}{\text{최초길이}} \times 100$

> **재료 2-1-1**　치과재료의 경화반응에 의한 크기 변화를 설명할 수 있다. (A)

2. 치과재료의 열적 크기변화

① 구강 내의 온도변화에 따라 재료는 팽창, 수축의 크기변화가 일어남
② 수복물의 안정성에 영향을 줌
③ 열팽창계수: 단위 온도변화에 따른 크기 변화율
④ 선열팽창계수: 팽창한 길이를 0℃ 길이로 제한한 값
⑤ 치아와 열팽창계수가 가장 유사한 재료: 세라믹, 글래스아이오노머시멘트
⑥ 아말감의 열팽창계수: 사람 치아의 약 2배

> **재료 2-1-2**　치과재료의 열적 크기변화를 설명할 수 있다. (A)

3. 치과재료의 용도별 열전도율 `2019 기출` `2020 기출` `2022 기출`

① 열전도성: 온도차가 1℃일 때 두께 1 cm 및 단면적 1 ㎠의 물체에 1초간 전달되는 열량

② 재료의 용도에 따라 요구되는 열전도는 다름

열전도율이 높아야 하는 재료	열전도율이 낮아야 하는 재료
의치상용 재료 → 열전도율이 높아야 음식의 온도를 잘 느낌	수복재, 베이스 → 열전도율이 낮아야 치수로 전달되는 온도 자극을 차단할 수 있음

③ 재료별 열전도율

치아와 유사한 재료	치아보다 높은 재료	치아보다 낮은 재료
세라믹, 복합레진, 시멘트	금합금, 아말감	의치상용 재료

재료 2-1-3 용도에 따른 치과재료의 열전도율을 설명할 수 있다. (A)

4. 융점과 유리전이온도

① 융점: 고체에서 액체로 변화가 일어나는 온도

② 유리전이온도: 유리와 같은 비결정재료는 고체상태에서 열을 가하면 단단함이 소실되는데, 이 때의 온도

재료 2-1-4 융점과 유리전이온도를 구분하여 설명할 수 있다. (B)

5. 용해도와 흡수도

① 용해도: 재료의 성분이 물에 녹는 정도

② 흡수도: 재료를 물에 넣었을 때 물을 흡수하는 정도

③ 구강 내에서 용해도와 흡수도가 낮아야 안정

④ 높은 용해도는 재료의 붕괴, 높은 흡수도는 크기 안정성 문제를 야기함

⑤ 용해도나 흡수도가 낮은 재료: 금속, 세라믹

⑥ 용해도나 흡수도가 높은 재료: 치과용 시멘트 등의 고분자 재료

재료 2-1-5 용해도와 흡수도를 구분하여 설명할 수 있다. (A)

6. 젖음성과 접촉각의 관계

① 젖음성(wettability): 고체에 액체가 접촉되는 정도(젖음성이 크면 잘 부착하고(=친수성), 젖음성이 나쁘면 부착성이 낮음(=소수성))

② 접촉각(contact angle): 젖음성의 표현척도로 고체 표면 위에 놓인 액체방울이 고체표면과 이루는 각

③ 젖음성 좋다(친수성, hydophillic) = 낮은 접촉각, 낮은 액체의 표면장력, 높은 고체의 표면 에너지를 나타냄

④ 젖음성 낮다(소수성, hydrophobic) = 높은 접촉각, 높은 액체의 표면장력, 낮은 고체의 표면에너지를 나타냄

젖음성이 좋다	젖음성이 나쁘다
친수성(hydrophilic)	소수성(hydrophobic)
낮은 접촉각	큰 접촉각
액체의 낮은 표면장력	액체의 큰 표면장력
고체의 높은 표면에너지	고체의 낮은 표면에너지
치면열구전색재, 불소	수복재에 대한 타액의 젖음성

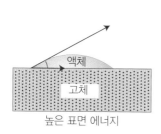
높은 표면 에너지

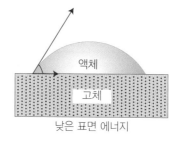
낮은 표면 에너지

⑤ 젖음성이 좋아야 하는 재료: 치면열구전색재

재료 2-1-6   섯늠성과 접촉각을 구분하여 설명할 수 있다. (A)

7. 점성과 점조도

(1) 점성(Viscosity)

① 유체의 흐름에 대한 저항성

② 점성이 있는 용액은 흐름성이 불량한 반면에 묽은 용액은 흐름성이 양호하여 쉽게 흐름

③ 온도에 의존하는 성질

④ 용액이 따뜻하면 반죽을 좀 더 쉽게 부을 수 있음

(2) 점조도(Consistency)

① 시간 의존적으로 점성이 변하는 물질에서 측정된 일정 시점에서의 점도

② 끈기도 또는 반죽질기

재료 2-1-7   점성과 점조도를 비교하여 설명할 수 있다. (B)

8. 조건등색

① 조건등색(메타메리즘): 광원의 종류에 따라 색이 다르게 보이는 현상

② 치아의 색을 판단할 때 주의, 동일한 광원에서 색 판별 작업 시행

재료 2-1-8   조건등색을 설명할 수 있다.(B)

9. 갈바닉 전류의 특징

① 정의: 구강 내에 이종금속이 존재할 때 각 금속의 이온화 경향의 차이로 인하여 전위차가 발생하여 환자가 느낄 수 있을 만큼 전류가 발생하여 부식되는 현상

② 갈바니즘의 예

- 아말감 또는 금합금으로 수복되어 있는 구강환경에서 금속수저를 사용할 때
- 아말감 또는 금합금으로 수복되어 있는 구강환경에서 알루미늄 호일에 싸인 감자를 먹을 때

③ 갈바니즘 억제 방법: 동종 금속 사용, 시멘트 이장

재료 2-2-1   갈바니즘을 설명할 수 있다. (A)

10. 부식과 변색

① 부식: 금속이 주위 환경과 반응하여 용해되는 현상

② 부류

- 화학적 부식: 음식물이나 타액의 성분이 금속성분과 직접적 화학반응을 일으키는 부식

- 전기화학적 부식: 갈바닉 전류에 의한 부식

③ 부식저항성이 높은 금속이 우수함

재료 2-2-2　금속의 부식을 설명할 수 있다. (B)

11. 응력

① 압축응력

- 재료를 누르게 되면 발생하는 응력

- 아말감은 치질과 비슷한 압축강도를 가짐

② 인장응력

- 재료를 잡아당길 때 발생하는 응력

- 인장강도가 가장 좋은 재료는 금합금임

③ 전단응력: 서로 다른 평면에서 재료에 엇갈리는 힘이 작용할 때 발생하는 응력

④ 굽힘응력(구부림 응력): 재료를 굽힐 때 발생하는 응력

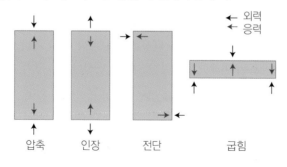

- 응력: Psi (pounds/square inch)로 측정, 미터법으로 응력은 pascals로 측정

- 전형적으로 응력은 크므로 megapascal 단위를 사용

재료 2-3-1　응력의 4가지 종류를 설명할 수 있다. (A)

12. 응력-변형률 곡선

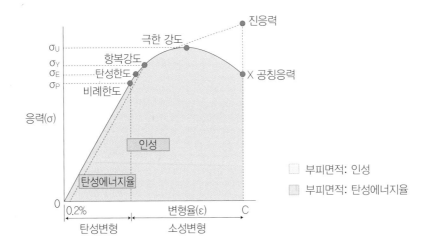

① 외력을 받았을 때 일어나는 응력과 변형률과의 관계를 표현하는 도표

② 치아와 치과재료의 탄성계수

- 법랑질과 비슷한 탄성계수를 가짐: 금합금
- 상아질과 비슷한 탄성계수를 가짐: 복합레진, 인산아연시멘트
- 탄성계수가 큰 재료는 뻣뻣하고, 탄성계수가 낮으면 유연한 재료임

③ 비례한계: 응력이 변형률에 정비례 관계가 적용되는 최대한의 응력, 즉 곡선상에 재료가 탄성을 갖는 최대응력

④ 탄성한계: 재료에 가해지는 외력을 제거할 때 원래의 상태로 돌아갈 수 있을 때까지 재료가 견딜 수 있는 최대한의 응력(영구변형없이 견딜 수 있는 최대응력을 말함)

cf 치과재료 중 금속은 비례한계와 탄성한계의 차이 거의 미비, 그러나 고무줄 같은 탄성 풍부한 재료는 비례한계를 한참 넘어서 탄성한계에 달함

⑤ 항복강도: 재료가 탄성을 소실하고 영구변형이 일어나는 응력

⑥ 극한강도

- 재료의 파절이 일어날 때까지의 최대의 응력점
- 압축강도: 압축응력하에서의 파절, 인장강도: 인장응력하에서의 파절
- 법랑질, 아말감 등 취성 있는 재료는 인장강도보다 압축강도가 더 큼

⑦ 탄성에너지

- 재료를 영구변형시킬 때까지 필요한 에너지
- 교정용 선재(wire), 의치상용 재료는 탄성에너지가 커야 효과적으로 사용

⑧ 인성

- 재료가 파괴될 때까지 필요한 에너지
- 인성이 클수록 부서지지 않는 재료

| 재료 2-3-2 | 응력-변형률곡선을 설명할 수 있다. (B) |

13. 탄성 계수(Modulus of elasticity)

① 탄성계수: 재료의 탄성구간 내에서 변형률에 대한 응력의 비
② 재료의 강직성(stiffness)을 나타내는 값 = 응력과 변형도의 비율(변형률)

- 탄성계수가 큰 재료는 뻣뻣하고, 탄성계수가 낮으면 유연한 재료임
- 법랑질과 비슷한 탄성계수를 가짐: 금합금
- 상아질과 비슷한 탄성계수를 가짐: 복합레진, 인산아연시멘트

③ 평균 응력에 대한 기울기이므로 커질수록 응력이 커지는 것임, 즉 탄성에 방해되는 힘이 커진다는 뜻이므로 작을수록 유연한 재료

| 재료 2-3-3 | 탄성계수를 설명할 수 있다. (A) |

14. 연성과 전성

① 연성: 재료가 인장하중을 받았을 때 파절되지 않고 영구변형이 일어나는 재료의 능력
② 전성: 재료가 압축하중을 받았을 때 파절되지 않고 영구변형이 일어나는 재료의 능력
③ 연성과 전성이 가장 좋은 재료: 금(gold)
④ 연신률이 우수하면 연성이 좋고 압축률이 우수하면 전성이 좋음

| 재료 2-3-4 | 연성과 전성을 비교하여 설명할 수 있다. (A) |

15. 취성(취약성)이 높은 치과재료

① 변형되지 않고 깨지는 성질(잘 깨지는 재료) = 늘어나지 않는 재료
② 소성변형 구간없고 대부분 탄성변형 구간에서 파절이 발생
③ 취약성이 높은 재료: 아말감, 각종 치과용 시멘트, 세라믹, 치과용 석고 등

| 재료 2-3-5 | 취성이 높은 치과재료를 설명할 수 있다. (B) |

16. 마모, 교모와 침식 구별

① 마모: 칫솔질의 오용이나 안 좋은 습관 등으로 치질이 마멸되는 것

② 교모: 교합에 의해 치질과 수복물의 표면이 마모되는 것

③ 침식: 치아가 화학물질에 의해 소실되는 현상

재료 2-3-6　마모와 교모, 그리고 침식을 구별할 수 있다. (B)

17. 피로와 크립 　2019 기출

(1) 크립(Creep)

① 같은 힘을 반복적으로 또는 지속적으로 가할 경우 영구변형이 일어날 수 있는 현상

② 크립이 큰 재료: 아말감

　ex 의치가 헐거워짐, clasp가 늘어남

(2) 피로(Fatigue)

① 재료가 파괴되는 작은 하중을 지속적으로 받을 경우 어느 한 순간에 파괴되는 현상

　ex Clasp의 착탈 반복으로 파절됨

	피로(Fatigue)	크립(Creep)
의미	재료가 파괴하중 이하의 작은 하중을 지속적 또는 반복적으로 받아서 어느 한 순간에 파괴되는 현상	재료가 항복하중 이하의 작은 하중을 지속적 또는 반복적으로 받아서 시간이 경과함에 따라 영구변형이 일어나는 현상
치과재료의 예	의치의 clasp 착탈 반복 시 파절	아말감

재료 2-3-7　피로와 크립을 비교하여 설명할 수 있다. (A)

18. 치과재료의 생물학적 위해성

① 자극성: 어떤 물질에 의해 외피성 조직의 표면에 발적이나 궤양 등이 유발되는 것

② 알러지: 이종 물질에 의해 임파구가 즉각적으로 과민반응을 일으켜서 점막과 피부에 발적이나 부종, 염증을 동반하는 현상

③ 발암성: 인체에 암을 일으킬 수 있는 성질 ex 니켈, 코발트, 아스베스토스

④ 독성: 생명체의 생명활동을 억제하거나 더 나아가서는 사멸시키는 물질

ex 금속의 부식 생성물, 레진의 잔존 모노머, 유리 인산)

⑤ 생체와 반응하되 긍정적 반응을 나타냄(bioactive)

⑥ 생체와 무해한 반응 = 재질이 생물학적 반응을 일으키지 않고 자연물질과 조화되는 능력

재료 2-4-1   치과재료의 생물학적 위해성을 설명할 수 있다. (B)

19. 치아와 수복물의 미세누출   2020 기출

① 의미: 치아와 수복물 사이에 작은 공간이 생긴 것(공간을 따라 타액, 음식물 잔사와 세균 등이 침투하는 현상)

② 원인: 치아와 치과재료 간의 화학적 결합 결여, 열팽창계수의 차이, 경화과정 중의 수축

③ 문제점: 수복물 변연부위에 치아우식증 유발(2차 우식), 치수자극, 동통유발, 수복물 변색

④ 방지방법: 수복재 열팽창계수 고려, 치아와 재료 간 화학적 결합 유도

재료 2-4-2   치아와 수복물의 미세누출을 설명할 수 있다. (A)

제3장 | 예방치과재료

1. 치면열구전색재의 가시광선 중합형과 화학중합형의 중합기전

(1) 화학중합형

① 유기 페록사이드 개시제와 유기 아민 촉진제에 의하여 중합

② 보통 2개의 연고로 공급

(2) 가시광선 중합형

① 다이케톤이 광선을 흡수하여 중합반응이 시작

② 노출시간은 20~60초

③ 한 개의 콤포짓트 연고로 공급

재료 3-1-1   광중합형과 화학중합형 치면열구전색재의 중합기전을 비교하여 설명할 수 있다. (B)

2. 치면열구전색재의 침투율을 높일 수 있는 방법

① 치아 표면의 건조(수분 차단)

② 적용부위의 청결 유지

③ 적절한 산 부식 처리

④ 전색재의 흐름성과 젖음성 증가

⑤ 전색재 적용 시 소량씩 사용

재료 3-1-2   치면열구전색재의 침투율을 높일 수 있는 방법을 설명할 수 있다.(B)

3. 치면열구전색재가 갖추어야 할 요건

① 법랑질 표면에 완전히 접착될 것

② 교합압에 대한 저항이 클 것

③ 균열이 없을 것

④ 파절이나 탈락이 잘 되지 않을 것

⑤ 마모나 교모가 잘 되지 않을 것

⑥ 심미성이 양호할 것

재료 3-1-3   치면열구전색재가 갖추어야 할 요건을 설명할 수 있다. (B)

4. 광중합기 적용방법

① 가시광선을 이용한 중합방식으로 광원의 플라스틱 팁을 교합면에 수직으로 바짝 위치시키고 가시광선을 20초 간 조사

② 광선으로부터 술자의 눈을 보호하기 위해서 보안경 사용

재료 3-1-4   광중합기 적용방법을 설명할 수 있다. (B)

5. 치면열구전색과정

치면세마 → 세척 및 건조 → 치아분리 → 치면건조 → 외형결정 → 산부식 → 세척,건조,분리 → 전색재(혼합)도포 → 중합 → 중합확인 → 교합검사 및 연마 → 계속관리

재료 3-1-5   치면열구전색 과정을 설명할 수 있다.(B)

1. 복합레진의 주요 구성성분

(1) 유기레진기질

① 복합레진의 주성분

② Bis-GMA or 디메타크릴레이트(UDMA)

- Bis-GMA 장점: 적은 중합수축, 빠른 경화, 휘발성이 없음
- Bis GMA 단점: 점도가 높고 흡습성이 높음

(2) 충진재(무기필러)

① 레진의 기질을 강화

② 종류: 석영, 유리, 지르코니아, 교질성 규토

③ 방사선 불투과성 물질을 얻기 위해 리튬, 바륨, 스트론튬, 아연 등 사용(방사선 투과상: 유리, 규소 등)

④ 구치용 복합레진: 반드시 방사선 불투과상이 있어야 함

(3) 결합제

① 레진기질과 충진재의 결합력 증진

② 유기실란 복합물로 표면 처리: 결합 증진

(4) 개시제와 촉진제(화학중합형)

① 개시제: 벤조일 퍼록사이드

② 촉진제: 3차 아민

재료 4-1-1	복합레진의 주요 구성성분을 설명할 수 있다. (A)

2. 복합레진의 용도

① 전치부의 수복(3급, 4급 와동)

- 1급와동(구치 교합면, 구치의 협면이나 설면의 교합 2/3, 상악 절치 설면 와동)
- 2급 와동(구치 인접면을 포함한 와동)

치과재료학

② 5급 와동

③ 약물 또는 불소와 같은 화학약품으로 얼룩진 치아를 수복하는 비니어용

④ 치간이개의 수복용

⑤ 왜소치 및 기형치의 수복용

⑥ 금관제작을 위한 코아 축조 및 세라믹 수복물이 파괴된 부위의 수리

⑦ 인레이, 온레이

재료 4-1-2	복합레진의 용도를 설명할 수 있다. (A)

3. 복합레진을 충진재의 크기에 따라 분류

(1) 재래형 복합레진

① 크기: 8~12 µm

② 거대형(macrofilled) 복합레진으로 불림

③ 필러 함유량: 50~60%(부피비)

④ 입자가 커서 표면연마가 어려움

(2) 초미세입자형 복합레진

① 크기: 0.02~0.04 µm

② 필러 함유량: 30~55%(부피비)

③ 표면이 매끄러워 전치부 수복 시 적합

④ 압축강도를 제외하고는 재래형에 비해 기계적·물리적 성질이 낮음

(3) 미세입자형 복합레진

① 크기: 1~5 µm

② 필러 함유량: 65~70%(부피비)

③ 2급, 4급 와동과 같이·큰 응력이나 마모가 발생하는 부위에 적합

④ 표면이 매끄럽긴 하지만, 초미세입자형이나 혼합형보다 나쁨

(4) 혼합형 복합레진

① 크기가 다른 두 종류의 필러 배합

② 크기: 0.6~1.0 µm

③ 필러 함유량: 50~60%(부피비)

④ 물리적 성질, 기계적 성질은 재래형과 미세입자형의 중간 정도

⑤ 4급 와동을 포함한 전치부 수복, 구치부에도 가능

⑥ 가장 필러 함량이 가장 높고 물성이 우수하며 내마모성을 가짐

⑦ 대개 7~15% 이상의 미세입자 필러를 함유하고 있기 때문에 입자 간 응력을 잘 전달하여 큰 입자 필러와 함께 응력에 대한 저항성이 우수

(5) 나노입자형 복합레진

① 크기: 0.005~0.1 µm

② 필러 함유량: 60~70%(부피비)

③ 높은 투명도를 보여 심미적으로 아주 우수

| 재료 4-1-3 | 복합레진을 충진재의 크기에 따라 분류할 수 있다. (B) |

4. 복합레진의 충진재(필러) 함량에 따른 성질의 변화 2022 기출

무기필러의 함량이 많은 경우	무기필러의 함량이 적은 경우
1. 중합수축 감소(미세누출 감소)	1. 중합수축 증가(미세누출 증가)
2. 열팽창계수 감소	2. 열팽창계수 증가
3. 흡수도 감소	3. 흡수도 증가
4. 강도 및 경도 증가	4. 강도 및 경도 감소
5. 마모저항성 증가	5. 마모저항성 감소
6. 탄성계수 증가	6. 탄성계수 감소
7. 열전도율 증가	7. 열전도율 감소

| 재료 4-1-4 | 복합레진의 충진재 함량에 따른 성질의 변화를 설명할 수 있다. (B) |

5. 복합레진의 중합방법에 따른 분류

(1) 화학중합형 레진(자가중합형)

① 두 개의 용기로 공급

② 두 연고가 혼합되면 아민이 과산화벤조일과 반응하여 레진 기질의 중합을 일으킴

- 장점: 경제적임
- 단점: 긴 경화시간(짧은 작업시간) / 혼합 시 기포 발생 / 강도 저하 / 변색

③ 금속 스파튤라를 사용해서는 안 됨

(2) 가시광선 중합형 레진

    ① 하나의 연고로 공급

    ② 이 연고는 차광 주사기에 채워져 공급

    ③ 적절한 파장의 청색광에 노출시키면 중합

> **재료 4-1-5**   복합레진을 중합방법에 따라 분류할 수 있다. (A)

6. 복합레진의 중합방법에 따른 중합기전

자가중합	광중합
개시제 + 활성제 → 중합	(레진기질+활성제) + 광조사 → 중합

> **재료 4-1-6**   복합레진의 중합방법에 따른 중합기전을 설명할 수 있다. (B)

7. 광중합형 복합레진의 장점과 단점 `2021 기출`

(1) 장점

    ① 색상이 아주 만족스러우며 자체접착력이 있어 잘 떨어지지 않음

    ② 혼합이 필요하지 않아 기포 발생이 적으므로 착색이 덜 됨

    ③ 강도가 높음

    ④ 한 개의 연고로 공급되어 사용하기 편리(혼합과정이 필요 없음)

    ⑤ 작업시간 조절 가능(임의로 설정할 수 있음)

    ⑥ 경화시간 단축

(2) 단점

    ① 중합깊이의 한계(2.5 mm 이하)

    ② 구치부 인접면 광선 도달이 어려워 광중합이 불충분할 수 있음

    ③ 레진 색조의 차이에 따라 광조사 시간 조절(20~40초)

    ④ 실내 조명에 민감, 뚜껑이 열린 상태로 방치 시 얇은 막 생기거나 표면이 단단해짐

    ⑤ 광원으로부터 눈을 보호하는 장비를 사용하여 눈을 보호하여야 함

    ⑥ 중합수축에 의한 미세누출이 잦은 재료로 시술자의 능력이 필요한 재료

    ⑦ 술후 과민증

⑧ 추가적인 장비(광조사기) 필요

| 재료 4-1-7 | 광중합형 복합레진의 장점을 설명할 수 있다. (A) |

| 재료 4-1-8 | 광중합형 복합레진의 단점을 설명할 수 있다. (A) |

8. 복합레진의 법랑질 접착기전

법랑질의 산부식, 법랑질과의 결합, 와동 삭제 시 기계적 유지 형태 등이 결합강도에 영향을 미침

| 재료 4-1-9 | 복합레진의 법랑질 접착기전을 설명할 수 있다. (B) |

9. 복합레진의 상아질 접착기전

상아질의 형태, 관간상아질의 양, 접착재가 상아질에 침투한 재료의 결합강도에 영향을 미침

| 재료 4-1-10 | 복합레진의 상아질 접착기전을 설명할 수 있다. (B) |

10. 복합레진 결합의 실패원인

① 레진을 한 번에 크게 덜어 충전할 경우
② 수복할 표면이 물, 타액, 혈액 등에 오염되었을 경우
③ 불충분하게 수세 및 건조한 경우
④ 과노 또는 미흡한 산부식

| 재료 4-1-11 | 복합레진 결합의 실패원인을 설명할 수 있다. (B) |

11. 복합레진의 중합수축으로 인한 문제점

① 미세누출
② 치아파절

→ 이로 인한 추가적인 지각과민, 변색, 2차우식증, 치수자극이 올 수 있음

재료 4-1-12	복합레진의 중합수축으로 인한 문제점을 설명할 수 있다. (A)

12. 복합레진의 중합수축 최소화 방법 `2019 기출`

① 필러 함량이 높은 복합레진 사용

② 광원의 출력을 서서히 증가

③ 적층 충전법

④ 간접법 사용

재료 4-1-13	복합레진의 중합수축을 최소화시키는 방법을 설명할 수 있다. (A)

13. 복합레진의 충전법(광중합법)

① 치아방습: 러버댐이나 cotton roll을 이용하여 방습

② 치면의 산처리: 37% 농도로 산부식

③ 세척

④ 건조

⑤ 상아질, 법랑질 접착제 도포 및 광조사(눈 보호를 위해 광원 차단기구 사용)

⑥ 복합레진 충전 및 치아외형 형성

⑦ 광중합: Light gun을 치면에 위치시켜 조사

⑧ 교합검사: 경화가 되면 교합검사와 연마 및 계속관리

재료 4-1-14	복합레진의 충전과정을 설명할 수 있다. (B)

14. 복합레진 조작 시 주의사항

① 이장재 사용

- 흐름성이 좋은 flowable composite나 compomer 등으로 이장
- Proximal box부의 변연은 flowable composite로 완전히 실링해야 함

② 철저한 변연부 실링

③ 이상적인 인접면 접촉
- 이상적인 해부학적 형태를 재현해야 함
- Matrix band를 각 치아에 맞게 성형해야 함
④ 윤택한 표면 연마
⑤ 플라스틱 스파튤라 사용

> **재료 4-1-15** 복합레진 조작 시 주의사항을 설명할 수 있다. (A)

15. 복합레진 충전 후 지각과민을 해결하는 방법 `2020 기출`

① 적층법 수복
② 타액으로부터 철저한 격리
③ 치수보호하는 베이스 사용
④ 잔존 상아질 양이 적을 경우(1mm 이하) (수산화칼슘 이장재 → 글래스아이오노머 베이스 → 복합레진수복)
⑤ 직접 충전보다 간접법으로 인레이 수복

> **재료 4-1-16** 복합레진 충전 후 지각과민을 감소시키는 방법을 설명할 수 있다. (A)

제5장 | 치과용 아말감

1. 아말감 충전물의 장·단점

(1) 장점

① 시멘트없이도 와동벽에 대한 적합성이 우수하고 와동 봉쇄성이 좋음
② 성형 축조가 용이함
③ 비교적 우수한 강도와 화학적 내구성이 있음
④ 기공조작이 필요치 않아 1회 충전할 수 있음
⑤ 치아 경조직이나 치수에 무해

(2) 단점

① 완전히 경화되고 충분한 압축강도에 도달할 때까지는 일정 시간이 필요

② 변연부위의 강도가 약함

③ 색조가 자연치아와 다름

④ 변색, 부식이 잘 생김

⑤ 이종금속간의 전류가 생겨 동통이나 금합금 수복의 변색을 유발할 수 있음

⑥ 열전도성이 높음

재료 5-1-1	아말감 충전물의 장점을 설명할 수 있다. (A)

재료 5-1-2	아말감 충전물의 단점을 설명할 수 있다. (A)

2. 치과용 아말감합금의 조성과 기능(성분과 성질)

(1) 은: 67~70% 차지

① 경화팽창, 강도 증가

② 수은과의 반응성을 좋게 하며 크립을 감소시킴

(2) 주석: 25~27% 정도 차지

① 일반적으로 은과 반대작용을 함

② 아말감화를 촉진

③ 경화팽창, 강도와 경도를 감소

④ 크립, 부식을 증가

(3) 구리: 6%를 기준으로 저동(6% 이하)과 고동 (6% 이상)으로 분류함

① 은과 유사하게 작용하여 강도, 경도, 경화팽창을 증가

② 크립은 감소, 변색을 증가시킴

(4) 아연: 0.01%를 기준으로 아연 합금과 무아연 합금으로 분류함

① 산소와 쉽게 반응하므로 산소가 다른 성분과 결합하는 것을 막는 역할을 하여 다른 금속의 산화를 최소화시킴

② 아연 함유 합금의 수분 오염은 임상적으로 문제를 야기할 수 있음(지연 팽창이 일어남)

재료 5-1-3	아말감합금의 조성과 역할을 설명할 수 있다. (A)

3. 아말감합금의 입자형태에 따른 특성

① 절삭형: 입자의 형태가 절삭하여 날카롭고 뾰족함

② 구상형: 입자의 형태가 구형임

③ 혼합형: 입자의 형태가 절삭형과 구상형의 혼합형태임

재료 5-1-4	아말감합금의 입자형태에 따른 특성을 설명할 수 있다. (B)

4. 저동 아말감합금의 특성

• 구리 함량이 6% 이하인 아말감합금을 저동 또는 재래형 합금이라 하며, 이 합금은 변연부 파손이 심하고 변색이나 크립이 심함

(1) 절삭형(Lathe cut alloy) 합금

① 금속원소를 배합한 후 용융, 주조, 열처리 과정을 거쳐 균일조성의 주괴(ignot)를 만든 후 선반으로 절삭하여 작은 입자로 제작한 합금

② 입자를 체로 쳐서 아말감합금에 맞는 입자만을 거른 후 처리과정을 거쳐 사용

(2) 구상형(Spherical alloy) 합금: 입자가 작아 아말감 표면이 활택하며 연마가 쉽고 부식저항성이 우수함

① 절삭형보다 우수한 물성을 얻기 위하여 분사과정(atomizing procedure)을 통해 작은 구상형을 가진 분말 입자를 제조하는 방법이 개발됨

② 용융된 합금을 냉각된 비활성기체(argon, helium) 속으로 미세한 안개처럼 뿜어내고, 이들이 고체화되면 작은 구상형 입자가 형성됨

재료 5-1-5	저동 아말감합금의 특성을 설명할 수 있다. (B)

5. 고동 혼합형 아말감합금의 특성(고동합금 = 저은 합금(Low-silver alloy))

• 강도 높음, 부식저항성 높음, 변연붕괴 낮음, 크립 낮음

• 일부 합금은 10% 이하의 구리를 함유하지만 최고 30%의 구리를 포함하는 경우도 있음 (우수한 효과를 얻기 위해서는 11% 구리 필요)

① 저동 아말감합금의 변연부 실패율을 낮추기 위하여 동의 양을 증가시킨 가장 오래된 형태임

② 고동 합금의 오래된 형태, 재래형 저동 합금과 구리가 많은 은-구리 공정합금의 두 가지 분말을 혼합하여 구리의 총량을 증가시킨 것

| 재료 5-1-6 | 고동 혼합형 아말감합금의 특성을 설명할 수 있다. (B) |

6. 고동 단일조성형 아말감합금의 특성

① 아말감합금의 전체 구리함량을 증가시키기 위한 방법으로, 은-주석-구리의 삼원 합금으로 제조 시 미리 구리의 양을 증가시킴

② 한 가지 분말로 구성되어 있어 단일조성형 합금이라 함

| 재료 5-1-7 | 고동 단일조성형 아말감합금의 특성을 설명할 수 있다. (B) |

7. 아말감의 경화반응

① 저동 및 고동 아말감합금이 수은과 반응하면 여러 가지 상의 반응물이 형성되며, 이러한 상의 양에 따라서 최종 경화된 아말감의 성질이 결정

② 저동 아말감: 수은+은-주석 합금 → 주석상(감마)+은-수은상(감마-1)+주석-수은상(감마-2)

③ 고동 아말감: 수은+은-주석-구리 → 은-수은 + 구리-주석(에타)+은-주석-구리(미반응)

④ 감마, 감마-1, 감마-2, 기포의 유무에 따라 강도가 다름(감마 > 감마-1 > 감마-2 > 기포의 순)

| 재료 5-2-1 | 아말감의 경화반응을 설명할 수 있다. (B) |

8. 아말감 각 상의 성질

① 감마상: 수은과 반응하지 않은 합금 원래의 상, 강하고 부식저항성이 큼

② 감마1상: 경도가 크며 강도나 부식 저항성이 중간 정도이고 취성이 큼

③ 감마2상: 강도와 경도 모두 제일 낮고 부식저항성이 취약하며 흐름성이 큰 상

④ 에타상: 부식저항성이 감마상보다는 낮지만 감마1상과 감마2상보다는 높음

| 재료 5-2-2 | 아말감 각 상의 성질을 설명할 수 있다. (B) |

9. 아말감의 크기 변화에 따른 임상적 문제점

① 과잉팽창: 동통(치수압력유발), 충전 후 과민증, 수복물 정출, 치아파절
② 과잉수축: 미세누출 → 치면세균막 축적 → 2차 우식, 과민증 초래

> **재료 5-3-1** 아말감 충전물의 크기 변화에 따른 임상적인 문제점을 설명할 수 있다. (B)

10. 아말감 충전물의 압축강도에 영향을 미치는 요인

① 수은의 양: 수은의 양이 너무 많거나 너무 적으면 강도 저하
② 혼합시간: 연화시간이 짧거나 길면 강도 저하
③ 응축압: 응축압이 클수록 잔존 수은을 제거하여 강도 증가
④ 연화 후 응축시간: 응축시간을 지연하면 강도 저하
⑤ 고동 단일조성형 아말감 사용

> **재료 5-3-2** 아말감 충전물의 압축강도에 영향을 미치는 요인을 설명할 수 있다. (A)

11. 아말감 충전물의 크립 현상

① 크립: 재료에 영구변형이 일어나지 않을 정도의 작은 하중을 가했을 때 나타나는 길이 변화
② 크립 증가
- 수은/합금 비 ↑
- 연화시간이 짧거나 길 경우
- 연화 후 응축을 지연시킬 때

> **재료 5-3-3** 아말감 충전물의 크립 현상을 설명할 수 있다. (B)

12. 아말감 충전물의 변색과 부식현상

① 변색 및 부식된 아말감은 보기 싫고 기계적 성질이 약화되어 실패 초래
② 변색은 부식을 막아주는 부동태화의 과정에서 일어나기도 하고 흑색의 은황화물 때문에 나타나기도 함 → 심미적으로 보기 좋지 않지만 부식과 조기 실패의 의미는 아님
③ 변색과 부식
- 변색: 황에 의해 또는 치면세균막와 같은 침착물에 의해 표면이 검게 변함, 연마가

덜 되면 쉽게 변색됨, 연마하면 쉽게 제거
- 부식: 연마가 덜 된 아말감 표면에서 자주 발생, 변색과 달리 수복물을 약화시킴
  (화학적 부식: 침착된 음식물 찌꺼기의 화학작용에 의해 일어남, 전기화학적 부식: 이종금속에 의한 부식)
④ 감마-2 > 감마-1 > 감마상 순으로 부식이 잘 일어남(혼합형과 구상형 고동 아말감에서 부식이 잘 일어나지 않음)

재료 5-3-4	아말감 충전물의 변색을 설명할 수 있다. (B)

재료 5-3-5	아말감 충전물의 부식현상을 설명할 수 있다. (B)

13. 아말감합금의 구입 시 확인해야 할 사항

① 아말감합금을 선택할 때는 우선 대한치과의사협회 규격의 요구조건에 합당해야 함
② 일반적으로 재래형의 저동 합금보다는 고동 단일조성 합금을 선택하는 것이 좋으며, 미세입자형, 구상형, 그리고 무아연 합금을 선택

포장 및 용기	사용설명서	표시사항
• 쉽게 파손되지 않은 포장 • 아말감 합금과 반응을 일으키지 않는 용기	• 합금과 수은의 비율 • 혼합기의 유형 • 1초당 회전속도 • 연화시간 • 아연함유 여부	• 제조자의 상호나 상표 • 아말감 합금의 유형 등급 및 조성비 • 순정중량 • 제조년월일 및 제조번호 • 규격번호

재료 5-4-1	아말감합금의 구입 시 확인해야 할 사항을 설명할 수 있다. (B)

14. 수은함량이 아말감 수복물에 미치는 영향

① 수은의 양이 많으면 변연부위에 많은 응집이 일어나고 강도는 현저히 감소하고 크립은 증가
② 수은의 양이 적으면 합금입자들과 충분히 반응하지 못하고 응축이 어려워져 쉽게 기포가 생기므로 강도 감소

재료 5-4-2	수은 함량이 아말감 수복물에 미치는 영향을 설명할 수 있다. (B)

15. 아말감 충전과정

와동형성 → 격리 및 건조 → 연화 → 충전 → 응축 → 조각 → 교합확인 → 최종연마

| 재료 5-4-3 | 아말감 충전과정을 설명할 수 있다. (B) |

16. 응축의 목적

① 응축: 연화된 아말감을 와동에 충전하는 과정
② 응축의 목적
  • 연화된 아말감을 와동에 완전하게 적합
  • 기포를 감소
  • 과잉의 수은을 제거

| 재료 5-4-4 | 응축의 목적을 설명할 수 있다. (B) |

17. 아말감 연마 시 주의사항

① 아말감을 와동에 응축한 후 정확한 해부학적 형태로 조각
② 아말감 충전 후 적어도 24시간 이후에 최종 연마(고동 단일조성형 아말감은 조기 연마 가능)
③ 저속으로 부드럽게 물을 뿌려가며 충전물 중심에서 변연 쪽으로 연마

| 재료 5-4-5 | 아말감 연마 시 주의사항을 설명할 수 있다. (B) |

18. 수은의 특성 및 독성

① 은백색의 금속, 무색, 무취
② 와동에 충전할 때나 아말감을 제거할 때도 기화하여 증기가 발생, 이 증기는 쉽게 혈액으로 흡수되어 장기에 축적됨
③ 수은 증기 독성의 3대 증상은 흥분, 떨림, 치은염

| 재료 5-5-1 | 수은의 특성을 설명할 수 있다. (B) |

19. 수은 취급 시 주의사항

① 모든 사람이 수은 중독 가능성이 있음을 항상 교육시킴

② 진료실은 환기가 잘 되도록 하고, 카페트는 사용해서는 안 되며, 바닥은 이음새가 없도록 함

③ 수은의 오염 정도를 측정할 수 있는 장치 설치 및 정기적 점검

④ 치과의료진들은 1년에 한 번씩 정기적인 검사필요

⑤ 수은은 충격이나 열에 쉽게 깨지지 않는 견고한 용기에 담아 보관

⑥ 수은을 엎지른 경우, 많은 양은 주사기로 흡입해서 수거하고, 적은 양은 반창고나 테이프로 수거(진공청소기는 절대로 사용해서는 안 됨)

⑦ 캡슐의 뚜껑은 밀착형보다 나사형을 사용

⑧ 충전된 아말감 제거 및 연마 시 water spray와 high volume evacuation을 동시 사용, 반드시 마스크 착용

⑨ 아말감 조각은 물, 살균용액 등에 넣고 반드시 밀봉

⑩ 진료실을 자주 환기 시키고 냉난방기 필터의 주기적 교환

⑪ 발생된 찌꺼기는 수집하여 폐기물 전문회사에 의뢰

재료 5-5-2	수은 취급 시 주의사항을 설명할 수 있다. (A)

제6장 | 절삭 및 연마 기구

1. 절삭기구의 형태에 따른 분류

① Round: 끝이 둥근 형태

② Pear-shaped: shank쪽으로 약간 경사진 원추형

③ Tapered fissure: 끝으로 갈수록 경사가 져서 좁아지는 원통형

④ Inverted cone: head쪽이 넓고 shank쪽이 좁은 원추 모양

⑤ Stragith fissure: 평행한 원통형

재료 6-1-1	절삭기구를 형태에 따라 설명할 수 있다. (B)

2. 연마기구의 형태에 따른 분류

① Point: 끝이 뾰족하거나 절삭용 버와 같은 형태
② Disk: 둥근 판 모양
③ Cup: head 부분이 움푹 들어가 연마제를 담을 수 있도록 함
④ Wheel: 바퀴 모양

재료 6-1-2	연마기구를 형태에 따라 설명할 수 있다. (B)

3. 치아와 수복물의 연마 목적

① 음식물 찌꺼기와 치면세균막의 축적 감소
② 치은 자극에 의한 치은 퇴축 예방
③ 변색이나 부식 방지
④ 금속 수복물 자체의 전기화학적 반응에 의한 손상 감소
⑤ 심미성 증대

재료 6-1-3	치아와 수복물의 연마목적을 설명할 수 있다. (B)

4. 절삭 연마 시 주의사항

① 감염방지를 위해 반드시 멸균
② 핸드피스에 잘 삽입하고 구강 외에서 시범 작동 후 접촉
③ 보안경 착용
④ 충분한 양의 냉각수 사용
⑤ 사용 후 의료용 폐기물에 맞게 처리
⑥ 적정 회전 수 준수
⑦ 연마제의 입자 크기, 연마 시 압력, 속도 등에 대해 인지한 후 시행
⑧ 절삭이나 연마하고자 하는 재료에 알맞은 장비나 기구 선택
⑨ 흡입장치 사용

재료 6-1-4	절삭 및 연마 시 주의사항을 설명할 수 있다. (B)

Part

10

치
과
재
료
학

제7장 | 치과용 시멘트

1. 인산아연 시멘트(ZPC)의 용도

① 금속 크라운, 브릿지, 교정용 밴드 접착

② 베이스(기저재)

③ 임시충전재

재료 7-1-1 인산아연 시멘트의 용도를 설명할 수 있다. (A)

2. 인산아연 시멘트의 주성분

- 분말: 산화아연
- 액: 인산용액

재료 7-1-2 인산아연 시멘트의 주성분을 설명할 수 있다. (B)

3. 인산아연 시멘트의 특성

① 상아질과 열전도율이 비슷한 우수 단열재

② 초기 산도가 낮지만(치수보호 필요) 48시간 후 중성에 가까움 → 이장재(liner) 필요 (수산화칼슘 제제)

③ 산염기 반응 → 발열반응(혼합 시 넓은 면적 사용)

④ 냉각된 혼합판 사용 → 작업시간이 길어짐

⑤ 경화시간: 37℃에서 최소한 2.5분~8분

⑥ 강도가 높고 용해도는 낮음

⑦ 시간과 온도에 의해 점조도가 영향을 받음

⑧ 조작법
- 분말은 3등분한 후 그 중 하나만 다시 2등분하여 사용
- 유리 혼합판, 금속 스파튤라 사용(혼합판을 이슬점 이하로 낮추면 안 됨)
- 1분 30초(90초) 혼합
- 금속 스파튤라로 넓은 면적을 이용해 조금씩 혼합
- 압력을 주어 혼합하면 강도 증가

• 2~3 cm (1인치) 정도 점조도: 마지막 분말 혼합 전 점조도 확인

재료 7-1-3 인산아연 시멘트의 특성을 설명할 수 있다. (A)

4. 인산아연 시멘트 취급 시 경화시간에 영향을 미치는 요인

① 낮은 분말/액비: 경화시간 증가

② 혼합시간 증가: 경화시간 감소

③ 혼합속도 상승: 경화시간 감소

④ 수분 오염: 경화시간 감소

⑤ 혼합판의 온도: 온도 증가 시 경화시간 감소

재료 7-1-4 인산아연 시멘트 취급 시 경화시간에 영향을 미치는 요인을 설명할 수 있다. (A)

5. 인산아연 시멘트 취급 시 압축강도에 영향을 미치는 요인

낮은 분말/액비, 혼합시간 증가, 혼합속도 상승, 수분 오염 → 압축강도 감소

재료 7-1-5 인산아연 시멘트 취급 시 압축강도에 영향을 미치는 요인을 설명할 수 있다. (B)

6. 인산아연 시멘트의 혼합방법

① 분말이 들어있는 병은 흔들어준다.

② 건조된 차가운 혼합 유리판을 사용하고, 혼합판을 이슬점 이하로 낮추면 안 된다.

③ 제조사의 지시에 따라 액과 분말을 분배, 적절히 등분한다.

④ 금속 스파튤라의 넓은 부분을 이용해 성해진 시간에 맞춰 분말을 액에 첨가, 넓은 면적을 이용하여 혼합한다.

⑤ 총 혼합시간이 1분 30초가 되도록 조절한다.

⑥ 분말의 마지막 부분을 첨가하기 전에 시멘트의 점도를 확인한다(1인치(약 2.54 cm))

⑦ 압력을 주어 혼합하면 강도 증가

재료 7-1-6 인산아연 시멘트의 혼합방법을 설명할 수 있다. (A)

Part
10

시
과
재
료
학

7. 산화아연유지놀 시멘트 용도

① 기저재, 이장재
② 임시접착
③ 임시 및 중간용 수복재
④ 근관 충전재

재료 7-2-1　산화아연유지놀 시멘트의 용도를 설명할 수 있다. (A)

8. 산화아연유지놀 시멘트의 주성분

① 분말: 산화아연(69%) 주성분 + 로진 + 아세트산 아연
② 액: 유지놀

재료 7-2-2　산화아연유지놀 시멘트의 주성분을 설명할 수 있다. (B)

9. 산화아연유지놀 시멘트의 특성

① 압축강도는 ZPC보다 낮아서 대부분 금관, 계속가공의치 등의 임시접착제에 사용
② 산도는 중성이고 치수 진정작용이 있어 보호용 바니쉬나 와동 이장재가 필요없음
③ 치수에 대한 진정작용이 있어 상아세관이 노출되어 있는 치아의 임시접착에 사용하면 좋음
④ 생체 친화성이 뛰어나고 밀봉성과 단열성이 우수
⑤ 유지놀 액은 알러지 반응 有
⑥ 경화시간 감소를 위해 아세트산 아연(zinc acetate), 프로피온산 아연, 소량의 물 등을 사용

재료 7-2-3　산화아연유지놀 시멘트의 특성을 설명할 수 있다. (A)

10. 산화아연유지놀 시멘트 사용 시 함께 사용해서는 안 되는 재료

① 보호용 바니쉬와 와동 이장재: 산도가 중성인 ZOE의 치수진정효과를 이용하기 위해 사용을 금함

② 복합레진: 유지놀이 레진의 용매로 작용할 수 있으므로 사용을 금함

| 재료 7-2-4 | 산화아연유지놀 시멘트와 함께 사용할 수 없는 재료를 설명할 수 있다. (A) |

11. 폴리카복실레이트 시멘트의 용도

① 금속이나 세라믹 수복물, 교정용 밴드의 접착

② 베이스

③ 임시수복재

| 재료 7-3-1 | 폴리카복실레이트 시멘트의 용도를 설명한다. (B) |

12. 폴리카복실레이트 시멘트의 주성분

① 분말: 산화아연

② 액: 폴리아크릴산 수용액(점도가 높음)

| 재료 7-3-2 | 폴리카복실레이트 시멘트의 주성분을 설명할 수 있다. (B) |

13. 폴리카복실레이트 시멘트의 특성

① 점도는 인산아연시멘트보다 약간 높으나 외력을 받으면 유동성이 증가함(요변성)

② 상아세관을 통과 못함 → 생체 적합성이 우수

③ 치질과 화학적 결합 → 유지력이 우수

④ 초기 산도는 인산아연시멘트와 같이 산성이지만 경화반응이 진행됨에 따라 산−염기
반응으로 중화되어 산성도가 감소함

⑤ 압축강도는 인산아연시멘트보다 낮으나, 강화형 산화아연유지놀 시멘트와 비슷

| 재료 7-3-3 | 폴리카복실레이트 시멘트의 특성을 설명할 수 있다. (A) |

14. 글래스아이오노머 시멘트의 용도 2020 기출

① 제Ⅰ형: 접착용(수복물, 교정용 밴드)

② 제Ⅱ형: 수복용(전치부, 치경부 마모, 침식 및 특발성 침식증), core 제작

③ 제Ⅲ형: 치면열구전색용 및 치수보호제 (베이스, 이장재)

cf 치경부마모, 특발성 침식증의 수복, 심미수복, 보철물의 접착, 베이스

> **재료 7-4-1** 　글래스아이오노머 시멘트의 용도를 설명할 수 있다. (A)

15. 글래스아이오노머 시멘트의 주성분

① 분말: 불화알루미늄규산화칼슘유리

② 액: 폴리아크릴산 수용액 (폴리아크릴산 대신 아크릴산, 말레산, 이타콘산 등의 공중합체 사용)

> **재료 7-4-2** 　글래스아이오노머 시멘트의 주성분을 설명할 수 있다. (B)

16. 글래스아이오노머 시멘트의 특성 `2021 기출`

① 불소유리 → 항우식 효과

② 치질에 화학적으로 결합

③ 압축강도는 인산아연 시멘트보다 낮으나, 인장강도는 ZPC 와 비슷

④ 양호한 생체 친화성(치수에 대한 친화성이 좋음)

⑤ 초기용해도가 높으며 24시간이 지나야 완전히 경화됨 → 바니쉬 도포

⑥ 탄성계수와 열팽창계수가 치질과 유사

⑦ 높은 불투명도

⑧ 조작법: 금속 스파튤라 사용 금지, 비흡수성 종이판이나 유리판에서 혼합(냉각 유리판 사용)

> **재료 7-4-3** 　글래스아이오노머 시멘트의 특성을 설명할 수 있다. (A)

17. 글래스아이오노머 시멘트 혼합 시 주의사항

① 플라스틱 스파츌라를 사용한다.

② 광택이 나고 떡반죽 형태가 될 때까지 혼합한다.

③ 총 혼합시간이 30~40초를 초과하지 않는다(45초 이내에 혼합).

④ 차가운 유리판에서 혼합하면 경화시간을 연장할 수 있다.

⑤ 혼합지 사용 시 비흡수성 혼합지를 사용한다.

재료 7-4-4 글래스아이오노머 시멘트 혼합 시 주의사항을 설명할 수 있다. (A)

18. 레진 강화형 글래스아이오노머 시멘트의 용도

① 금관 및 계속 가공의치, 교정장치 영구접착용

② 3급, 5급 와동의 수복재

③ 코아 축조용

재료 7-5-1 레진 강화형 글래스아이오노머 시멘트의 용도를 설명할 수 있다. (A)

19. 레진 강화형 글래스아이오노머 시멘트의 조성

① 분말: 불화알루미늄실리케이트유리, 과황산칼륨, 아스코르빈산

② 액: 폴리카복실산, 메타크릴레이트기가 함유된 수용액, 2-하이드록시에틸 메타크릴레이트, 주석산

재료 7-5-2 레진 강화형 글래스아이오노머 시멘트의 조성을 설명할 수 있다. (B)

20. 레진 강화형 글래스아이오노머 시멘트의 특성

① 기존의 글래스아이오노머 시멘트의 단점 개선을 위해 레진성분 첨가

② 압축강도, 인장강도: 글래스아이오노머와 비슷

③ 불소를 유리

④ 초기용해도 낮음

⑤ 보호막을 도포할 필요가 없음

⑥ 시술 후에 과민성 거의 없음

재료 7-5-3 레진강화형 글래스아이오노머 시멘트의 특성을 설명할 수 있다. (A)

21. 레진 시멘트의 용도

① 복합레진 인레이나 온레이

② 세라믹 인레이나 온레이

③ 치과교정용 브라켓

④ 세라믹 비니어 등의 접착용

⑤ 레진 결합형 고정성 보철물(ex: 매릴랜드 브릿지) 등의 접착용

재료 7-6-1 레진 시멘트의 용도를 설명할 수 있다. (A)

22. 레진 시멘트의 특성 `2022 기출`

① 심미 레진 시멘트: 심미수복물의 영구접착에 사용

② 접착성 레진 시멘트: 레진결합 고정성 보철물에 사용

③ 레진 시멘트는 접착용으로 사용되기 때문에 복합레진보다 점도가 낮아야 함

④ 레진 시멘트는 구강 내 용액에 불용성이며 다른 시멘트보다 인성이 더 큼

⑤ 치수에 유해자극 → 베이스 필요(수산화칼슘)

⑥ 일반적인 레진 시멘트는 항우식 기전이 없으므로 재발성 우식증 예방을 위한 접착이 중요

재료 7-6-3 레진 시멘트의 특성을 설명할 수 있다. (A)

23. 베이스의 사용목적

① 수복물에 기계적인 지지력 제공

② 치수에 가해지는 열로부터 보호

재료 7-7-1 베이스의 사용목적을 설명할 수 있다. (A)

24. 이장재의 사용목적

① 자극적인 화학물질의 차단(보호막 역할)

② 치수에 치료효과 제공

| 재료 7-7-2 | 이장재의 사용목적을 설명할 수 있다. (B) |

25. 와동 바니쉬의 사용목적

① 구강액의 침투를 최소화

② 화학자극성 물질이 침투하는 것을 차단

③ 미세누출 감소

| 재료 7-7-3 | 와동 바니쉬의 사용목적을 설명할 수 있다. (B) |

26. 임시 충전재의 사용목적

① 치수 보호

② 치수감염 예방

③ 영구수복재가 장착될 때까지 치아의 위치를 유지

④ 기능과 심미성 회복

| 재료 7-7-4 | 임시 충전재의 사용목적을 설명할 수 있다. (A) |

제8장 | 인상재

1. 치과용 인상재의 요구조건

① 치아나 소식을 성밀하게 복제할 수 있어야 함

② 불쾌한 맛, 냄새, 독성, 자극성, 알러지 반응이 없어야 함

③ 적당한 흐름성과 탄성이 있어야 함

④ 크기변화가 없고 안정되어 있어야 함

⑤ 구강 내에서 제거 시 찢김이나 영구변형에 저항할 수 있는 충분한 기계적 강도를
지녀야 함

⑥ 소독 후 크기 변화나 물리적 변화가 없어야 함

⑦ 모형재와 친화성이 우수해야 함

⑧ 충분한 작업시간이 있어야 함

⑨ 보관이 용이하고 변질되지 않아야 함

⑩ 사용장비가 간단하고 사용하기 편리해야 함

> **재료 8-1-1** 치과용 인상재의 요구조건을 설명할 수 있다. (B)

2. 치과용 인상재 분류

	탄성 인상재	비탄성 인상재
비가역	• 알지네이트 • 폴리설파이드 • 축합중합형 실리콘 • 부가중합형 실리콘 • 폴리이써	• 인상용 석고 • 인상용 산화아연유지놀
가역	• 아가	• 인상용 콤파운드 • 인상용 왁스

> **재료 8-2-1** 치과용 인상재를 분류할 수 있다. (A)

3. 하이드로콜로이드 인상재의 이액 및 팽윤현상

① 이액현상: 인상재를 공기 중에 노출시키면 시간이 지남에 따라 물이 증발하여 수축

② 팽윤현상: 인상재를 물 속에 넣어 두면 물을 흡수하여 팽창

> **재료 8-2-2** 하이드로콜로이드 인상재의 이액 및 팽윤현상을 설명할 수 있다. (A)

4. 알지네이트 인상재의 장·단점

(1) 장점

① 취급 용이

② 비교적 정확한 인상채득 가능

③ 물의 온도에 따라 경화시간 조절 가능

④ 옷이나 피부에 재료가 묻어도 착색되지 않음

⑤ 환자가 편안함

⑥ 가격 저렴

(2) 단점

① 인상혼합 직후부터 점진적 비가역성 수축이 일어나 변형의 원인이 됨

② 인상재 중 미세부 재현성이 제일 낮음

③ 표면결함이 자주 일어남

④ 취급방법에 따라 변형이 올 수 있음

재료 8-3-1　알지네이트 인상재의 장점을 설명할 수 있다. (A)

재료 8-3-2　알지네이트 인상재의 단점을 설명할 수 있다. (A)

5. 알지네이트 인상재의 조성

① 칼륨 알지네이트, 황산칼슘이수염: 반응체

② 인산나트륨: 반응 지연체

③ 규조토(또는 silica), 산화아연: 강화필러

④ 불화칼륨티타늄: 석고 경화 촉진제

⑤ 기타: 글리콜, 색소, 소독제 등

재료 8-3-3　알지네이트 인상재의 조성을 설명할 수 있다. (B)

6. 알지네이트 인상재의 경화시간 조절법 2021 기출

① 물의 온도로 조절(6초/1℃)

• 낮은 온도: 경화시간 지연

• 높은 온도: 경화시간 촉진

② 18~24℃의 물 사용 권장

③ 주의사항: 분말의 양과 혼합시간을 이용한 경화시간 조절은 물리적 기계적 성질의 변화를 초래하므로 지양

재료 8-3-4	알지네이트 인상재의 경화시간 조절법을 설명할 수 있다. (A)

7. 알지네이트 인상재의 크기 안정성

① 인상채득한 음형인기에는 10분 이내에 석고를 주입해야 정확한 정밀도를 얻을 수 있음

② 다량의 물을 함유하고 있어, 공기나 물속에 보관하면 수축 또는 팽창이 일어남

③ 인상채득 후 즉시 석고주입을 할 수 없는 경우에는 음형인기를 100% 상대습도에서 아래방향으로 보관

재료 8-3-5	알지네이트 인상재의 크기 안정성에 대해 설명할 수 있다. (A)

8. 알지네이트 인상채득 시 주의할 점 2020 기출 2021 기출

① 물과 분말의 혼합비율을 정확히 맞추어 사용

② 알지네이트만 사용할 수 있는 별도의 혼합 고무용기와 스파튤라를 준비

③ 환자의 악궁에 맞는 적당한 크기와 모양의 트레이를 선택

④ 혼합 시 물을 먼저 넣고 인상재를 넣어 혼합(분진과 기포발생을 예방)

⑤ 혼합시간을 정확히 준수

⑥ 경화 후 3~4분 경과 후 최대강도에 도달 시 빼냄

⑦ 트레이와 치아 사이의 알지네이트 인상재가 충분한 두께를 유지하도록 함

⑧ 좌우로 흔들지 말고 순간적으로 빼내야 함(압축력 받는 시간 최소화)

⑨ 압축받은 부위가 회복되기를 기다린 후 석고 주입(10분 이내에 석고 주입)

⑩ 치아장축에 평행하게 단번에 빠른 속도로 빼냄

⑪ 구토반사 대응책

• 하악부터 인상을 채득

• Unit chair: 수직자세(upright position)

• Tray를 뒤쪽에서 앞쪽으로 구강 내에 위치

• 인상재를 tray에 지나치게 많이 담지 않음

재료 8-3-6	알지네이트 인상채득 시 주의할 점을 설명할 수 있다. (A)

9. 알지네이트 인상채득 후 나타날 수 있는 문제점과 원인 2022 기출

문제점	원인
과립현상	• 불충분한 혼합 • 잘못된 물과 분말 비율 • 혼합 시 적당하지 않은 물의 온도 • 과도한 겔화
찢김	• 불충분한 재료의 두께 • 구강 내에서 너무 빨리 제거한 경우 • 잘못된 제거 방법 • 잘못된 혼합 또는 물과 분말 비율
인상 표면의 불규칙한 모양의 기포	조직에 물기 또는 음식물 잔사가 있는 경우
거칠거나 분필 모양의 경석고 표면	• 인상재의 불충분한 세척과 건조 • 석고의 잘못된 취급 • 조기 분리 또는 1시간 후 분리 실패 • 알지네이트 인상재와 석고모형재의 비친화성
변형과 부정확한 모형	• 인상채득 후 석고주입 지연 • 겔화되는 동안 트레이를 움직인 경우 • 구강에서 인상재를 조기 제거한 경우 • 구강에서 인상재를 제거하는 방법이 잘못된 경우 • 인상재와 트레이의 유지가 좋지 않은 경우 • 트레이 내에 인상재를 고루 담지 않은 경우 • 겔화가 시작되기 전에 구강에 트레이를 위치시키는 데 실패한 경우

재료 8-3-7 알지네이트 인상채득 후 나타날 수 있는 문제점과 원인을 설명할 수 있다. (A)

10. 알지네이트 인상재의 보관법과 인상채득 후 석고 주입방법

(1) 보관법

① 알지네이트 인상재는 건조하고 10~27℃되는 곳에 밀봉해서 보관해야 하며, 2년 이상된 것은 사용하지 않는 것이 좋음

(2) 알지네이트 인상채득 방법

① 구강 내를 깨끗이 씻는다.

② 인상채득 직전에 혼합한 소량의 인상재를 교합면과 치간에 손가락으로 가볍게 바른 후 즉시 인상채득을 한다.

③ 하악 인상채득 후 상악 인상을 채득한다.

④ 구강 내 압접 후 움직이지 않는다.

⑤ 경화 후 3~4분이 지나 치아 장축방향으로 단번에 트레이를 제거한다.

⑥ 흐르는 물로 인상체를 씻는다.

재료 8-3-8   알지네이트 인상재의 보관법을 설명할 수 있다. (B)

재료 8-3-9   알지네이트 인상재로 인상채득하는 과정을 설명할 수 있다. (A)

11. 아가 인상재의 장·단점

(1) 장점

① 정밀도 우수

② 재사용 가능

③ 친수성

④ 탄성 풍부

⑤ 아가-알지네이트 연합인상이 가능

(2) 단점

① 비교적 값이 비싼 특수 장비가 필요하고 준비가 번거로움

② 이액현상과 팽윤현상이 있으므로 크기 안정성이 낮음

③ 과열 시 치수나 구강연조직에 손상을 줄 위험이 있음

④ 금속모형재를 사용할 수 없음

재료 8-4-1   아가 인상재의 장점을 설명할 수 있다. (B)

재료 8-4-2   아가 인상재의 단점을 설명할 수 있다. (B)

12. 아가 인상재의 성분과 기능

성분	함량(무게)	기능
한천(agar)	8~15%	기본 성분, 겔화 성분
붕사(borax)	0.2%	겔의 강도 증가, 석고의 경화 지연
황산칼륨(potassium sulfate)	2%	석고 경화 촉진
Alkyl benzoate	0.1%	방부제

성분	함량(무게)	기능
물	80~85%	주성분
색소와 향료	극소량	색과 맛 증진

재료 8-4-3 아가 인상재의 조성을 설명할 수 있다. (B)

13. 아가 컨디셔너

(1) 종류

① Boiling conditioner: 물을 끓여 아가를 중탕, 액화

② Dry conditioner: 전기를 이용해 아가 액화

(2) 구조

① 액화칸

- 겔 상태의 아가를 졸 상태로 만드는데 100℃에서 최소한 10분 이상 끓임
- 불충분하게 끓이면 재료가 뻣뻣해져 정확한 인상채득할 수 없음
- 다시 액화시키기 위해서는 처음 액화보다 3분 정도 더 끓임
- Dry conditioner는 10~20분 동안 액화시킴

② 보관칸

- 적당한 온도의 졸 상태로 보관해야 함
- 63~69℃가 이상적, 액화된 재료가 보관온도에 도달하는 데는 10분 정도가 지나야 함

③ 조절칸

- 46℃ 정도의 조절칸에서 최소한 2분 이상 보통 10분 정도 두어 구강에 적합하기 좋은 상태로 만든 후 구강에 삽입
- Dry conditioner에는 조절칸이 없음

재료 8-4-4 아가 컨디셔너에 대해 설명할 수 있다. (B)

14. 아가-알지네이트 연합인상의 채득과정

① 지대치 주입용 아가 인상재는 아가 컨디셔너에서 액화시킨 후 보관칸에서 보관

② 알지네이트 인상재를 정상보다 10% 정도 더 묽게 혼합하여 트레이에 담음

③ 아가 인상재를 꺼내어 지대치에 주입

④ 아가 인상재 위에 알지네이트 트레이 위치

⑤ 경화 후 구강 내에서 제거

| 재료 8-4-5 | 아가-알지네이트 연합인상 채득 과정을 설명할 수 있다. (B) |

15. 고무인상재의 분류

화학성분에 따른 분류	점조도에 따른 분류	공급형태에 따른 분류
• 폴리설파이드 • 축중합형실리콘 • 부가중합형실리콘 • 폴리이서(부가중합)	• Low viscosity (light body) • Medium viscosity (regular body) • High viscosity (heavy body) • Putty	• Two paste system • Two liquid system • Two putty system • Paste–liquid system • Putty–liquid system • Putty–paste system

| 재료 8-5-1 | 고무인상재를 분류할 수 있다. (A) |

16. 폴리설파이드 인상재의 특성

① 유황으로 인한 특유한 냄새

② 의복에 착색

③ 작업시간과 경화시간은 10~20분

④ 높은 찢김 저항성, 구강 내 제거 후 비교적 영구변형이 큼

⑤ 구강 내에서 제거 후 계속 수축하므로 30분 이내에 석고모형을 제작

⑥ 소수성이므로 지대치에 수분이 있으면 정밀한 인상채득할 수 없음

⑦ 반응부산물로 물 형성

| 재료 8-5-2 | 폴리설파이드 인상재의 특성을 설명할 수 있다. (B) |

17. 부가중합형 실리콘 고무인상재의 특성 2019 기출 2022 기출

① 폴리비닐실록산 또는 비닐폴리실록산이라고도 함

② 냄새가 없고 혼합이 쉬움

③ 의복에 착색 안 됨

④ 작업시간과 경화시간 6~8분

⑤ 온도를 낮추어 중합반응 지연시킬 수 있음

⑥ 찢김 저항성은 낮으나 영구변형은 매우 적음

⑦ 재료가 뻣뻣하므로 구강에서의 제거와 모형의 분리 어려움

⑧ 크기안정성 우수하므로 복제모형 가능

⑨ 중합 시 반응부산물이 없음

⑩ 크기 안전성과 흐름성 조절이 용이한 점을 이용하여 교합인기재 및 정밀도 측정재로 활용됨

⑪ 경화 중 수소가스가 발생하기도 함(석고 표면에 기포발생 우려)

재료 8-5-3 부가중합형 실리콘 고무인상재의 특성을 설명할 수 있다. (A)

18. 폴리이써 고무인상재의 특성 `2021 기출`

① 중합수축이 적음

② 영구변형 매우 낮음

③ 친수성이므로 지대치에 어느 정도 수분 있어도 정밀 인상채득 가능, 석고주입 용이

④ 물속에 보관하면 팽윤

⑤ 연조직에 접촉할 때 피부자극을 유발할 수 있음, 환자에 따라 약간 쓴맛이 있거나 알러지가 있는 환자에게 사용해서는 안 됨

⑥ 반응부산물이 없음

⑦ 상당히 뻣뻣하고 찢김저항성이 나쁨

⑧ 작업시간(2~3분)과 경화시간(6~7분)이 다른 고무 인상재에 비해 짧음

⑨ 크기 안정성이 우수(부가중합)

재료 8-5-4 폴리이써 고무인상재의 특성을 설명할 수 있다. (A)

19. 고무인상재의 보관법

고무인상재는 냉소에 보관하고 특히 실리콘은 냉장보관

재료 8-5-5 고무인상재의 보관법을 설명할 수 있다. (B)

Part

10

치과재료학

20. 고무인상재 사용 시의 문제점과 원인

문제점	원인
거칠거나 불균일한 인상재 표면	• 구강에서 조기 제거 • 반응제와 기저재의 비율이나 혼합의 잘못 • 치아에 기름이나 다른 유기물 등에 의한 불완전한 중합
기포	혼합 시 유입된 공기
불규칙한 형태의 기포	치면의 수분이나 찌꺼기
경석고 표면의 작은 혹	• 인상 표면에 남은 물 • 인상채득 시 공기유입 • 모형의 조기 제거
거칠거나 표면이 분필 같은 경석고 모형	인상의 부적절한 세척
변형	• 비효과적 접착제로 인한 트레이의 기계적 유지 결여 • 탄성이 생긴 후 인상재에 지속적으로 압력 가한 경우 • 중합 시 트레이의 동요 • 구강에서 조기 제거 • 구강에서 잘못된 제거 • 재료의 과다한 부피

> **재료 8-5-6** 고무인상재 사용 시의 문제점과 원인을 설명할 수 있다. (B)

21. 고무인상재의 인체 위해성

(1) 접촉성피부염(Allergic reaction)

　① 환자의 구강점막, 입술 또는 얼굴 피부에 접촉하는 경우 알레르기반응 유발될 수 있음

　② 알레르기반응: 주로 발진성 피부염형태를 보임

　　• Condensation silicone의 accelerator (특히 액체인 경우)와 polyether의 accelerator에 의해 알레르기반응을 일으킨 경우가 보고됨

　　• Putty형의 condensation silicone을 맨손으로 혼합할 때 술자에게도 알레르기반응이 나타날 수 있으므로 주의를 기울여 관찰해야 함(알레르기반응이 나타나면 1회용 비닐장갑을 사용하면 됨)

(2) 이물질반응(Foreign boody reaction)

① 인상채득 시 인상재의 찢긴 조각이 gingival sulcus에 남아 있는 경우 이물질반응으로 염증반응 및 부종이 나타남

② 고무인상재는 아가나 알지네이트 인상재에 비하여 찢김강도(tear strength)가 높아 찢길 염려가 적지만 그래도 찢길 가능성이 있으므로 인상채득 후에는 gingival sulcus에 찢긴 조각이 남아 있는지를 반드시 확인해야 함(특히 polysulfide의 accelerator에는 PbO_2가 들어있어 주의해야 함)

재료 8-5-7   고무인상재의 인체위해성을 설명할 수 있다. (B)

22. 고무인상재 인상체의 소독 방법

① 인상체를 흐르는 물로 씻어 타액이나 혈액을 제거한다.

② 사용하는 고무인상재에 맞는 소독제에 담그거나 소독제를 분사한다.

(폴리썰파이드, 부가중합형 실리콘 → 담그는 방법, 폴리이써 → 뿌리는 방법)

③ 소독이 끝난 후 세척 후 석고를 주입한다.

재료 8-5-8   고무인상재 인상체의 소독방법을 설명할 수 있다. (B)

23. 고무인상재로 인상채득하는 과정

(1) 1단계 인상채득(one-step impression technique)

① 구강 내를 깨끗하게 씻는다.

② 구강 내를 완전히 건조하여 수분을 차단한다.

③ 지대치와 트레이 농시에 고무인상재를 주입한다.

④ 트레이를 지대치에 압접한다.

⑤ 경화될 때까지 움직이지 않는다.

⑥ 경화 후 치아 장축방향으로 트레이를 제거한다.

(2) 2단계 인상채득(two-step impression technique)

① 구강 내를 깨끗하게 씻는다.

② 구강 내를 완전히 건조하여 수분을 차단한다.

③ 반죽형 인상재를 혼합, 트레이에 담아 스페이서(spacer)를 인상재 위에 위치시킨 후 일차 인상채득을 한다.

④ 저점조도의 인상재를 혼합하여 일차 인상 채득한 트레이 음형부위와 지대치에 동시 주입하고 구강 내에 다시 위치시켜 최종 인상을 채득한다.

※ 점조도에 따른 인상채득

① 단일 혼합법: 한 가지 점조도의 고무인상재를 지대치와 트레이에 사용하는 방법

② 이중 혼합법: 흐름성이 있는 인상재를 지대치에, 점조도가 높은 인상재를 트레이에 사용하는 방법

재료 8-5-9   고무인상재로 인상채득하는 과정을 설명할 수 있다. (A)

24. 인상용 콤파운드의 용도

① 총의치 제작을 위한 무치악 인상

② 인상용 트레이의 근압형성 인상재로 많이 사용

③ 인레이 와동을 형성한 후 와동 내의 함몰부위 여부 확인

④ 트레이 재료로 사용

⑤ 기공작업 시 모형이나 장치 배열 또는 조립할 때 접착용

재료 8-6-1   인상용 콤파운드의 용도를 설명할 수 있다. (B)

25. 인상용 콤파운드의 특성

① 인상용 컴파운드는 가장 오래된 치과용 인상재 중의 하나, 열에 의해 연화 또는 경화되는 가역성 재료이면서 비탄성재료임

② 열전도성이 매우 낮으므로 천천히 균일하게 가열해야 함

재료 8-6-2   인상용 콤파운드의 특성을 설명할 수 있다. (B)

26. 인상용 콤파운드로 인상채득 시 변형을 최소화하는 방법

① 인상용 콤파운드에는 용해 온도라는 것이 있는데, 이 온도가 되면 콤파운드는 가소성이 떨어지며 흐름성이 저해되어 미세부 재현성이 떨어져 정밀 인상채득을 할 수 없게 되기 때문에 용해 온도 이전에 재료를 구강 내에 위치시켜야 함

② 인상용 콤파운드를 가열한 후 서서히 냉각시키면서 시간경과에 따라 온도를 측정하면 어느 일정 온도에서 온도가 변하지 않고 수평을 이루는 독특한 시간−온도 냉각곡선을 그릴 수 있으며, 이를 인상용 콤파운드의 용해온도라고 함

③ 응력에 의한 변형을 최소화하기 위해서는 16~18℃의 물을 분사해서 충분히 냉각시킨 후 구강에서 인상을 제거 함

④ 인상채득 후 1시간 이내, 즉 응력이완이 일어나기 전 모형제작 하는 것이 안전한 방법임

> **재료 8-6-3**　인상용 콤파운드의 변형을 최소화하는 방법을 설명할 수 있다. (B)

27. 인상용 콤파운드의 연화방법

① 불꽃: 일정 거리 두고 천천히 연화, 타면 성분과 흐름성이 변함, 소량일 때 사용

② 뜨거운 물: 수조(water vaath)의 물 이용, 오래 보관하면 성분이 유리되어 흐름성이 변함, 다량일 때 사용

> **재료 8-6-4**　인상용 콤파운드의 연화방법을 설명할 수 있다. (B)

28. 인상용 산화아연유지놀 인상재의 특성

① 거의 모든 재료의 건조한 표면에 접착력이 우수함

② 변형이 되지 않고 약산 불충분한 변연부위도 축성할 수 있음

③ 경화된 인상 음형인기를 여러 번 구강 내에 다시 삽입할 수 있음

④ 작업시간이 충분해서 border molding을 서두르지 않아도 됨

⑤ 크기 안전성이 우수

⑥ 정밀부위에 재현성이 우수

⑦ 모형재를 주입하기 전에 분리제를 바를 필요가 없음

> **재료 8-6-5**　인상용 산화아연유지놀 인상재의 특성을 설명할 수 있다. (B)

제9장 | 치과용 석고

1. 치과용 석고의 용도에 따른 용도

유형	석고종류	100g 분말에 대한 물의 양(mℓ)	혼수비	용도	색깔
1	보통석고	37~50	0.5	인상채득	흰색
2	보통석고	37~50	0.5	연구용 모형	흰색
3	경석고	28~32	0.3	작업용 모형	노란색
4	초경석고(저팽창)	19~24	0.25	다이용	분홍색
5	초경석고(고팽창)	18	0.18	다이용	녹색

재료 9-1-1 치과용 석고의 종류에 따라 용도를 설명할 수 있다. (A)

2. 혼수비가 석고의 성질에 미치는 영향 2022 기출

	혼수비가 큰 경우	혼수비가 작은 경우
경화시간	지연	촉진
점조도	감소	증가
경화팽창	감소	증가
강도	감소	증가

재료 9-1-2 혼수비가 석고의 성질에 미치는 영향을 설명할 수 있다. (A)

3. 석고의 경화반응

① 물을 제거하여 만든 석고를 물과 혼합하면 열을 발산하고 경화가 일어남

② 반수염과 이수염 사이의 물에 대한 용해도 차이에 의해 경화반응이 일어남

$$CaSO_4 \cdot H_2O + 1H_2O \rightarrow CaSO_4 \cdot 2H_2O + heat$$

　　(황산칼슘반수염)　　　(황산칼슘이수염)

재료 9-1-3 석고의 경화반응을 설명할 수 있다. (B)

4. 치과용 석고의 경화시간과 조절방법 2019 기출

① 화학물질 첨가제
  - 경화촉진제: 2% K_2SO_4 (황산칼륨)용액, 미리 경화된 이수석고분말(terra alba), 소량의 일반 식염(NaCl)
  - 경화지연제: 2% borax 용액, 많은 양의 일반 식염(NaCl)

② 혼합시간
  - 혼합시간이 짧으면 경화시간 지연
  - 혼합시간이 길면 경화시간 촉진

③ 혼합속도
  - 혼합속도가 빠르면 경화시간 촉진
  - 혼합속도가 느리면 경화시간 지연

④ 혼수비
  - 물의 양이 많으면 경화시간 지연
  - 물의 양이 적으면 경화시간 촉진

⑤ 물의 온도(23 → 30℃)
  - 물의 온도가 증가하면 경화시간 촉진
  - 물의 온도가 감소하면 경화시간 지연

재료 9-1-4　치과용 석고의 경화시간 조절법을 설명할 수 있다. (A)

5. 치과용 석고의 경화 팽창 조절방법

① 치과용 석고는 일반적으로 경화 시 팽창하며, 이를 경화팽창이라 함
② 수중에서는 팽창량이 더욱 증가하는데, 이를 수화경화팽창이라 함
③ 경화팽창 조절법: 혼수비, 혼합속도, 물의 온노에 따라 조절, 또한 첨가제(황산칼륨, 붕사, 구연산)를 넣어 경화 팽창을 줄임

재료 9-1-5　치과용 석고의 경화팽창 조절법을 설명할 수 있다. (B)

6. 치과용 석고의 종류에 따른 강도

초경석고 〉 경석고 〉 일반석고 순으로 강도가 큼

재료 9-1-6	치과용 석고의 종류에 따른 강도를 설명할 수 있다. (B)

7. 치과용 석고를 인상에 주입하는 방법 2021 기출

① 먼저 인상 채득한 음형인기에 묻은 타액이나 혈액 등을 흐르는 물로 제거
② 물을 먼저 rubber bowl에 넣고 석고 분말을 넣어 혼합
③ 혼합된 석고를 인상체에 주입할 때는 진동기를 이용(과도한 진동은 오히려 기포를 더 발생)
④ 인상의 한쪽 끝에서부터 흘려 채워 넣음
⑤ 내부에 공기가 함입되지 않도록 주의
⑥ 일단 채워진 인상은 건드리지 말고 100% 상대습도에서 보관
⑦ 인상체에 석고를 채우고 인상체 변연보다 높게 석고를 올림
⑧ 완전히 경화된 후 석고를 인상체에서 제거
⑨ 모형을 소독한 후 보관한다.

재료 9-1-7	석고모형 제작과정을 설명할 수 있다. (A)

8. 치과용 석고의 취급 시 주의사항 2020 기출

① 석고의 최종 성질에 가장 큰 영향을 미치는 것: 혼수비
② 물과 석고를 혼합할 때의 무게비로 혼수비를 정확히 지켜야 함
③ 러버 볼에 물을 담고 분말 첨가
④ 적절한 진동을 주면서 혼합하거나 진공 혼합기 사용: 혼합물 내부의 공기를 제거하여 강도 강화
⑤ 석고 보관: 습기가 없는 곳에 밀봉하여 보관
⑥ 큰 용기의 포장을 일단 개봉하면 작은 밀봉 플라스틱 용기에 담아 보관
⑦ 고무인상재로 채득한 경우 원형회복을 위해 20분 후 석고주입
⑧ 알지네이트로 인상채득한 경우 즉시 석고주입

재료 9-1-8	치과용 석고의 취급 시 주의사항을 설명할 수 있다. (A)

1. 치과용 왁스의 분류와 용도

(1) **광물성 왁스**: 천연왁스

    ① 파라핀 왁스(paraffin wax)
- 석유의 높은 비등점에서 얻어지며 26~30개의 탄소원자를 포함하는 탄화수소의 혼합물
- 보통 상업용 파라핀 왁스는 40~71℃에서 용해

    ② 미세결정 왁스(microcrystalline wax): 석유로부터 정제된 기름에서 얻어지며, 60~91℃의 높은 용융점

    ③ 반다 왁스(barnsdah wax)
- 70~74℃의 용융점을 갖는 미세결정형 왁스
- 파라핀 왁스의 용융점과 경도를 증가시키고 유동성을 감소시키는 데 사용되는 물질

    ④ 오조케라이트(ozokerite)
- 오일과의 친화력 우수
- 파라핀 왁스에 5~15%를 첨가하면 용융온도를 54℃로 유지하면서 물성이 좋음

    ⑤ 세레진(ceresin)
- 석유나 갈탄을 정제하여 얻어진 왁스
- 파라핀 왁스의 용융점을 높이기 위해 사용

    ⑥ 몬탄왁스(montan wax)
- 갈탄에서 얻어지는 광물성 왁스로 조성과 성질은 식물성 왁스와 비슷
- 파라핀 왁스의 경도나 용융점을 개선하기 위해 식물성 왁스를 대체하여 사용

(2) **식물성 왁스**: 천연왁스

    ① 카나우바(carnauba)

    ② 오우리큐리 왁스(ouricury wax)

    ③ 칸델리아(candellia wax)

    ④ 일본 왁스(Japan wax)

    ⑤ 코코아 버터(cocoa butter)

(3) **곤충 왁스**: 천연왁스, 치과용 접착성 왁스, 굳으면 딱딱해지고 잘 깨짐

(4) **동물성 왁스**: 천연왁스, 치실의 표면 처리제로 사용

(5) 합성 왁스

① 종류: 폴리에틸렌 왁스, 폴리옥시에틸렌 글리콜 왁스, 할로겐화 탄화수소 왁스, 수소화 왁스, 왁스 에스테르

② 특성

- 천연왁스와 화학적 성분은 다르지만 융융온도나 경도 등과 같은 물리적 성질은 천연왁스와 비슷
- 천연왁스에서 얻은 왁스에는 오염물질이 존재할 수 있으나 합성왁스는 높은 순도

(6) 지방: 소량의 실리콘 오일은 왁스의 연마성 기능을 높임

(7) 레진: 파라핀 왁스에 첨가(융융온도, 강도, 필름 형성도 등의 특성을 개선)

재료 10-1-1	치과용 왁스의 성분을 설명할 수 있다. (B)

2. 치과용 왁스의 용도별 분류

① 패턴용(pattern wax): Inlay wax, casting wax, baseplate wax

② 작업용(processing wax): Boxing wax, utility wax, sticky wax

③ 인상용(impression wax): Corrective wax, bite wax

1) 패턴 왁스(Pattern wax)

수복물이나 장치의 원형(pattern)을 만드는 데 사용

(1) 인레이 왁스(Inlay wax)

① 분류

- 제 I 형 왁스(연질): 간접법으로 모형상에서 패턴 제작
- 제 II 형 왁스(경질): 구강 내에서 직접 패턴 제작할 때 사용

② 흐름성

- 제 I 형 왁스: 30℃에서 최대 흐름성은 1%, 45℃에서 흐름성의 범위는 70~90%
- 제 II 형 왁스: 37℃에서 최대 흐름성은 1%, 45℃에서 흐름성의 범위는 70~90%

③ 잔류응력

- 왁스를 조작함으로써 생기는 응력이 왁스에 남아 있는 경우
- 왁스의 조작법은 잔류응력의 발생을 최소화하고 잔류응력이 이완된 상태로 보관하는 방법에 초점을 둠

- 고온상태에서 장기간 보관하면 변형은 가장 크게 발생
- 형성된 납형을 30분 이내에 매몰할 때에 변형을 최소화

(2) **주조용 왁스(Casting wax)**: 국소의치나 그 밖의 비슷한 장치물의 금속 주조물 제작 시 납형 제작용으로 사용

(3) **기초상 왁스(Baseplate wax)**

① 주로 수지상 총의치를 제작할 때 임시 기초상이나 교합상의 초기 악궁형태를 설정하는데 많이 사용

② 붉은색이나 분홍색이고 두께 1~2 mm의 판형으로 시판

2) **작업용 왁스(Processing wax)**

(1) **박싱 왁스(Boxing wax)**

① 길고 얇은 띠 형태로 되어 있으며, 약간 끈끈하고 실온에서도 쉽게 휘어지므로 가열 없이 원하는 형태 부여

② 인상체의 변연부를 박싱하여 보통석고나 경석고 모형 제작 시 사용

(2) **유틸리티 왁스(Utility wax)**

① 가열없이 사용 가능(약간의 달라 붙는 성질)

② 트레이의 크기와 형태를 변형시켜 맞춤 트레이로 사용할 수 있으며 인상재의 변형 방지

(3) **스티키 왁스(Sticky wax)**

① 단단하고 취성이 있으며, 녹으면 부착성이 있어 표면에 잘 달라 붙음

② 의치를 수리하기 위해 파절된 부분을 결합시킬 때 유용

3) **교합인기용 왁스(bite registration wax)**

인상이나 교합을 채득하는 데 사용

재료 10-1-2   치과용 왁스를 용도별로 분류할 수 있다. (B)

제11장 | 치과용 합금

1. 귀금속과 비귀금속의 종류

(1) 귀금속

① 금
- 연성과 전성이 가장 풍부
- 주조성이 양호하고 내식성이 아주 뛰어남
- 강도를 증가시키기 위하여 한 가지 또는 그 이상의 금속을 섞어 합금의 형태로 사용

② 은
- 동에 의해 붉게 변한 합금 색을 조절
- 합금의 경도와 강도 증가
- 변색저항성 낮춤

③ 동
- 내식성이 나쁨(금과 합하면 내식성이 우수 → 순금의 경도와 강도 증가)
- 부식이 잘 됨
- 인체에 유해
- 합금을 붉게 하고 용융점과 변색저항성 낮춤

④ 백금, 팔라듐
- 합금의 강도 증가
- 용융점 높임

⑤ 아연: 산소의 함량을 감소

⑥ 철, 인듐, 주석
- 고온 융점을 갖고 있고 경화재 및 결합재 역할
- 도재 소부용 합금에 소량 사용

재료 11-1-1 치과주조용 귀금속 합금의 조성을 설명할 수 있다. (B)

2. 치과주조용 금합금을 용도에 따라 분류

분류	귀금속 함량(%, 최소)	용도
제 I 형(연질)	83	3급, 5급 와동 인레이
제 II 형(중질)	78	2면, 3면 갖는 인레이
제 III 형(경질)	78	금관, 계속가공의치
제 IV 형(초경질)	75	가철성 국소의치, clasp

재료 11-1-2 치과주조용 금합금을 용도에 따라 분류할 수 있다. (B)

3. 부동태 금속의 종류 및 특성

(1) 종류

① 크롬(Cr): 공기나 물에 노출될 경우 재빨리 강하고 안정된 산화막을 형성하는 부동태화 반응이 일어나 부식을 방지

② 알루미늄(Al): 쉽게 부동태화하는 금속, 의치상을 제작하는 데 사용되기도 함

(2) 특성

산화막 형성하여 부식을 방지

재료 11-2-1 부동태 금속의 종류를 설명할 수 있다.(B)

재료 11-2-2 부동태 금속의 특징을 설명할 수 있다.(B)

치과재료학

4. 코발트-크롬 합금의 특성

① 국소의치 구조물을 제작, 생체 적합성이 우수

② 밀도가 금합금의 절반이므로 매우 가벼워 환자가 편하게 느낌

③ 가격 저렴하고 물성이 비교적 양호함

④ 부식저항성이 크나 연마가 어려움

⑤ 주조온도는 금합금보다 더 높아 고주파 유도 주도기가 필요

⑥ 고온 매몰재가 필요

⑦ 주조수축이 큼

⑧ 탄성계수가 금합금보다 높아 약 2배 정도 견고함

| 재료 11-2-3 | 코발트-크롬 합금의 특성을 설명할 수 있다. (B) |

5. 니켈-크롬 합금

① 코발트–크롬 합금에 비하여 유연하고 연성이 큼
② 부식저항성 및 생체 친화성이 우수
③ 도재 소부용으로 가장 많이 사용
④ 용융온도가 높아 별도의 고온 매몰재와 주조기가 필요
⑤ 주조수축이 크기 때문에 변연적합성에 문제가 있음
⑥ 금속–세라믹용으로 가장 많이 사용됨

| 재료 11-2-4 | 니켈-크롬 합금의 특성을 설명할 수 있다. (B) |

6. 티타늄 및 티타늄 합금

① 임플란트, 핀(self–threading pin), 교정용 선재(Ni–Mo 합금)로 사용
② 금보다 ¼ 정도 가벼우면서 금과 비슷한 상질을 가지고 있음
③ 부식 저항성이 높고 밀도와 탄성계수가 낮으며 강도가 높고 생체 친화성이 우수하여 널리 사용되고 있음
④ 전기 화학적 부식 저항성이 높음
⑤ 의치상이나 금관 제작이 가능하게 됨
⑥ 코발트–크롬 합금보다 1/2배 정도로 더 가벼우면서 강도는 높고 탄성율이 금합금과 비슷함
⑦ Clasp에 우수한 효과를 나타냄(국소의치에 사용되기도 함)
⑧ 용융온도가 1,688℃로 금합금(1,063℃)보다 높아 전용 주조기가 필요

| 재료 11-2-5 | 티타늄 및 티타늄 합금의 특성을 설명할 수 있다. (B) |

7. 도재 접착용 합금(금속-세라믹용 합금)의 종류와 특성

(1) 고금합금(High gold alloy): 제1군

① 귀금속(금 + 백금 + 팔라듐) 함량이 98%인 합금
- 합금의 경화를 위해 철을 첨가, 도재와 금속간의 결합을 위해 산화층 형성하는 주석·인듐 등을 소량 첨가

② 귀금속 함량이 80%인 합금
- 가격 저렴
- 만족할 만한 물성, 강도, 경도 높고 연성도 풍부함

(2) 팔라듐-은 합금(Palladiun-silver alloys): 제2군

① Pd 50~60%·Ag 30~40%, 저함량(%)의 비귀금속

② 금합금보다 밀도가 낮음

③ 도재 소성 중 은의 증발과 확산으로 도재가 녹색으로 변색하는 문제점이 있음

(3) 팔라듐-동 합금

① 팔라듐-은 합금의 대용재료로 사용

② Pd 70~80%, Cu 10~15%, K 5~10%

③ 팔라듐은 합금과 비슷

④ 은이 없으므로 도재를 녹색으로 변색시키지 않음

⑤ Sag resistance가 낮음(long-span bridge (6전치를 포함하는 긴 bridge)에는 사용하지 않음, 휘어지기 때문에)

(4) 니켈-크롬 합금

① 고가의 귀금속 합금의 대체 재료로 사용

② 니켈 70~80%, 크롬 15%, 알루미늄, 망간 소량 함유

③ 금합금 또는 팔라듐-은 합금보다 주조와 납착이 어려움

④ 강도가 충분하여 세라믹의 파절을 방지할 수 있음

| 재료 11-3-1 | 금속-세라믹용 합금의 종류를 나열할 수 있다. (B) |
| 재료 11-3-2 | 금속-세라믹용 합금의 특성을 설명할 수 있다. (B) |

8. 귀금속 합금과 비귀금속 합금의 차이(비귀금속 합금의 측면)

① 용융온도: 금 합금에 비해 높음(주조할 때 특수 장비 필요)

② 비중: 금 합금의 1/2 정도 가벼워 이물감 없음(큰 주조체에 사용)

③ 열전도율: 금 합금보다 4배 정도 낮음

④ 강도 및 경도: 금 합금보다 2배 정도 높아 마모위험성 적으나 연마가 어려움

⑤ 금합금에 비해 주조수축이 커서 변연적합성이 나쁨

재료 11-4-1 귀금속 합금과 비귀금속 합금의 차이를 설명할 수 있다. (B)

9. 비귀금속 합금의 인체 위해성

① 치과용 합금: 구강 내 장기간 사용하므로 부식에 의해 금속 이온이 유리되어 구강 조직이나 전신에 불쾌한 맛, 혀의 작열감, 알레르기, 염증 등의 부작용 유발

② 비귀금속 합금: 일부 금속에서 알레르기와 암 발생 가능성

③ 니켈 알레르기: 알레르기 유발

④ 니켈-크롬 합금을 주조 및 절삭: 배기와 여과 장비 설치, 구강 내에서 삭제 시 반드시 진공흡입기를 사용해야 함

⑤ 베릴륨: 접촉성 피부염이나 폐렴 등의 독성을 나타냄(현재 치과용 합금 사용 금지)

재료 11-5-1 비귀금속 합금의 인체 위해성에 대해 설명할 수 있다. (B)

제12장 | 치과용 금속의 주조

1. 치과용 금속의 주조과정

와동 및 지대치 형성 → 인상채득 → 모형제작 → 납형제작 → 주입선 부착 → 원추대에 고정 → 링 장착 → 매몰 → 주형의 가열(소환) → 합금의 용해 → 주조 → 주조체의 처리

재료 12-1-1 치과용 금속의 주조과정을 설명할 수 있다. (B)

1. 폴리머의 개념

수많은 단량체(monomer)로 이루어진 분자임

| 재료 13-1-1 | 폴리머의 개념을 설명할 수 있다. (B) |

2. 중합과정

① 폴리머를 형성하는 과정
② 부가중합과 축중합이 있음
③ 부가중합은 높은 결합에너지로 다른 분자와 쉽게 반응을 함
④ 축중합은 부산물이 발생하며 중합하여 전체적으로 수축함

| 재료 13-1-2 | 중합과정을 설명할 수 있다. (B) |

3. 폴리머의 특성

① 사슬의 화학적 조성
② 중합 정도
③ 폴리머 사슬간의 가지 또는 가교결합의 숫자: 사슬이 길고 분자량이 크면 폴리머의 강도, 경도, stiffness가 증가하고 취성이 증가함에 따라 크립 저항성도 높아짐

| 재료 13-1-3 | 폴리머의 특성을 설명할 수 있다. (B) |

4. 의치상 폴리머의 분류

① 열중합형: 재래형, 고충격 강화형
② 자가중합형
③ 주입성형형: 폴리메틸메타크릴레이트, 폴리카보네이트, 나일론

| 재료 13-2-1 | 의치상 폴리머를 분류할 수 있다. (B) |

Part
10

치과재료학

5. 의치상 폴리머의 물리적 성질

① 강도: 낮은 충격강도와 피로강도 → 떨어뜨리지 않도록 함

② 마모도: 낮은 마모 저항성 → 부드러운 칫솔 사용

③ 열적특성: 낮은 열전도율 → 뜨거운 음식 섭취 시 식도 화상, 유리전이온도 100℃ → 높은 온도에서의 세척 및 연마 시 의치 변형

④ 크기 안정성: 제작 시 수축하나 환자의 조직은 충분히 적응함

⑤ 물 흡수도: 물 흡수 시 2% 팽창, 공기 중에서 물 증발로 수축 → 반복된 수축 팽창으로 변형발생 → 구강 내 제거 시 물에 보관

⑦ 산·염기 저항성: 일반적 청정제와 세제에 저항(but. 알콜이나 염소 함유 청정제 사용 금지)

⑧ 생물학적 특성:
  - 고분자의 단량체 증기로 호흡기나 심장기능에 영향, 알러지 유발 → 작업장 자주 환기
  - 의치상은 미생물의 서식지 → 표면 변색, 얼룩, 점막 자극 야기

재료 13-2-2　　의치상 폴리머의 물리적 성질을 설명할 수 있다. (B)

6. 열중합형 의치상의 중합단계

① 모래상 단계(sandy atage): 모노머가 분말에 녹기 시작한 초기단계

② 점착성 단계(stringy stage): 서로 끈적끈적하게 달라붙는 단계

③ 병상단계(Dough stage): 모노머가 혼합물의 중심부까지 침투하여 탄성을 갖는 단계 (작업하기 좋은 단계)

④ 고무상 단계, 강성단계(rubber stage, stiff stage): 딱딱해지는 단계

재료 13-2-3　　열중합형 의치상의 중합단계를 설명할 수 있다. (B)

7. 열중합형 레진 의치상과 자가중합형 레진 의치상의 특성

(1) 화학-중합형(Chemically-curing) 또는 상온-중합형 레진(=자가중합형)

① 반응개시제인 과산화물 벤조일(benzoyl peroxide)이 유기 촉진제

② 열중합 레진은 열에 의해 개시제가 활성화되는 반면 자가중합형은 3차 아민에 의해 화학적으로 활성화됨

③ 반응 촉진제인 3차 아민이 액에 들어 있어 개시제인 벤조일퍼옥사이드를 분해시켜 자유 라디칼을 발생시킴으로서 실온에서 단량체의 중합이 일어나게 함

(2) 열중합형 레진(Heat-curing plastics)

① 반응개시제인 과산화물 벤조일(benzoyl peroxide)이 열에 의해 분해되어 활성이 있는 자유라디칼(free radicals)이 됨

② 낮은 중합수축으로 인해 열중합이 자가중합에 비해 중합수축이 크고 열 중합과정에서 생긴 응력 때문에 의치의 체적안정성이 떨어짐

③ 크립 속도는 온도, 응력, 잔류 단량체, 가소제 양의 증가에 따라 증가하는데, 응력이 낮을 때는 큰 차이가 없으나 응력이 증가하면 자가중합이 열중합보다 크립 속도가 빨라짐(자가중합 > 열중합)

재료 13-2-4 열중합형의 의치상 레진과 자가중합형 의치상 레진의 특성을 비교하여 설명할 수 있다. (B)

8. 연질 이장재와 조직 조절재

① 연질 이장재: 환자가 통증을 호소하거나 의치의 유지력을 증가시키기 위하여 조직과 접촉하는 단단한 의치상 플라스틱 위에 사용되는 탄성 폴리머

② 조직 조절재: 전신적 건강쇠약 또는 부정확한 의치에 의한 자극으로 의치를 유지하는 구강점막에 염증이 생기고 조직변형이 생길 때, 치유를 위해 부적합한 의치를 임시적으로 재이장해주는 연성의 탄성재료

재료 13-3-1 연질 이장재와 조직 조절제의 차이점을 설명할 수 있다. (B)

제14장 | 치과용 임플란트 재료

1. 치과용 임플란트의 종류

① 골내형: 무치악골을 덮고 있는 구강 점막을 관통하여 하악 또는 상악골과 돌기에 매식하는 것

② 골막하형: 골막하부의 골표면에서 지지를 얻는 방법

③ 골관통형: 무치악골을 덮고 있는 구강 점막과 하악골 하방 변연부 또는 돌기를 관통하는 방법

| 재료 14-1-1 | 치과용 임플란트의 형태를 설명할 수 있다. (B) |

2. 치과용 임플란트의 재료의 분류 및 특성

① 금속: 순수 티타늄, Ti-6AI-4V 합금, 코발트계 합금
② 세라믹
   • 불활성 세라믹: 알루미나, 탄소, 지르코니아
   • 활성 세라믹: 활성 글라스, 인산칼슘
③ 고분자 재료

| 재료 14-1-2 | 치과용 임플란트 재료의 종류를 설명할 수 있다. (B) |

3. 티타늄 합금이 치과용 임플란트 재료로 적합한 이유

① 티타늄은 강도와 생물학적 친화성
② 부식저항성이 우수
③ 높은 골 유착 반응

| 재료 14-1-3 | 치과용 임플란트 재료로 티타늄 합금의 장점을 설명할 수 있다. (B) |

제15장 | 치과용 세라믹

1. 치과용 세라믹의 용도

① 세라믹 크라운(금속-세라믹 크라운, 전부 도재관)
② 세라믹 비니어
③ 세라믹 인레이 또는 온레이
④ 세라믹 임플란트 및 어버트먼트
⑤ 의치용 인공치

| 재료 15-1-1 | 치과용 세라믹의 용도를 설명할 수 있다. (B) |

2. 치과용 세라믹의 조성

① 장석: 80~90%

② 석영: 10%(강도 및 구조물 유지)

③ 점토: 소량(상온에서 성형성 부여)

④ 기타: 소다, 칼시아, 탄산칼륨, 붕소 등

재료15-1-2 치과용 세라믹의 조성을 설명할 수 있다. (B)

3. 치과용 세라믹의 일반적 성질

① 우수한 심미성

② 구강액에 불용성

③ 소성 후 크기 안정성 우수

④ 연조직에 대한 친화성 우수

⑤ 마모저항성이 높음

⑥ 인장강도 및 전단강도 ↓

⑦ 압축강도 ↑

⑧ 취성이 커서 파절 야기

재료 15-1-3 치과용 세라믹의 특성을 설명할 수 있다. (B)

4. 치과용 세라믹의 일반적 성질

소결온도에 따른 분류	① 고온소결(1,288~1,371℃): 의치용 인공치에 사용 ② 중온소결(1,093~1,260℃): 전부도재관에 사용 ③ 저온 소결(871~1,066℃): 금속-세라믹 수복물에 사용 ④ 초저온 소결(≤ 700℃)
적용부위에 따른 분류	① 코어용 세라믹 ② 불투명 세라믹: 내부 금속색 차단 ③ 상아질 세라믹 ④ 법랑질 세라믹
가공방법에 따른 분류	① 축성방법 ② 가압 주조용 ③ 용융유리 침투 강화형 세라믹 ④ 절삭 가공용

재료 15-1-4 치과용 세라믹의 종류를 설명할 수 있다. (B)

5. 금속-세라믹 크라운과 전-세라믹 크라운의 특성 차이

① 금속–세라믹 크라운: 금속이 들어가 있어 심미성이 떨어지지만 강도가 높아 구치부에 주로 사용

② 전–세라믹 크라운: 금속이 아닌 세라믹으로만 되어 있어 심미성은 좋지만 강도가 낮아 주로 전치부에 사용

재료 15-1-5   금속-세라믹 크라운과 전-세라믹 크라운의 특성의 차이를 설명할 수 있다. (B)

6. 세라믹 수복물의 접착법   2019 기출

① 세라믹 부분은 불산(hydrofluoric acid)을 이용하여 부식시킨 후 건조, 실란 처리

② 치아는 법랑질을 산 부식시키고 상아질에는 상아질 접착제 처리

③ 레진시멘트를 이용하여 접착

재료 15-1-6   세라믹 수복물의 접착법을 설명할 수 있다. (B)

REFERENCE

POWER 치과위생사 국가시험 핵심요약집 1권

PART 01 | 의료관계법규

법제처 국가법령정보센터 사이트　www.law.go.kr

PART 02 | 구강해부학

대한구강해부학연구회, 구강해부학, 고문사 ; 2014

김명국 외, 구강해부학, 고문사 ; 2011

김민아 외, 구강해부학 실습, 고문사 ; 2011

서은주 외, 최신구강해부학, 대한나래출판사 ; 2017

Margaret J. Fehrenbach 저, 허경석 역, 두경부해부학 실습 ; 2008

前田 健康 외 저, 김종대 외 역, 최신치과위생사 교본 해부생리학, 대한나래출판사 ; 2011

임도선, 두경해부학, 청구문화사 ; 2012

김수관 외, 치과임상해부학, 군자출판사 (주) ; 2005

해부학실습서편찬위원회, 그림으로 배우는 해부학 실습서, 군자출판사 (주) ; 2016

PART 03 | 치아형태학

구효진 외, 치아형태학, 고문사 ; 2012

김주원 외, 치아형태학, 고문사 ; 2012

김민석 외, 치아형태학(셋째판), 대한나래출판사 ; 2012

이태정 외, 치아형태학실습, 대한나래출판사 ; 2014

권순석 외, 치아형태학 실습서, 청구문화사 ; 2016

황미영 외, 치아형태학, 신광출판사 ; 2017

PART 04 | 구강조직학

박주철 외, 조직 · 발생 · 구강조직, 고문사 ; 2014

김응권 외, 구강조직발생학, 대한나래출판사 ; 2015

Antonio Nanci 저, 대한구강해부학회 역, 대한나래출판사 ; 2016

정문진, 구강조직발생학, 청구문화사 ; 2015

임도선, 구강조직발생학, 청구문화사 ; 2008

강경희 외, 구강조직발생학(3판), 군자출판사 (주), 2015

PART 05 | 구강병리학

고은경 외, 구강병리학, 고문사 ; 2016

김정 외, 구강악안면병리학, 고문사 ; 2011

김응권 외, 구강병리학, 대한나래출판사 ; 2013

박광균 외, 치과위생사를 위한 치과생화학(3판), 군자출판사 (주) ; 2014

연세대학교약리학교실, 이우주 의학사전(5판), 군자출판사 (주) ; 2012

PART 06 | 구강생리학

김광수 외, 치과위생사를 위한 구강생리학, 고문사 ; 2014

구효진 외, 구강생리학, 고문사 ; 2014

김운정 외, 구강생리학, 대한나래출판사 ; 2014

Yukio Kakudo, Yo 저, 김종대 역 외, 치과위생사를 위한 구강생리학,
　대한나래출판사 ; 2011

빅광균 외, 치과생화학 및 영양학, 군자출판사 (주) ; 2013

REFERENCE

PART 07 | 구강미생물학

박정수, 구강미생물학, 고문사 ; 2014
김영권 외, 구강미생물학, 고문사 ; 2005
김강주 외, 구강미생물학. 대한나래출판사 ; 2016
김양호, 구강미생물학, 청구문화사 ; 2015
대한감염학회, 감염학(개정판), 군자출판사 (주) ; 2014
박영민 외, 치과위생사를 위한 미생물학, 군자출판사 (주) ; 2012
김각균, 치의학을 위한 필수 미생물학(2판), 군자출판사 (주) ; 2008
김숙향 외, 감염학, 군자출판사 (주) ; 2011

PART 08 | 지역사회구강보건학

김광수 외, 새지역사회 구강보건학, 고문사 ; 2015
김광수 외, 지역사회 구강보건학, 고문사 ; 2010
권홍민 외, 지역사회 치위생학, 대한나래출판사 ; 2012
권현숙 외, 지역사회 구강보건 실무관리, 군자출판사 (주) ; 2012
김영숙 외, 공중구강보건학, 대한나래출판사 ; 2015

PART 09 | 구강보건행정학

강용주 외, 구강보건행정학, 대한나래출판사 ; 2013
신선행 외, 최신공중보건학, 대한나래출판사 ; 2014

PART 10 | 구강보건통계학

김영수 외, 치위생사를 위한 구강보건통계학, 고문사 ; 2012

신선행 외, 구강보건통계학, 대한나래출판사 ; 2013

김병옥 외, 치주학, 제3판, 대한나래출판사 ; 2012

배수명 외. 치위생연구방법론, 군자출판사 (주) ; 2011

PART 11 | 구강보건교육학

장기완 외, 구강보건교육학(5판), 고문사 ; 2014

김인숙 외, 구강보건교육학(4판), 고문사 ; 2018

문연희 외, 구강보건교육학 실무, 대한나래출판사 ; 2012

권현숙 외, 구강보건교육학, 청구문화사 ; 2014

PART 01 | 예방치과처치

백대일 외, 임상예방치학, 고문사 ; 2011

강부월, 예방치학, 고문사 ; 2016

구강보건학 교재편집위원회, 예방치과학, 대한나래출판사 ; 2016

김설악 외, 최신예방치과학(2판), 대한나래출판사 ; 2016

권호근, 예방치과 실전 핸드북, 대한나래출판사 ; 2009

송근배 외, 예방치학실습서(2판), 군자출판사 (주) ; 2015

강부월 외, 현대예방치학(5판), 군자출판사 (주) ; 2014

조민정 외, 예방치위생 실무, 고문사 ; 2018

PART 02 | 치면세마론

조민정 외, 치면세마총론(6판), 고문사 ; 2015

김설악 외, NCS을 위한 기초 스케일링 실습, 대한나래출판사 ; 2016

김설악 외, 치면세마학, 대한나래출판사 ; 2014

김영진 외, 치면세마론(2판), 대한나래출판사 ; 2008

원복연 외, 치면세마론, 청구문화사 ; 2013

이은숙 외, 치주기구활용서, 고문사 ; 2016

PART 03 | 치과방사선학

연세대학교 치과대학 구강과학연구소 치위생(학)과구강방사선학연구회,
구강영상학(2판), 고문사 ; 2014

박일순 외, 구강방사선학실습(5판), 고문사 ; 2015

배현숙 외, 구강악안면영상학, 대한나래출판사 ; 2014

정원균 외 역, 구강방사선학 원리와 임상(제3판), 대한나래출판사 ;2009

Joen Iannucci 외 저, 정원균 외 역, 구강방사선학 원리와 임상(3판),
대한나래출판사 ; 2014

치위생(학)과 구강방사선연구회, 구강영상학(제2판), 고문사 ; 2016

PART 04 | 구강악안면외과학

강현숙 외, 구강악안면외과학, 고문사 ; 2015

남수현 외, 구강악안면외과학, 고문사 ; 2012

강현경 외, 최신구강악안면외과학, 대한나래출판사 ; 2012

김수관 외, 악안면 외상학, 군자출판사 (주) ; 2007

LEONARD B. KABAN 저, 김여갑 외 역, 소아구강악안면외과, 군자출판사 (주) ;
  2006

대한구강악안면외과학회, 구강악안면 외과학 실습서, 군자출판사 (주) ; 2016

대한구강악안면외과학회, 치과위생사를 위한 구강악안면 외과학, 군자출판사 (주)
  ; 2015

대한악안면성형재건외과학회, 악안면성형재건외과학(3판), 군자출판사 (주) ; 2016

대한구강악안면병리학회, 구강악안면병리학, 군자출판사 (주) ; 2002

대한외과학회, 외과학, 군자출판사 (주) ; 2011

대한치과위생사협회, 치과임플란트학, 대한나래출판사 ; 2016

PART 05 | 치과보철학

이재봉 외, 치과보철학, 고문사 ; 2016

정승미 외, 치과보철학(2판), 대한나래출판사, 2013

Herbert T. Shillingburg 저, 양재호 외 역, 고정성 치과보철학(4판),
  대한나래출판사 ; 2013

김주원 외, 치과위생사를 위한 치과보철학, 대한나래출판사 ; 2008

정원균 외, 치과보존학의 원리와 임상(제3판), 대한나래출판사 ; 2013

REFERENCE

PART 06 | 치과보존학

김성교 외, 치과보존학(3판), 고문사 ; 2013

정원균 외, 치과보존학의 원리와 임상(3판) ; 2013

대한치과보존학회, 치과보존학(4판), 대한나래출판사 ; 2003

김설악 외, 치면세마학, 대한나래출판사 ; 2014

PART 07 | 소아치과학

궁화수 외, 소아치과학, 고문사 ; 2011

이상호 외, 소아치과학, 고문사 ; 2013

김종수 외, 소아청소년치과학(2판), 대한나래출판사, 2014

박기태, 소아 · 청소년을 위한 교정치료의 ABC(2판), 대한나래출판사, 2014

이광희, 소아치과학, 청구문화사 ; 2012

Goran Koch 외 저, 김신 역, 임상 소아청소년치과학(2판), 군자출판사 (주) ; 2011

PART 08 | 치주학

신형식 외, 치주과학, 고문사 ; 2013

궁화수 외, 치주과학, 고문사 ; 2013

김병옥 외, 치주학(3판), 대한나래출판사 ; 2012

최성호, 치주학, 청구문화사 ; 2008

시모지 이사오 저, 김여갑 외 역, 치주인대에 의한 재생치료, 군자출판사 (주) ;
   2010

전국치주과학교수협의회, 치주과학(6판), 군자출판사 (주) ; 2015

이용무 외, 치과위생사를 위한 치주학, 군자출판사 (주) ; 2008

PART 09 | 치과교정학

고미희 외, 치과교정학(3판), 고문사 ; 2014

유형석 외, 치과교정학, 고문사 ; 2012

고상덕, 치과교정학, 고문사 ; 2005

김상철 외, 치과교정학, 대한나래출판사 ; 2014

황충주 외, 치과교정학, 청구문화사 ; 2014

정규림 외, Bio 교정, 군자출판사 (주) ; 2015

R.G. wick Alexander 저, 박현정 외 역, 알렉산더의 20가지 원리: 치과교정학의
　알파에서 오메가, 군자출판사 (주) ; 2012

R.G. wick Alexander 저, 박현정 외 역, 알렉산더의 원리(pART II) 장기안정성:
　성공적인 교정치료의 핵심, 군자출판사 (주) ; 2013

PART 10 | 치과재료학

치위생(학)과 치과재료학연구회, 치과위생사를 위한 치과재료학, 고문사 ; 2016

치위생(학)과 치과재료학연구회, 최신치과재료학(4판), 고문사 ; 2014

치위생(학)과 치과재료학연구회, 최신치과재료실습(2판), 고문사 ; 2013

김명진 외, 치과수술에 사용되는 다양한 이식생체재료, 대한나래출판사 ; 2004

김인걸 외, 임상치과재료학(2판), 군자출판사 (주) ; 2011

한국치과재료학교수협의회, 치과재료학(7판), 군자출판사 (주) ; 2015

PART | 기타

국시원홈페이지, wwww.kuksiwon.or.kr

한국치과위생사교육협의회 · 대한치위생(학)과교수협의회, 치위생(학)과
　학습목표, 고문사 ; 2012, 2017